实行琼台农业项下自由贸易的建议
　　（10 条）（1997 年 7 月） ……………………………（224）
实行琼台农业项下自由贸易的建议
　　（26 条）（1998 年 3 月） ……………………………（229）
建立琼台自由贸易区的建议
　　（9 条）（2008 年 3 月） ………………………………（243）

建立洋浦自由工业港区 ……………………………………（247）

确定洋浦经济开发区为出口加工区的建议
　　（16 条）（1998 年 5 月） ……………………………（249）
洋浦经济开发区应成为海南油气综合开发产业集中发展的
　　新兴地区的建议（11 条）（2002 年 3 月） …………（258）
建设洋浦自由工业港区的建议
　　（18 条）（2005 年 4 月） ……………………………（273）

建立我国内地第一个日用消费品免税区 ………………（281）

建立海南消费品免税区的建议
　　（3 条）（2009 年 3 月） ………………………………（283）
支持海南加快"国际购物中心"建设的建议
　　（4 条）（2012 年 3 月） ………………………………（285）
建立海南"消费品免税区"的建议
　　（18 条）（2015 年 12 月） ……………………………（288）

开展旅游、健康等服务业项下自由贸易 ………………（299）

以开放带动旅游，以旅游促进开发的建议
　　（16 条）（1994 年 11 月） ……………………………（301）

建设三亚国际化旅游城市的建议

　　（18 条）（1998 年 5 月）……………………（310）

打好健康海南这张"王牌"的建议

　　（20 条）（2016 年 4 月）……………………（322）

支持海南开展旅游、健康医疗、职业教育等服务业项下

　　自由贸易的建议（4 条）（2017 年 3 月）…………（330）

第三篇　建言以大开放促大改革

以激发市场活力为目标的经济体制改革……………（337）

完善社会主义市场经济新体制，实现海南经济高速

　　增长的建议（11 条）（1992 年 10 月）……………（339）

以放手搞活和发展企业为目标加快推进各项改革的建议

　　（9 条）（1993 年 3 月）……………………（355）

建立完善适合海南实际的市场经济体制的建议

　　（41 条）（1994 年 1 月）……………………（363）

发展海南产权交易市场的建议

　　（5 条）（1994 年 3 月）……………………（388）

服务于海南产业开放的改革措施的建议

　　（24 条）（2000 年 10 月）……………………（392）

海南市场化改革要继续走在全国前列的建议

　　（7 条）（2003 年 1 月）……………………（405）

支持海南成为全国服务业综合改革试点的建议

　　（5 条）（2013 年 3 月）……………………（414）

推进海南"十二五"重点领域改革的建议

　　（26 条）（2011 年 12 月）……………………（417）

海南全面深化改革的重点突破的建议

（50条）（2013年12月）……………………（433）

"十三五"：构建海南开放型经济新体制的建议

（11条）（2015年6月）……………………（443）

以城乡公共服务均等化为目标的社会体制改革……………（455）

完善海南省社会保障管理体制改革方案的建议

（4条）（1992年12月）……………………（457）

建立城乡统一的户籍政策的建议

（9条）（2009年6月）……………………（464）

实现海南基本公共服务均等化的建议

（21条）（2009年11月）……………………（467）

把海南作为全国城镇化综合改革试验区的建议

（13条）（2011年3月）……………………（473）

以绿色发展为目标的环境保护体制改革……………（477）

建设生态经济省，实现可持续发展的建议

（12条）（2000年11月）……………………（479）

实行绿色发展战略

——率先在全国建立第一个环保特区的建议

（15条）（2009年6月）……………………（485）

建立海南国家级环境保护特区的建议

（3条）（2011年3月）……………………（494）

未来5年左右全岛全面推广使用新能源汽车的建议

（12条）（2018年4月）……………………（498）

以资源利用效益最大化为目标的行政体制改革……………(505)
 建立三亚旅游经济区的建议
  （9 条）（2004 年 3 月）……………………………(507)
 海南省城乡一体化体制机制与政策的建议
  （19 条）（2009 年 6 月）…………………………(514)
 加快推进"十二五"海南行政体制改革的建议
  （8 条）（2010 年 10 月）…………………………(523)
 把海南作为全国城镇化综合改革试验区的建议
  （13 条）（2011 年 3 月）…………………………(528)
 以"多规合一"改革形成海南发展新动力的建议
  （26 条）（2015 年 7 月）…………………………(531)
 支持海南按照"一个大城市"深化"多规合一"
  改革试点建议（6 条）（2017 年 3 月）…………(546)

第四篇　提出泛南海经济合作圈的战略构想

建设南海综合开发战略基地……………………………(551)
 加快海南油气综合开发利用的建议
  （22 条）（2001 年 8 月）…………………………(553)
 把海南建设成为南海综合开发战略基地的建议
  （62 条）（2010 年 4 月）…………………………(570)

建设 21 世纪海上丝绸之路"南海基地"………………(587)
 建设 21 世纪海上丝绸之路的"南海基地"的建议
  （13 条）（2014 年 10 月）………………………(589)
 把海南建设成为海上丝绸之路"南海服务合作基地"的
  建议（6 条）（2015 年 3 月）……………………(598)

建设泛南海经济合作先导区·················(601)
  抓住机遇,加快构建"泛南海经济合作圈"的建议
    (50条)(2016年10月)·················(603)
  支持以海南为中心构建泛南海旅游经济圈的建议
    (5条)(2017年3月)·················(627)
  加快建设邮轮母港,实现泛南海旅游经济合作圈的
    重要突破的建议(38条)(2017年6月)·········(630)

各方携手共建泛南海海洋命运共同体·············(641)
  各方携手共建泛南海海洋命运共同体的建议
    (6条)(2019年5月)·················(643)
  中马率先携手共建"泛南海经济合作圈"的建议
    (5条)(2019年8月)·················(646)
  中菲携手推进南海共同家园建设的建议
    (4条)(2020年10月)················(650)

第五篇　建言加快探索建设海南自由贸易港进程

建言《海南自由贸易港建设总体方案》············(655)
  尽快形成海南自由贸易港总体方案的建议
    (20条)(2018年6月)················(657)
  海南自由贸易港总体设想的研究建议
    (60条)(2018年12月)···············(666)

以自由贸易港为目标高标准高质量建设海南自由贸易
  试验区·························(687)
  高标准高质量建设自由贸易试验区的建议
    (10条)(2018年6月)················(689)

高标准高质量建设海南自由贸易试验区的建议
　　（4 条）（2018 年 11 月） ································ (695)

加快推进服务业项下的自由贸易进程 ························ (701)
　　以服务贸易创新发展为主导研究设计海南负面清单的
　　　建议（10 条）（2018 年 6 月） ························ (703)
　　实行服务业项下的自由贸易的建议
　　　（9 条）（2019 年 3 月） ···························· (710)

以"早期安排"尽快取得自由贸易港的"早期收获" ······· (717)
　　以"早期安排"取得"早期收获"的建议
　　　（3 条）（2019 年 10 月） ···························· (719)
　　以"健康海南"的特别之举形成疫情后自贸港开局的
　　　新亮点的建议（8 条）（2020 年 2 月） ················ (724)
　　尽快形成"一线放开"的"早期安排"的建议
　　　（30 条）（2020 年 9 月） ···························· (731)

第六篇　建言对标世界最高水平开放形态的海南自由贸易港

加强海南自由贸易港与东南亚国家的交流合作 ············ (749)
　　推进海南自由贸易港与东南亚区域合作进程的建议
　　　（15 条）（2020 年 9 月） ···························· (751)
　　在海南建立面向东盟的区域性市场的建议
　　　（18 条）（2021 年 4 月） ···························· (758)
　　RCEP 框架下深化海南自由贸易港与东南亚区域合作的
　　　建议（16 条）（2021 年 5 月） ······················· (767)

以制度集成创新为核心 (781)

以深化"多规合一"改革为主线推进海南行政区划体制
改革的建议（10 条）（2019 年 6 月） (783)

加快探索建设海南自由贸易港进程实行特殊的行政体制
安排的建议（9 条）（2019 年 7 月） (789)

加快建立海南自由贸易港经济委员会的建议
（8 条）（2020 年 7 月） (795)

探索适应海南自由贸易港建设的立法体制、司法体制
改革的建议（6 条）（2020 年 7 月） (800)

形成一部最高水平开放法 (803)

推进海南自由贸易港立法的总体思路性建议
（30 条）（2019 年 11 月） (805)

《海南自由贸易港法》立法思路的建议
（19 条）（2020 年 10 月） (824)

关于《中华人民共和国海南自由贸易港法（草案）》的
建议（18 条）（2021 年 1 月） (836)

在改善营商环境上出实招 (843)

海南全面实施企业自主登记制度的方案建议
（36 条）（2018 年 8 月） (845)

全面实行企业法人承诺制的建议
（24 条）（2020 年 12 月） (855)

实行政府政策承诺诚信制度的建议
（28 条）（2020 年 12 月） (862)

以企业需求为导向加快自由贸易港政策落地的建议
（22 条）（2021 年 6 月） (871)

绪 论

建立海南自由贸易港：30年的痴心追求

30年来，中国（海南）改革发展研究院（简称"中改院"）在海南这片热土上扎根成长，孜孜不倦地为海南走向大开放鼓与呼。立足海南、策划天涯，建立自由贸易港成为中改院人30年来的痴心追求和基本实践。

一 走向大开放：从研讨特别关税区到建言国际旅游岛

作为一个岛屿经济体，实现把海南岛的经济好好发展起来的目标，根本出路在于大开放。中改院创立的第一天，即1991年11月1日，就召开了"海南对外开放战略研讨会"。在1991—2017年间，中改院重点研究海南走向"大开放"的基本思路和主要对策，并提出了相关建议。

1. 建院当天研讨海南如何走向大开放

1991年11月1日，建院第一天，中改院举行了"中国（海南）改革发展研究院成立大会暨海南对外开放战略研讨会"，重点研讨海南设立特别关税区。在为期两天的会议中，与会代表从不同角度、不同侧面研讨海南进一步扩大对外开放、加快经济社会发展的战略选择，提出了许多具有建设性和可操作性的意见。这个会议在海南改革开放进程中具有特殊的历史意义。时任省长刘剑锋在会议总结时感慨地说："研讨会增强了我们的紧迫感，我们意识到了肩上的责任，我们有这个决心和信心，把海南改革开放迅速地向前推进一步。"可以说，中改院建院第一天，就立足海南，为海南的开放发展热情高亢地鼓与呼。

2. 建院之初研讨海南特别关税区

中改院一成立，立即组成"建立海南特别关税区课题组"。1992年5月，课题组形成《建立海南特别关税区可行性研究报告（讨论稿）》。先后于1992年5月30日、7月1—2日在北京人民大会堂、海口召开了"建立海南特别关税区可行性研究报告咨询会""建立海南特别关税区国际咨询会"，就建立海南特别关税区的可行性及其具体操作方案进行咨询。在听取咨询意见的基础上，课题组对研究报告又进行了修改。1992年12月，形成《建立海南特别关税区可行性研究报告》。报告吸收了有关方面的建议和意见，并在一定程度上反映了海南社会各方面要求建立特别关税区的呼声。报告提出，建立海南特别关税区，就是充分利用海南独特的地理条件和优越的资源条件，实行"一线放开、二线管住"的特别关税制度和世界上通用的自由港经济政策，建立社会主义市场经济体制，大量吸引外来资金，以高投入带动高增长，推动海南经济全面高速发展，实现中央办全国最大经济特区的战略意图。

3. 建议实行琼台农业项下的自由贸易

九十年代中期，争取实现琼台农业项下的自由贸易，是海南进一步扩大开放的战略选择，是极大促进海南现代农业发展的一条重要途径，也是促进琼台农业合作的重大举措。1996年在中改院形成的《海南进一步扩大对外开放的23条建议》中提出了"实现琼台农业项下自由贸易"的建议。1997年初，中改院提出了"多方努力尽快促成琼台农业项下的自由贸易"的相关建议：一是争取实行免关税政策，为促成琼台农业项下的自由贸易创造条件；二是采取土地地价政策、推进琼台金融合作、设立"琼台农业开发基金"等举措，从多方面促进琼台农业项下的自由贸易；三是争取中央支持，尽快制订具体操作方案，尽快就琼台农业项下的自由贸易问题与台湾相关部门进行对话和交流。中改院专门组成"琼台农业项下的自由贸易课题组"，并于1998年3月形成《关于实行琼台农业项下自由贸易的建议报告》。

4. 2000—2017年，孜孜不倦地为海南国际旅游岛建言献策

21世纪初期，随着我国加入WTO，区域开放的优势减弱，产业开放成为对外开放的主流。在此背景下，2000年7月，中改院形成了《以产业开放拉动产业升级，实现海南经济持续快速增长——中国加入WTO背景下的海南经济发展战略》研究报告，提出海南产业开放战略。

2001年12月，中改院形成了《海南国际旅游岛建设的框架建议》，以书面形式正式提出了海南国际旅游岛的主要内涵、机遇与背景、条件以及相关建议。2002年6月，形成了《建立海南国际旅游岛可行性研究报告》，进一步提出国际旅游岛建设总的思路是以旅游产业的全面开放带动海南旅游业的快速发展，以提升旅游业的国际化水平，并初步形成了建立海南国际旅游岛的政策框架。

2007年4月26日，中国共产党海南省第五次代表大会明确提出，"海南要努力构建更具活力的体制机制，就要加大旅游开放，推动国际旅游岛建设"，国际旅游岛从学术研究上升为地区战略。2007年6月，按照海南省政府领导的要求，中改院研究形成了《推进海南国际旅游岛（方案建议）》。6月底，由国家发改委牵头的中央六部委来海南就建设国际旅游岛问题进行调研，海南省政府将此建议作为向中央六部委联合调研组汇报的主要材料。2008年4月，根据海南省政府领导的要求，中改院研究形成了《海南国际旅游岛建设行动计划》，以海南省政府名义颁布实施。

2009年6月，中改院正式向省委省政府提交了《国际旅游岛：

政策需求与体制安排》研究建议。该建议得到了海南省委省政府主要领导的高度评价，并成为省委省政府向中央相关部委来琼调研组汇报时的背景材料。

二 建立自由贸易港：海南走向大开放的根本出路

2017年6月至2020年5月的三年间，中改院关于海南问题的研究主要围绕三个方面展开：第一，谋划海南中长期发展战略，并提出海南全岛建立自由贸易港。第二，服务于研究并主动建言《海南自由贸易港建设总体方案》。第三，建言、呼吁以海南自由贸易港为目标高标准高质量建设自由贸易试验区。第四，建言新冠肺炎疫情冲击下的海南自由贸易港要开好局。

1. 建言海南全岛建立自由贸易港

2017年，中改院组成课题组专题研究落实习近平总书记2013年4月视察海南时讲话的行动建议，并于7月17日正式向省委省政府提交了《以更大的开放办好最大的经济特区——关于海南全面深化改革的建议（44条）》。这份研究建议的第三部分为"建立海南自由港的重大战略选择"。

8月3日，课题组主动形成《建立海南自由港——方案选择与行动建议（16条）》，后又增加了4条，形成《建立海南自由港——方案选择与行动建议（20条）》。报告提出了建立海南自由贸易港的方案选择、战略定位、时间表和路线图。8月中旬，国家发改委等部门来海南调研，中改院向省委提交的这份20条建议报告作为主要汇报材料。

2. 建言以建设自由贸易港为目标推进海南自由贸易试验区建设

习近平总书记发表"4·13"重要讲话后，中改院用了近1个月的时间编写了《自由贸易试验区、自由贸易港100问》，分为上中下三篇，分别介绍了自由贸易区（港）的基础知识、国际案例和海南使命，成为当时省内相对比较全面的基础性、普及性的读本。

同时，4月22日，中改院在京召开"中国（海南）自由贸易港建设专家座谈会"。6月29日，中改院向省委省政府提交了《高标准高质量建设自由贸易试验区——建设海南自由贸易港的基本要求和重要基础（10条建议）》，提出：按照中央要求，以中国特色自由贸易港为目标高标准高质量建设自由贸易试验区；以2—3年时间取得自由贸易试验区的重要突破，为自由贸易港建设打下重要基础。10月，中改院与相关机构共同举办以"高标准高质量建设海南自由贸易试验区"为主题的研讨会，重点研讨以自由贸易港为目标的开放、制度创新的重大任务。

3. 牵头成立中国特色自由贸易港研究院

2018年5月9日，经海南省政府批复同意，由中改院牵头，中国南海研究院、海南大学、海南师范大学等单位参与共建，成立中国特色自由贸易港研究院（以下简称"自贸院"）。6月27日，自贸院成立大会暨揭牌仪式在中改院举行。

3年来，中改院牵头组织做好自贸院这个研究平台、网络平台和学习交流平台，开展海南自由贸易试验区、自由贸易港的理论与政策研究，并以"小机构、大网络、平台型"的办院模式，广泛吸引海内外知名专家以多种形式为海南自由贸易港建设献计献策，为省委省政府决策提供智力支持。2021年6月，冯飞省长做出重要批示，"自贸院做了大量卓有成效的工作，望进一步发挥自身智力优势和影响大、联系广的网络优势，深度研究、广纳良言，多出高质量的咨询意见"。

4. 提出海南自由贸易港的初步设想

2018年6月，中改院向省委省政府提交了《尽快形成海南自由贸易港总体方案的建议（20条）》，提出以服务国家战略为目标，以建设中国特色自由贸易港为主题，以服务贸易创新发展为主导，以全面制度创新为核心，以顶层设计、顶层协调为保障，形成海南自由贸易港建设总体方案。

2018年11月中旬，中改院组成"海南自由贸易港总体方案研究课题组"，对海南自由贸易港的战略目标与定位、政策与制度体系、从自由贸易试验区到自由贸易港的行动方案等进行专题研究。在前期研究的基础上，经过数次讨论，12月上旬，初步确定了报告写作框架。之后，课题组加班加点，于12月28日上午形成了《海南自由贸易港总体设想（研究建议60条）（征求意见稿）》。当天下午，中改院组织召开了"《海南自由贸易港初步设想》专家座谈会"，就60条建议征求有关专家和相关部门意见。12月30日，正式形成了《海南自由贸易港初步设想（研究建议60条）》，12月31日，正式提交给省委省政府和中央相关部委。这份报告得到了中央领导和省委领导的重要批示。

5. 建议尽快以"早期安排"取得"早期收获"

2018—2019年，中改院按着习近平总书记"4·13"重要讲话提出的"以开放为先""以制度创新为核心"的要求，开展系列研究。例如，围绕"开放为先"，中改院于2018年7月形成了《以服务贸易创新发展为主导研究设计海南负面清单的框架建议（10条）》，提出了具体的"海南版"负面清单及其配套制度体系；9月，形成了《以极简负面清单为重点打造对外开放新高地（16条建议）》；2019年4月，形成了《实行服务业项下的自由贸易——加快探索建设海南自由贸易港进程的建议》，提出海南要抓住今后2—3年的时间窗口期，实现从自由贸易试验区向自由贸易港的实质性破题，关键在于加快推进服务业项下的自由贸易进程。

围绕制度创新，中改院于2019年7月向中央提交了《加快探索建设海南自由贸易港进程实行特殊的行政体制安排（9条建议）》，提出在全岛建立海南特别经济区的设想，并得到国务院领导的批示；7月，形成了《以深化"多规合一"改革为主线推进海南行政区划体制改革（10条建议）》；10月，中改院举办"加快探索建设海南自由贸易港进程论坛"，并提出了以"早期安排"取得"早期收获"的相关建议。

6. 疫情中建言以打造"健康海南"王牌形成自贸港开局新亮点

2020年初，面对新冠肺炎疫情对海南服务业的严重冲击，从农历正月初八开始，中改院课题组就开展了疫情冲击下自贸港开局问题的课题研究。并于2020年2月20日正式向省委省政府提交了《以"健康海南"的特别之举形成疫情后自贸港开局的新亮点（8条建议）》。这份研究建议得到了省委省政府主要领导的批示。此外，省政府组织省卫健委、省委宣传部、省委编办、大数据管理局、药监局、疾控中心等8条建议涉及的部门，就研究建议的落实做专题讨论。

三 建言对标世界最高水平开放形态的海南自由贸易港建设

2020年6月1日，《海南自由贸易港建设总体方案》（简称《总体方案》）正式发布。习近平总书记对海南自由贸易港建设做出重要指示。中改院按照习近平总书记的重要指标精神和要求，围绕加快落实《总体方案》中的重大问题开展专题研究，积极建言。

1. 建议推进行政体制等制度集成创新

2020年6月1日，习近平总书记对海南自由贸易港做出重要指示，强调"要把制度集成创新摆在突出位置"。中改院课题组承担了省委提出的《制度集成创新研究参考题目》中的"党政机关和法定机构的设置、职能、权限、流程等制度集成创新"的课题研究任务。在前期研究积累基础上，课题组系统比较研究了新加坡、中国香港、阿联酋迪拜等国际成功自由贸易港行政体制的相关做法，并结合《总体方案》的要求，于6月17日正式向省委省政府提交了《建立与最高水平开放形态相适应的高效率行政体制——关于海南行政体制改革研究建议（18条）》。在这份建议基础上，课题组又形成了《加快建立海南自由贸易港经济委员会（8条建议）》，就海南自由贸易港经济委员会设立的目的、职能、路线、配套人事制度改革等问题建言献策。

2. 建议形成一部最高水平开放法

2019年3月15日，十三届全国人大二次会议批准启动海南自由贸易港法立法相关工作。6月，受全国人大财经委委托，中改院承担"海南自贸港建设的中国特色与法治保障"研究，在9月形成《推进海南自由贸易港立法总体思路研究（30条建议）》并报送全国人大财经委。全国人大财经委在《结题意见》中写道，"报告提出的建议紧密结合海南实际情况，具有前瞻性和针对性，对于我们开展海南自由贸易港建设专题研究具有重要借鉴意义"。

2020年8月15日，中改院与国浩律师事务所正式合作设立中改院—国浩自贸港法律研究院。当天召开"海南自由贸易港立法与司法体制创新研讨会"，重点研讨海南自由贸易港法涉及的自主权等问题以及海南自由贸易港立法司法体制创新。

2020年10月，中改院向全国人大和省委省政府提交了《〈海南自由贸易港法〉立法的思路性建议》，这份研究建议得到了全国人大主要领导和省委主要领导的批示。12月，课题组进一步形成并向省委提交《〈海南自由贸易港法〉的若干建议》，得到了省委主要领导的批示。2021年1月4日，《中华人民共和国海南自由贸易港法（草案）》公开并向社会征求意见，课题组学习并研究草案的相关内容。2021年1月，中改院形成并向全国人大提交了《关于〈中华人民共和国海南自由贸易港法（草案）〉的建议（18条）》《关于〈中华人民共和国海南自由贸易港法（草案）〉的修改建议》两份建议，并得到了全国人大主要领导的批示。

3. 建议加强海南自由贸易港与东南亚国家交流合作

自《海南自由贸易港建设总体方案》公布至今，推进海南自由贸易港与东南亚国家的务实交流合作始终是中改院的研究重点。2020年6月，中改院受国家发改委地区经济司委托，承担了"加强海南自由贸易港与东南亚国家交流合作"研究课题。8月6日，中改院与新加坡国立大学东亚研究所合作举办"海南—新加坡线上专家研讨会"，重点研讨海南自由贸易港与东南亚区域合作问题。9月1日，中改院课题组形成了《推进海南自由贸易港与东南亚区域合作进程——打造"重要开放门户"的重大任务（15条建议）》与6个专题建议，提出了推进海南自由贸易港与东南亚区域合作的总体思路、产业重点、人文交流的具体举措等。在此基础上，课题组进一步修改并于9月8日向中央及省委省政府提交了《加强海南自由贸易港与东南亚国家的交流合作——打造"重要开放门户"的重大任务（8条建议）》。

2021年4月，中改院提出把建立面向东盟的区域性市场作为加强海南自由贸易港与东南亚国家交流合作的关键之举与突破口。4月13日，即习近平总书记发表"4·13"重要讲话三周年之际，主办了以"建立面向东盟的区域性市场——加强海南自由贸易港与东南亚国家交流合作"为主题的研讨会。在前期研究基础上，参考与会代表相关观点，中改院课题组研究形成《关于在海南建立面向东盟的区域性市场的建议（18条）》。2021年6月1日，在《总体方案》发布一周年之际，中改院与相关研究机构共同举办以"自由贸易港企业政策需求"为主题的座谈会，重点研讨"原产地政策创新"与"企业'走出去'政策需求"。会后，课题组形成了《以企业需求为导向加快自由贸易港政策落地（22条建议）》，并报送中央有关部门和海南省委省政府。

30年来，中改院始终坚持以高度的使命感、责任感关注海南、研究海南、策划海南，积极主动地服务于海南走向大开放、建设自由贸易港的政策决策需求，始终坚持为海南的改革开放和发展建言献策。

第一篇
建言走向大开放

开放是一个岛屿经济体发展的根本出路。探索走向大开放是中改院30年立足海南,策划天涯的一条主线。回顾30年走向大开放的建言历程,大致经历了三个阶段。

第一阶段(1991—1992年),研讨设立海南特别关税区。中国(海南)改革发展研究院建院的第一件事就是召开海南对外开放战略研讨会,为海南走向大开放、建立特别关税区热忱、高亢地鼓与呼。1992年,又先后3次在北京和海口召开建立海南特别关税区国际研讨会和咨询会;经过多次研讨和论证,于1992年12月正式形成《建立海南特别关税区可行性研究报告》。

第二阶段(2000—2017年),建言海南国际旅游岛。在我国加入WTO的大背景下,产业开放成为对外开放的重大任务。中改院提出,海南需要抓住产业开放机遇,以产业开放拉动产业升级,务实选择是建设国际旅游岛。从2000年后,中改院孜孜不倦地建言国际旅游岛。2000—2006年,提出海南国际旅游岛的概念,研究重点是国际旅游岛的基本内涵、主要框架和可行性。2007—2009年,国际旅游岛写入省党代会报告以后,研究重点集中在国际旅游岛的总体方案和行动建议上,并积极配合省委省政府形成向中央申请设立国际旅游岛的研究材料。2010—2017年,国际旅游岛上升为国家战略后,研究重点是服务于国家战略,以国际化为目标打造国际旅游岛升级版。

第三阶段(2017年7月—2018年2月),建言全岛设立自由贸易港。站在海南建省办经济特区30周年的新历史起点上,未来30年海南的发展主线是什么?战略选择是什么?2017年7月,中改院研究提出"把更大程度的开放作为未来30年海南发展的主线""把建立自由港作为海南实现更大开放的重大战略选择"。2017年8月,进一步聚焦自由贸易港方案选择和具体行动,鲜明地提出在海南全岛建立我国内地第一个中国特色社会主义自由贸易港是最优选择。

建立海南特别关税区

海南要实行"大开放"方针的建议（4条）[*]

（1991年11月）

一 实行"大开放"的方针，加快海南改革开放的步伐，是海南所面临的必然选择

海南作为全国最大的经济特区和综合改革试验区，在90年代要争取一个较大的发展，唯一的选择就是加快改革开放的步伐，坚定不移地实行"大开放"的方针，什么是"大开放"？"大开放"就是在对外开放的程度、范围、方式等方面都要有新的突破、有大的动作。根据中央建设大特区的要求，在海南实行比其他特区更特殊的政策和体制。

1. 实行"大开放"的方针，符合邓小平同志和党中央、国务院建设海南特区、扩大对外开放的战略意图

海南建省办特区，通过在海南实行更加开放的政策，在经济体制方面进行创新，使之与国际经济惯例相适应，与国际市场对接，从而创造出一个在社会主义制度基础上的经济起飞模式，这是邓小

---

[*] 迟福林提交给中改院成立大会暨海南对外开放战略研讨会的论文，1991年11月1日，海南海口。

平同志关于在中国建设几个香港的战略构想的具体组成部分。邓小平同志说，海南岛经济特区好好发展起来，是很了不起的，是很大的胜利。通过实行"大开放"方针，促进海南岛的开发建设，可以向世界证明，在社会主义制度下，完全可以实现经济高速发展的奇迹。

2. 实行"大开放"的方针，是从海南实际出发的战略决策

海南岛拥有十分丰富的自然资源和优越的地理条件，但经济基础十分薄弱，经济发展起步晚，没有深圳等经济特区的"先发优势"。因此，海南的真正优势在于开放。要使自然优势和政策优势转变为现实的生产力，必须实行更大的开放，通过"大开放"求得大发展。

3. 实行"大开放"的方针，是经济生活国际化趋势的客观要求

"二战"后，特别是进入 80 年代以后，世界经济发展最引人注目的现象就是愈来愈强的经济生活国际化趋势，所有国家的经济都通过世界市场的纽带相互联系。90 年代，经济生活国际化的趋势将进一步发展。开放是经济国际化的前提，经济一体化、国际化的程度越高，相应地要求开放度也越高。海南经济要适应愈来愈强的经济生活国际化的趋势，客观上要求实行更加开放的经济政策。通过大开放更大程度地参与世界市场竞争，从而促进海南经济的迅速发展。

4. 实行"大开放"的方针，是海南在当前国际经济环境之下的对应之策

从当前的世界经济政治格局来看，我们面临着一个国际风云变幻的大环境，但 90 年代国际经济秩序的主题将依然是和平建设和经济竞争。海南毗邻东南亚各国，不仅有亚洲"四小龙"经济发展的强大压力，而且泰国、马来西亚、印度尼西亚等国也酝酿着新的

经济起飞。印度支那问题解决以后，与海南最为邻近的越南也开始实行较大程度的开放政策。在周边国家和地区相继实行大开放、大发展的国际环境下，海南的应对之策，就是相应地实行更大开放的方针，积极主动地参与国际市场竞争，否则就将再次痛失发展时机。

5. 实行"大开放"的方针，也是国内对外开放格局调整后海南必须采取的相应对策

近年来，较早设立经济特区的南方省份，受到了来自上海、烟台、青岛、天津、大连等北方港口城市深度开放的压力与挑战。目前，开放城市和经济特区都在争取对外开放方面的优惠政策。海南本来经济基础差，起步晚，发展更大程度地依赖于政策优惠。如果海南不尽快在扩大对外开放上寻求新的路子，政策优势的级差将很快丧失殆尽。因此，海南在对外开放方面必须有新的突破，有大的动作。

二　海南实行"大开放"方针，就必须提出与海南省省情相适应的对外开放新思路和相应的政策设计，在实行更加开放的政策方面有新的突破和新的动作

1. 政策基础

全面落实《国务院批转〈关于海南岛进一步对外开放加快经济开发建设的座谈会纪要〉的通知》（国发〔1988〕24号文件）和《国务院关于鼓励投资开发建设海南岛的规定》（国发〔1988〕26号文件），由于这两个文件的许多条文都没有落实，目前在3年治理整顿的基本任务已经完成的情况下实行更加开放的方针，其政策依据就是全面逐项落实国务院24、26号文件。

2. 体制创新

海南现行体制并没有充分体现一个"特区省"所应该具有的地位，从而成为全面落实国务院24、26号文件不可逾越的体制性障

碍。在海南现行体制下，由于受条条管理限制，24、26号文件中的许多条款在实行过程中必然与中央职能部门发生矛盾和摩擦，因此很难全面落实。要使中央给予海南的各项优惠政策能够真正得到落实，就必须进行体制创新，实行中央对海南一个口子领导，因而要设立海南特别关税区。

3. 总体构想

设立海南特别关税区的总体构想是：在国家海关总署的指导下，实行"一线放开，二线管住"的特别关税区制度。海南与内地的经济联系受海关管制，视同进出口。海南在中央统一领导和监督之下，具有相对独立的经济地位、更大的经济活动自主权和更全面的省内事务管理权。与此同时，要在海关体制、金融体制、货币制度、财政税务体制、外贸管理体制、物资管理体制、基本建设体制等方面进行与特别关税区制度相适应的制度创新。

4. 基本条件

海南具有设立特别关税区的基本条件。首先，海南四面环海，与大陆有琼州海峡相隔的天然屏障。实行"一线放开，二线管住"的特别关税区制度，其封闭成本低，同时具有较大的可操作性。其次，海南经济水平低，占全国经济总盘子的份额小，实行特别关税区制度所产生的震荡对经济的整体影响不大，从而降低了进行整体性改革的难度和协调成本。最后，海南是一个贫困落后的、农业人口占绝大多数的地区，又是我国最大的经济特区。如果利用其可控性较强的特性，通过封关进行对外开放的典型试验，对全国的改革而言，开放具有其他特区所无法比拟的示范效应。

5. 具体步骤

（1）海南要扩大对外开放，设立海南特别关税区只是一个时间问题。但是，特别关税区是一个牵涉面广、政策性强的重大措施。原则上应采取逐步过渡，分步到位。具体说，作为过渡，近期应以洋浦开发为基本模式的成片开发作为海南扩大开放的主要路子。这种模式通过一段时间的试验之后，再逐步推广到全岛，即在全省建立特别关税区。

（2）实行大特区套中、小特区的方式不能作为海南扩大对外开放、发展外向型经济的目标模式。因为：第一，只开几个小口子，靠几个小特区是很难把整个海南岛的开发建设带动起来的。第二，如果只顾海南搞几个"一线放开、二线管住"的出口加工区或保税区，其封闭成本很高，封闭效果不一定好，而且还容易出现资源的错误配置。第三，在目前基础上搞几个出口加工区、开发区或保税区的"小特区"，并不能根本解决实行"大开放"与现行体制的矛盾。第四，现在全国许多开放城市都在搞保税区或出口加工区，海南作为一个基础差、起步晚的最大特区，要保持自己的独特优势，就必须跳出这种模式去探索更大开放的新路子，现在就应着手实施建立特别关税区的方案。

（3）实施特别关税区方案可能遇到各种风险和困难。第一，海南实行特别关税区制度，风险是有的，然而是可以承受的，对全国来说也影响不大。第二，海南建立特别关税区，困难是有的，但基本条件是具备的，而且主要的困难，例如资金问题、财力问题等，只能通过"大开放"，在实行特别关税区制度的过程中来解决。至于"一线放开，二线管住"则属于技术性的、管理方面的问题；即使不搞大开放，客观上也存在着海关管理问题。

（4）设立海南特别关税区必须克服认识的障碍。即在海南实行特别关税区制度是整个经济体制改革的组成部分，属于经济管理体制改革范畴，而不是政治制度概念。因此，不要把实行特别关税区同国家主权、同"四项基本原则"对立起来。

三 海南实行"大开放"方针，必须把经济体制、行政体制的改革结合起来

海南作为全国最大的经济特区，其优势在于开放。海南的改革必须紧紧地把握住是否有利于开放这个主题，坚持"以改革促开放、改革为开放服务"的方针，大胆地推进各项改革，为海南建立有利于对外开放的新体制创造条件。这个新体制是既适应海南的实际情况，又能按照国际惯例办事的、有利于逐步向外向型经济发展的管理体制和运行机制。

1. 完善以市场协调为基础的经济运行机制

（1）海南作为全国最大的经济特区，要实行"大开放"的方针，大力发展外向型经济，就必须按照中央提出的"要在国家宏观计划指导下，建立有利于商品经济发展，主要是市场调节的新体制框架"的要求，实行更加灵活的改革措施，逐步建立符合国际惯例的运行机制和管理体制。

（2）海南实施"大开放"战略，应该明确提出搞社会主义市场经济。商品与市场、商品经济与市场经济是同一问题的两个方面，从理论上来讲，二者具有同等的含义，为什么不可以提出多搞一点市场经济？可以有资本主义市场经济，也可以有社会主义市场经济。当然，重要的不在于名词之争，而在于在实践中去探索计划与市场结合的具体形式，探索社会主义市场经济的发展模式。

（3）海南实行"大开放"战略，发展外向型经济，最基本的前提是要有一个健全开放的市场体系。因此，要按照扩大开放的要求，建立和健全各种市场，同时要尽快理顺价格关系，为各种企业进行平等的竞争创造条件。

2. 深化企业改革，使企业真正成为市场活动的主体，真正成为独立的商品生产者和经营者

在海南深化企业改革，主要包括两方面的任务：首先，要按照

政企分开的原则，深化国有企业改革，转换企业经营机制，把企业推向市场，同时要重点地实行股份制以及拍卖、兼并、破产等深层次的改革措施。其次，实行多种经济成分的平等竞争，既要发展和壮大公有制经济，又要为私营经济、"三资"企业的发展创造条件，真正做到各种经济成分的企业在市场上一律平等竞争，政策上一视同仁。

3. 尽快推进以社会保障制度综合改革为主的相互配套改革

在全面推行社会保障制度改革的同时，积极推进劳动人事制度、工资制度、住房制度等方面的改革。

4. 进一步完善"小政府、大社会"体制，强化以间接管理为主的"小政府"宏观调控体系

"小政府、大社会"的体制是海南的一个大创造，是实行"大开放"战略的政治体制保证。要逐步完善这一体制，使"小政府"小而有效，"大社会"大而完善。

海南的"小政府"体制受到来自各方面的压力，目前，中央政府有69个部委和总署总局，海南只有26个厅。在海南向中央对口部门要求财力支持时，凡是没有与中央对口设厅的部门立即受到设厅的压力，要通过体制改革来解决上述矛盾，比如中央政府把各口对海南的财政支持集中起来，切块下达。设立海南特别关税区，是从根本解决这些矛盾的体制创新。

5. 抓好县级综合改革

海南是全国最大的经济特区，下辖19个市、县。海南实行全方位的对外开放，在全岛发展外向型经济，这就要求全省的各个县市都要通过改革，走上商品化、市场化的经济发展轨道。县级经济问题不解决，将极大地制约海南经济特区对外开放的速度、范围和纵深度。因此，加强县级综合改革应纳入海南扩大对外开放的总体战略之中，予以重视。

四　海南经济结构调整和技术引进问题

海南经济结构调整和技术引进方面应注意以下几个问题：

1. 改变有增长无发展的状况

海南的经济发展不仅要求有量的增长，同时要求有结构变化。要加速农业劳动力转移和城市化水平提高的进程。

2. 海南农业发展要发挥独特的自然条件优势

依据国内外市场需要，尽可能多生产一些热带作物和反季节产品，以发挥自己的比较优势，满足市场对热带产品的需要，而不要片面强调粮食自给，从全国来讲，强调粮食自给是为了政治上不受制于人，而海南作为一个省，作为一个对外开放的特殊省，在这方面应与全国有所差别。

3. 海南对外开放不仅要着眼于高技术产品的引入，也要引进适合本岛生产的初级产品

只着眼于高技术而不接受初级产品和适用技术是不全面的对外开放。要两条腿走路，高技术的引入和一般技术的引入，高技术产品的引入和初级产品的引入并举。

建立海南特别关税区的方案建议
(26条)[*]

(1992年5月)

海南岛的经济好好发展起来,唯一的出路是实行"大开放"的方针。"大开放"不是一般意义上的对外开放,它是能够完全按照国际惯例办事的全方位开放;是实行特殊优惠政策,大力吸引外来投资和真正形成有利于各类企业平等竞争局面的深层次开放,海南建省办经济特区4年来,经济社会发展取得比较明显的成效。但是,按照"大开放"的要求还有相当差距。当前,我们学习落实邓小平的重要谈话,最主要的任务是积极大胆地提出海南"大开放"的根本性措施,充分发挥海南对外开放的总体优势,这个根本性措施,就是全省上下议论4年之久的建立海南特别关税区。

一 建立海南特别关税区的基本含义

建立海南特别关税区,就是充分利用海南独特的地理条件和优越的资源条件,实行"一线放开、二线管住"的特别关税制度和世界上通用的自由贸易港经济政策,建立社会主义市场经济体制,大量吸引外来资金,以高投入带动高增长,推动海南经济全面高速发

---

* 节选自中改院课题组《海南特别关税区可行性研究报告(征求意见稿)》,1992年5月。

展，实现中央把海南办成全国最大经济特区的战略意图。

1. 实行"一线放开、二线管住"的特别关税制度

"一线放开"，即海南特别关税区与境外的资金、货物、人员进出基本放开。

"二线管住"，即在保证海南与内地正常的生产、生活资料交流的同时，严格管理海南免税进口的外国商品输往内地。

2. 实行世界上通用的自由贸易港经济政策

（1）实现四个重要的功能：一是利用自由口岸的功能大力发展贸易特别是中转贸易，并通过中转贸易极大地拉动工业、农业等相关产业的发展；二是利用生产资料进口和产品出口免税的有利条件，极大地发展免税出口加工业；三是利用基本免除商品进口税的优惠条件，加速形成价格低廉的购物中心，并由此带动旅游业和第三产业的大发展；四是充分利用基本放开外汇管制、货币可自由交换的条件，加速形成和发展国际金融业，并由此促进和带动外向型经济的高速发展。

（2）实行放开经营的外贸政策。建立海南特别关税区，海南有充分的贸易进出口自主权，除国际被动配额和少数限制进口的商品外，取消配额和许可证制度，基本实现货物的进出自由。

（3）实行自由兑换的政策。建立海南特别关税区，通过放松乃至取消外汇管制，实现货币的自由兑换，为商品、资本、劳务的自由进出提供必要条件。

（4）实行人员自由进出的政策。对境外人员的进出继续执行"落地签证"的政策，做到方便自由；对内地来海南的人员，须持有海南特别关税区通行证；对本地从事经济、科技、文化活动的业务人员出境予以放宽，并简化手续。

（5）实行自由企业制度的政策。建立特别关税区，大规模引进内外资金，除了实行资金、货物、人员自由进出政策外，还有一个

至关重要的政策，就是实行自由企业制度政策。除鼓励多种所有制企业的平等发展外，还要逐步形成自由办企业的制度。任何投资者都可以申请到海南办企业，经过最简单的审批程序，即可登记注册企业。与此同时，实行放开经营的企业制度，应逐步取消对各类企业经营项目的限制，允许各类企业在平等竞争的条件下放开经营。

3. 保证海南省在中央的统一领导下享有充分的经济和活动自主权

省内属于中央统一管理的外事、司法、海关、边防等方面的事务，建议由国家主管部门根据海南的特殊情况，制定专项管理办法。其他凡是涉及海南经济发展的政策和体制等方面的问题，由海南省根据实际自主决定，报中央备案。

4. 在国家宏观指导下，海南的改革要有更大的灵活性，建立和完善社会主义市场经济体制

海南根据发展外向型经济的需要，在金融、货币、财政、税收等方面进行一系列改革，全面进行社会主义市场经济的试验。

5. 建立海南特别关税区，海南拥有广泛的经贸自主权，并逐步形成相对独立的贸易政策体系

其透明度和开放度高于全国的政策，关税保护的总水平也会低于全国平均水平。这些都和关税贸易总协定（GATT）中关于单独关税区加入总协定的要求相符合。因此，建立海南特别关税区以后，海南可以创造条件，谋求作为中国的一个单独关税区，加入关贸总协定，以中华人民共和国代表团成员资格参加有关关税和贸易谈判的地区性会议，就某些技术性问题发言，享受单独的国际被动配额分配。

二 建立海南特别关税区的方案建议

中改院课题组在研究设计海南特别关税区方案时，总的考虑是，既要按照国际惯例办事，又要从海南的实际出发，严格管理；

既要大力发展外向型经济，又要有利于加强海南同内地的经济联系；既有利于起步，注意其现实可操作性，又要兼顾长远，逐步到位。从这种考虑出发，设计方案涉及的主要问题是：

6. 海南特别关税区的海关管理

建立海南特别关税区，海南要按照"一线放开、二线管住"的原则，根据基本放开的对外贸易政策，进行海关管理。其具体操作方案设想是：

（1）设立海南特别关税区，海口海关仍隶属国家海关总署，是国家海关总署在海南的派出机构，实行特殊的海关管理体制和政策。建议由国家海关总署制定经国务院批准的《海南特别关税区海关管理办法》和《海南特别关税区关税条例》，海口海关依照其监管海南的进出口货物，稽征关税，查缉走私，编制海关统计。

——海口海关实行一、二线管理线重叠的"双线管理"，即同时担负海南的进出口管理和海南同内地的物资贸易管理。

——在海关管理的具体政策方面，建议借鉴世界最著名的自由贸易港——香港的做法，除遵守国际规范，对战略物资（如武器、军火）、非法商品（如毒品、保护性动植物）、危险性物品（如生物疫苗、放射性物品）三种物品实行输出入许可证制以外，基本解除海关管制；除对烟草、酒类、甲醇、某些碳氢油和不含酒精饮料、化妆品六类货品课征关税，其余商品无论自境外进口还是自本岛出口均适用零关税。

（2）在海南特别关税区与国内的二线海关管理上，对海南特别关税区与国内的资金、货物、人员进出，一方面必须从严管理；另一方面，必须在海关监管下，保留传统意义上的正常往来和管理办法。

——从海南特别关税区运往内地的货物，凡含有进口料件的，必须补缴关税；属于国家限制进口的，必须凭证补税后进入内地。

——内地运入海南属于国家配额许可证管理又直接出口的商品，凭国家配额许可证，由海关验放。

（3）加强海关管理，打击走私活动。为了使海口海关担负起管住二线的任务，建议扩大海口海关的监管力量，扩充编制和定员，以适应海南特别关税区二线管理的需要。为了打击走私活动，必须加强缉私力量，加强海上巡逻，对走私分子从严惩处。

7. 海南特别关税区的金融管理

（1）中国人民银行海南省分行在中国人民银行总行的宏观指导下，充分发挥海南特别关税区中央银行的宏观管理职能和作用，保持资金的总平衡和金融市场的正常秩序。

——中国人民银行总行对海南实行"资金切块"，由中国人民银行海南省分行负责管理信贷规模，自求平衡。

——特别关税区的资金进出基本自由。中国人民银行海南省分行通过对利率、准备金率、贴现率的管理和公开市场业务对资金供求和汇率等进行调节。

——制定有关的金融法规，用法律手段保证金融市场的正常秩序。

（2）在海南特别关税区内实行货币的自由兑换。有两种方案：一是将人民币作为区内有限制的可兑换货币，率先进行人民币自由兑换的改革试验；二是将人民币外汇兑换券作为可兑换货币。

——无论采用哪种方式，都应以实行自由汇率制度为目标。为使汇率保持在合理水平，建议国家拨给中国人民银行海南省分行一笔平准基金，通过有关的金融手段，对汇率进行间接调节。

——允许外汇自由汇出特别关税区。

（3）积极稳妥地发展合资银行和外资银行，并对其经营范围适当放宽，既可经营外币业务，也可经营除居民储蓄之外的本币业务。

8. 海南特别关税区的外贸政策

（1）建立海南特别关税区，海南有充分的贸易进出口自主权，实现货物进出基本自由。

——进口方面，除属海关管制物品，所有进口只需向海关申报验关放行。

——出口方面，海南自产产品，包括用内地的原材料、半成品加工增值20%以上的产品，除属国际被动配额商品外，其余商品出口取消配额许可证限制，放开经营，免证免税出口。出口所需国际被动配额，建议国家经贸部下达，由海南按照核定计划组织出口。

——海南特别关税区经营转口贸易的货物经海关核准，可进行储存、拆卸、分类、分级、挑选、清洗、抽样、包装、加标签、展览、装配、制造和拍卖。

（2）允许各类企业自主经营对外贸易。

（3）鉴于海南外贸额很小，年出口创汇额不足全国出口总额的1%，建议在建立海南特别关税区的前5年内，海南外贸创汇全留，5年后视海南外贸发展情况向中央上交外汇。

9. 关于海南特别关税区的财政平衡问题

总的考虑是，海南省要在逐步减少中央财政负担的前提下，主要依靠发展经济和改革财税体制，实现财政收支平衡。

（1）"八五"期间保持现行的财政包干体制，建议国家财政部按原定计划拨给海南开发建设资金。

（2）严格实行公共财政政策，缩减一切不必要的财政支出。

——改革现有支出结构，财政不再负担国营企业的投资和亏损补贴。

——制定合理的公共服务收费水平，对有盈利能力的公用事业实行企业化管理，取消现有的各种不合理补贴。

——动员社会力量兴办科教文卫等社会公益事业，减轻财政负担。

——实行财政支出效益评价制度，提高财政资金的使用效率。

（3）实行简单的低税制，使之既有利于企业发展，又有利于增加财政收入。同时大胆改革现行国有资产管理体制，尽快将国有企业推向市场，提高国有资产在市场竞争中的效益。

——以营业税和企业所得税为主体税种，降低特别关税区的平均税负。

——开征土地增值税、特殊商品消费税等，增加财税收入，并对有关的社会经济行为进行税收调节。

——加强税收管理，将工商登记与税收登记相结合，提高征管水平。

（4）根据需要，本着自借自还的原则发行一定规模的地方建设债券。

海南目前仍处于开发建设的初期，面临着税收基数小、支出任务重的困难，解决这一矛盾的根本出路，是使海南经济在短期内迅速发展起来。建立海南特别关税区，经济发展了，人民逐步富裕了，才有可能逐步增加财政收入，实现财政自给。在建设初期借一些债务，推动经济发展，会在今后带来较大的财政收益，实现长期财政平衡。只要加强对债务收入使用的管理，海南财政是有能力偿还的。

10. 海南特别关税区的物资管理

（1）建立海南特别关税区后，属于国家计划调出、调入的物资仍按原有流通渠道进出，按原方式进行，但须经海关核准，并接受海关监管。海南每年按计划上调国家铁矿石、盐、糖和橡胶等产品，国家继续下拨给海南计划物资。

（2）由内地运往海南特别关税区市场销售的日常生活所需的生活资料和区内生产建设所需物资，以及由海南运往内地的自产产品，在海关监管下，视同国内地区间的货物交流，不受限制。

11. 海南特别关税区的基本建设管理

（1）海南特别关税区的生产建设计划和固定资产投资规模，由海南省人民政府根据国家产业政策的原则和海南的实际自主制定和安排，并报国家计委备案。

（2）除国家禁止建设的项目需报国家有关部门审批外，其余建设项目（含外商投资项目、自借自还的国外贷款项目），不论规模大小，凡属建设、生产、经营条件能够自行平衡的，均由海南省人民政府自行审批。

（3）为适应海南特别关税区基本建设和成片开发的需要，建议下放海南省的建设用地审批权。

12. 海南特别关税区的社会管理

为保证海南特别关税区有一个良好的社会经济环境，必须十分严格地加强对外经济社会管理，建立一个与市场经济新体制相适应的良好的社会经济秩序。

（1）从省到各市、县要建立和完善"小政府"的宏观调控体系，特别是要转变政府职能，强化社会监督部门。

（2）极大地提高干部的管理能力和管理水平。一方面要根据管理和建设需要，逐步引进各类管理人才；另一方面要加快干部人事制度改革，党政机关要尽快实行以严格的考任制为基础的公务员制度；各类事业单位实行严格的聘任制度；企业干部要尽快从党政干部队伍中分离出去。此外，采取各种手段强化干部培训，提高干部素质。

（3）加强社会主义精神文明建设和法制建设，采取各种必要手段，严厉打击刑事犯罪活动和社会丑恶现象，树立一个良好的社会风尚和社会秩序。

13. *海南特别关税区的人员进出管理*

（1）境外人员进出海南特别关税区，继续执行"落地签证"政策。

——与中国有外交关系或正常贸易往来的国家和地区的外籍人员到海南投资、经营、商务、旅游等，凭本人护照或其他有效证件，到海南特别关税区的口岸办理入境签证手续后，直接往返于海南与境外。

——香港、澳门、台湾同胞和华侨可凭国务院主管部门及其授权机关签发的有效护照或其他有效证件，进出海南特别关税区及转往境内其他地区或者出境，无须办理签证。台湾同胞可以直接在海南特别关税区的口岸申领《台湾同胞旅行证明》。

外国人及港、澳、台同胞和华侨，可凭有效护照或其他有效证件，向海南公安机关申领《海南特别关税区境外人员居住证》（以下简称《居住证》）。《居住证》的有效期，依照申请人的申请事由，由发证机关签注。有效期满后需继续留住海南特别关税区的，可以申请延期。

（2）境内人员进入海南特别关税区，凭个人身份证和县以上单位证明（到海南特别关税区就业的人员可以出具有关单位签发的聘用函件或证明），到县一级公安部门申领《海南特区通行证》，持证可以进入海南岛。

（3）对海南岛常住居民出境从事经济、科技、文化交流活动予以放宽，并简化手续。

——在海南注册的企业向境外派出经济、贸易、旅游机构，到境外举办企业，其人员出国，除国家另有规定者外，由海南省人民政府审批。

——海南因公出港、出国人员，除副省长级以上干部须报国务院审批，到未与中国建交或没有官方贸易往来的国家（地区）的应先向外交部申报以外，均由海南省人民政府审批。

三　建立海南特别关税区的可行性分析

亚洲尤其是东南亚地区局势日趋平稳，经济发展潜力巨大，是国际资本投资的重要区域。地处亚太腹地的海南完全可能通过扩大开放，吸收更多的国际资本，加速经济发展。从海南自身来看，已经在多方面具备建立特别关税区的条件，十分有利于建立"一线放开、二线管住"的特别关税区。

同时，海南岛最具实行特惠关税，建立特别关税区的条件。海南岛四面环海，这种自然封隔的地理条件决定它拥有其他特区所没有的对外开放优势。由于有琼州海峡这道天然屏障将其与大陆隔离开来，只要采取有效措施，严格管理"二线"，海南岛全面对外开放就不会对内地产生冲击；而其管理成本，相较其他特区来说也非常低。海南岛由于有琼州海峡这道天然屏障，无须进行"二线"隔离设施建设，其海上缉私队伍建设的投资，也完全可以从缉私收入中得到解决。

14. 从海南所处的战略地位和周边环境，建立特别关税区具有重要的战略作用

海南岛地处南中国海，是中国连接东南亚国家的前沿地区，战略地位十分重要。把这里的经济迅速发展起来，对于加紧开发南海海洋资源，巩固国防，都有着非常重要的意义。目前，在亚太地区，由日本、韩国、中国大陆沿海地区、中国台湾、中国香港和东南亚国家组成了一条经济高速增长的"繁荣弧线"，其中有关国家和地区相互投资方兴未艾，推动了这个地带所有执行对外开放政策的国家和地区经济的普遍迅速发展。海南正处在这条新月形经济增长带的中间地区，以海南的面积、人口、资源优势，只要实行更加开放的经济政策，大力吸引外资，积极参与这一地区的经济技术合作，就有可能在比较短的时间内使海南的经济有一个比较快的发展，从而使海南成为环太平洋经济增长带上有力的一环，在推动中国对外开放和国家统一方面发挥更大的作用。

15. 海南优越的资源条件是建立特别关税区大规模吸引外资的重要基础

（1）旅游资源：全省可供开发的旅游资源有241处，按国际惯例与标准，"其资源的独特性，达到国际上有吸引力程度的" A级资源有5处；"能够满足来海南岛的国际旅客鉴赏的" B级资源有37处；"能够联结A、B两种旅游资源的游览线上起辅助作用的" C级资源有47处。目前大部分旅游资源尚待开发，是一块依然保持热带自然风貌的处女地。建省办特区4年来，在交通、能源、通信、旅游服务设施与水准、景点建设等方面取得一定成绩，为建立海南特别关税区，进一步发展旅游业，建设国际旅游中心和购物中心奠定了基础。

（2）矿产资源：目前海南省已探明工业储量的矿产有67种，占全国148种的45%。已探明的矿产地有122处，每万平方公里面积和占有数达36处，为全国平均水平的2.4倍，全省列入全国储量统计的矿产有41种，比较突出的是：石碌铁矿是中国八大露天铁矿之一，也是亚洲最大的富铁矿场，其储量约占全国的71%，矿石平均品位高达68%，居全国第一；东南沿海300公里长的地带上已探明的矿区有20多个。其中：钛矿储量占全国的70%；锆英石储量占全国的60%；钴矿储量约占全国的60%左右（品位相当于国内其他钴矿品位的10倍）。

（3）海洋资源：首先，海洋水产丰富，海南岛海域鱼虾贝藻多达800余种，约占全国2000多种海洋生物的40%，其中，主要的经济鱼类有40多种，约占全国150多种的27%；全岛主要渔港24处，海洋渔场面积相当于海南岛陆地面积的9倍，年均鱼捕捞量在500万吨以上。其次，海洋油气储藏量大，在北部湾、莺歌海、琼东南三个沉积型盆地油气面积为12万平方公里，南中国海地石油潜在含量约787亿吨，莺歌海天然气已探明可采含量约700亿立方米。此外，海盐资源也很可观，莺歌海、东方、榆亚三大盐场，盐田面积约37.5平方公里，原盐年产量可达30万吨以上。

（4）农业资源：海南全境属热带地区，土地资源丰富多样，宜农、宜热作、宜林、宜牧地以及宜淡水养殖的水面都占有相当的面积，现尚待开发的土地还有1500多万亩，适宜成片开发。海南岛气候温和，雨量充沛，光合作用好，发展热带种植业具有得天独厚的条件。橡胶、椰子、胡椒、油棕、咖啡、腰果等热带作物产量占全国同类作物总产量的53%—99.60%；此外，热带林木年生产量比非热带地区高出一倍左右，具有发展热带农作物加工工业的资源基础条件。种植业可以一年多熟，复种指数较高，可以充分利用土地。海南草场四季常青，而目前草地资源只利用了三分之一左右，畜牧业发展潜力极大。海南热带种植业、养殖业的发展，形成了别具一格的热带旅游风光，具有丰富的观赏农林业资源，极有利于把大农业发展与旅游业的综合开发结合起来。

16. 海南的基础设施建设初具规模，具有建立特别关税区的投资条件

海南建省办特区4年来，经过扎扎实实的打基础工作，已经在电力、交通、通信等多方面建起了一定规模的基础设施，这为建立海南特别关税区，大规模吸引外资奠定了基础。

17. 海南初步具备建立特别关税区的社会条件

（1）经过4年建省办经济特区的实践，已基本形成了以市场经济为基础的新体制。

——在省一级实行了"小政府、大社会"的新体制，初步建立了以间接管理为主的宏观调控体制。同时，按照对外开放和经济发展的实际需要，按平等竞争的原则规范自己的行为，转变了政府职

能,对企业及市场经济活动的直接干预已大大减少。

——初步形成了多种经济成分平等竞争,竞相发展的基本格局。4年来全省实际引进内外投资180亿元左右,至1991年底止,外引内联企业创造的工业总产值和出口创汇占全省工业总产值和出口创汇的25%以上。

——市场调节范围逐步扩大,市场价格机制正在逐步形成,各类生产要素市场也有较快发育。目前,海南生产资料的市场调节量已达到85%以上;生活资料基本上由市场调节;外汇调剂量达17亿美元,资金拆进拆出累计达400多亿元。此外,技术市场、劳务市场等都有了很大发展。

——社会保障制度改革迈出了重要一步。已完成养老保险、待业保险、工伤保险、医疗保险和公费医疗4项社会保障制度改革方案的设计和论证工作,并以政府行政法规形式颁布,于1992年1月1日正式实施,与海南市场经济新体制相配套,打破了行业、经济成分的界限,为搞活企业、促进劳务市场的发育创造了良好的社会条件。

(2) 有日益完善和健全的法规条例和管理制度。健全法制、严格依法办事是经济特区的必要条件和管理经济特区的主要形式。4年来,海南省共颁布地方法规、行政规章145项,海南的经济和社会工作开始走上法制化、制度化的轨道。此外,社会主义精神文明建设进一步加强。教育、科技、文化、艺术、卫生等事业发展较快,城乡人民生活水平显著提高、人民安居乐业,尤其是广大群众的商品经济观念较浓厚,对市场竞争有一定承受力。

(3) 政府工作人员的管理能力有明显提高。海南建省办特区以来,实行了"小政府"宏观管理体制,初步摸索和积累了市场经济条件下政府管理的经验。4年多来,海南省通过改革干部人事制度,强化干部培训,使广大干部的管理能力和管理水平有了明显的提高，并积极从内地特别是发达地区引进各类管理人才。只要继续抓紧抓好干部培训和人才引进工作，就完全能够承担海南特别关税区的管理任务。

四 建立海南特别关税区的意义评价

建立海南特别关税区，比照世界自由贸易港模式，在海南建立一种原则上完全放开的自由贸易制度，并通过放松乃至取消外汇管制来实现货币的自由兑换，必将在海南营造一个有利于全方位吸引外资的宏观经济环境，由此真正开创一个外资大规模进入的局面，加快海南经济发展，开创特区开发建设的新局面。从这个角度看，建立海南特别关税区，不仅对海南的经济发展有着明显的积极意义，对于中国改革开放大局也有着非常重要的战略意义。

18. 为20世纪90年代中国改革事业提供全面经验

海南作为一个省级改革试验区，既有广大的农村，又有超前发展的城市，在海南进行改革的先行试验，所取得的经验，同其他城市型特区相比，能够为推动中国90年代改革事业提供更适用的经验。建立海南特别关税区，根据海南发展外向型经济和经济发展国际化的需要，在海南进行金融、贸易、财政、税收等一系列配套改革，全面进行社会主义市场经济试验，能够为建设有中国特色的社会主义市场经济提供可资借鉴的经验。

（1）贸易政策改革。目前，贸易政策中的关税及非关税性的数量限制是影响发展中国家吸引外资的一个重要原因，中国也是这样。（目前，工业化国家的平均关税率只有3.5%，而发展中国家的平均关税率高达30%——《世界银行一九九一年发展报告》。）由于国内有大量效率低下的民族工业，短期内全面开放国内市场，把民族工业全面推向国际市场，可能会导致竞争性失业，从而在一个时期内影响社会稳定。但是，改革外贸体制，逐步将竞争机制引入国内，以便推动国内工业的技术进步，又是必须进行的，这就需要试验。海南岛原有国营企业数量少，产业工人不多，建立海南特别关税区，在海南进行外贸体制改革试验，大幅度削减关税，全面解除贸易数量方面的限制，通过大量利用外资加速经济发展，并在经济发展的基础上实现社会安定，这一改革的成功经验对中国未来的改革事业有特别重要的价值。由于海南经济规模很小，其国民生产总值仅占全国的 0.53%，对外贸易总值也不到全国的 1%，因此，即使试验失败，也不会影响全国经济的稳定发展。

（2）货币政策改革。货币自由兑换是吸引国际资本的重要条件。由于货币不能自由兑换，目前中国特区吸引外资主要是外商直接投资发展出口加工工业，因为产品销往国际市场可以获得可自由兑换的硬通货；而像农业、商业服务业、金融、房地产业等许多产业则很少有外资投入。这就使特区利用外资的渠道和规模大大受到局限，各项产业的发展呈不平衡的畸形状态，在一定程度上出现了有增长而无发展的现象。建立海南特别关税区，实现特区货币自由兑换，必将开创一个全方位吸引外资的局面，推动特区各项产业协调发展，带动经济全面起飞。建立海南特别关税区，发展外向型经济，还要在金融、外汇、财政、税收等方面进行全面的改革试验。

19. 推动中国对外开放

建立海南特别关税区，进一步改善投资环境特别是投资软环境，必将充分发挥海南资源优势，大规模吸引外资，从而在 90 年代中国对外开放全局中发挥更大作用。

（1）利用外资。亚洲"四小龙"的发展经验表明，外资对于国民经济发展是非常重要的。由于外资特别是来自工业国家的资本输出总是附带着新的、比较先进的机器设备和生产技术乃至新的管理观念进行的，对于加快企业技术进步，提高国民经济素质有特别重要的作用，因此，战后发展中国家在其经济现代化过程中，大多采取不同形式的优惠政策，大力吸引国际资本以抵补国内资本的不足,并使本国经济迅速参与国际分工,加快现代化进程。中国对外开放以后,也采取措施吸引外资。20世纪90年代,利用外资帮助发展经济仍将是中国的基本国策,但是,冷静分析国际资本流向,90年代中国吸引外资应以吸引亚太地区内部资本为主要目标。目前亚太地区是世界上外汇、资本盈余最多的地区,现在日本外汇储备已超过1000亿美元,中国台湾也高达800多亿美元,分居世界第一、二位,东京股票市场和外汇离岸市场在几年内迅速崛起,已成为世界重要金融中心,中国香港和新加坡作为国际金融中心之一的地位也在不断提高。日益增多的外汇、资本盈余使得以日本和亚洲"四小龙"为代表的亚洲主要资本输出者正在大规模向海外投资,其中东南亚是其主要的投资对象。海南正好处在日本、亚洲"四小龙"通往东南亚国家的中间地带;建立海南特别关税区,海南一定能够凭借其高度开放的投资环境,吸引相当一部分由日本、亚洲"四小龙"输出的资本投入海南,并通过海南外导更多的外商往国内其他地区投资,由此加强海南同内地的经济联系,并适应90年代中国利用外资的需要。

(2)推动中国全面参与亚太经济合作。在世界经济区域集团化倾向愈来愈明显的今天,加强亚太地区经济合作显得更为重要。它能减轻亚太国家对其他经济集团特别是对美国的依赖程度,从而在更大程度上经得起美国乃至世界经济短期衰退可能对亚太国家产生的冲击。加强亚太地区经济合作对于开发开亚太地区的自然资源,促进本地区的产业调整从而促进本地区经济的普遍发展亦有重要作用。由于目前经济运行机制同其他亚太国家存在差异,国内市场又没有完全开放,因此中国参与亚太经济合作仍无法全面展开。海南地处亚太腹地,又确立了外向型经济发展战略;建立海南特别关税区,进一步完善社会主义市场经济运行机制,必将使海南确立中国参与亚太经济合作的先行地位,真正起到带动内地经济发展的作用，也对中国进一步全面参与亚太经济合作起到推动作用。

20. 加强中国同东南亚国家经济合作关系

在亚太地区，中国和东南亚国家都是战后走上独立发展经济道路的发展中国家。目前，中国与东南亚国家的经济发展水平，或者说整体工业化水平大致相当，而中国在工业结构方面略占优势。中国与大多数东南亚国家产业结构特别是制造业内部结构上的差别和互补性决定了中国同这些国家在经济合作与发展中的水平分工格局和资源开发性质。在这方面，邻近东南亚国家的海南，既有与东南亚国家开展直接经济合作的条件，又可以凭借其方便的地理位置与特殊的优惠政策，在中国与东南亚国家的经济合作中扮演跳板和中间人角色。与东南亚国家同处亚洲热带地区的海南，不只在热带作物的种植与加工方面，在涉及资源开发的所有方面，比如热带旅游资源、海洋渔业及油气矿产资源，乃至人力资源开发方面，同东南亚国家均有着广泛的开展经济合作的机会。

海南建省办特区 4 年，已经批准 6000 家内联企业，这些企业大多数是内地各省、各大公司派驻海南的分公司，有着雄厚的潜在经济技术实力。海南建立特别关税区，开放赴海外投资，外汇自由，必将吸引更多的内地企业来海南投资，并通过海南同东南亚国家开展经济合作，海南因此完全可能在中国与东南亚国家日益发展的经济合作中发挥重要作用。建立海南特别关税区，海南不仅有相对内地更大的政策优势，有比较接近国际市场的贸易环境，有邻近东南亚国家的市场地理条件，而且有十分亲近的人缘关系。现在散居世界各地、祖籍海南的 200 多万华侨大部分居住在东南亚国家，这些华侨 90% 以上已加入住在国国籍而成为华人，基本融合于当地社会，并在各个领域崛起，出现了一大批政界要人、工商巨子、专业人士和社会名流。这些海外侨胞虽然身居异国，但仍不忘乡亲故土，每年都有大批华人回到海南探亲祭祖，他们的生活习惯至今仍保留着许多故乡的传统。这种区域文化上的强烈认同感能够对区域经济合作产生积极的微妙影响。建立海南特别关税区，正像福建厦门近几年对台商投资产生巨大吸引力一样，相信海南在日益蓬勃兴起的中国与东南亚国家经济合作中亦能借助海外华人亲近的人缘关系牵线搭桥，起到先锋和桥梁作用。

21. 促进港澳繁荣，推动中国统一

建立海南特别关税区，大规模吸引外资，必将极大地促进海南外向型经济的发展；而一个发展的拥有3.4万平方公里面积的特区经济对于港澳的平稳交接以及回归以后继续保持经济繁荣，并推动两岸统一进程，将起积极的、越来越明显的促进作用。

作为亚洲新兴工业经济实体的香港和台湾，出于内部产业结构调整的需要，自20世纪80年代便开始向中国大陆沿海地区转移其劳动密集型加工工业。拿海南来说，到1990年已批准港商投资840项，台商投资92项，二者合计占海南批准的外商投资项目的85.2%，投资总额占74%。建立海南特别关税区，基本实现海南的资金、货物、人员进出自由，必将进一步增强海南对港台资金的吸引力，从而在海南和港澳台之间建立更加密切的产业协作关系，扩大港台的经济发展空间，使香港、台湾充分发挥其在金融、服务业等方面的产业优势，继续保持其经济繁荣。而经济上利益相关必将增强政治上的凝聚力，从这个角度看，建立海南特别关税区，最终可能成为推动中国统一的一个有力的因素。

五　结论

22. 建立海南特别关税区，是实现中央关于把海南办成全国最大经济特区战略决策的根本性措施，是海南实行大开放方针，加速开发建设的出路所在。

23. 海南岛最具有建立特别关税区的条件，关键是要对海南经济特区的全局意义和战略影响有充分估计。

24. 建立海南特别关税区有现实的可操作性，只要认识统一，下定决心，很多问题完全可以经过充分的论证和设计，在实践中加以解决。

25. 当前，建立海南特别关税区的时机十分有利。抓住当前的有利时机，尽快宣布建立海南特别关税区，将会极大地加快海南开发建设的步伐。

26. 建立海南特别关税区对中国改革开放的全局将产生重要影响。海南特别关税区的改革开放试验，将为中国的改革开放提供有益的经验。

建立海南特别关税区的建议
（4条）[*]

（1992 年 7 月）

1992 年 7 月 1—2 日，由中国（海南）改革发展研究院主办的建立海南特别关税区国际咨询会议在海口召开。与会代表普遍认为，目前决策建立海南特别关税区最合时宜，最为紧迫。与会各方完全赞同邓鸿勋书记在会上指出的，建立海南特别关税区已经到了应当决策、抓紧行动的时候了。这次会议，将推动建立海南特别关税区从理论、政策研究转向决策、操作阶段。

一　建立海南特别关税区是一个非常紧迫的问题，已到了刻不容缓的时候

今天的世界是开放的世界、竞争的世界。参加会议的国内外专家学者一致认为，建立海南特别关税区是海南，也是中国因应世界经济和亚太地区经济发展形势变化所必须抉择的紧迫问题。海南岛的经济带有明显的岛屿经济特征，世界上岛屿经济成长经验，特别是亚洲"四小龙"的发展经验表明，海南要实现经济高速发展，就

---

* 节选自《建立特别关税区到了应当决策、抓紧行动的时候了——建立海南特别关税区国际咨询会议纪要》，1992 年 7 月。

必须大量吸引外资，发展以国际市场为导向的外向型经济。就吸引外资来说，海南面临严峻的挑战。从国际形势来看，90年代，随着世界经济区域集团化趋势的发展，独联体和东欧国家的开放，以及东南亚国家利用外资规模的扩大，海南吸引外商投资面临更加激烈的竞争。从国内形势来看，随着沿海、沿江、沿边地区的全面开放以及依托上海，有着很强吸引力的浦东地区开发的展开，经济特区的许多优惠政策已被国内开放地区普遍采用，海南吸引外资已不具备明显的政策优势。面对这样的形势，海南要加快经济开发建设，实现中央决定海南建省办特区之初就已公布于世的发展目标，就不能再停留在依靠一些具体的优惠政策来吸引外资的原有水平上，而必须采取进一步对外开放的新动作，创造更能吸引外资的投资环境。由于并非所有资本输出国或地区都对本国或本地区商人赴海外投资所获利润实行税收饶让制度，因此海南目前的主要优惠政策——减免所得税，对外商投资并不具有普遍有效的吸引力，这也要求海南进一步扩大开放，创造具更高开放度、更吸引外商投资的宏观经济环境。

建立海南特别关税区，比照世界自由港模式，在全岛范围内建立一种统一的、原则上完全放开的自由贸易制度，并通过放松乃至取消外汇管制来实现货币的自由兑换，建立以市场经济为基础的经济运行机制，从而创造一个有利于全方位吸引外资的宏观经济环境，由此真正开创一个外资大规模进入的局面，推动特区各次产业的协调发展，实现经济的全面起飞。

洋浦开发是海南进一步对外开放的一件大事，也是海南开发建设的一个重要里程碑。但是，只有建立海南特别关税区，才能真正发挥洋浦开发对全岛经济发展的带动作用。由于目前洋浦实行比岛内其他地区更加优惠的特殊政策，因此，国家明确要求洋浦实行隔离管理，洋浦的发展目标是建成一个拥有30万居住人口的工业城市，对这样大的一个工业区同岛内其他地区的人员、物资、资金往来实行隔离管理，不仅存在巨大的难度，增加了社会管理成本，而且有可能使洋浦成为不能带动全岛经济发展特别是农业发展的"飞地"。只有将全岛建成特别关税区，打破众多的藩篱，实现资金、货物、人员进出自由，在全岛投资热的前提下，才能引导大量工业项目的资金进入洋浦，才能形成全岛支援洋浦的局面，才能在体制上保证洋浦有更大的经济活动自主权，才能达到以洋浦开发为突破口，带动全岛经济发展的目的。不建立海南特别关税区，形成海南全岛的大开放环境，洋浦的开发就会受到严重影响，这是一个十分严峻的现实。

只有建立海南特别关税区，才能将外资引入包括农业在内的特区各类产业，而不是仅仅局限于一些实行特殊政策的成片开发地区发展出口加工工业。从这个意义上讲，只有建立海南特别关税区，才能将500万农民都吸收到特区开发建设中来，真正实现特区人民共同富裕的目标，这也是当前海南特区开发建设迫切需要解决的重大问题。

二 海南完全有条件建立特别关税区，建立特别关税区才能极大地发挥海南岛对外开放的整体优势

与会的国际国内专家一致认为，海南岛完全有条件建立特别关税区。同时，海南也只有通过建立特别关税区，才能够充分发挥其综合优势，释放出巨大的经济能量，实现经济的起飞。

1. 海南具有优越的地理位置和独特的地理条件

海南地处亚太腹地，具有重要的战略位置和良好的交通条件。香港专家认为，海南位于中华经济协作系统和南中国海经济圈的中心位置，最具有发展经济的潜在优势，只要执行更加开放的经济政策，海南岛的经济腾飞是指日可待的。建立海南特别关税区是海南进一步对外开放的正确方向。

作为一个岛屿经济的载体，海南岛最有条件在全国率先建立特别关税区。首先，它四面环海，琼州海峡这道天然屏障将其与内地隔离开来，隔离管理成本低，便于实行"一线放开，二线管严"的特别关税区制度。其次，由于海南地处南中国海和亚太地区中心地带的优越地理位置，在区域经济合作和世界经济交流中可以起到横贯东西、纵通南北的作用。设立海南特别关税区，通过大量吸引外资，开发和利用海南的自然资源和地理优势，有助于我国经济与亚太经济乃至世界经济融为一体，从而实现海南经济与世界经济的同步发展。

2. 海南拥有丰富的自然资源，其中包括丰富的土地资源、矿产资源、石油天然气资源、海洋资源、热带作物资源、旅游资源等

这些潜在的资源优势为设立海南特别关税区，实行更加开放的政策，大量吸引外资，进行大规模开发建设提供了客观、现实的物质条件。如果不建立特别关税区，不吸引外资进行开发，这些潜在的资源优势就得不到及时的和充分的发挥。例如，有些资源如海底石油、天然气、海洋渔业资源等就有不断流失或被人侵占的危险；有些资源如热带农产品、畜牧业产品等由于受进出口配额的限制而失去了许多国外市场。再比如，旅游资源，如果不建立特别关税区，通过形成物价低廉的购物中心带动国际、国内旅游，以及大量地吸引外资进行旅游资源的开发建设，许多堪称世界一流的天然海湾、旅游景点由于缺乏必要的文化娱乐设施和商业网点的配套而显得美中不足，不可能吸引大量的国内外游客，海南旅游资源的优势就不能得到充分的发挥。因此，只有在建立特别关税区的条件下，海南的自然资源优势才能够得到有效的利用和充分的发挥。

海南具备设立特别关税区的基础设施条件和社会条件。经过近4年建省办经济特区的实践和开发建设，海南已经在电力、港口、航空和公路运输、通信等方面具备了较好的条件，其中有些指标如

公路密度和通车密度、发电量、航空港规模等已走在全国的前列。从世界范围来看，早在19世纪，中国香港、新加坡就宣布建立自由港，它们当初的基础设施远远比不上现在的海南。海南在基础设施方面完全具备了建立特别关税区的条件。

在社会条件方面，海南实行了"小政府、大社会"的管理新体制，初步建立了社会主义市场经济新体制，法制建设日趋完善，特区干部和各种专业技术队伍不断加强，教育、科技、文化、艺术、卫生等事业发展较快，城乡人民生活水平显著提高。所有这些，都为海南建立特别关税区奠定了良好的社会基础。

三　建立海南特别关税区是中国改革开放的重大突破，对改革开放全局具有举足轻重的影响

1. 建立海南特别关税区，在中国共产党领导下建立社会主义的自由港，是中国对外开放战略的重大突破

中国是社会主义国家，苏联解体、东欧剧变以后，全世界都注视着中国的改革开放。建立海南特别关税区有利于塑造中国继续坚定不移地推行改革开放政策的国际形象。这对提升中国的国际地位会产生重大影响。

建立海南特别关税区，全岛全方位对外开放，实现经济高速发展，实现邓小平同志在内地再造几个香港的战略构想，可以向世界表明，在社会主义制度下，同样可以创造经济奇迹，实现人民富裕，用事实证明社会主义的优越性。

2. 建立海南特别关税区，进行社会主义市场经济新体制的先行试验，是一项大胆的体制改革创新

中国正在进行建立市场经济新体制的大胆试验。试验的成败事关社会主义的前途和命运。有很多诸如股份制、证券市场、贸易制度改革等问题在全国立即推广，成本高、风险大。建立海南特别关税区，发展市场经济，可以为全国建立社会主义市场经济新体制提

供综合性的经验，这是海南对全国改革开放的一大贡献。海南经济在全国经济中只占很小比重，国民生产总值不到全国的1%，即使试验出现一些问题，对全国的影响也不到1%。海南是中国改革开放试验成本最低的理想之地。

建立海南特别关税区，有利于增强海南在"中华经济协作系统"中的地位，发挥海南在联结国际市场，特别是东南亚地区市场的桥梁和纽带作用，促进这一地区的和平、稳定和发展。如果一个3万—4万平方公里的社会主义自由港在海南建成，有利于稳定和增强港澳台各方人士对中国未来的信心，有利于促进祖国统一。专家们指出，建立海南特别关税区在政治上的影响不可估量。

建立海南特别关税区对中央来说，只有收益而没有什么风险和损失。人们担心会出问题，不是毫无道理，但只要大胆实践，加强管理，问题是可以逐步解决的。

关于财政收支问题，人们担心建立海南特别关税区，会减少中央财政收入或增加中央财政负担。这种担心是没有根据的。建立海南特别关税区后，海南可以减少，甚至取消中央对海南的财政补贴。中央政府和海南省政府可以分享由于经济活动增加、土地价格上涨而增加的财政收入。在起初阶段，海南可以用增加的土地收益抵销中央给海南的财政补贴。即使财政暂时有困难，还可以争取国际金融组织的支持。专家们还指出，建立海南特别关税区可以通过转变政府职能，减少政府支出；财政收入还可以通过批租土地、强化税收政策、发行政府债券等来增加财政收入。

关于货币自由兑换问题，人们担心，海南特区实行货币自由兑换，可能会要求中央银行在外汇方面对海南进行支持。这种担心有一定道理。货币自由兑换是建立海南特别关税区中最为关键和复杂的问题。专家们认为，以外汇券作为人民币取代特区货币，或放松外汇管制，将人民币作为特区有限制的可自由兑换货币的方案是可取的。要考虑的是海南在财政上的自给能力和中央银行的货币支持能力问题。专家们指出，这个问题也是可以解决的。可以考虑的办法有两种：一是发行债券来充实财政和银行，二是利用国际货币基金组织和世界银行的"结构性调整基金"的优惠贷款。

关于管理上的问题，建立海南特别关税区，可能出现个别的走私现象，但大规模的走私是不可能的。凡是自由贸易区，都有这个问题。可以借鉴世界自由贸易区的经验，从法律、关税、制度上加强管理，走私问题是可以解决的。不能因噎废食，踏步不前。

四 关于建立海南特别关税区的若干建议

建立海南特别关税区，实行"一线放开，二线管住"，按国际惯例办事，海南的经济机制和经济活动要市场化和国际化，但这并不意味着要割断与内地的经济联系。建立特别关税区，要更充分地利用国内国外两个市场，两种资源。只有内外结合，才能促进海南经济的繁荣发展。

建立海南特别关税区，可以考虑将海南作为一个单独关税区加入关贸总协定，这并不有损于中国主权。香港、澳门以单独关税区的形式加入关贸总协定，也为海南加入关贸总协定提供了经验。如果在中国恢复关贸总协定缔约国地位时，海南作为单独关税区与台湾一起加入关贸总协定，将对中国具有非常重要的政治意义。

加速海南产业发展和产业结构调整。海南的第三产业必须有大的发展。海南特别关税区应成为区域性旅游、贸易、金融中心。海南旅游业前景非常广阔，现在、将来都是海南的支柱产业。应以旅游业为主导产业，带动贸易、金融、运输通信、房地产、服务和高科技产业等相关产业的发展，形成现代化的产业结构体系。

加强法制建设，加强人才培训。要采取社会办学、中外合资办学等方式，培养人才。特别是要建立和完善海关体制，建设优良的海关设施，采用符合国际惯例的海关税则，严格海关审计，培养优秀的海关人员，以便为发展对外贸易和工业提供更好的服务。

由中外双方联合在海南建立卫星发射点。海南靠近赤道，可使发射成本降低20%—30%，海南具有良好的商业环境，这两方面使海南具有非常强的竞争力。卫星发射点的建立将带动航空航天、旅游、贸易、金融、教育、服务等产业的发展。

建立海南特别关税区需要中央决策，海南应成立由省主要领导亲自牵头的领导小组，抓紧论证、研究，形成比较成熟和可操作的方案。建立海南特别关税区，最佳选择应是一步到位，即把全岛建成为一个统一的自由港。这样管理成本最低，收效也最大。

建立海南特别关税区,大胆进行社会主义市场经济的先行试验的建议(9条)*

(1992年10月)

党的十四大报告明确提出,要实行多层次、多渠道、全方位的对外开放,加速广东、福建、海南、环渤海湾地区的开发和开放,使广东及其他有条件的地方先行实现现代化。党的十四大报告突出地把加速海南等地区开发和开放提出来,对我们是很大的鼓舞。海南如何落实党的十四大精神,加速实现现代化呢?现在看来,建立海南特别关税区,是一个最好的选择。海南要全方位对外开放,出路和选择是建立特别关税区。

党的十四大报告在实践和理论上的一个重大突破,是提出发展社会主义市场经济,建立社会主义市场经济新体制。建立海南特别关税区,说到底,就是在海南进行社会主义市场经济的先行试验,以符合党的十四大精神。也就是说,建立海南特别关税区就是落实党的十四大精神,把党的十四大精神贯彻到海南改革开放的基本实践中来。因此,我们要以党的十四大精神为依据,一方面更加积极主动地向中央要求建立特别关税区;另一方面要敢于把建立特别关

---

* 迟福林在海南省直党员干部大会上的发言,1992年10月16日。

税区逐步变成全省上下落实党的十四大精神的实践行动。

一 建立海南特别关税区就是进行社会主义市场经济新体制的大胆实验

海南岛是中国最大的经济特区，中央要求我们以利用外资为主加速开发建设。海南发展市场经济，其基本前提是要与国际市场相对接，建立开放型市场经济新体制，把海南尽快推向国际市场，在参与国际市场竞争中走出一条发展自己的新路子。建立海南特别关税区，就是大胆进行开放型市场经济的先行试验。

1. 特别关税区方案的中心内容是建立开放型市场经济新体制

世界上实行特别关税制度的自由港或自由贸易区，是至今为止国际上公认的、对外开放程度最高的经济特区，是开放型市场最成功的模式。海南建立特别关税区，就是采用这种模式。例如，海南省于1992年8月8日向中央呈报的文件中对特别关税区的基本含义是这样表述的："建立海南特别关税区就是充分利用海南独特的地理条件和资源优势，实行'一线放开，二线管住'的特别关税制度，并相应采取世界上通用的自由港经济政策，建立社会主义市场经济新体制，大量吸引外来资金，以高投入带动高增长，推动海南经济全面高速发展，实现中央把海南建成全国最大经济特区的战略意图。"这段表述的核心，是建立同国际市场相对接的、能够真正按照国际惯例办事并采用国际上通行的自由港经济政策的开放型市场经济新体制。

海南特别关税区的基本方案都是开放型市场经济新体制的具体表述，例如：

（1）在一个特定区域进行开放型市场经济的试验，前提条件是区域政府要有充分的经济管理权限。海南特别关税区基本方案的第一个问题，是关于海南省经济活动自主权的请求。具体内容是：海南建立特别关税区以后，在中央统一领导下，享有充分的经济活动自主权，省内属于中央统一管理的外事、海关、司法、边防等方面的事务，建议由国家有关部门的根据海南的特殊情况，制定专项管理办法，其他凡涉及海南经济发展、经济政策和经济体制方面的问题由海南省根据实际自主决定并报中央备案。在国家宏观指导下，海南的改革开放要有更大的灵活性，真正按照国际惯例办事。

（2）开放型市场经济是以贸易制度的市场化为前提的，并直接依赖于贸易制度的开放程度。因此，衡量开放型市场经济的一个重要标志，是在外贸方面自由进入统一经营。也就是说，开放型的市场经济允许和鼓励所有企业都有外贸权，并且对其经营范围不加以管制（特殊商品例外）。海南特别关税区的方案提出了大胆进行外贸体制改革，实行放开经营的外贸制度。具体有5个方面的内容：

一是海南自产产品，包括用内地的原材料、半成品加工增值20%以上的产品，除国际被动配额商品外，其余商品出口，放开经营，免证免税出口。

二是允许各类企业自主经营对外贸易。

三是鉴于海南外贸额很小，年出口创汇额不足全国出口总额的1%，建议在建立海南特别关税区的前五年内，海南的外贸创汇全留，五年后视海南外贸发展情况向中央上交外汇。

四是海南特别关税区与内地贸易管理。从海南运往内地的进口货物，凡属国家限制进口的商品必须凭证补税后进入内地；海南自产产品进入内地，除了对所含进口料件补征关税外，其余产品在海关监管下保留与内地传统意义上的正常往来；内地运入海南属于国家配额许可证管理又直接用于出口的商品，视同出口，按现行规定办理。

五是外商在海南设立企业，由海南省按照国家有关规定和国际上通用的办法进行审批和管理。

海南特别关税区外贸制度的设计，在强调放开对外贸易的同时，注意到了岛内市场与内地市场的联系问题，鉴于目前的情况，提出了过渡性措施。应当说，这是可行的，又十分有利于加强岛内市场与内地市场的联系，对带动内地企业来海南投资会产生重大影响。

（3）在开放型市场经济条件下，货币是可以自由兑换的，这样有利于参与国际市场竞争。如果货币不可自由兑换，资本流动的自由程度就会比较低，就会在很大程度上限制包括外资在内地企业间的平等竞争，更不利参与国际经济合作。海南特别关税区方案提出了货币自由兑换的两种选择方案，一是将人民币作为区内有限制的可兑换货币，率先进行人民币自由兑换的改革试验；二是将人民币外汇兑换券作为可兑换货币。这种方案是美国兰德公司1989年在海南发展战略研究中提出的一条建议，得到北京很多方面专家的认可，即在内地保留人民币兑换券的前提下，把人民币兑换券拿到海南作为区内货币。这样比搞特区货币简单得多，毕竟一个国家搞多种货币不是一个主权国家的好做法。

随着我国对外开放的加快，有关方面领导人向外界一再宣布人民币同外币的自由兑换只是一个时间的问题。现在看来，全国货币自由兑换很可能在短时期内会实行。如果这样，那么海南率先进行货币自由兑换，既是一个现实的问题，又可以为全国的货币改革提供经验。我国不像东欧国家那样，美元与本币相差很多倍。目前，人民币同美元黑市和官方汇率差价不大，海南应抓紧这个时机，因势利导，把货币自由兑换变成现实。

（4）开放型市场经济的顺利发展，在很大程度上取决于建立一个完善的市场经济体制，也就是实行类似自由港的管理体制。这样，开放型市场经济的发展既有了保证，又有了促进其发展的强大动力。海南特别关税区方案在多方面提出了若干措施，例如：

一是实行同放开经营的外贸制度相关的"一线放开、二线管住"的海关管理制度。"一线放开",就是海南特别关税区与境外的进出口商品除属国际被动配额和极少数国家限制进口的商品外,基本放开。"二线管住"就是国家禁止出入境的物品,海关实行严格的管制,有效地制止二线走私。

有人对"二线"走私很担忧,其实,由于全国都实行全方位对外开放,走私的情况同对外开放前相比发生了很大变化。利用海南岛进行海上大规模走私的风险很大,能从陆地走决不从海上走。这是个很现实的情况,不应把海上走私估计得过于严重。事实上,只要加强海上缉私力量,大规模走私就会得到制止。

二是实行自由企业制度,鼓励多种所有制企业平等发展,逐步形成自由办企业的制度。任何投资者都可经过最简单的审批程序登记注册企业。同时,允许各类企业在平等竞争的条件下放开经营。

三是实行人员进出比较自由的管理制度。境外人员进入海南继续实行"落地签证"的管理制度,对海南岛内常住人员出境从事经济、科技、文化交流活动予以放宽,并简化手续。

四是实行"小政府、大社会"的宏观管理体制。按照开放型市场经济的要求,要严格实行以政企分开为前提,以间接管理为主的"小政府"宏观管理体制。政府要实行公共财政体制和简单的低税制,要建立新型的社会保障制度,要使国有资产管理市场化,要建立强有力的市场监督体系等。

由此可见,海南特别关税区方案的核心内容,就是开放型市场经济的基本内容。从这个意义上说,我们请求建立海南特别关税区,就是请示进行社会主义市场经济的先行试验。也可以归结为一句话:海南特别关税区的方案,就是建立与国际市场相对接、开放型的社会主义市场经济的方案。

2. 提出建立海南特别关税区的过程是对社会主义市场经济认识的过程

从1987年底中央决定海南建省办全国最大经济特区至今,提出和议论建立海南特别关税区已有4年的时间。在这个过程中,人们对建立海南特别关税区的认识,在很大程度上反映了对建立社会主义市场经济新体制的认识。

近几年来,海南得到一定程度的发展,有了明显的变化。同其他地方比,发展速度相对较快。主要原因在哪里?就在于海南这几年按中央24号文件的精神,建立了以市场调节为基础的新体制框架,这一步迈得很大。在其他政策没有到位的情况下,海南在搞活市场上下了功夫,比如,在价格改革上,该放的就放;在办企业问题上,只要有钱投资,就允许办。对政府来说,管不了管不好的事情尽可能少管,为社会创造了一个比较宽松的市场环境和比较宽松的社会环境,得以引来各种资金。从1988年底到1990年初,海南省固定资产投资130亿元,等于过去37年的总和。投资增加了,经济增长才有了基础。在一定时期内高速发展经济,这是我们发展市场经济的经验总结。另外,以现实情况来看,只有发展市场经济,才能走出一条建设特区的新路子。如今,中国的情况和党对十一届三中全会后大不一样,也同海南刚建省时的情况大不一样。全国都在进行改革开放,现在政策是鼓励各地在发展市场经济中追求高速发展,而不是给某个特区某项政策的倾斜创造这个区域的发展。向中央要特殊政策来发展的路子走不通了。

通过实践,我们应该清楚认识到体制和政策的关系。给了政策,如没有体制做保证,政策是很难落实的。相反,在市场经济新体制下,如何形成一个长期稳定可靠的政策十分重要。在当前的形势下,市场经济发展得越快,政策出炉得就越快,政策的产生是和市场经济体制的建立联系在一起的。因此,我们得出一个结论,在全国都发展市场经济，政策又不可能倾斜的情况下，海南应当打建立市场经济新体制的时间差，而不是政策上的时间差了。只需发展市场经济快，建立市场经济新体制快，获得的优势就多，经济就发展得快。现在，建立特别关税区就是打市场经济的时间差，先把区域的市场经济完善起来，就有了市场经济的优势，政策优势也随之有了。

二　海南初步形成的市场经济新体制基本框架，为建立海南特别关税区奠定了可靠基础

从现实情况来看，海南在基础设施、资源状况、社会管理等方面已具备了搞特别关税区的基本条件。但是，落实党的十四大精神，结合贯彻党的十四大报告，看海南有没有条件，除了看它的基础设施及社会管理条件以外，最根本最主要的是看海南有没有发展市场经济的条件，有没有建立市场经济新体制的条件。从这方面看，主要表现在以下几点：

3. 处理好价格和市场的关系

到目前为止，海南生产资料、生活资料已基本放开。生产资料只有三种还在计划管理，煤炭、石油、化肥，但这三种生产资料的改革已在抓紧推进。海南将率先在全国完成生产资料市场的放开。包括粮食在内的生活资料实际上已经放开。城镇居民吃的粮食55%以上是由市场解决的。价格放开以后，市场规模不大，但市场相当活跃。集市贸易市场有520多个，生产资料市场仅海口市就有两百多个。建立特别关税区，首先就是要建立一个比较活跃的开放型市场体系。在这方面海南走在全国前列。

4. 处理好企业和市场的关系

海南现在已初步形成了各类企业平等竞争、竞争发展的基本格局。这是适应市场经济发展的。这个格局体现在哪里？第一，海南一建省就和其他特区不一样，其他特区一建立的时候就是三资企业

占15%税率、内联企业占25%税率。而海南是把所有的企业都实行15%的税率，而且能够公开招标的尽可能公开招标。第二，海南一直坚持各种所有制不受比例限制、竞相发展。因此，至今除一大批国营企业以外，发展了6000多家内联企业，2900家左右的私营企业。1990年全国私营企业下降21%，而海南却上升20%左右。海南有10万多家个体商户。到1992年底，200多亿元的投入中，有80%是内引外联来的，国家直接投入不到20%。第三，在完善国营企业承包经营责任制前提下，海南开始进行股份制试点。要发展市场经济，市场化改革的重点是企业。从海南的实际情况看，市场经济改革重点是企业股份制改革。海南过去国营企业规模就很小，在市场竞争中都面临竞争能力问题。市场环境已形成，中小企业要在市场经济发展中联合起来形成一定规模的有竞争力的企业。这就要靠股份制改革。只有进行股份制改革，才能有一批企业有能力开发大项目。所以，认准股份制是当前的需要。尽管股份制改革没有经验，但海南人大常委会公布的《股份制条例》是全国地方立法的第一个股份制条例。有国家规定和这个条例，我们就可以大胆、积极地把股份制推向前进，形成海南发展市场经济的基础。

5. 处理好社会和市场的关系

海南经过两年的准备，于1992年1月1日出台了社会保障制度。尽管该制度在实践中还有很多不完善的地方，但总体上说，这个改革方案是同市场经济相适应的。方案要求所有在海南注册的企业、党政机关，包括实行企业化管理的事业单位和部分自筹资金的事业单位，都要参加统一的社会保险制度，而且标准都一样，这就为市场经济发展奠定了一个相当好的社会条件、一个平等的社会条件、劳动者用以在社会上自由流动的社会条件。从全国范围来说，社会保障制度改革海南是率先出台的。

6. 处理好政府和市场的关系

建省之初，海南出台了"小政府、大社会"的新体制。这个体制与党的十四大精神相比，是有些倒退，有些反复。但小政府、大社会的基本实践是成功的。所以，"小政府、大社会"的基本实践、基本方向要给予充分肯定。

从价格和市场、企业和市场、社会和市场、政府和市场四个方面来看，我们已初步形成了建立社会主义市场经济新体制框架的基础。有了这个框架基础，建立特别关税区就有了前提条件。

三　搞特别关税区关键在于要解放思想

解放思想是搞好特别关税区的关键，要实事求是，用辩证唯物主义的观点处理好以下几个关系：

7. 正确看待洋浦与海南特别关税区的关系

有人担心，建立海南特别关税区会妨碍洋浦的发展。

洋浦是海南发展的重中之重。洋浦的开始建设是很重要的，是整个海南开放的前奏曲，是特别关税区的小缩影，我们一定要抓紧时间把洋浦做好。我们要正确看待洋浦和特别关税区的关系，只有在特别关税区的条件下，进行类似洋浦的成片开发才有可能，这是因为：

（1）如果洋浦项目的审批权不是在海南省政府，而是在中央各部委，洋浦的开发将很难顺利进行。只有搞了特别关税区，把项目审批权拿到海南省政府，海南省政府可以自行决定类似洋浦开发这种大项目，海南的建设速度才可能加快。

（2）洋浦还要搞第三产业，还要搞旅游。洋浦是我们以高科技工业为主导产业的开发区，海南建立了特别关税区，全省支持洋浦搞高科技，这对洋浦开发是十分有利的。

（3）建立特别关税区以后，可以规划把高科技的项目都引入洋浦。甚至有些同志提出，报特别关税区是向中央施加压力，这更难理解。党的十四大就提出，要进行市场经济的先行试验。建立特别关税区，无非是在区域市场经济发展上先走一步，先和国际市场对接，是社会主义市场经济的先行试验。

8. 正确看待建立特别关税区带来的"附属品"

有人担心，搞了特别关税区，资产阶级自由化会泛滥，乱七八糟的事肯定很多，由此否定搞特别关税区。

当然，一线放开以后，一些腐朽的东西肯定会带进来。但是，小平同志讲，我们有三条标准，讲海南改革开放的标准是全岛富裕，一切要从这点出发，搞特别关税区就是为了符合这个标准。只要符合这个标准，其他的东西都可以先放一放。中国有句古话叫"仓廪实而知礼节"，等我们富裕了，有了一定的经济实力，就会自然而然地增强抵御资产阶级自由化等腐朽思想的能力。

9. 正确看待建立特别关税区与引进内资的关系

有的同志还担心，搞特别关税区以后，内地资金来不了海南。

其实不会这样。从我所了解的看，真正关心特别关税区的，多数是内地各省领导、各省驻海南办事处。内地的企业十分希望海南建立特别关税区，建立海南特别关税区的方案有利于内地企业到海南投资，有利于内地企业通过海南加强同国际市场的联系。

所以，我们的思想需要解放一点，把有些问题看清楚。这样，特别关税区才有可能成为大家自觉的行动，不是被动地等，而是积极地干、积极地争取，从而将特别关税区变成现实。现在，建立特别关税区的问题正处于征求各部委意见的阶段，为了把建立特别关税区这件事拿下来，一方面我们要努力做工作，争取中央尽早做出决策。另一方面，需要我们在做争取工作的同时敢干、快干。要适当进行宣传，使岛内外、国内外的投资者都了解到，海南是在党的十四大精神的鼓舞下，敢于解放思想，并且大胆地进行特别关税区等方面的实践。只有这样，在党的十四大以后，海南才能进一步掀起改革开放的高潮。

建设海南国际旅游岛

以产业开放拉动产业升级的建议（13条）[*]

（2000年10月）

1988年海南建省办经济特区，确立了经济发展分三步走的战略，要求在实现用3至5年时间赶上全国平均经济发展水平的第一步经济发展战略目标后，在20世纪末完成赶上国内发达地区经济发展水平的第二步战略目标。由于多种原因，实现第二步经济发展战略目标遇到挫折。面对经济全球化大趋势和我国对外开放的新形势，总结海南建省办经济特区12年经济发展的历史经验，提出海南实现未来10年经济发展战略目标的根本出路，在于以产业开放拉动产业升级，走出一条经济持续快速发展之路。

一 产业开放战略的基本内涵

在加入WTO的背景下，区域开放的优势在减弱，产业开放成为对外开放的主流，地方特色经济的发展需要通过产业开放来确立自己的地位。因此建议海南把产业开放战略确立为未来10年的经济发展战略。总体战略目标是经过10年左右的时间，实现农业现

---

[*] 节选自中改院课题组《以产业开放拉动产业升级——中国加入WTO背景下的海南经济发展战略》，2000年10月。

代化、资源加工业集约化、旅游业国际化、海洋资源开发产业化，人均 GDP 达到 2200 美元左右，进入国内发达地区行列，初步实现现代化，为海南在 2020 年实现现代化奠定坚实的基础，真正把海南建成经济繁荣、人民富裕、社会文明、环境优美的经济特区。

1. 产业开放战略的概念

产业开放是一种以产业的国际合作为主导的对外开放模式，是选择基础条件较好的优势产业领域，在投资自由化和市场准入条件方面，率先实行国际通行规则，开展对外经济合作活动。产业开放是以自身的优势资源与国际先进技术、管理经验和市场条件相交换的合作方式，参与世界性的产业分工和结构调整，推动自身的产业升级，促进经济发展。海南实行产业开放战略，就是在海南的优势产业领域，即农业（种植业、养殖业及其加工业）、旅游业以及与优势产业关联度大的部分服务业，实行贸易投资自由化的各项政策，发展产业相对优势，拓展产业发展空间，增强产业竞争能力，以加快拉动产业升级，实现海南经济持续快速发展。

2. 产业开放战略的提出

海南产业开放战略的提出，是建立在两个背景基础上：一是海南作为我国最大的经济特区，为适应经济全球化和我国对外开放的新形势，要适时由区域开放转向产业开放；二是我国加入 WTO 后，逐步全面开放市场是大势所趋。在此背景下，海南作为经济特区，抓住机遇，实行产业开放，既有利于海南优势产业的升级，由此拉动经济增长，又有利于推动海南尽快走入国际市场，参与国际市场竞争。因此，海南确立产业开放战略意味着：第一，海南特区的对外开放将由过去以区域开放为主向以产业开放为主转移。第二，海南的产业开放是区域开放的深化和发展，对外开放的水平更高，范围更大。第三，产业开放以发展比较优势为原则，它借助外部资本和先进技术，目的在于建立自身的优势产业，以提高自身参加国际国内竞争的竞争力。

3. 产业开放战略的机遇

全球经济一体化和我国加入 WTO 为海南实施产业开放战略提供了重要机遇。21 世纪初期世界经济将形成新的分工与合作的局面，同时也是区域经济实现调整的重要时机。海南周边国家和地区在产业升级的过程中，正在进行生产的转移和市场的扩张，跨国公司的活动也在进一步扩大。海南应该抓住这一重要机会，力争在以下几个方面有所突破：一是抓住我国加入 WTO 和台湾以单独关税区加入 WTO 的时机，在过去琼台经济合作的基础上，争取实现琼台农业项下自由贸易的重大突破。二是创造条件，引进跨国公司，实现与跨国公司合作方面零的突破。三是实现与台湾及周边国家和地区的合作，使引进外资合资合作开发南海资源、发展海洋产业有所突破。四是在几个重要区域开放方面争取有所突破，如：把三亚列入国家旅游产业基地，获得国家支持，实行全面开放，建设国际化旅游城市；加速洋浦经济开发区的发展；加速海峡两岸（海南）农业合作试验区的建设等。

二 产业开放是海南在新形势下的正确选择

面对经济全球化大趋势和我国对外开放的新形势，总结海南建省办经济特区 12 年经济发展的历史经验，本报告提出：海南实现未来 10 年经济发展战略目标的根本出路，在于以产业开放拉动产业升级，走出一条经济持续快速发展之路。

4. 12 年的经验表明，开放是海南发展的主题

当今的世界是开放的世界。我国改革开放的历史实践表明，经济发展与对外开放成正相关。无论是地区的经济发展还是行业的经济发展，开放得早，开放得好，就会发展得快，发展得好。海南建省办特区以来经济社会发展的"两起两落"，原因是多方面的，但从根本上讲，开放的文章做得好不好是决定性因素。对于海南这样

一个资源丰富、区位优越而经济落后的海岛来说，实行对外开放，以其具有吸引力的开放政策和良好的开放环境，吸引境外人员、资金、技术、项目的大量涌入，是经济快速发展的巨大推动力。

过去12年的实践经验一再证明，开放始终是海南发展的主题，开放始终是海南经济持续快速增长的动力源泉。12年的实践说明，深刻理解邓小平创办海南经济特区的战略思想，是海南坚定地走开放之路的前提和保证。12年的实践经验告诉我们，海南要坚定地实行对外开放，应着重处理好"三个关系"：一是外资和内资的关系，以吸引外资为主，才能带动内资的进入，内资的进入始终是以开放为前提条件的；二是国际市场与国内市场的关系，在有效利用两个市场的同时，着力开发国际市场，才能提高海南产品在国内市场的竞争能力；三是开放效应和开放成本的关系，开放是海南发展的必然选择，只有在开放中求发展，才能不断释放开放的风险，减少开放的成本。

5. 适应新形势，从区域开放走向产业开放

21世纪初期，随着我国加入WTO，区域开放的优势在减弱，产业开放成为对外开放的主流。开放为各产业的发展提供了前所未有的机会，开放也使产业的发展面临更大的竞争和压力，各个产业都要在产业开放过程中以竞争求生存、求发展。地区经济要通过产业开放，发挥自身优势，并由此确立自己的地位。为适应经济全球化的大趋势和对外开放的新形势，海南应尽快制定新的开放战略和策略。由区域开放加快转向产业开放，以产业开放拉动产业升级，大力发展产业比较优势，为经济的持续快速增长寻求新的出路。

三 产业开放是海南发展地区经济优势的必由之路

从海南实际情况看，推进产业开放，不仅是实现资源优势转化为经济优势的重要举措，也是拉动产业升级的务实选择。

6. 产业开放把资源优势转化为经济优势

邓小平曾指出:"我们正在搞一个更大的特区,这就是海南岛经济特区,海南岛和台湾的面积差不多,那里有许多资源,有富铁矿,有石油天然气,还有橡胶和别的热带亚热带作物,海南岛好好发展起来,是很了不起的。"这个"很了不起",只有通过实行对外开放,把丰富的资源优势加快转变为经济优势,大大增强经济实力,才能成为现实。海南发展的历史证明,这是海南快速发展的重要出路。

如何由潜在的资源优势转化为现实的经济优势,出路在于实行产业开放。对于经济基础薄弱的海南来说,只有依靠产业开放,才能很好地解决产业升级所需要的资金、人才和技术。1988—1998年的10年间,海南全社会投资总计1360.8亿元人民币,是建省前38年的11.5倍。据估算,其中大约2/3的资金来自国内资金和国外资金。

进入21世纪,海南经济最具有发展潜力的产业是热带农副产品加工业、海洋业、具有创新经济特点的现代服务业以及以生物技术和信息技术为主的高新技术产业。海南丰富的资源条件,为这些产业的发展提供了最现实的基础;国内居民消费结构的升级和国外农副产品市场的开放,为这些产业的发展提供了广阔的市场空间;放宽外资准入条件和更大范围地开放服务业,为这些产业的发展提供了必需的资金、管理和技术条件。产业开放会为实现由潜在的资源优势转变为现实的经济优势创造最佳的条件和环境。

7. 产业开放是实现产业升级的最佳选择

海南最大的经济优势是热带高效农业和旅游业,经过12年的发展,热带高效农业和旅游业已初步成为海南的优势产业和支柱产业。但是,由于现阶段这两大优势产业的技术水平低,因而缺乏国际竞争力,成为制约海南经济快速增长的突出矛盾。实现热带高效农业和旅游业的产业升级已成为进一步发展热带高效农业和旅游业的关键环节。以产业开放带动热带高效农业和旅游业在更高水平上实现升级，才能有资格进入国际市场参与国际竞争，才有条件确保在国内市场中的优势地位。

8. 产业开放是扬长避短、发挥比较优势的出路所在

海南的经济无论是在总体结构上还是在产业的内部结构上，都是优势与劣势并存，长处与短处同在。从三个产业的结构看，第一产业和第三产业是海南产业的优势所在、长处所在，第二产业则是海南产业的劣势和短处；从工业结构内部看，热带农副产品加工业、海洋资源加工业和以生物技术、信息技术为主的新兴工业是海南工业的优势所在，而传统制造业则是海南工业的劣势所在。面对激烈的市场竞争，扬长避短，扬优化劣，发挥比较优势，以此规划产业发展，是海南未来经济发展必须遵循的重要原则。产业开放首先是在优势产业领域实行开放，以促使优势产业迅速发展成为在国际国内市场竞争中具有比较优势的产业。只有在产业开放过程中，通过比较，才能明确优势产业发展的方向和发展要求。

四　产业开放是实现海南经济持续快速增长的关键

面对海南经济发展后劲明显不足、经济增速下行压力加大的局面，需要从具有比较优势的特定产业出发，以产业大开放形成经济增长新动力。

9. 未来10年海南经济增长速度面临巨大压力

从1998年开始，海南经济发展结束了连续三年徘徊的局面，增长速度持续回升，连续两年GDP增长速度超过全国平均水平。但是增长后劲不足，发展速度仍较为缓慢，与全国发达地区水平的差距在拉大。主要表现为：海南GDP总量占全国的比重连年下降，从1993年的0.75%，一直降至1998年的0.55%，已回落到建省之初的水平；海南人均GDP连续三年低于全国平均水平，1998年人

均 GDP 不及 1997 年全国的人均水平，名列全国第 14 位，为广东和浙江的 54%、福建的 58%、江苏的 60%。如果海南确定推迟 10 年实现原定的第二步战略目标，即于 2010 年人均 GDP 进入全国先进地区行列，那么，未来 10 年，年均 GDP 增长率预期为 11%，到 2010 年 GDP 达 1600 亿元左右，人均 GDP 达 1.9 万元（折 2200 美元左右），超过全国 2015 年的预期目标。即使这样，海南人均 GDP 在 2005 年只达到广东 1998 年水平，2010 年只达到北京 1998 年水平，2015 年只达到深圳 1998 年水平。综上分析，海南经济快速增长的基本目标是要保持两位数的增长率，不是略高于全国平均水平，而是高于全国平均水平 3—5 个百分点。

10. 以产业开放实现快速增长的可行性分析

（1）建立在海南产业比较优势的基础上。经济快速持续发展主要依靠发挥海南三大优势，即热带高效农业、旅游业和海洋产业，把潜在的资源优势变成现实的经济优势，以形成具有相对优势的产业，使经济快速发展具有坚实的产业结构基础。

（2）建立在产业实现升级的基础上。经济快速持续发展主要依靠搞好两个创新，即体制创新和科技创新，以产业开放拉动产业升级，依靠产业升级释放的能量，以及依靠高新技术的应用和发展所引发的推动力，带动经济的全面发展和整体水平的提高。

（3）建立在以人为本的基础上。经济快速持续发展依靠人力资源，同时又是为了提高人的生活质量，为了人的全面发展。

（4）建立在良好的生态环境基础上。保持一方净土，建设生态经济省，始终是海南经济快速发展的方向和目标。

（5）实现 10% 左右的经济增长。在实现产业升级的背景下，根据我们的预测，2000—2010 年全省 GDP 年均增长率预期为 11% 左右，第一产业年均增长率预期为 9%—10%，第二产业年均增长率预期为 9%—10.5%，第三产业年均增长率预期为 11%—14%。

特别是以旅游业为主导的第三产业的快速兴起，是实现海南经济持续快速发展的关键。

五 实现产业开放的重大举措

实施产业开放政策是 21 世纪初期贯穿海南经济工作的一条主线。产业开放的出发点是为确保海南在 21 世纪初叶经济规模和经济质量获得全面的发展，在现有基础上提高发展速度，保持持续快速发展势头，避免再次出现大起大落现象。报告提出，海南要实现未来 10 年产业开放的总体目标和主要任务，必须抓住机遇，解放思想，不失时机地采取一些重大举措，实现某些重大突破，从而把海南的现代化建设引上健康发展的快车道。

11. 利用加入 WTO 的机遇，采取必要措施，加快推进琼台农业合作

随着我国即将加入 WTO，台湾作为单独关税区，也会很快加入 WTO。因此，未来一两年将是台湾农业及其出口加工业加速转移的关键时期。海南具有琼台农业合作得天独厚的条件，不论是自然条件、地理条件和原有产业发展的基础，海南均具有自己独特的优势。近几年来琼台农业合作有了较快发展，奠定了较好基础。台湾加入 WTO，全面开放农业市场，对其农业将产生巨大的冲击，必然寻求在其他地区发展农业。海南必须清醒地认识到这一点，紧紧抓住台湾农业转移的机遇，以琼台农业项下自由贸易为重点，推动"海峡两岸（海南）农业合作试验区"建设，把琼台农业合作推上新的台阶，这是实现海南热带高效农业升级和现代化的关键一步。

12. 加大旅游业的开放力度，争取把三亚确定为国家旅游产业建设基地，建设三亚成为国际化旅游城市

扩大开放有了新思路，具体的产业开放从哪里开始突破？为此，中改院课题组通过比较研究提出，产业开放的关键在于旅游

业，通过旅游产业的开放，将海南的资源优势转化为现实的经济优势、发展优势。

（1）中国加入WTO，将给21世纪初的海南旅游带来两种意义上的机遇与挑战。即参与世界旅游区域分工的机遇与挑战和参与国际合作的机遇与挑战。加入WTO后，境外资本和管理将涌入中国旅游市场，在这种形势下，海南旅游既要学会竞争，更要学会合作，这种合作包括内外合作与内内合作，合作是出路，是发展；封闭是死路，是倒退。这就要求海南旅游在新时期、新形势下，有新的对策。首先是要加大开放力度，制定新的开放政策，其次要进行体制创新，形成与国际规范标准和国际惯例接轨的管理、经营、服务体系，以及公平有序的市场机制与环境。

（2）世纪之交，海南省重新调整了全省的产业结构和布局，旅游业和热带高效农业的产业地位得到进一步的确立，并提出了建设生态省的目标。明确旅游业的地位，有助于尽快根据旅游业的开放性特点，形成与国际接轨的市场经济机制，也有助于集中社会资源，对旅游进行深度开发。而海南建设生态省的目标则与发展旅游业完全一致，优良的生态环境是海南旅游的特色优势，也是21世纪海南旅游持续发展、走向世界的最大资本。

（3）今后几年，海南旅游资源开发将在深度和广度上得到加强，与国内旅游产品的结构调整一起，将对海南旅游产生正面影响。目前，海南西部旅游已经启动，西沙群岛旅游也开发在即。海南西部的原始雨林生态、西沙群岛的热带海洋生态，都堪称世界生态度假旅游资源之瑰宝，将成为我国旅游业打向世界的又一张王牌。而21世纪头10年，我国旅游业将进一步加强国际竞争能力，特别要加强度假休闲和特色旅游产品开发。所以，如何借船出海，把海南旅游业推向一个新的高度，正是海南在21世纪初面临的一个重大课题。

（4）建设三亚国际化旅游城市。从资源分布的特点和已经形成的基础来看，三亚处于全省旅游业的龙头地位，具备建设国际化旅游城市的自然资源条件和城市基础设施。建议中央把三亚确定为国家旅游产业建设基地，高水平地对三亚旅游业的发展和三亚城市建设进行规划，并给予扶持。加快三亚国际化旅游城市建设，以此为突破口，带动全省旅游业全面发展，是海南旅游业真正走向国际市场的关键性步骤。

在三亚实行更加开放的政策，提高对外开放总体水平，在旅游开发、经营、管理和服务等方面与国际旅游业接轨。尽快争取实行免签证政策。为了方便海外游客的出入境，海南要尽快争取实施国际旅客免签入境的优惠政策。经国家主管部门批准，在海口、三亚对国际游客免签入境15—30天。加强旅游文化建设，形成国际知名旅游品牌。加快旅游业基础设施建设。建设国际会议中心，发展与旅游相配套的会议产业。实行教育开放，大力发展教育，特别是发展旅游职业教育。引进国外或国内著名大学和联合社会力量，创办以旅游学科为主的高等职业学院。

13. 借鉴新加坡经验，把洋浦建成油气储存、加工和出口基地

南中国海蕴藏着丰富的油气资源，南中国海的油气资源正受到周边国家的侵占，开发和利用南海油气资源，无疑在经济上和政治上均具有重要的战略意义，对海南未来经济的发展也将产生重要影响。鉴于海南省在油气储藏上十分丰富的优势、地理位置上与华南地区和港澳地区距离较近的优势以及海南作为经济特区所具有的经济环境上的优势，海南完全有条件、有可能成为我国南部天然气基地。把海南建成我国天然气基地，应成为海南未来10年建设的重要战略目标，争取列入国家"十五"计划开始启动。

洋浦建设既关系到海南的对外开放的进程和整个西部地区的工业建设，也关系到整个国家的对外开放形象。鉴于洋浦在海南乃至

全国改革开放中的特殊地位，必须采取一切措施，尽快实现洋浦开发的全面启动。

（1）随着南海资源的开发与利用这一战略实施，可选择洋浦逐步作为挺进南海、开发南海的重要基地。借鉴新加坡经验，以海洋油气为原料，以市场为导向，开发化工项目，以大带小，形成产业链、项目群。应通过产业开放，采取有力措施，引进国内外大企业、大财团共同开发。

（2）近期洋浦应抓好贸易启动，搞活洋浦的加工贸易、转口贸易、仓储贸易以及边境贸易。加大招商力度，引进大企业、大项目进入洋浦，以项目带动洋浦近期的发展。同时完善洋浦各项基础设施建设，经过若干年的过渡，把洋浦从一个加工贸易基地发展成为重要的油气储存、加工和出口的化工基地。

（3）洋浦应继续用足用活中央赋予的优惠政策，使之真正落到实处，将优惠政策转化为投资效益，以政策驱动促进功能开发。洋浦的管理体制应总结经验，做必要调整，以适应洋浦的发展。

海南国际旅游岛建设的框架建议(15条)[*]

(2001年12月)

在我国加入 WTO 背景下,如何把海南的开放优势、资源优势转化为现实的经济优势、发展优势?经过认真研究,中改院提出建立海南国际旅游岛的框架建议。笔者认为,这一建议在我国加入 WTO 后,对海南加快改革开放步伐,实现经济持续快速增长有着关键性、突破性的作用,并会对我国旅游业开放和发展产生重要影响。

一 建立海南国际旅游岛的主要内涵

国际旅游岛,是指在特定的岛屿区域内,限定在旅游产业领域范围中,对外实行以"免签证零关税"为主要特征的投资贸易自由化政策,有步骤地加快推进旅游服务自由化进程。

1. 海南国际旅游岛的基本含义

依据以上基本内涵,建立海南国际旅游岛的主要内涵是:

(1)进一步扩大国际游客的免签范围,为游客进出海南岛提供尽可能的方便和自由。海南目前经国家批准,已对21个国家和地

---

[*] 节选自中改院课题组《海南国际旅游岛建设的框架建议》,2001年12月。

区的游客，在指定的旅行社组团下给予免签，时间为 15 天。海南岛宣布为国际旅游岛后，一是免签的范围由团体扩大至个人，可考虑在与海南有直航的若干个周边国家（建立正式外交关系的国家）与地区，游客个人可入境免签；二是免签时间可由目前的 15 天扩大至 30 天。

（2）在旅游产业的主要领域，全面开放市场，率先实行我国入世的承诺。例如：旅行社、餐饮业、景区景点市场、旅游商业。

（3）对与旅游业相关的某些产品实行零关税。例如，对从事旅游产业的开发与经营，在其投资总额内进口自用的建筑材料、生产经营设备、交通工具等合理范围内，经核定，免征关税和增值税。

2. 建立海南国际旅游岛符合 WTO 规则

根据 WTO 服务贸易总协定（GATS）的分类与定义，旅游服务业属于 GATS 定义的 12 种服务类别中的第 9 类"旅游及相关服务"，指旅馆、饭店提供的住宿、餐饮服务、膳食服务及相关的服务，旅行社及导游服务。GATS 的目标就是逐步消除服务业的贸易壁垒，推动服务业进一步发展，实现服务贸易自由化。

随着旅游业在世界经济中的地位日益突显，WTO 开始重视旅游服务自由化所涉及的一系列问题，"旅游服务自由化"正式被提上日程。1999 年，WTO 提出了在 GATS 中增加旅游业附件的建议。WTO 在西雅图会议前公布了一份由世界旅游组织与 WTO 服务贸易理事会共同设计的《关于旅游业的附件草案》，"草案"在第 7 部分的"旅游可持续的合作"中指出，WTO 成员应认识到一个充满活力的旅游部门对于所有国家的发展是至关重要的，尤其是对于发展中国家，并且发展中国家不断提高在世界服务贸易中的参与度十分重要。2001 年 9 月世界旅游组织战略问题小组在日内瓦同 WTO、联合国贸发中心（UNCTD）及国际航空运输协会（IATA）的领导人就贸易自由化问题举行了会谈。会谈的焦点集中在是否采纳《服务贸易总协定（GATS）》中关于"旅游业附件"的问题。世界旅游组织秘书长佛朗加利说，讨论的主要议题是如何使旅游服务的自由化（特别是在发展中国家）达到某种平衡。会议中，大家同意继续推动更多的自由化，以及减少旅游业的限制。一份新的"旅游业附件"正在酝酿之中。

3. 建立海南国际旅游岛的目标

《海南旅游发展总体规划》提出：经过20年的努力，实现海南旅游接待总人数、旅游总收入、旅游外汇收入分别翻三四番，把海南省建设成为中国的旅游强省和世界著名的国际性热带海岛度假休闲旅游目的地。建立海南国际旅游岛，就是确保这一目标的实现。

（1）经过20年的努力，2020年海南旅游人数达807万人次，为2000年的2.4倍，其中入境人数达158万人次，为2000年的8.18倍；旅游总收入达377.5亿元，为2000年的4.3倍，其中外汇收入18.32亿美元，为2000年的16.3倍；旅游财政收入达33.9亿元，为2000年的4.4倍。

（2）经过20年的努力，使海南进入全国旅游强省的行列。衡量旅游强省与否有两个主要指标：一是旅游外汇收入；二是旅游入境人数。2000年海南旅游外汇收入位居全国第21位，旅游入境人数位居全国第15位，与旅游强省有较大的差距。在国际旅游岛的框架下，实现海南旅游业结构的调整与优化，充分贯彻国家旅游局提出的"以入境旅游为主导，以国内旅游为基础"的发展方针，使海南旅游创汇收入占旅游总收入的比重，从2000年的1.1%提高到2020年的40%，入境旅游人数占旅游总人数的比重，从2000年的5%提高到2020年的20%。

（3）经过20年的努力，着力提高海南旅游国际化水平，使海南成为世界著名的国际性热带海岛度假休闲旅游目的地：以高档次、高消费国际市场为目标，树立海南旅游市场形象；以国际标准的旅游管理和旅游服务为目标,提高海南旅游国际化水准;以海南独特的热带生态环境和高水准的度假设施为目标,提高海南在国际旅游市场的知名度。在国际旅游岛的框架下,使海南旅游率先与国际旅游接轨,成为我国旅游业与国际接轨的对接点,成为我国旅游业进入国际市场的有效通道,成为我国旅游对外开放的重要窗口。

4. 建立海南国际旅游岛对海南经济社会发展的重要作用

在我国加入 WTO 的背景下,建立海南国际旅游岛,将对海南经济增长及旅游业相关产业的发展和生态环境、人文社会产生多方面的拉动作用。

(1) 海南旅游业对经济的拉动作用。海南旅游业对国民经济做出了显著的贡献。1998 年海南国际国内旅游总收入达到 66.96 亿元人民币,是当年社会消费品零售额的 46.3%;旅游业新增价值为 13.64 亿元人民币,占当年 GDP 的 3.1%。从旅游业同其他产业增加值的比较看,1998 年旅游业增加值分别是海南纺织工业的 9.7 倍,饮料制造工业的 2.1 倍,医药工业的 3.3 倍,汽车、摩托车工业的 1.3 倍,这充分说明,海南旅游业的发展水平明显高于那些被认为发展势头较好的产业,其在国民经济中的贡献份额也在不断扩大。

按世界旅游理事会 1992 年的统计,旅游收入对国民经济总产出的乘数为 2.5。根据海南省旅游局规划预测 2020 年旅游收入为 373 亿元,占海南省 GDP 的比重为 19%,对国民经济的贡献额以 2.5 的乘数计算约为 932.5 亿元,这将占到 GDP 的 47%。由此可见,建立海南国际旅游岛对海南经济的拉动是十分明显的。

(2) 海南旅游业对相关产业的带动作用。《世界旅游组织研究报告》1993 年预测,到 2000 年,全世界旅游消费总量将超过 16000 亿美元。世界旅游理事会提出,全球旅游收入为旅游业增加乘数 0.50,为相关行业增加 0.517,诱导其他部门 0.48。旅游消费直接投向是吃、住、行、游、购、娱6个部门。间接影响的有金融、保险、通信、医疗、农业、环保、印刷等58个部门。据有关研究测算，在中国旅游收入每增加1元，可带动第三产业相应增加10.7元，旅游外汇收入每增加1美元，利用外资额则相应增加5.9美元。旅游业的发展明显带动直接和间接相关产业的同步发展，产生了相互拉动的作用。海南把旅游业作为支柱产业，并建立国际旅游岛，其发展潜力和拉动作用有极强的实力。

（3）海南旅游业对扩大就业的效应。据世界旅游组织研究报告，1994年世界旅游业直接和间接工作人员数达到1.2亿人，约占世界各行业工作人员总数的1/9，到2007年将达3.5亿人。由于旅游业的广泛性和丰富性，决定了旅游业是一项高度劳动密集型行业，世界旅游理事会就旅游就业的函数关系，并根据直接就业与间接诱发就业的数量关系得出就业乘数为2.4—3，据专家预测，海南旅游业创造的直接和间接就业机会，2000年为9.37万人，2005年为15.28万人，2010年为20.52万人，2020年达33.31万人。建立海南国际旅游岛，在海南先行履行我国加入WTO对旅游业方面的承诺，并配以相关的开放政策，这将给海南创造极好的就业机会。

（4）海南旅游业对环境建设的作用。对生态环境建设的作用。以高质量的阳光、空气、海水、沙滩、温泉及其丰富的热带雨林构成的海南优良的生态环境资源，是海南旅游业发展的基础，以此为基础发展起来的生态旅游必将成为海南旅游业的特色与优势。生态旅游所进行的旅游开发，体现了生态资源的开发与保护相统一，自然生态环境与营造生态环境相统一。因此，海南生态旅游的发展，有利于不断提高现有的环境质量和生态水平，不断地推进生态环境建设，并且在新的发展水平上，建立新的平衡，相互协调，相互促进，实现可持续发展，成为海南生态省建设的重要内容。

对人文环境建设的作用。建立海南国际旅游岛，吸引国际游客的旅游产品不仅是游览、娱乐,还有海南独特的人文环境魅力。海南特有的少数民族黎族,应形成独具特色的文化生态环境和原生态文化资源环境。将黎族文化生态融入国际旅游的建设中,从而达到弘扬民族文化、发展民族经济的目的。在保护海南现有的历史古迹苏东坡故居、五公祠等的基础上,还可以挖掘和提炼出新的核心内容,即独特的岛屿文化。海南的人文环境建设将极大地提高海南旅游业的国际竞争力。

二 建立海南国际旅游岛的机遇和背景

5. 旅游业已成为世界经济中最大和发展最快的行业之一

20 世纪 50 年代以来,旅游业得到了蓬勃的发展。从 1950 年接待 2530 万人次增长到 2000 年的 6.35 亿人次,国际旅游收入也从 21 亿美元增加到 4786 亿美元,增长了 227.9 倍。据世界旅行旅游理事会提供的数据,国际旅游业每年的产值达 4.5 万亿美元,占世界国内生产总值的 11%;国际旅游业从业者多达 2.07 亿人,占世界就业人数的 8.2%。

世界旅游组织的预测显示,在未来几年里国际旅游业将保持良好的发展势头,2010 年全球国际旅游人次将达到 10 亿人次,2015 年将达到 12 亿,2020 年将达到 16 亿。2000—2020 年,国际旅游活动的年平均增长率为 4.4%。2020 年,全球国际旅游消费收入将达到 2 万亿美元,国际旅游年均增长率为 6.7%,远远高于世界财富年均 3% 的增长率。届时,国际旅游人口将占世界总人口的 3.5%,旅游业将在全球经济的重构中发挥重要作用。

6. 我国将成为旅游强国

我国提出到 2020 年建成世界旅游强国的目标。目前,我国旅游综合实力位居世界第 5,亚洲第 1,旅游创汇收入位居世界第 7,亚洲第 1。世界旅游组织的数据表明,2000 年中国的国际国内旅游业总收入达 162 亿美元,世界排名第 7,比前一年增长 15.1%,占全球旅游总收入3.4%，相当于中国国内生产总值的5%。据国家统计局统计，2000年，我国入境旅客人数为8340万人次，比1980年增长了10倍，外汇收入为162亿美元；国内旅游人数从1984年的2亿增加到2000年的7.44亿，国内旅游收益为3180亿元人民币。

据有关资料统计，目前我国旅游综合实力已被列为世界第5大旅游国，但是与世界公认的旅游强国（美国、法国、意大利、西班牙）相比，有明显的差距，而这种差距的核心是旅游产业的国际化水平低和旅游业的开放水平低。1998年中国的旅游外汇收入，仅相当于美国的18%，意大利的41%，法国的42%，西班牙的43%；1998年中国接待入境旅游者，分别比法国少4493万人次，比西班牙少2286万人次，比美国少2132万人次，比意大利少976万人次。

而入世会给我国旅游业的发展带来新的机遇。据世界旅游组织预测，到2020年，我国将跃升为全球首位旅游目的地，入境旅客人数将由2000年的3100万人次增到2020年的1.3亿人次。出境旅客人数将达到1亿人次，成为世界第4大旅客来源地，仅次于德国、日本和美国。

7. 世界旅游服务的高度开放将迅速推进我国旅游业的开放

旅游业作为世界经济最活跃、最具发展潜力的新兴产业，也是WTO关于服务贸易自由化进程中最引人注目的领域。其开放的进程是在不断加快的。据WTO的统计，到1999年，承诺开放宾馆与饭店服务业的成员方已超过100个，开放旅行社及旅游经营者提供的服务有80多个，开放导游服务也已超过30个。与其他服务贸易相比，旅游服务的开放和自由化程度已相对较高。

为争取竞争优势，配合世界旅游服务业的全球化发展趋势，世界各地都在以不同或相同的方式有计划地进行着旅游服务的自由化实践。如韩国的"济州岛国际自由城市计划"，其目标是把济州岛建成旅游、休闲、商业、先进技术产业以及物流和金融相结合的复合型国际自由城市。局部地区开放或全方位开放的旅游服务及其相关领域的自由化已成为世界各国旅游业发展的主流。

目前，国家旅游局提出我国入世后对旅游业开放市场的承诺时间表还将根据情况予以提前兑现。

三　建立海南国际旅游岛的条件

8. 海南旅游业近几年取得了迅速的发展，为建立国际旅游岛奠定了良好的基础

2000年接待旅游人数已超过1000万人次，全岛已具备接待游客2000万人次的能力；旅游收入已占全省GDP的15%，成为全省经济的支柱产业；旅游基础设施建设取得了高度的发展，环岛高速公路全线贯通，一南一北两个国际机场，电信基础网络全部实现数字化，2003年粤海铁路开通将与全国铁路联网。使海南旅游业具备了大开发、大发展的基础条件。

9. 拥有丰富的旅游资源

海南具有丰富的热带海岛旅游资源可供进一步开放。特别是尖峰岭、七仙岭、五指山、吊罗山、霸王岭等山区的热带雨林，滨海度假区、温泉及珊瑚礁资源等，都未充分开发成为优质的旅游产品，可发展与自然相关的旅游活动，海南有条件发展成为生态旅游的知名目的地。

海南省管辖的西沙群岛，旅游资源十分丰富、独特，是海洋观光旅游的最佳场所，可使海南成为知名的海洋旅游目的地。

海南气候宜人，阳光、海水、沙滩、森林，未受污染，质量很高，只要经过高水准的开发，可建成适于休闲度假中心、大型康复疗养中心、大型娱乐体育活动中心以及发展组合式度假的旅游产品。海南有条件成为国际知名的高水准热带旅游度假目的地。

10. 地理位置优越，已具有一定的知名度

海南距经济发达的香港、澳门、广东很近，已成为国内著名的

旅游胜地。在国际市场上，海南与东南亚经济发达国家、日本、韩国和欧洲游客不仅距离近且具有吸引力。博鳌亚洲论坛的设立，为海南发展高层次的会议旅游创造了良好的契机。海南有条件进军高档次、高消费的国际市场，国际国内旅游市场潜力巨大。

目前，海南旅游业的现状与建立国际旅游岛的要求还有某些不适应的方面。例如，旅游产品水准低，旅游管理和旅游服务水平低，从而造成人均消费低，企业效益低。海南旅游要实现从以观光旅游为主向以休闲度假旅游为主的结构升级，从以低档次、低消费的旅游市场目标为主向以高档次、高消费的旅游市场目标为主转变，从以规模扩张的初级阶段向以效益扩张的高级阶段发展，建立海南国际旅游岛正是实现这些转变的关键所在。

四　建立海南国际旅游岛的相关建议

11. 对建设海南国际旅游岛促进海南发展的全局意义要给予充分的估计

以旅游国际化为目标，实现相关产业的发展突破，将促进海南旅游业跨上新的台阶。以建设海南国际旅游岛为契机，带动相关产业的开放，将开创海南对外开放的新局面。近期内，建设海南国际旅游岛，促进海南旅游业的市场开放和国际化，使海南成为具备国际竞争能力的休闲度假胜地之一。从长远发展看，借海南国际旅游岛的建设，促进带动其他相关产业的开放和国际化程度，将全面提升海南对外开放的层次和水平，为海南经济的可持续发展打下坚实的基础。

12. 尽快形成《建设海南国际旅游岛的研究报告》

建议由多方面专家参与，以《海南旅游业发展规划（初稿）》为基础，尽快完成《建设海南国际旅游岛研究报告》。研究报告应当对建设海南国际旅游岛的主要方面提出具有可操作性的研究结论。

13. 以国际化为目标，相关规划应充分参照国际惯例和 WTO 规则实现新的突破

建立海南国际旅游岛必须立足全球市场，突出国际性。适应市场开放的大趋势，引进国外旅行社，加快海南旅游业与国际市场的整合。充分利用海南滨海优势、人文优势及其他优势，面向国际市场，发展包括休闲度假、会展商务旅游、体育健身、文化传播、社区服务在内的综合性的"休闲经济"。

14. *积极做好相关的准备工作*

加快适应于开放条件的旅游人力资源的开发。在创造条件积极引进的同时，加大涉外旅游人才的教育和培养；允许外资投资教育产业，以提升人才的国际化水平。

加快清理现有与旅游国际化相关的法律法规、规章制度和政策文件，与 WTO 的相关规则相适应，增强法律法规的透明度、公开性，为企业运营提供一个公平、透明的环境。

多方面创造旅游国际化必需的软环境。重点包括加快政府机构改革，提高政府工作人员综合素质和办事效率，树立政府信用；加快海南现有旅游市场规范整合和结构调整的力度，营造竞争有序的市场环境，优化微观基础；加快网络信息化、金融服务、保险服务国际化建设，促进海南国际旅游岛建设的"软"基础设施建设等。

15. *加强相关的组织领导*

建议尽快成立由海南省委、省政府主要领导同志参与的建立海南国际旅游岛研讨小组，加强相关的研究和协调。

在形成《建设海南国际旅游岛研究报告》的基础上，可在北京组织高层次的研讨活动，广泛听取专家和相关部门的论证和意见，必要时听取相关国际组织和国际专家的论证和意见。

在条件成熟时，尽快向国务院提出正式的请示，力争 2002 年正式启动相关的工作。

推进海南国际旅游岛的行动建议（6条）*

（2007年6月）

扩大旅游开放，深化旅游业改革，建设海南国际旅游岛，是中共海南省五次党代会落实中央关于"构建具有海南特色的经济结构和更具活力的体制机制"的要求做出的重大战略部署。本方案建议根据海南省五次党代会精神，在以往研究的基础上，提出了海南国际旅游岛的现实背景、基本内涵和总体目标、总体布局、政策框架、综合改革措施、组织实施等方面的研究建议。

一　建设海南国际旅游岛的现实背景

进入21世纪，以加入WTO为动力，我国已进入全面开放的新阶段。加快产业开放、提升产业升级是我国新阶段对外开放的重要目标。当前，包括旅游产业在内的服务业的开放已成为我国新阶段对外开放的重点领域。抓住机遇，充分利用海南作为经济特区的优势和海南独特的旅游资源，建设海南国际旅游岛，是实现海南又好又快发展的战略选择。

---

* 节选自中改院课题组《海南国际旅游岛建设方案建议》，2007年6月。

(一) 以海岛休闲度假为重要特征的旅游国际化显现出世界旅游发展的大趋势

1. 旅游业开放已成为全球化背景下产业开放的先导

岛屿经济对开放有较大的依赖性，岛屿经济开放的特点之一是其旅游业的高度国际化。海岛度假休闲旅游已经成为国际游客的首选地。在国际上，现代海岛旅游是当今旅游发展的一大趋势。如20世纪60年代美国开发建设与海南同纬度的夏威夷群岛，成为世界注目的焦点；20世纪90年代中期，马来西亚政府把蓝卡威划为免税港，使蓝卡威成为吸引世界游客和投资商的新选择。

2. 开放使旅游业成为世界经济发展最快的行业

2005年，世界旅游经济增加值4.7万亿美元，占世界GDP的11%；世界旅游出口1.5万亿美元，占世界总出口的12%；世界旅游就业人数2.2亿人，占世界就业人数的8.3%。世界旅游组织预测，未来几年国际旅游业将保持良好的发展势头。2010年全球旅游人数将达到10亿人次，2015年12亿人次，2020年16亿人次。2020年全球国际旅游消费收入将达到2万亿美元，全球旅游收入年均增长率6.7%，远高于世界财富年均3%的增长率。旅游业将在全球经济的重构中发挥重要作用。

3. 休闲时代来临，旅游业加速转型升级

休闲度假既顺应了时代发展的要求，又符合旅游业自身发展的趋势。通过加快旅游产业开放进程，扩大开放的广度，加强开放的深度，建设以国际性休闲度假为重点的国际旅游岛或国际旅游特区，已成为经济全球化的一大趋势。建设海南国际旅游岛，顺应全球化背景下国际旅游业的总体趋势，是海南建设旅游经济强省、实现可持续发展的必然选择。

(二) 建设海南国际旅游岛是我国旅游国际化的先行试验和重要举措

1. 旅游开放加快了我国成为世界旅游强国的步伐

业内人士分析，未来5年，世界旅游发展形势对中国有利。世界旅游业发展的总趋势是，欧美发达国家在全球出入境旅游市场中仍将保持传统优势，但增速会放缓；以中国为代表的东亚国家和地区将保持较快增长。世界旅游组织预测：到2020年，中国将成为世界第一大旅游目的地和第四大客源市场。

2. 我国开始步入以休闲度假为重要特征的旅游发展新阶段

我国旅游业经过20多年改革开放的发展历程，目前正在全面实施由亚洲旅游大国到世界旅游强国跨越的发展战略。我国已具备了休闲度假旅游的两个前提条件：一是经济基础；二是有闲暇时间。世界旅游组织的官员认为：中国人正逐步走入"休闲时代"。西方国家花了近百年时间才达到的目标，我国只用了不到20年的时间就达到了。

3. 建设海南国际旅游岛，为我国旅游业整体转型提供一个先行先试的试验田

海南是我国最大的经济特区，也是我国唯一的热带海岛省份。为了进一步扩大我国和海南旅游业的对外开放，使海南成为境外游客进入我国的新通道，成为我国参与国际旅游竞争的新平台，要尽快把海南建设成为世界一流的海岛度假休闲旅游胜地。

(三) 把海南建设成国际旅游岛的时机和条件基本成熟

1. 海南具有建设休闲度假胜地的优越条件和良好环境

(1) 优越的自然、人文条件。

(2) 已经培育出为数不少的热带海岛度假休闲旅游品牌。

(3) 海南省旅游业"十一五"规划的实施，将为把海南岛建设成国际旅游岛打下坚实基础。

2. 良好的旅游开放环境

(1) 区位优势。

(2) 享有我国最优惠的出入境政策。

(3) 已成为中国港澳台、日韩、东南亚、中亚及俄罗斯等国家和地区游客度假休闲旅游目的地的重要选择。

(4) 博鳌亚洲论坛极大地提升了海南的知名度和国际形象，有利于海南旅游业的国际化和客源的多元化。

(5) 海南历史上有开放的传统。

3. 基本完备的基础设施

4. 旅游管理正在逐步接近国际标准

二 建设海南国际旅游岛的基本内涵、总体目标

按照中央关于"构建具有海南特色的经济结构和更具活力的体制机制""把海南建设成为绿色之岛、开放之岛、文明之岛与和谐之岛"的指示精神，立足于充分发挥海南独特的生态环境优势，借鉴世界的成功经验，并适应旅游国际化的大趋势，推进以旅游业为龙头的现代服务业的全面开放，实现海南经济社会又好又快发展。

(一) 国际旅游岛的基本内涵

1. 基本内涵

国际旅游岛，是指在特定的岛屿区域内，以扩大旅游业开放为重点，对外实行以"免签证、零关税、放航权"为主要特点的旅游开放政策，推进旅游服务的自由化、国际化进程，以成为具有特色和极具影响的国际旅游度假胜地。

(1) "免签证"，是最大范围内对国际游客实行"免签证"政策，为国际游客的进出提供尽可能大的自由。这已成为旅游服务国际化的一大趋势。

(2) "零关税"，是对外资旅游设施建设性产品实行"零关税"，吸引外国投资商进入投资旅游业；设立免税商场，便利游客

购物。

(3)"放航权",是实行更加开放的航权政策,扩大航空经营权,增加国际航线,为国际游客进出提供便捷的渠道。

2. 国际旅游岛的主要特点

(1) 人员、物资、资金进出充分自由、方便、快捷。

(2) "吃、住、行、游、购、娱"旅游要素丰富多元,品位高雅。

(3) 旅游业的开发、经营、管理、服务实现国际化、信息化。

(二) 海南国际旅游岛建设的总体目标

1. 世界一流的国际性的热带岛屿度假休闲旅游胜地

(1) 优越的开放环境。

(2) 境外休闲度假游客比重和旅游外汇收入大幅度提升。

2. 世界一流的国际化旅游服务中心

(1) 旅游业的管理体制、运行机制与国际全面接轨。

(2) 旅游服务设施国际一流。

(3) 多方面创造旅游服务国际化必需的软环境。

3. 世界一流的生态宝岛

(1) 保持一流的生态环境。

(2) 具有世界上先进的环境治理技术和有效的机制。

(3) 自然与人文和谐统一。

4. 世界一流的海岛生态旅游产品基地

(1) 度假休闲旅游产品丰富多彩。

(2) 突出海岛生态旅游产品特色。

5. 世界一流的安全旅游目的地

(1) 良好的旅游市场秩序。

(2) 健全的旅游投诉制度。

(3) 加强旅游诚信建设。

(4) 牢牢把握旅游安全生命线。

6. 分步实现海南国际旅游岛建设的总体目标

(1) 近期目标：利用3年左右的时间，大力推进海洋旅游、度假旅游、入境旅游基地建设，提高海南旅游在亚洲、欧洲特别是韩国、日本和俄罗斯等市场的认知度。

(2) 中期目标：再利用3—5年的时间，向全球营销海南，不断提高海南旅游的国际知名度和美誉度，打响"中国热带海岛，东方度假天堂"的品牌。

(3) 远期目标：再利用3—5年的时间，把海南建设成为中国最大的海洋旅游中心，世界上最大的海洋运动基地，世界一流的海洋度假休闲旅游胜地。

三 建设海南国际旅游岛的总体布局

建设国际旅游岛，是海南中长期发展的重大战略，既要立足现实，兼顾长远，又要着眼于全局，统一整合资源。为此，要坚持高起点规划、高水平建设，有效整合旅游资源，努力打造旅游精品，建立扩大旅游开放的支撑体系，从多方面为推进海南国际旅游岛建设进程奠定坚实的基础。

(一) 全岛统一规划建设"五大旅游经济区"

1. 在南部建设"三亚热带滨海旅游经济区"

包括三亚、陵水、保亭、乐东一市三县。总面积6955平方公里，总人口152万。海岸线总长329.1公里，占全省海岸线总长的21.5%，海域环境良好，加上优美的热带风光，是发展热带滨海旅游度假不可多得的地方。以三亚市为中心，建设世界一流的热带滨海旅游经济区，有利于充分利用丰富的资源，拓展三亚旅游经济区的范围，以三亚的旅游品牌带动周边区域发展。

2. 在北部建设"海口滨海文化旅游经济区"

包括海口、文昌、定安、澄迈二市二县。总面积7972平方公里，总人口288万。全省政治、经济、科技、文化中心，交通邮电枢纽。以海口市为中心，形成周边一小时旅游圈，建设中国小康社会的第二居住地，具有各种有利条件。

3. 在中部建设"热带雨林旅游经济区"

包括五指山、琼中、屯昌、白沙一市三县。总面积7184平方公里，总人口78万。地处山区，林业资源丰富，森林蕴藏量最大的地区；四周群山环抱，形成昼热夜凉的山区气候特征，是少数民族主要聚居地。以五指山为重点，建设中国的热带雨林旅游经济区，是有效开发中部山区旅游资源的现实选择，潜力巨大，发展前景看好。

4. 在东部建设"国际会展、温泉旅游经济区"

包括琼海、万宁二市。总面积3576平方公里，总人口105万。两市以平原、丘陵为主要地貌，既有奇山、异洞、怪石、海滩、岛屿、温泉、热带珍稀动植物、滨海风光等自然景观，又有文物古迹、革命遗址等人文景观。以博鳌、万宁为两极，建设亚洲一流的会展、温泉旅游经济区，已经具备品牌效应和国际吸引力。

5. 在西部建设"生态工业旅游经济区"

包括儋州、东方、临高、昌江二市二县。总面积8434平方公里，总人口203万。矿产资源丰富，海域拥有丰富的油气资源。建设以洋浦和东方为两极的生态工业旅游经济区，是新兴工业集群与生态和谐发展的理想示范区。

（二）选择"三亚热带滨海旅游经济区"作为国际旅游岛综合改革试验区的先行试点

1. 在"三亚热带滨海旅游经济区"先行试验旅游产业扩大对外开放和深化改革的重大举措和政策

2. 在"三亚热带滨海旅游经济区"进行统筹发展的改革试验

先行试验统筹城乡发展、统筹区域发展、统筹经济社会发展、统筹人与自然和谐发展、统筹国内发展和对外开放的重大改革举措和政策。

3. 在"三亚热带滨海旅游经济区"试验"以市联县"的行政管理体制

即在经济区内各市县保持原有的独立行政建制的基础上，建立以三亚为中心的十分紧密的经济合作关系，对区域范围内的土地资源、基础设施、城乡产业布局、城乡重要的公共事业、产业发展政策的制定（如在招商引资、土地批租、外贸出口、人才流动、信息共享等方面）、区域环境保护和生态建设等，实行联合决策，联手开发，联动发展。

（三）规划建设10个"乡村生态旅游社区"

1. 建设"乡村生态旅游社区"

在文明生态村建设的基础上建设"乡村生态旅游社区"。每个"乡村生态旅游社区"可由10—20个文明生态村组成。

2. "乡村生态旅游社区"的综合功能

每个"乡村生态旅游社区"都应该至少具备三大功能区：一是热带生态景区；二是热带农业观赏区；三是热带乡村互动文化娱乐区。

3. 扶持农民通过股份合作制建设能够为国内外游客提供住宿、餐饮和娱乐的接待设施

（四）规划建设10个国内外知名的旅游景区品牌

在现有2个5A级旅游景区品牌的基础上，规划建设能够充分代表海南国际旅游岛国际形象的10个5A级旅游景区，由此提升海南国际旅游岛的国际形象，提高海南国际旅游岛的国际竞争力。

（五）建设海南国际旅游岛的支撑体系

1. 培养与国际旅游岛建设相适应的人力资源队伍

（1）做好旅游人力资源规划，创新吸引人才的制度环境和社会

环境。针对现实的人力资源状况，将旅游人力资源规划作为国际旅游岛发展规划的重要组成部分，积极营造吸引人、培养人、留住人、激励人的良好环境，使旅游人才在数量、质量和结构上都能适应建设国际旅游岛的目标要求。

（2）加强旅游职业教育。充分发挥高等院校在旅游职业教育方面的作用，坚持院校培养与在岗培训相结合，本地培养与外地引进相结合，加快培养中高级旅游管理人才。

（3）鼓励海外著名旅游人才培训机构进入海南，设立独资或合资的旅游职业或管理培训中心。

（4）加大旅游优秀人才引进力度。引进高水平、熟悉国际规则的旅游企业经营管理、规划策划、市场营销和涉外旅游等专门人才，引进掌握世界先进信息技术、环保技术、生物技术、仿真技术等领域的高端人才。要积极实施借脑工程，聘请国内外旅游专家搞好决策咨询、规划设计、市场拓展、酒店管理和职业培训，全面提升海南旅游产业的发展层次和水平。

2. 构建适应国际旅游岛需求的国际水平的医疗保健服务体系

（1）按照建设国际旅游岛的需要，制定相关优惠政策，积极吸引国内外一流的医院在海南设立医疗分支机构，鼓励省内高校与国内外知名医疗机构开展合作办学、合作办医。

（2）成立全岛联网的涉外医疗救护中心，在海口、三亚建立具有国际化水平的以治疗心脑血管等突发病救治为主的急救医院。

（3）利用海南优越的自然环境和温泉资源，建立多元化、多层次的康复保健体系，发展中老年保健、体育保健和养生康复保健。

（4）在医疗保险方面先行先试，率先开通国际、国内联网的医疗保险支付系统。

3. 加强公共服务体系建设

（1）完善旅游信息咨询服务网点。搭建在全省所有旅游网站都能方便使用的互联网络旅游信息服务平台，加强旅游区公共信息符号和旅游标识标牌的规范化建设，完善旅游交通标识与标牌，提供中英文双语的文字说明。

（2）实现旅游统计的科学化、现代化和网络化等。

（3）政府各级管理部门要提高工作效率，树立诚信形象，塑造公平、公正和公开的行政服务秩序，为各类旅游企业创造平等竞争的环境。

4. 举办"国际旅游岛博鳌论坛"

充分利用博鳌亚洲论坛的国际影响，每年举办一次"国际旅游岛博鳌论坛"，吸引国际旅游界知名人士参加，扩大海南国际旅游岛的影响，建立与相关国家海岛的旅游交流合作机制，充分借鉴其他国际旅游岛的发展经验，加快推进海南国际旅游岛的建设。

5. 充分挖掘、利用好具有地方特色的文化内涵

（1）要组织专业人员，对海南省旅游文化进行挖掘、提升和创新，加大人文景观的开发，提升旅游产品的文化内涵。

（2）大力扶持创作具有浓郁地方特色的文化精品，特别是适应旅游市场需要的文艺演出作品、音像作品、图书作品等，促进文化产业发展与旅游产业发展的良性互动。

（3）正确处理继承与开发创新的关系，高水平开发民族文化旅游产品。

（4）继续策划一些参与性强、吸引力大的旅游文化活动。让海南以崭新的面貌呈现在国内外游客面前。

6. 营造文明、好客的社会环境

加强文明城市、文明旅游经济区、文明度假休闲社区、文明景区的建设，开展全民国际旅游岛建设教育活动，把国际旅游礼仪列入中小学德育教育内容，为建设海南国际旅游岛营造良好的社会氛围。

（六）根据海南国际旅游岛建设的中长期目标，进一步加强基础设施建设

1. 进一步健全和完善海南的海、陆、空立体交通网络

（1）请求中央批准建设琼州海峡隧道或跨海大桥工程，完善连接其他省、市的方便、快速、安全的交通体系。

（2）按照国际机场标准，加快海口美兰国际机场和三亚凤凰国际机场的扩建工程，完善海口美兰国际机场、三亚凤凰国际机场口岸通关设施，提高两个空港的国际化和现代化水平。

（3）完善岛内高等级公路网建设，尤其是提高通往景区景点的支线公路的标准。提高高速公路多功能服务区配套设施的档次，使其符合国际旅游岛建设的要求。

（4）加快完成全岛城际/重要旅游经济区之间的快速铁路建设。

（5）建设海口、三亚国际客运海港，加快国际邮轮码头的规划和布局，尽快规划建设三亚、海口、博鳌等国际邮轮中心。

2. 大力推进旅游信息化建设

加快通信网络系统的升级换代，提升网络通信功能，降低通信费用，为海南国际旅游岛建设提供便捷的通信环境。

四 建设海南国际旅游岛的政策框架

根据海南国际旅游岛建设进程，按照国际惯例，争取国家给予更加开放的旅游政策支持，分期、分批到位，逐步建立起与海南国际旅游岛建设总体目标相适应的政策体系。

（一）实行更加开放、更加便利的出入境政策

1. 实行个人来琼旅游免签证政策

在原批准的21个国家5人以上旅游团来海南实行15天免签证政策的基础上，实行这21个国家的公民个人来琼旅游免签证政策。

2. 扩大免签证国家范围

新选择一批国家，实行5人以上旅游团来海南旅游免签证。

3. 延长免签时间

由目前免签时间最长 15 天，延长至 30 天，最长可至 90 天。

4. 对来海南的国内游客，可以授权海南办理出入境手续使其旅程延伸至东盟国家

(二) 扩大免税零售服务，对境外游客实行退税政策

1. 设立免税商店

在机场口岸设立免税品商店的基础上，允许海口、三亚等主要旅游城市在市区内设立免税商店。来琼旅游的中外游客均可进入免税商店购买商品。

2. 按照国际惯例实行出境退税

境外游客在海南省内指定的商场购买某些特定的商品，按照国际惯例实行出境退税制度。

(三) 实行更加开放的航权政策

1. 扩大国内航空公司国际航线经营权范围

（1）在开放海南第三、四、五航权以及中途分程权的基础上，给予海南基地航空公司可以用两条航线的名义，接载甲国和乙国乘客及货物往返，但途中必须经过本国。如给予南航海南公司在海南经停，在韩国首尔、泰国曼谷之间运送旅客、货物、邮件的权利。

（2）允许海南基地航空公司经营海南经停或延伸国内任何具备国际口岸的城市（包括北京、上海、广州、香港、澳门）的国际航线。

2. 实行开放航权的减免税费政策

（1）免航油关税等相关费用，降低海南的航油价格。

（2）减免经营海南国际航班新增的航路费、空管费。

（3）减免海南基地航空公司经营海南国际航班的新增起降费。

（4）恢复海南岛内航空企业原享有的进口自用飞机、发动机、航材、航空专用设备减免关税和进口环节增值税政策，在机场设立

进口航材保税仓库。

（5）返还减免经营海南新开国际地区航线缴纳的机场建设费，作为海南开放航权发展资金。

3. 允许海南基地航空公司经营海南—台湾节假日包机航班

（四）尽快开放西沙旅游，实行更加开放的海洋旅游政策

1. 尽快开放西沙航路

西沙旅游已经论证多年，且各方面条件也已具备，建议尽快批准"开放西沙旅游"，增加我国海洋旅游开放的新亮点。

2. 尽快建立南海旅游开发管理机构

以开发、开放西沙旅游为契机，选择适当时机设立承担南海石油和南海旅游开发管理职能的综合行政管理机构。

3. 开放南海国际航线

进一步开放国际邮轮航线，使海南旅游与国际海洋旅游航线相衔接。

4. 允许以度假休闲为目的的国外私人游艇进入海南本岛

（五）吸引外资进入海南旅游业的特殊优惠政策

1. 对外资旅游设施建设性产品实行零关税

例如，对外资从事旅游产业的开发与经营在其投资总额、进口自用的建筑材料、生产经营设备等，经核定，免征关税和增值税。

2. 对外国投资商投资海南旅游业实行优惠政策

按照《关于中部六省比照实施振兴东北地区等老工业基地和西部大开发有关政策范围的通知》规定的鼓励外国投资者再投资的优惠政策，即对把企业利润作为资本投资兴办其他外资企业或增加现有企业注册资本的，退还部分缴纳的税款。

（六）对旅游业相关的服务业实行更加开放的政策

1. 赋予海南举办国际文化、教育、体育产业的一定权限

（1）允许海南创办具有国际影响的大型旅游文化赛事和体育活

动,如国际电影节、国际电视节、国际服装节、国际赛马节、国际游艇大赛等,以吸引更多的国际游客。

(2) 争取国家承办的国际比赛项目,安排部分在海南举办。

(3) 给予海南更大的文化交流自主权,放宽旅游演艺、国际奥斯卡大片等文化产品进口政策。

(4) 扩大国外主要电视频道在海南的落地频道数量。

(5) 许可海南建设与旅游相关的各类国际性学校。

(6) 允许海南引进其他国际旅游岛普遍提供的高端旅游休闲娱乐项目。

2. 实行更加灵活的高尔夫旅游产业政策

允许海南在严格遵守国家土地政策、确保基本农田得到保护的前提下,利用荒地、废地、滩涂地适度发展高尔夫旅游,吸引更多的境外高端游客来海南休闲度假。密切跟踪高尔夫游客数量的变化趋势,根据需求预测数据,超前规划,建设高尔夫球场。争取到2015年,全岛高尔夫球场达到50个以上,把海南建成世界著名的高尔夫球岛。

3. 实行适度发展旅游公益博彩业政策

海南是四面环海的岛屿,有条件有限开放博彩业。博彩业可由政府专营,在严格管理下,一定时限内只对境外游客开放,所筹资金用于海南当地的社会公益事业。

4. 允许外资举办国际水平的急救中心、医院和康复中心

(1) 允许海南引进境外著名医疗机构在海南设立独资或合资具有国际水平的医院、突发病急救中心和康复中心。

(2) 许可海南在医疗保险方面先行先试,率先开通国际、国内联网的医疗保险支付系统。

(七) 支持海南成为国际会展基地的政策

(1) 赋予海南省一定的审批权限。除国家特殊规定之外,允许

海南自主审批与重大敏感问题无关的国际会议，不受参与国家数量和境外代表人数的限制。

（2）授权海南审核境外机关在海南岛举办国际学术性、专业性会议的权限。

（3）争取国家举办的高层国际论坛和各类展览安排部分在海南举办。

（八）海南国际旅游岛内货币兑换和流通的便利政策

（1）允许海南省在国家有关部门监管下自主设立外币兑换窗口。允许海南在机场、旅游区或相关城区，根据旅游发展的需求，自主设立外币兑换窗口。允许进行小额外币自由兑换试点。

（2）适当放宽海外度假游客进境携带的外币数量限制。

（3）放宽从海南出境的国内游客携带人民币和外币的数量限制。

（4）允许有资质的中外金融机构在海南岛设立分支银行，开办离岸业务。

（九）设立海南旅游产业发展基金

（1）以公开募集的方式筹集发行海南旅游产业发展基金。

（2）允许外资在旅游产业发展基金中占有一定的比例。

（3）允许旅游产业发展基金在海内外证券交易所挂牌上市。

（十）实行更加灵活的旅游项目审批政策

（1）按照国家批准的海南国际旅游岛总体规划，赋予海南省关于旅游建设项目的自主审批权。

（2）将国际旅行社的审批权下放给海南。

（3）赋予海南省统一协调国家相关部门在海南特派机构的权限。

（4）允许和支持海南省按照国际惯例，推进国际旅游岛建设的综合改革试验。

五　推进以国际旅游岛建设为重点的海南综合改革

根据省五次党代会《报告》的精神，建设海南国际旅游岛，必须敢为天下先，勇于探索、善于创新、敢于尝试，"积极推进旅游对外开放"和"加快旅游管理体制及相关配套改革"，推进与国际旅游岛建设相关领域的改革。

（一）在推进旅游产业对外高度开放的同时，统筹现代服务业的全面开放

1. 先行试验旅游产业的对外开放

在当前和今后一个时期内，必须根据"重塑特区意识，重振特区精神"总体要求，大力弘扬敢闯、敢想、敢试、敢为天下先的特区改革精神，大力弘扬面向世界、海纳百川的特区开放精神，大力弘扬只争朝夕、奋发有为的特区创业精神，全面提升旅游开发开放水平，加快旅游管理体制及相关配套改革。全面提升旅游开发开放水平，争取率先试验与旅游产业直接相关行业的改革。

2. 积极推进卫生医疗、会展业、体育产业、文化娱乐产业、新闻媒体产业等在内的服务业对外开放和深化改革的新战略、新措施、新政策

通过深化改革，理顺体制、创新机制，动员和整合一切可以动员整合的资源，进行最优配置；调动一切可以调动的积极因素，形成全社会的合力。

（二）在大胆改革旅游管理体制的同时，统筹旅游投融资体制改革、旅游企业改革和旅游行业规范管理的体制机制建设

1. 省政府授权省旅游发展管理委员会全面负责国际旅游岛建设

为了保证省旅游发展管理委员会承担起领导和组织海南国际旅游岛建设的历史使命，省旅游发展管理委员会的运行应该具有明确的体制、机制保障。

（1）负责制定以建设海南国际旅游岛为目标的对外开放和旅游

管理体制改革的政策指导文件，并监督执行。

（2）招标委托国内外著名旅游规划设计院所研究设计海南国际旅游岛建设蓝图和总体规划。

（3）跨行业、跨部门、跨市县协调、整合全省可用于国际旅游岛建设的行政资源、社会资源、自然资源、市场资源、资本资源、技术资源、管理资源和人才资源，加快推动国际旅游岛建设。

（4）审批全省旅游基础设施建设项目、重要旅游产业开发项目和旅游景点建设项目。

（5）责成职能部门制定全省旅游产业的国际国内市场开发战略和区域性、国际性旅游合作项目，负责审查批准并监督执行。

（6）负责国际旅游岛建设重大项目的决策和跨行业、跨部门、跨区域的协调落实。

（7）制定以国际旅游岛建设为目的、优先发展旅游业的产业政策。

（8）提交地方立法提案，明确规定政府各相关职能部门、市县政府、全省旅游相关产业、高等院校、研究机构、社会团体、新闻媒体等在国际旅游岛建设中的责任和义务。

2. 优化投资环境，创建与国际旅游岛建设相适应的投融资体制

（1）扩大对外开放，吸引国内外资金投资我省旅游业。创新旅游业投融资机制，推进旅游业投资主体多元化，加快市场配置旅游资源的进程。按照旅游资源所有权、管理权和经营权三权分离的原则，以特许、转让和承包方式，广泛吸纳外资和民资。同时，积极推行项目融资、股权置换等融资方式，实现投融资主体多元化。

（2）以政府投资为引导，以社会和外资为主体，积极拓展旅游开发投融资渠道。一是设立海南旅游产业发展基金，扶持重点项目和基础设施网络建设；二是建设旅游资本和产权市场，完善和规范旅游资本准入和退出机制；三是探索运用发行旅游彩票，发行大型

旅游区债券，多渠道筹措旅游发展资金。在融资途径上积极争取国家政策性贷款、银行授信贷款、国债资金、财政专项资金等。

（3）整合、优化资源配置，大力培育和推荐旅游上市资源。海南作为旅游大省，完全意义上的旅游类上市公司仅1家，占海南全部上市公司的5%。总的来看，作为旅游大省，海南还有许多可以挖掘的上市资源，如亚龙湾、南山、西岛等。海南应学习借鉴外省的先进经验，加快企业资产重组，构筑旅游龙头企业，发展大型旅游集团整体上市，通过资本市场筹集资金。

3. **深化旅游企业改革，增强微观经济主体活力**

（1）吸引真正有实力的国内外企业集团加盟海南国际旅游岛建设。通过出让开发权、经营权、使用权，吸引有实力的海内外大财团作为一级开发商参与海南的旅游开发建设。加快引进国际知名的旅游大企业、大集团进入海南，开发大型度假休闲旅游项目、参与建设国家级度假休闲旅游区，兴办中外合资旅行社、外商独资旅行社，以项目为载体，以资本为纽带，组建国有资本、外国资本和私有资本共同参与的混合所有制大型旅游企业集团，培育建设海南国际旅游岛的航母型主力军。

（2）加快本省旅游企业的整合重组，提高中小型旅游企业的综合素质。一是引进拥有海南建设国际旅游岛迫切需要的热带岛屿度假休闲旅游产品、全球性市场网络和先进管理经验的海内外企业，并购重组海南中小型旅游企业；二是扶持中小企业细分旅游市场，实行专业化经营，准确定位目标市场，实现服务市场专门化和服务细微化，并与新进入或新组建的大型旅游集团建立互补纽带，在市场夹缝中发现和扩展中小企业生存发展的空间，使中小企业成为国际旅游岛建设不可或缺的微观经济主体。

4. **完善旅游产业规范管理和行业"自律"机制**

（1）完善旅游行业协会功能。建立和完善旅行社、酒店、景区、旅游交通等行业自律制度，将规范市场的工作职能从旅游管理部门逐步向旅游协会和行业专业委员会转移，充分发挥旅游行业协会在规范市场秩序方面的积极作用。

（2）促进旅游产业民间组织的发展，加快行业中介服务体系建设，在政策上给予积极引导和扶持，完善旅游市场服务体系及其治理结构。

（3）引导旅游行业组织尽快制定各种旅游服务的质量标准和程序，用标准和程序强化行业自律，进行准入资格资质的公平、公正、透明化审核、管理和监督。

（三）在推进旅游资源一体化管理的同时，统筹城乡发展和区域经济整合

1. 改革旅游资源归部门拥有和旅游资源市县属地管理体制

通过强有力的政府协调，处理好资源管理和资源开发利用之间的矛盾，以建设国际旅游岛为导向，通过区域联动、优势互补，实现全省旅游资源的统一行政管理、统一市场配置、统一规划开发，把潜在的自然资源优势转变为现实的旅游经济效益。

2. 强化全省旅游资源的立法保护

通过地方立法和行政法规，管理和保护旅游资源，保证旅游资源的高效配置，实现旅游规划编制实施、旅游资源配置、旅游项目开发建设管理的科学化、规范化和法制化。当前，可供开发成度假旅游产品的原始生态旅游资源已经不多，必须提高旅游项目开发的准入门槛，吸引大财团对旅游资源进行整体成片开发，建设若干特色鲜明、消费层次适度区分的休闲度假旅游区；充分考虑生态环境承载能力，通过地方立法和省政府统一管理严格控制旅游区的开发范围和速度。

3. 通过统筹城乡发展，整合全省旅游资源，促进国际旅游岛建设

以城乡一体化为目标统筹城乡发展，既是建设社会主义新农村

的长远目标，也是海南作为独立岛屿整合旅游资源的重要途径。在海南国际旅游岛建设初期，要理顺区域及市县关系，以旅游资源有效整合和优化配置，以规划建设"五大旅游经济区"、10个"乡村生态旅游社区"和"10个品牌旅游景区"为目标，统一规划，统一土地利用，统一基础设施建设，在推动海南国际旅游岛建设的同时，为海南城乡一体化进程奠定基础。

4. 按照实现旅游资源一体化的目标，统筹稀缺旅游资源的跨行政区域的整合与开发

海南的自然旅游资源开发潜力巨大。它既是作为资源性国有资产的重要组成部分，也是海南省发展旅游产业独特而珍贵的资源。如果规划好，开发好，就能成为政府主导旅游产业开发的巨大财富。按照吴仪副总理的要求，海南旅游业的发展，应该实现旅游资源的一体化目标，把海南潜在的资源优势转变为现实的优势。

建议成立由省政府控股的海南省旅游发展股份公司。将全省已开发三级（按国家旅游局《旅游资源分类、调查和评价》行业标准分类）以上优良自然旅游资源，特别是海口、三亚和部分市县已经开发的优质自然旅游资源，作为经营性国有资产折价入股省旅游发展股份公司。对那些尚未开发的岛屿、热带森林等三级以上自然旅游资源，由省政府分步授权省旅游发展股份公司进行统一经营管理和市场运作。

（四）在推进旅游开发、开放的同时，统筹生态环境保护，建立符合国际标准的环境保护的体制机制

1. 建立生态补偿机制，提高居民生态保护意识

（1）率先制定专项生态保护法，为生态环境补偿机制提供法律依据，对自然资源开发与管理、生态环境建设、资金投入与补偿的方针、政策、制度和措施进行地方立法。

（2）积极创新政绩考核制度，完善市县经济和社会发展考核指

标体系，将环保和生态指数纳入重点考核范围。

（3）引导社会各方参与环境保护和生态建设。积极引导国内外资金投向生态建设和环境保护，逐步建立政府引导、市场推进、社会参与的生态补偿和生态建设投融资机制，支持鼓励社会资金参与生态建设、环境整治的投资、建设和运营。通过财政转移支付建立受益地区对保护地区的生态补偿机制，设立省级和市县级生态保护补偿资金，补偿自然生态保护区等生态功能区的财政损失。

2. 积极申请建立海南环保特区，探索海南环保的体制机制创新

（1）实施世界上最严格的环保措施，运用世界上先进的环境技术和治理机制，采用国际最高环保标准，监管全省经济社会活动。

（2）抓好自然保护区建设和生物多样性保护，加快水源、道路、城镇、度假休闲旅游区等周边地区保护林建设，抓紧生活污染等防治工作。

（3）按照生态系统良性循环的要求，发展高效低耗无污染的生态产业，营造良好的生态环境，逐步走出一条经济、社会、资源、环境、人口相互协调和相互促进的发展道路。加快开发生态特色产业的步伐，以绿色产业开发促进环境保护。坚持以高新技术为主导，以发展生态型经济为目标，坚持生态环境建设与经济建设相互促进，实现经济效益和生态效益的相统一。

六 推进海南国际旅游岛建设的组织实施

实现建设国际旅游岛目标，既需要中央的特殊政策，更需要全省各级政府以及与旅游直接相关和间接相关部门的共同奋斗，形成建设国际旅游岛的多方合力。这是实现海南国际旅游岛建设目标的决定性因素。

（一）成立由国家有关部委领导参加的海南国际旅游岛建设的组织协调小组

（1）审定《海南国际旅游岛总体方案》。

（2）协调国家相关部委，积极采取措施，支持和指导建设海南国际旅游岛的综合改革试验。

（3）赋予海南省政府对某些重要改革试验的自主批准权。

（4）对海南国际旅游岛建设组织评估。

（二）成立由海南省政府领导牵头、省政府有关部门负责人参加的"海南国际旅游岛"建设领导小组

（1）建立协调会议制度，协调解决"海南国际旅游岛"建设中的重大问题。

（2）高起点编制《海南国际旅游岛建设总体规划》。

（3）营造建设海南国际旅游岛的良好舆论环境。

（4）立法推进国际旅游岛建设。

（三）建立海南国际旅游岛建设专家咨询组

为更好地推进海南国际旅游岛建设进程，建议海南省人民政府聘请国家相关部门的专家和国内外知名的专家作为海南国际旅游岛建设的咨询顾问，为总体方案的制订和具体实施提供咨询和建议。

海南国际旅游岛政策需求与体制安排的建议(16 条)[*]

(2009 年 6 月)

在国际金融危机背景下,海南能否继续发挥改革开放排头兵作用,能否在国家扩大内需、转变经济发展方式中发挥独特作用,能否在全国率先走出一条绿色发展之路,关键在于抓住机遇,把国际旅游岛这篇文章做大、做好、做实。

一 国际旅游岛是新时期新阶段海南改革发展的战略选择

1. 海南国际旅游岛应当成为国家扩大国内消费需求的重要举措

经过 30 年的改革发展,从总体上说,我国已由生存型阶段进入到发展型的新阶段。这突出地反映在城乡居民的发展型消费(居住、教育医疗、旅游等)支出比例明显超过生存型消费(食品、衣着)支出的比例。国际金融危机将明显加快我国由生产型大国向消费型大国的转型进程。旅游是最终消费和综合性消费,在扩大国内消费需求中具有重要的作用。在这个特定背景下,要从国家扩大内需的大战略出发,统筹规划设计海南国际旅游岛,使其在国家扩大内需中发挥重要作用。

---

[*] 节选自中改院课题组《海南国际旅游岛建设政策需求与体制安排》,2009 年 6 月。

2. 海南国际旅游岛应当纳入国家开放大战略的总体布局

建设国际旅游岛，其本质是更大程度的开放，目标是建设国际化的海南岛，以此寻求在亚洲区域经济循环中发挥海南开放的独特优势，使海南在我国对外开放的大格局中有特殊的作用，成为我国与亚洲区域经济合作的桥梁和枢纽。

未来几年是我国与东盟区域经济合作的关键时期，投资和现代服务业将成为双方贸易自由化安排的重要领域，人民币在东盟的流动性将大大加强。在这个大背景下，推进海南国际旅游岛建设面临着多方面的有利条件。把握好这个有利时机，应当采取更为积极的措施，争取在未来5—10年内，通过建设国际旅游岛，使海南成为高度开放的地区，成为我国与东南亚国家加强经贸合作的重要枢纽。

当前，应当进一步发挥博鳌亚洲论坛对海南经济社会发展的促进作用，并使其机制化，把博鳌亚洲论坛建设成为中国—东盟区域合作的重要平台。

3. 国际旅游岛应当成为海南绿色发展的重大举措

爱尔兰岛的经验表明，一个国家和地区的经济发展能够在工业化不发达的情况下，发挥区域的综合优势，优先发展第三产业和高科技产业，实现跨越式发展。海南有得天独厚的资源优势和生态优势，同全国其他地区相比，有条件走上绿色发展之路。当前，海南正处在发展转型的关键阶段。以建设国际旅游岛为载体，调整产业结构、转变发展方式，着力构建具有海南特色的服务型经济，变潜在的资源优势和生态优势为现实经济竞争优势，就有可能成为我国绿色发展的先行地区之一。

二 未来5—10年，海南国际旅游岛建设的战略目标

4. 使海南更好地发挥改革开放的排头兵作用

为全国改革开放事业担当起排头兵的作用，是海南经济特区新时期的重大历史使命。国际旅游岛是新阶段海南深化改革开放、促

进经济增长的制高点和突破口。为此,要以国际旅游岛为平台加快推进海南的综合改革。未来5—10年,以国际化为目标,以国际旅游岛为突破口,在海南大胆地进行改革开放和体制机制创新,把服务业开放、产业开放纳入国际旅游岛建设的整体框架中,努力走出一条新阶段改革开放的新路子。这也将对新时期全国的改革开放起到重要示范作用。

5. 建立以现代服务业为主导的绿色发展模式

以国际旅游岛为载体,着力构建具有海南特色的服务型经济、开放型经济、生态型经济,特别要加快发展以旅游为龙头的现代服务业和热带高效农业,实现以服务业发展为主导产业的产业升级和经济转型,率先在全国走出一条绿色增长之路。

6. 走出一条以旅游资源整合为重点的城乡一体化新路子

国际旅游岛建设为城乡经济社会一体化提供了重大现实机遇。海南应当以城乡旅游资源整合、优化为重点和突破口,带动城乡经济一体化、社会一体化、行政一体化,从而走出一条具有海南特色的城乡一体化之路。

三 未来5—10年,国际旅游岛建设的重点任务

7. 旅游产业高度开放地区

以旅游业开放为先导,推动相关服务业的开放,尤其是实行日用消费品的免税政策,是一些岛屿国家(地区)快速发展的重要经验。未来3年左右,即到2011年,以日用消费品免税区为重点,加快推进旅游要素国际化改造,建成旅游产业高度开放地区。这是国际旅游岛建设取得实质性突破的现实途径,也是在国际金融危机背景下,扩大国内消费,吸引国际消费的重要举措。

8. 相关服务业先行开放地区

相关服务业的开放,是建设海南国际旅游岛的重中之重。我们应当积极争取,在与旅游相关的服务业开放方面走在全国前列,并

且有大的突破：

（1）鼓励教育、医疗等领域的开放。出台优惠政策，吸引各类国内外社会资本参与教育、医疗的供给，率先实现社会资本投资比重高于全国平均水平。重点引进境内外著名医疗机构在海南设立独资或合资具有国际水平的医院、突发病急救中心和康复中心。

（2）积极推进金融、保险业的开放。放宽限制，降低门槛，积极引进国外知名银行、非银行金融机构进驻海南，开办各类业务。

（3）推进文化、体育事业的开放。更多地举办具有国际影响力的大型旅游文化赛事和体育活动，积极承办国际级比赛项目，鼓励发展大型旅游演艺项目。

（4）推进会展业的开放。充分用好博鳌亚洲论坛品牌，尽快把海南建设成为亚洲会展中心之一。

（5）推进电信产业的开放。适应国际游客的文化消费和信息咨询的需求，以及文化创意等新型服务业的发展，加快推进电信产业开放进程。

9. 率先在全国建立第一个环保特区

海南独特的自然资源是海南经济社会发展的最大资本，也是国际旅游岛建设的根本优势和生命线。海南如果不能保持良好的生态环境，就失去了建设国际旅游岛的基本优势。建立国家第一个环保特区，为海南生态省建设提供制度保障，是从海南现实出发，最大限度地利用优势，保护优势，实现绿色发展的重大战略抉择。

10. 建设以统筹资源为重点的综合改革试验区

建立国际旅游岛就是要以资源整合和资源价值最大化为目标，打破与此不相适应的体制束缚和行政壁垒。要使体制安排与国际旅游岛建设相适应，应当主动积极地以国际旅游岛为契机，大胆进行包括城乡经济一体化、社会一体化、行政一体化等在内的综合改革。这是推进国际旅游岛建设最为关键的大事。

四　国际旅游岛建设的政策需求

11. 建立海南日用消费品免税区的相关政策

积极争取国家批准设立海南日用消费品免税地区，将四家市内免税商店的政策扩展到全岛；争取国家给予海南更优惠的税收政策和一定的财政支持；对离境旅客实行"区内付款提货，海关离境验放"的政策；在全岛范围内开放免税业务，放宽零售行业准入，积极引入国际著名免税品经营集团，如全球最大的旅游零售商 DFS；运用特区立法权，加强日用消费品免税区的政策和法律保障，借鉴国际经验，出台如《海南日用消费品免税制度》《海南省免税商店和免税品的管理办法》等法律法规。

12. 服务业市场开放的政策需求

（1）教育开放的政策需求。建议将中外合作办学的相关审批权限下放海南。允许外商在海南独资开办职业教育学校和高等教育学校。

（2）医疗开放的政策需求。建议加强与商务部、卫生部的沟通和协调，争取在外商独资举办医院方面给予重点倾斜和政策支持。

（3）金融开放的政策需求。允许海南省在国家有关部门的监督下自主设立外币兑换窗口。适当放宽海外度假游客进境携带的外币数量限制。放宽从海南出境的国内游客携带人民币和外币的数量限制。允许有资质的中外金融机构在海南设立分支银行，开办立案业务。参照国务院批准的广东和长三角地区与港澳地区、广西和云南与东盟的货物贸易进行人民币结算试点的特殊政策，允许海南与台港澳、东盟以及越南的货物贸易进行人民币结算。

（4）电信开放的政策需求。争取中央在海南设立"电信业开放国家试验基地"。授权海南开展"三网融合"试点工作。授权海南开展"全业务经营"的试点工作。

（5）会展业开放的政策需求。除国家特殊规定之外，允许海南自主审批与重大敏感问题无关的国际会议，不受参与国家数量和境外代表人数的限制；授权海南审核境外机关在海南岛举办国际学术性、专业性会议的权限；争取国家举办的高层国际论坛和各类展览安排部分在海南举办。拓展博鳌亚洲论坛的机制。把博鳌亚洲论坛建设成为中国—东盟区域合作的重要平台，以此为基础，争取成为亚洲国家联合会秘书处所在地；赋予海南与会展相关税收的自主权限。

（6）文化娱乐体育开放的政策需求。实行更加灵活的高尔夫旅游产业政策。争取国家允许海南在不违背土地使用规划，不占用基本农田的前提下发展高尔夫产业；赋予海南更大的中外文化体育交流活动审批权。允许海南创办具有国际影响的大型旅游文化赛事和体育活动，如国际电影节、国际电视节、国际服装节、国际赛马节、国际游艇大赛等，以吸引更多的国际游客。给予海南更大的文化交流自主权。放宽旅游演艺、国际奥斯卡大片等文化产品进口政策；扩大国外主要电视频道在海南的落地频道数量。

13. 建立环保特区的政策需求

建议国家在海南成立第一个环保特区，以为海南生态省建设提供制度保障，并为全国建立两型社会的体制机制保障进行积极的探索。

争取海南成为全国首批"低碳经济发展区"；争取在新一轮财税体制改革中成为国家生态补偿试点；争取国家对新能源和节能环保产业的支持；建立最严格的生态环境规划体系。

14. 推进城乡一体化的政策需求

（1）实施全省土地统一规划管理的政策。强化省级政府对土地资源的调配能力，完善耕地保护制度，探索实现耕地占补平衡的多种途径和方式，建立城乡建设用地统一市场，实行土地流转委托管理，积极探索农民承包土地和房地产的抵押、入股的政策和具体办法，鼓励农民自主组建土地合作社，鼓励农业集中土地实现规模经营。

（2）实施城乡统一的户籍管理政策。逐步对全省户籍人口取消农业和非农业户口性质的划分，统称为"居民户口"，按实际居住地登记，实行海南省城乡户口一元化登记管理；使农民工、失地农民能够方便地办理城市户口，并能够享受到与城镇居民水平大致相当的基本公共服务；放松外来人口的落户限制，吸引各类省外人才参与海南省的建设，使海南成为华南地区高层次人才积聚地。

（3）推进基本公共服务均等化。制定《海南省基本公共服务均等化战略规划（2009—2020）》；明确各级政府在基本公共服务中的分工，完善公共财政制度；调动社会力量参与基本公共服务建设；推进城乡基本公共服务供给社区化；争取成为基本公共服务均等化的省级试点。

五　国际旅游岛建设的体制机制创新

15. 建立海南日用消费品免税区的管理体制

建立与日用消费品免税相适应的海关管理制度；建立免税商品的交易制度和外汇管理制度；建立严格的免税商品质量监管制度。

16. 建设以统筹资源为重点的综合改革试验区

（1）组建五大旅游经济区，整合市县旅游资源。南部：建设三亚热带滨海旅游经济区；北部：建设海口滨海文化旅游经济区；中部：建设五指山热带雨林旅游区；东部：建设博鳌"国际会展、温泉旅游经济区"；西部：建设儋州生态工业旅游区。

（2）以五大旅游经济区为平台推进城乡一体化，成立五大旅游经济区管委会；旅游经济区管委会作为行政一体化的过渡机制。随着国际旅游岛建设进程推进行政一体化。

（3）争取成为新时期综合改革试验区。

关于海南国际旅游岛中长期发展规划的建议(18条)[*]

(2010年3月)

国际旅游岛建设既是国家区域发展战略中的一颗重要棋子,也是关乎海南后20年改革发展的重大机遇。推进海南国际旅游岛建设,应站在国家发展战略全局的高度,跳出海南看国际旅游岛,跳出旅游看国际旅游岛,跳出短期看长期,谋求海南自身区域发展定位和中长期发展,争当新时期我国改革开放的排头兵。这关键取决于我们对于《国务院关于推进海南国际旅游岛建设发展若干意见》(以下简称《意见》)的中长期发展目标和基本政策的把握。服务于海南中长期发展,国际旅游岛建设规划应高度重视四个方面的基本问题。

一 在国家战略背景下明确海南国际旅游岛中长期发展目标

岛屿经济的作用、地位取决于在整个区域中或者全局中发展的定位。在新时期、新条件下,海南能不能重新站在国家战略的角度来寻求它的发展,决定了海南岛发展的地位、前途和活力。未来

---

[*] 中改院课题组《关于海南国际旅游岛中长期发展规划的建议(18条)》,《中改院简报》总第787期,2010年3月4日。

5—10年，发展方式转型将成为我国改革发展的主线，海南国际旅游岛应成为国家调整经济结构、实现发展方式转型的重要示范区。海南应结合实际，重点突出"开放、发展、绿色"三大主题，研究制定实现"一区两台三地"六大战略目标的具体目标，列出时间表，明确行动计划，分步推进。我们认为，海南国际旅游岛中长期发展重在明确六个具体发展目标。

1. 海南服务业的转型升级应走在全国前列

海南国际旅游岛的目标是发展。《意见》中明确了海南后20年的发展定位，即形成以旅游业为龙头，现代服务业为主导的特色经济结构，并要求旅游业及相关现代服务业在改革开放和科学发展方面走在全国前列。服务业是国际旅游岛建设的重中之重。这也是《意见》中对旅游业发展目标要求不高，但对服务业发展提出更高要求的深刻用意所在。目前，海南服务业发展基础薄弱，推进服务业转型升级，达到并超过国家要求，任务重大而紧迫。

（1）调整结构重在服务业发展，形成海南特色的产业结构。国际旅游岛建设为海南服务业快速发展提供重要机遇，也倒逼海南服务业必须以超常规速度发展，才能适应旅游业发展需求。2009年，海南服务业比重为45%，虽比全国（42.6%）略高出2个百分点，但比北京、上海分别低12个百分点和25个百分点，与香港（90%）、佛罗里达（90%）、巴黎（80%）等世界旅游地区相差更大。《国务院关于加快发展服务业的若干意见》提出，到2020年要基本实现经济结构向服务经济为主的转变，服务业比重超过50%。海南服务业发展要达到全国领先水平，必须超常规发展，保持年均2个百分点以上的增速，预计到2015年和2020年，海南服务业将分别达到57%和67%以上，服务业就业比重将分别达到49.6%和60.1%，大大超过全国平均水平，并接近世界平均水平（全球服务业增加值比重和就业比重平均达到60%以上）。

（2）服务业转型升级关键是解决结构性矛盾。在服务业中，现代服务业是支撑旅游发展的重要基础。构建服务型经济，不仅要求提高服务业比重，而且对发展现代服务业提出了更高要求。当前，海南服务业面临三大突出矛盾，一是服务业结构不合理。传统服务业占到71%以上，现代服务业比重不足30%。二是现代服务业发展水平低。例如，2008年，金融保险业占第三产业的比重仅为1.83%，通过银行金融体系净流出的资产占当年新增存款的44.6%，迫切要求加快金融业开放来满足国际旅游岛建设的资金需求。三是服务业的可持续发展能力弱，突出表现在房地产比重过高。2009年，海南房地产开发投资占第三产业投资的36.55%，占全社会固定资产投资的28.72%，高出全国13个百分点，税收收入占全省地税总额的46.89%。第三产业，甚至整个地区的经济发展过多依赖房地产业的发展，风险积累会越来越大。形成国际旅游岛可持续发展能力，重在推进向现代服务业的转型升级。

2. 海南国际旅游岛应成为我国绿色发展的重要示范区

海南国际旅游岛的特点是绿色。随着低碳经济时代的全面到来，资源和生态环境良好的海南岛最有条件走上保护和发展相结合的绿色发展之路。在这个背景下，中央支持海南建设国际旅游岛，并在全省试行生态补偿机制，无疑是希望海南成为我国低碳经济发展、清洁能源和新能源开发利用的示范地区。

（1）使海南成为全国人民的四季花园，迫切要求在海南建立第一个环保特区。独特的自然资源是国际旅游岛建设的根本优势和生命线。《意见》中明确提出把海南建成全国生态文明示范区和全国人民的四季花园。实现这一目标不仅要求加快推进生产方式和生活方式的转变，努力使节能减排等重要指标超过全国平均水平，并达到世界先进水平；更为重要的是，海南应率先在全国建立第一个环保特区，促进经济和环境协调发展。建立环保特区，是从海南实际出发，最大限度地利用优势、保护优势，实现绿色发展的重大战略抉择。

（2）大力发展热带现代农业，使海南成为全国菜篮子基地和农产品出口加工基地。热带绿色农业是海南农业的最大特色，《意见》中明确了在海南建立国家热带现代农业基地。但海南农业长期存在"三低"问题，即规模化水平低、（加工）工业化水平低和金融服务水平低。发达国家农产品加工产值与农业产值之比为2—4:1，我国为1.1:1，海南仅为0.33:1。生态农业发展的最大市场动力是解除消费者对食品安全的担心。近日，海南发生的豇豆农药残留超标事件将倒逼海南在农业生产方式、组织方式、市场化程度、管理水平、标准制定、监管体制等方面与国际接轨。建议采取部省共建方式，把海南建设成全国冬季瓜菜基地纳入国家"十二五"农业发展总体规划中；加快海南冬季瓜菜标准化基地建设和海南冬季瓜菜预冷库建设；建立海南冬季瓜菜质量安全检测体系，加大海南冬季瓜菜市场信息网络建设以及海南冬季瓜菜农民技术培训；引进国际先进技术，着力提升海南农业的国际竞争力，争取发展成为中国与东盟农业自由贸易的重要基地。在区域合作中，应充分重视加强与新加坡和台湾的合作，通过优势互补，引进新加坡和台湾生态农业先进经验和技术，建立中新和琼台生态农业示范园。

（3）加快发展以新能源开发为重点的新型工业。2009年，海南工业比重比全国平均水平低近20个百分点。海南对资源环境保护的刚性要求决定了海南不能走传统工业化道路，发展以新能源和可再生能源为重点的新型工业成为建设国际旅游岛的重要组成部分。海南发展清洁能源资源条件优越，例如，海南太阳能资源理论潜力巨大，常年储量达47.6亿千瓦时。目前，海南全年的能源消耗中，清洁能源占一次能源中的比重为30.6%。应争取把海南设立为可再生能源示范省，积极完善新能源发展配套政策及措施，加大对新能源开发利用的财税和金融支持，鼓励海南率先实行强制性市场配额制度。争取到2020年，全省清洁能源占一次能源的比重提高到50%以上。

另外，绿色发展也要求生活方式转型。海南应抓住国际旅游岛建设的契机，把"生态人居"作为房地产业未来重要的发展方向，并纳入规划。

3. 服务于我国全面参与区域经济一体化要求，把国际旅游岛打造成为中国与东盟区域合作和交流平台

岛屿的发展离不开"开放"两字。未来5—10年，是我国全面参与推动东亚区域一体化的重要时期，投资和现代服务业将成为中国—东盟贸易自由化安排的重要领域，人民币在东盟中的流动性将大大增强。在这个大背景下，沿海省份都在抢抓机遇，力求在"10+1"自由贸易区中抢得先机。相比之下，海南抢抓机遇的意识还不够。2009，海南对东盟进出口10.94亿美元，仅占我国与东盟的贸易额的0.5%，与广东（630亿美元）、广西（49.5亿美元）、浙江（124.8亿美元）、云南（31.51亿美元）等地区相差甚远。"10+1"自由贸易区的建立与国际旅游岛建设同步，海南应抓住机遇，利用博鳌亚洲论坛的品牌优势，尽快发出声音。重点加大现代服务业经贸往来；促进南海旅游合作，加快西沙旅游开放；全方位开展区域性、国际性经贸文化交流活动以及高层次的外交外事活动，使海南成为我国与东亚国家加强区域经贸合作的"桥头堡"。

4. 服务于我国挺进南海和能源战略要求，国际旅游岛应在南海合作与能源共同开发方面发挥重要作用

海南的优势来自南海，海南的战略地位也来自南海。中国—东盟自由贸易区为海南参与南海区域经济合作提供了重要平台。海南应抓住机遇，服务于国家挺进南海和能源战略要求，使海南成为南海资源开发与服务基地。例如，规划国家石油战略储备基地，鼓励

发展商业石油储备和成品油储备；以洋浦和海口为重点，加快"四方五港"等重要港口建设，把海南建成立足华南、面向东南亚的航运枢纽、物流中心和出口加工基地。建立南海资源开发与服务基地关键在于明确落实"西南中沙海域管辖权"。新时期，海南内外部环境发生重大变化。无论是开发南海资源，保障国家能源安全，还是推动我国全面参与区域一体化，都要求尽快明确赋予海南以服务于南海综合开发为战略目标的"西南中沙海域管辖权"，这在相当大程度上成为海南建设南海资源开发与服务基地成功与否的关键所在。

5. 海南国际旅游岛应把富民作为根本目标，着力改善民生

国际旅游岛应成为岛内常住居民扩大就业，提高收入和生活质量、改善民生的重要平台，这是实现海南可持续发展的动力所在。《意见》提出，未来 10 年，海南城乡居民收入赶上全国中上游水平，逐步达到全国先进水平。2009 年海南城镇居民可支配收入与农村居民纯收入分别比全国平均水平低 3424 元和 409 元。未来 10 年，预计全国城乡居民收入年均增长分别为 6.5% 和 8.5%，要实现《意见》中提出的目标，海南城乡居民收入必须保持年均 12.5% 和 13.5% 以上的增速（预计到 2020 年分别达到 50236 元和 19102.89 元），才能达到国内领先水平，任务相当艰巨。

6. 海南国际旅游岛建设应在推进城市化、统筹城乡发展的体制机制创新方面走在全国前列

未来 5—10 年，我国城市化将呈现加快发展趋势，预计城市化水平将提升到 60% 左右。国际旅游岛建设将为海南加速城市化进程提供重大历史性机遇。通过城乡一体化与国际旅游岛的紧密结合，打破与此不相适应的行政壁垒，实现城乡资源利用最大化，将对推进国际旅游岛进程具有决定意义。在国际旅游岛建设的大背景下，海南应按照一个大城市的思路，统一城乡规划，统一基础设施，统

一资源配置，统一土地开发利用，加快全岛城乡一体化的体制机制创新。

二 把加快服务业开放作为国际旅游岛中长期发展的重中之重

建设国际旅游岛，与其说是发展旅游，不如说是发展与旅游相关的现代服务业。没有相关服务业发展的配套和支撑，就没有现代旅游业的发展。服务业转型升级的出路在于开放，实现服务业先行开放的突破，是海南国际旅游岛建设的重中之重。

7. 国际旅游岛建设亟待解决服务业发展滞后问题

旅游消费与服务业发展水平直接相关，包括教育医疗、金融保险、文化娱乐等旅游服务都要同国际接轨。现实情况是，海南在这些方面与国际水平有相当大的差距，成为制约国际旅游岛中长期发展的重要因素。

（1）教育开放度低，总体供给能力不足。提高人口素质，构建世界一流的人文环境是国际旅游岛的基本标准，教育是国际公认的提高人口素质最直接手段。现实情况是，海南的高中教育和职业教育发展相对滞后。2008年高中教育毛入学率为60.18%，低于全国14个百分点；高职高专院校中"双师型"教师仅占专任教师的18.59%；民办学校在校学生数仅占各级各类在校学生总数的16.7%。

（2）医疗资源缺乏，服务水平低。随着国际旅游岛建设进程，日益增长的国内外游客对海南医疗急救体系的应急能力、专业技术水平和救治质量提出了更高要求。从总体上看，海南医疗卫生服务水平还严重不适应国际化要求。2008年海南每千人医师数为1.16人，低于全国的1.30人的平均水平，更低于北京（4.47人）、上海（3.45人）、天津（2.44人）等发达省市的水平，其中具有高级职称的医疗人才比例仅占6%；2008年，海南社会办营利性医院只有19家，排在全国倒数第3位，其中营利性疗养院、急救中心、妇幼保健院等医疗机构为零。

（3）金融保险体系不健全、开放度低。海南国际旅游岛需要强大而完善的金融体系支撑。当前，海南金融保险面临三大突出问题：一是地方性金融机构少，缺乏地方金融话语权。海南是目前全国除西藏外唯一没有地方性商业银行的省份，四大国有商业银行和国家政策性银行主导海南省大部分金融资源。这些银行的存、贷款总额占海南所有金融机构各项存款及贷款总额的84.29%和94.13%。二是国际旅游岛建设资金需求增多与本地资金外流的矛盾加剧。目前海南中小企业贷款满足率仅为10%左右。相反，2002—2008年的6年间，海南金融机构存贷比下降24.72个百分点，资金净流出量由2004年的67亿元迅速上升2008年的212.9亿元。三是金融保险对外开放度低。到目前为止，驻琼外资金融机构仅剩南洋商业银行1家，2008年上海外资银行数达到157个。2008年，海南外资银行本币存贷款余额仅占全社会存贷款余额的0.03%和0.3%。

（4）文体娱乐业国际化程度低。国际经验表明，丰富的文化体育娱乐项目是带动旅游，充分发挥自然资源潜力的重要手段。海南缺乏国际通行的文体娱乐项目，文体娱乐产业整体发展缓慢，对海南经济带动力不足。海南文化摸底调查显示，文化产业增加值仅占GDP的1.8%，而近两年北京、上海、广东、云南、湖南等省市文化产业增加值占GDP的比重已超过5%。国内外游客在享受阳光、沙滩的同时，缺少更多国际化文化娱乐项目可供休闲。把海南建设成为亚洲一流、世界闻名的旅游目的地，需要借鉴国际经验，不断引进国际通行的文化体育娱乐项目。

8. 海南服务业转型升级的出路在于服务业开放

海南服务业发展水平不仅低于国内先进水平，更低于世界平均水平。利用10年左右的时间，实现服务业的转型升级，不仅要求加快发展速度，而且要求发展水平达到国际水准。实现这一目标的出路在于扩大开放。服务业的开放程度决定着国际旅游岛建设的实际进程。未来5年，应进一步加快海南相关服务业的开放程度，逐步向国外和社会资本放开，通过开放缩短海南服务业同发达地区的差距，成为我国相关服务业的先行开放地区，以适应国际旅游岛的发展需求。

9. 重点通过扩大开放改变教育、医疗等基本服务业发展滞后的局面

（1）加大教育开放，争取海南成为落实国家中长期教育发展规划的先行地区。第一，率先在全省范围内形成以政府办学为主体、全社会积极参与、公办教育和民办教育共同发展的格局。降低门槛，放宽市场准入条件，促进社会力量以独立举办、共同举办等多种形式兴办教育，实现社会资本投资比重高于全国平均水平，争取到2015年达到40%—50%；创新机制，大力支持民办教育，健全公共财政对民办教育支持机制，开展对营利性和非营利性民办学校分类管理试点，完善民办学校变更、退出机制。第二，在实现更高水平的普及教育上争当排头兵。率先在全省普及高中义务教育，争取在2015年前将普通高中阶段教育全部纳入义务教育范畴，2020年高中教育毛入学率达到90%以上；率先在2015年前在全省范围内实现中等职业教育免费制度；大力发展高等教育，力争到2020年毛入学率达到国内领先水平。第三，在探索多种方式利用国外优质教育资源方面先行先试。允许外资以独资、合资和合作的方式参与职业教育和高等教育领域的办学。争取用10年左右的时间，形成多层次的教育服务体系，教育整体水平达到全国中等偏上水平。

（2）构建更为开放、多层次的医疗服务体系。争取到2015年，医疗卫生服务水平达到国内先进水平；2020年，医疗卫生服务达到国际平均水平。允许外资和民营资本在海南以合资、独资或合作方

式兴办医疗机构,重点引进境外著名医疗机构在海南设立具有国际水平的医院,突发病急救中心和康复中心;鼓励和支持境外内优质机构通过多种方式,对现有公立医疗机构或部门进行改制、重组;深化医疗卫生体制改革,逐步建立各省(区、市)与海南异地医保互认制度,积极推进农村卫生管理县、乡、村一体化改革,建立完善的、覆盖城乡的、适应多层次需求的医疗卫生服务体系。

10. 把推进金融保险业开放作为发展现代服务业的突破口

(1) 积极引进国外知名银行、非银行金融机构进驻海南。允许外资银行在海南的分支机构开展各类银行业务。降低外资保险和证券公司进入门槛,降低总资产和年限要求。允许外资证券服务提供者设立合营公司。

(2) 允许海南组建区域性商业银行等地方金融机构,完善金融组织体系。争取中央政策支持允许海南设立"海南商业银行",可由海南省级财政出资成立一家投融资平台,并在此基础上发起并引入合格的战略投资者,直接组建"海南商业银行"。尽快组建1—2家农村商业(合作)银行。

(3) 逐步建立海南离岸金融中心。到2015年,将海南建设成为离岸银行业务中心、基金注册中心、保险业务中心和船舶注册中心;到2020年,初步建成离岸金融中心,实现离岸银行、证券、保险、基金和其他金融衍生品等各项业务开展。借鉴国际离岸金融中心通行做法,第一,划定一定范围区域,采取内外严格分离的发展模式。在离岸金融中心不断发展和监管手段成熟的条件下,逐步允许离岸账户资金有管理地向在岸账户"渗透"。第二,循序渐进扩大业务主体和范围,初期以非银行金融机构为主体,中间金融业务为起点。第三,尽快建立海南离岸金融发展控股公司和海南省离岸金融中心管理委员会分别作为离岸业务运作的平台和监管机构。第四,尽快制定离岸金融的税收法规,把税收优惠政策以法律形式固定下来。

（4）加大金融产品创新，搭建服务于国际旅游岛的融资平台。适应人民币国际化趋势，完善外汇支付结算环境。推进金融产品创新，发行面向中外游客的"海南国际旅游岛"信用卡，加快发展农业保险、旅游保险和责任保险等。组建旅游投资控股公司，搭建西部投融资平台。搭建互联共享的海南征信服务平台，支持省级融资担保平台做大做强。

11. 发展与国际旅游岛相适应的文化体育娱乐业

（1）鼓励发展国际通行的旅游体育娱乐项目。积极拓展休闲体育产业。引进帆船、沙排、高尔夫、赛艇等重大国际赛事落户海南；探索发展竞猜型体育彩票和大型国际赛事即开彩票；积极培育专业性演艺团体，积极引进国内外知名文化传媒企业，打造一批旅游演艺精品。

（2）放宽文化娱乐产业限制，鼓励社会资本进入。积极鼓励非公有资本参与文化事业单位转企改制。非公有制文化企业在资金扶持、项目审批、政府采购、职称评定、命名评比、表彰奖励等方面，与国有文化企业一视同仁。允许外资有条件进入文化娱乐产业，推动海南媒介企业的整合和壮大。赋予海南中外文化体育交流活动审批权，放宽旅游演艺、国际奥斯卡大片等文化产品进口政策，扩大国外主要电视频道在海南的落地频道数量。

（3）积极扶持本土民族民俗文化发展，形成具有本土特色的文化娱乐产品。在海南设立"黎族文化生态保护区"，划定黎族历史文化遗产最为丰富密集的五指山市、琼中黎族苗族自治县、白沙黎族自治县、东方市、乐东黎族自治县为文化生态保护区，对其进行整体规划和布局，对区内民族本土文化深入挖掘，给予其政策、资金、人员上的扶持。重点推进热带雨林、海洋、航天、电影等文化主题公园的建设。

三 把建立国际购物中心作为国际旅游岛中长期发展的基本政策目标

"逐步把海南建成国际购物中心",在《意见》中虽只有这一句话,但对海南的意义重大。国际购物中心在国内除香港外绝无仅有。中央决定在海南建立国内第二个国际购物中心,是希望海南在扩大国内消费需求中发挥重要作用,是中央赋予海南岛新的历史使命,国际旅游岛中长期发展规划应高度重视这一政策目标。从海南自身发展出发,建成国际购物中心将标志着国际旅游岛初步形成,是海南实现发展方式转变的主要目标,是海南走向大开放的重要载体和现实途径,是贯穿相关政策的一条主线,应把建立国际购物中心作为海南国际旅游岛中长期发展的重大课题和基本政策目标。

12. 建设国际购物中心是实现海南发展方式转变,走向大开放的基本要求和重要目标

《意见》中提出"海南要积极发展服务型经济,开放型经济,加快体制机制创新,推动旅游相关的服务业在改革开放和科学发展方面走在全国前列"。建立国际购物中心将是实现这一战略目标的重要突破口。

(1)建立国际购物中心是国家扩大内需的区域性战略举措。第一,国际购物中心是扩大国内消费的直接手段。近年来,国内游客对免税购物的需求不断上升,中国香港和韩国仁川的免税购物群体中,大约30%—40%是中国内地游客。建立海南国际购物中心,实际上是把国内游客的消费能力留在内地实现,这是扩大国内消费需求的重要战略举措。第二,建立国际购物中心是缓解外部需求萎缩的重要探索。国际金融危机后,我国外部市场的萎缩将是一个长期趋势。建设海南国际购物中心将由经营洋货为主向以经营国产品为主转变,视同出口,享受国家出口退税政策。这不仅有利于引进国际消费,还将在相当大程度上缓解外部需求萎缩的问题。第三,在

海南建立国际购物中心将显著降低本岛居民生活成本，提高生活质量。

（2）国际购物中心将推动海南服务业转型升级。国际购物中心高度依赖于服务业发展水平，服务业的高度发达是国际购物中心的重要标志之一。国际上被广泛认可的国际购物天堂，例如伦敦、巴黎、纽约、旧金山、香港等，它们的第三产业比重大都达到80%以上，并以金融保险、信息、物流等现代服务业为主。目前，海南服务业占比为45%，其中，交通运输、批发零售、住宿餐饮等传统服务业占到70%左右。海南应抓住建设国际购物中心这个重要契机，大力促进服务业的转型升级。

（3）建设国际购物中心客观要求加快海南城市化进程。国际购物中心作为服务业的重要内容，与城市化进程直接相关。现代服务业发展的实质就是城市中心区域的经济发展和经济结构的转型过程，国际购物中心对服务业的需求必然加快城市化进程。反过来，城市化的快速发展不仅产生了对服务业的最大需求和集中需求，还为服务业发展创造了产业规模的市场基础。2008年海南名义城市化率为47.41%，略高于全国水平。但考虑到2003年琼山并入海口等统计因素，海南城市化水平实际上略低于全国平均水平。国际经验表明，高度城市化已成为国际购物中心的重要基础和标志，香港、新加坡、纽约的城市化率都达到了100%。海南城市化滞后大大制约了与旅游购物相关的服务业的快速发展。

（4）国际购物中心是海南走向大开放的基本要求和重要载体。建设国际购物中心客观要求海南的旅游要素、现代服务业等方面全面与国际规则接轨。第一，国际购物中心要求加快旅游产业的全面开放。按照国际惯例，积极引进大型免税品经营集团经营免税商店；在四家免税店的基础上，选择更多地区设立免税店，方便游客购物；针对具有较大潜在客源市场的国家或地区，进一步落实好免签证和航权开放政策，构建通向世界旅游市场的便捷通道。第二，要求加快相关服务业的全面开放。国际经验表明，国际购物中心一般是金融保险等现代服务业高度发达和开放的地区。美国佛罗里达州气候、地理位置、旅游定位与海南很相似，其金融业十分发达，有300多家金融机构，仅迈阿密一个城市就有100多家银行。建设国际购物中心迫切要求海南在推进服务业开放，构建国际化的服务保障体系方面取得重大突破。另外，国际购物中心对营销模式、交通物流、海关监管等基本要素的国际化改造方面也提出了更高要求。

13. 分步推进国际购物中心建设

国际购物中心的建设是一个长期过程，应合理规划，分步推进，重点突破。

（1）第一步，用1年时间，尽快争取中央批准海南实行境外旅客购物离境退税和离岛旅客免税购物政策。将免税对象由境外游客扩大到国人，免税业务与国际通行做法全面接轨，实现免税手续便利化。

（2）第二步，用3年时间，争取中央政策支持，批准在海南建立内地第一个日用消费品免税区。即在现有免税政策基础上，争取"扩范围、扩类别、扩群体"：将免税范围由原来的四家市内免税店扩展到全岛，免税品种由国外产品扩大到国产品，免税对象在境内外游客的基础上扩大到本岛居民。

（3）第三步，用5年左右时间，形成与免税购物相关的服务体系。在获准建立日用消费品免税区的基础上，进一步健全和完善免税购物的体制与政策；合理规划和布局岛内购物区域和网点，完善旅游购物的基础设施；大力发展金融保险、医疗服务、商贸物流、电信等现代服务业，形成支撑国际购物中心建设的产业基础。

（4）第四步，用10年左右时间，初步建成国际购物中心。形成质优价廉、品种齐全、布局合理、交通便捷、产业配套、制度完善的国际购物中心的基本格局。

14. 以建立国际购物中心为主线，完善相关政策体系

国际购物中心的建设是离不开相关财税、投融资、金融以及开放政策的支持的。它是贯穿相关政策的一条主线，相关政策的出台应服务于国际购物中心这一大目标。

四 国际旅游岛中长期发展应突出体制机制创新

改革开放是海南的立省之本。把国际旅游岛这篇文章做大、做长、做好，关键在于体制机制创新。以体制机制创新释放国际旅游岛可持续发展的活力和动力。因此，国际旅游岛中长期发展应在创新体制机制方面勇于先行先试，争当新时期全国改革开放的排头兵。

15. 把体制机制创新放在国际旅游岛中长期发展规划的突出位置

推进海南国际旅游岛建设，无论是服务业转型升级，还是建立国际购物中心；无论是建立全国生态文明示范区，还是构建国际经济合作和文化交流平台，关键是打破与此不相适应的体制束缚。这不仅涉及旅游管理体制改革，还涉及财税体制、金融体制、生态补偿机制、行政体制、干部考核机制、南海管理体制等综合体制机制创新。因此，国际旅游岛中长期发展规划应把创新体制机制放在十分突出的位置，为国际旅游岛可持续发展提供强大动力。

16. 重点推进城乡一体化的体制机制创新

建立国际旅游岛就是要以资源整合和资源价值最大化为目标，打破与此不相适应的体制束缚。要使体制安排与国际旅游岛建设相适应，就应当主动积极地以国际旅游岛为契机，重点推进城乡经济一体化、社会一体化、行政一体化等的综合改革。

（1）形成"全岛一个大城市"的行政格局是实现全岛资源优势最大化的基本要求。独特的自然资源是海南最大的资本和优势。海南只有通过独特资源的优化配置，才能发挥全国其他地区无法相

比的后发优势。从城乡之间独特资源分布看，开发利用的潜力主要在农村。但由于城乡间体制分割，农村的旅游、土地等潜在资源优势远未发挥出来。同时，在18个市县加一个农垦的区域行政格局下，各个市县都具有一定的资源开发自主权和管理权，造成低水平开发，城乡资源互补性没有体现出来。统筹全岛旅游资源，客观要求打破城乡和区域行政分割的体制格局，全岛按照一个大城市思路推进城乡一体化的体制机制创新。

（2）培育地方特色的产业集群高度依赖城乡一体化。通过相关市县的行政一体化，在同一个行政区内统一安排产业政策，扶持城乡优势产业发展，延伸城乡产业链条，培育具有较强区域竞争力、反映地方比较优势的产业集群。通过城乡规划与区域规划高度统一，形成大城市、中等城市、小城镇优势互补、组团式发展的空间格局。

（3）实现农村旅游业收入与城市趋同客观要求加快城市化进程。城市化对就业的带动作用集中体现为城市化对服务业就业的带动作用。通过相关市县行政一体化，可以在更大范围统一户籍制度，实现城乡劳动力自由流动。整合、优化城乡旅游资源配置，最终趋向是全省城乡旅游业发展水平与中心城市趋同，农村旅游业收入与城市趋同。假设未来5—10年，海南人均旅游收入接近三亚水平，到2020年，海南旅游总收入占GDP的比重将达到40%，全省GDP将超过4900亿元，人均GDP将超过50000元，即在全国处于较高水平，将赶上广东、浙江等发达地区水平。

17. 全岛按照一个大城市思路推进城乡一体化体制机制创新

从全岛城乡独特资源整合优化、统一开发利用的内在要求出发，突破原有市县行政区、农垦分治的格局，通过区域行政一体化带动区域经济一体化、社会一体化，形成一个大城市的行政区建制，最终建立与城乡经济一体化、社会一体化要求相适应的体制框架。

（1）以海南国际旅游岛为平台，分步推进城乡一体化进程。大体可以分两步走：第一步，以组建五大旅游经济功能区为平台推进城乡一体化。按照空间毗邻、资源互补、容易实现组团式发展的原则，以三亚、海口、儋州、琼海、五指山为中心形成五大旅游经济功能区，作为经济一体化、社会一体化、行政一体化制度建设的平台。在全省的统一部署下，设置相关协调机制，在五大功能经济区建立城乡一体化的基础制度：建立高规格的全省城乡一体化管委会，负责全省城乡一体化改革试验的总体协调；组建五大功能经济区城乡一体化管委会，负责各自区域内跨市县资源整合、开发相关事宜。

第二步，在组建旅游经济区的基础上，打破18个市县的行政区划体制，形成"省下辖五大区域性中心城市"的行政格局。在五大功能经济区经济社会一体化程度比较高的情况下，在管委会的基础上组建中心城市政府机构或区级政府机构，突破省管市县格局，形成全岛行政一体化的新格局。

（2）海口、三亚率先突破。发挥省会城市海口经济相对发达的优势，争取用3—5年的时间，在推进文昌、定安、澄迈行政一体化方面率先突破。发挥三亚国际旅游城市的优势，以市联县，统一三亚与陵水、乐东、保亭四个市县旅游资源开发，在以旅游业国际化带动城乡一体化的体制安排上率先走出一条新路子。

（3）按照城乡一体化要求建立大部门体制。在五大功能经济区行政一体化的进程中，从城乡一体化的实际出发，本着有利于城乡资源整合、实现城乡产业一体化的原则，制订相关方案，通过3—5年的努力，在探索大部门体制，形成小政府、大社会格局上取得新突破，形成"大旅游""大农业""大卫生""大社保""大文化"的管理体制。

（4）实现农垦改革的新突破。打破城市、农村、农垦三元分治的格局，争取2—3年的时间，实现社会职能地方化，全面完成企业化改造。垦区人口纳入属地统筹管理；农垦社会管理和公共服务职能纳入地方统筹管理；场部融入所在街道或乡镇，推行社区化管理。

18. 推进城乡一体化的政策创新

海南以资源整合、优化配置为重点的城乡一体化是一项系统工程，既需要体制机制的创新，又需要相关政策的突破。全岛按照一个大城市思路推进政策创新，在城乡一体化的土地政策、户籍政策、基本公共服务政策、生态环境政策等方面实现突破。

促进港澳(台)参与海南国际旅游岛建设的建议(6条)[*]

(2011年3月)

基于海南国际旅游岛建设的需求,并有利于实现琼港澳(台)优势互补,资源共享,现提出促进港澳(台)参与海南国际旅游岛建设的6点建议。

一 促进港澳(台)参与国际旅游岛建设是提升海南国际化水平的重大举措

海南国际旅游岛重在国际化的海南岛。与旅游相关的现代服务业发展水平是国际化程度的重要标志,是决定海南国际旅游岛建设成败的关键。

1. 引入港澳(台)参与国际旅游岛建设是破解海南"底子薄与要求高"突出矛盾的现实途径

2010年海南服务业比重达到46.2%,与香港(92.3%)、澳门(89%)、台湾(68.7%)相比,无论在比重、结构还是发展水平上,都存在较大差距。从海南的现实需求看,加大与港澳(台)的

---

[*] 中改院课题组《促进港澳(台)参与海南国际旅游岛建设(6点建议)》,《中改院简报》总第843期,2011年1月27日。

合作，对提升海南服务业的国际化水平至关重要。

2. 以国际旅游岛为平台，推进琼港澳（台）合作是落实新时期国家开放战略的有益探索

第一，国际旅游岛上升为国家区域开放战略，理应把加大"四地"合作纳入区域开放的大盘子；第二，通过"四地"紧密合作，有利于促进海南成为我国与东盟国家加强经贸合作的重要枢纽。

二 加强"四地"合作符合港澳（台）发展需求

以国际旅游岛为平台，支持琼港澳（台）优势互补，建立全方位、多层次、宽领域、高水平的开放型经济的新格局，既是落实CEPA、ECFA的重要体现，也是拓展"一国两制"作用空间，发挥两个市场、两种体制优势，提升"四地"国际化水平和竞争力的有益探索。

1. "四地"合作将直接拉动旅游产业的发展

2010年，海南、香港、澳门旅游人数分别达到2577万、3000万、3000万人次，赴港澳的内地游客占60%以上，并保持了年均15%—20%增长速度。通过推动直航，构建便捷通道，建立"一程多站"的"琼港澳（台）旅游经济圈"，对整合"四地"优势旅游资源，共塑旅游区域竞争力具有重要促进作用。

2. "四地"合作将拓展港澳（台）产业与市场发展的空间

以旅游购物为例，根据相关机构预测，海南免税购物的潜在市场有望突破200亿元，达到香港的1/2。依托国内巨大的消费市场，鼓励香港积极参与海南国际购物中心建设是大势所趋，对拓展香港市场空间具有重要推动作用。

三 重点加大琼港澳（台）现代服务业领域的合作

服务业是海南国际旅游岛建设的重中之重。从现实情况看，海南服务业面临相当突出的矛盾和问题。这也是当前推进琼港澳（台）合作的重要领域之一。

1. 重点加大教育培训、医疗领域的合作

港澳（台）教育资源丰富，尤其是酒店、博彩、会展等服务业培训机构相对完善；高端医疗服务技术和管理水平也处于世界先进水平；政策上，海南是卫生部和商务部确立的港澳（台）可在内地设立独资医院的少数几个省份之一。为此，应当采取各种形式吸引港澳（台）参与海南教育、职业培训、医疗服务业的发展。

2. 积极推进以免税业务为重点的国际购物中心合作建设

《国务院关于推进海南国际旅游岛建设发展的若干意见》（以下简称《意见》）中提出"逐步将海南建设成为国际购物中心"，这是海南国际旅游岛建设的大目标、大政策。目前海南离境退税政策已经实施，但在相关的配套设施和服务管理方面差距较大。香港是国际公认的国际购物中心，有一整套成熟的免税购物服务体系和监管措施。加强与香港合作是5—10年内初步建成海南国际购物中心的重要选择。

3. 加大金融领域的合作

金融发展是国际化水平的重要标志。《意见》中给予海南金融7个方面的政策支持，至今大都未破题。海南应借助香港的国际金融中心地位，尽快在落实离岸金融等重大政策目标上实现突破。

4. 加大文化产业的合作

2008年，海南文化产业增加值占GDP比重仅为1.9%，低于全国平均水平（2.5%）；2009年海南城镇居民人均文化消费支出仅为503.49元，排在全国倒数第5位。把海南的政策优势与港澳的产业优势相结合，是推进海南文化产业跨越式发展的现实选择。例如，海南是国务院确定的"探索发展竞猜型体育彩票和大型国际赛事即开彩票"的除澳门外的唯一省份，但至今难以有大的突破；澳门、香港博彩业有上百年历史，积累了丰富的管理经验。海南应积极引入港澳的直接投资，尽快在博彩业及人员培训方面破题。

5. 加大会展业的合作

依托丰富的旅游资源，以及博鳌亚洲论坛的品牌效应，海南发展会展业有很大的空间。目前，琼港已就会展合作达成战略协议；澳门、台湾是亚洲展览产业增长最快的地区之一，都有丰富的运作经验和客户群体。加强会展业的合作不仅有利于提升海南会展业的整体品质，也是港澳（台）拓展会展业的最佳目的地。

四 探索建立多种形式的合作机制

在有利于发挥各自优势；有利于推进海南国际旅游岛建设；有利于"一国两制"的大原则下，应积极探索多种形式的合作。

1. 委托外资管理

比如博彩业，在国家法律框架下，利用澳门的经验，委托澳门运营海南博彩业，包括制定规划、行业规则和实施监管。并借鉴澳门博彩业特许经营管理模式，通过公开招标，特许1—3家国际博彩公司，在海南特定区域经营管理与国际旅游岛建设相关的具体博彩业务，把主要利益留在海南，管理交给澳方。

2. 开放特定市场，港澳视同国内

采取PPP、BOT等模式，优先引进港澳资本，并视同国内资本，鼓励港澳（台）资本参与基础设施建设和公共事务管理。

3. 独资经营

可考虑引进优质港资进入免税领域及零售行业，提升岛内免税购物整体服务水平；引入香港的市场监管办法和管理人员，提高本岛管理能力，为旅游购物创造良好的消费环境。

4. 以整体项目进入

比如会展业等一些大项目可以允许香港和澳门方面单独承担。

5. 外包服务

大力发展第三方金融外包服务业，将海南建成香港、澳门第三产业的后台服务基地。

6. 建立琼港澳综合改革试验区

在不断扩大合作领域的基础上，可考虑在海南适合区域建立"服务业综合试验区"，运用"一国两制"的办法探索新的开发模式和管理体制。比如，可以先行建立港澳（台）资本进入教育、医疗等中高要素市场的综合试验区；在适合的时候，建设集旅游休闲、彩票、商务会展、免税购物于一体的"服务业综合改革试验区"，推动琼港澳（台）服务产业集聚发展；积极创造条件，促进琼台农业出口加工基地建设。

五　琼港澳（台）合作的政策与体制创新

重点在市场准入、财税、土地、开发管理等方面给予港澳（台）政策支持与体制保障。

1. 实行更加开放的产业准入政策

在 CEPA、ECFA 框架的基础上，进一步放宽市场准入限制，重点加强琼港澳（台）现代服务业领域的合作。

——教育市场开放。支持港澳（台）高等院校在海南独资、合资、合作办学。允许港澳（台）独资建立高中和职业技术学校，允许以合资、合作的形式参与义务教育。

——医疗市场开放。降低门槛，鼓励港澳（台）企业在海南设立各类医疗机构；鼓励港澳（台）以独资、合资、合作形式发展老年人、残疾人和儿童服务机构；实现专业资格互认，鼓励港澳（台）法定注册医疗卫生专业人员到海南长期执业。

——金融市场开放。吸引港澳（台）金融机构在海南设立总部和分支机构；支持海南与香港开展离岸金融业务的合作；支持设立消费性金融机构、小额贷款金融机构；对符合条件的港澳银行的内地营业性机构，可申请经营人民币业务；在条件可控的条件下，允许琼港澳银行开展跨境贷款业务试点。

——文化体育娱乐业开放。鼓励琼港澳开展博彩业合作；允许港澳（台）企业在内地设立独资演出经营机构；鼓励港澳（台）独资企业提供体育活动推广、组织、设施建设的经营服务；鼓励港澳（台）企业在海南设立独资、合资或合作的会展企业，允许以跨境交付方式在海南试点举办展览。

——商贸物流业开放。依托港澳，鼓励全球知名免税品集团和商贸连锁企业在海南落户；完善报税、保险、国际货代、报关等现代服务功能，为港澳（台）资本参与国际旅游岛建设提供便捷服务。

2. 实现更加优惠的财税政策

港澳（台）企业视同国内企业，给予税收等方面的国民待遇；对符合海南鼓励类产业发展的项目，例如环保产业等，给予一定资金和税收减免等政策支持。

3. 健全土地保障机制

对于符合土地利用总体规划和海南产业发展政策的港澳（台）投资项目，所需用地纳入年度土地利用计划，确保优先报批，优先供地。

4. 创新合作开发管理体制

在进出口通关、出入境检验检疫方面，对港澳（台）资企业实施分类管理，简化港澳（台）企业贸易收结汇和出口退税手续。

六 推进琼港澳（台）合作的行动建议

推进琼港澳（台）合作，政策性强，涉及面广，需要统一认识、总体设计、加强领导、统筹协调。

1. 加强琼港澳（台）软科学领域的合作

启动琼港澳（台）中长期合作规划研究，尽快形成《琼港澳（台）合作的总体研究报告》。

2. 通过"泛珠三角区域合作与发展论坛"和"博鳌亚洲论坛"等平台对琼港澳（台）合作展开专题研讨

继续办好"海南（香港）现代服务业投资推介活动"，建议把澳门和台湾纳入，推进业界广泛、实质性合作。

3. 全面加大琼港澳（台）合作的宣传力度，争取广泛的支持

通过宣传，让国内外随时了解和掌握琼港澳（台）合作进展情况，增强投资者对海南发展的良好预期。

4. 建立琼港澳（台）合作联席会议机制，加强协调，统筹"四地"合作的相关工作

打造海南国际旅游岛升级版的建议(15条)[*]

（2017年6月）

海南国际旅游岛建设正处于转型升级的历史关节点。落实习近平总书记"要以国际旅游岛建设为总抓手"的要求，关键在于抓住"一带一路"的新机遇，努力打造国际旅游岛升级版。

一　立足5年，规划10年，着眼30年

1. 立足未来5年

确保到2020年实现与全国同步全面建成小康社会，并争取在某些方面超过全国平均水平。

2. 规划未来10年

未来10年，即在海南建省办经济特区40年时，人均GDP、城乡居民可支配收入、服务业比重等经济社会发展的主要指标达到全国先进水平。

3. 着眼未来30年

到2049年，即在海南建省办经济特区60年时，对标新加坡、

---

[*] 节选自中改院课题组《打造海南国际旅游岛升级版——从服务贸易项下的产业开放走向自由贸易区》，2017年6月。

中国香港等先进国家和地区，人均 GDP、城乡居民可支配收入、服务业比重等经济社会发展的主要指标达到发达国家和岛屿经济体水平，成为高度开放的自由贸易区，使海南在我国实现第二个百年目标进程中扮演重要角色。

二 以国际旅游岛升级版为主题

4. 产业开放

国际旅游岛的本质是产业开放。打造国际旅游岛升级版，就是要适应全球服务贸易快速发展和国内消费结构快速升级的大趋势，在以服务贸易为重点的产业开放上有重要突破，走出一条以产业开放带动产业转型升级的新路子。

5. 区域开放

未来 5—10 年，适应经济全球化与我国开放转型的大趋势，以服务贸易项下的产业开放形成区域开放的新动力、新优势，从而推动国际旅游岛升级为自由贸易区。

6. 国际化

国际旅游岛升级版的目标是建设高度国际化的海南岛。对标国际化城市和岛屿，以更大程度的产业开放、区域开放明显提升海南的国际化水平。

三 以"一带一路"为新起点

7. 战略地位

海南的战略地位与战略优势来自南海。建立"泛南海经济合作圈"是建设 21 世纪海上丝绸之路的重大任务。由此，国际旅游岛升级版的目标更高、要求更高、责任更大。

8. 战略角色

以海南更大程度的开放促进"泛南海经济合作圈"的建立，是国际旅游岛升级版的战略担当。

9. 战略突破

抓住"一带一路"新机遇，依托海南的区位优势、政策优势、侨乡优势、博鳌亚洲论坛的政商对话平台等综合优势，以构建"泛南海旅游经济合作圈"为重点，发挥海南在服务国家南海战略中的重要作用。

四　战略选择——从服务贸易项下的产业开放走向自由贸易区

从服务贸易项下的产业开放走向自由贸易区，符合经济全球化大趋势，符合"一带一路"与自由贸易区网络相融合的大趋势。这是打造国际旅游岛升级版的重大战略选择。

10. 海南推进服务贸易项下产业开放的行动建议

（1）推进旅游产业项下的自由贸易。实施更加开放的免签政策，加强以航空为重点的国际化基础设施建设，争取开放第六航权，在全岛建立消费品免税区，探索在邮轮母港发展上实行更为自由的政策。

（2）推进健康医疗产业项下的自由贸易。将博鳌乐城国际医疗旅游先行区的优惠政策扩大到全省。建立国际健康医疗研发基地。大力发展医疗健康保险。加强与港澳台在健康服务业领域的合作。

（3）推进文化体育娱乐产业项下的自由贸易。引进具有国际竞争力和知名度的文化体育娱乐企业进驻海南。引进一批具有国际水平的重大项目。设立文化产业专项基金。

（4）推进教育市场开放，提高教育国际化水平。进一步放宽办学准入。根据海南自身发展需要，按照"非禁即入"原则制定教育领域准入负面清单；简化民办学校准入程序，吸引更多的社会资源进入教育领域；争取国家支持，在海南开展民办教育综合改革试点，扩大民办健康职业教育机构在招生、专业设置、收费等方面的办学自主权。引进国外优质教育资源，鼓励支持国内外知名高校、教育培训机构落户海南；率先在职业教育领域开展中外合作办学试点，争取将职业教育中外合作办学的相关审批权下放至海南。

11. 适时建立海南自由贸易区的战略行动

抓住未来1—2年的时间窗口，加快旅游、医疗、健康等服务贸易项下的产业开放。到2021年争取建成国际旅游岛2.0，为海南自由贸易区奠定基础。

再用3年左右时间，争取2025年左右实现服务贸易项下产业全面开放，基本达到自由贸易区的水平。

在条件成熟时，争取国家支持，宣布海南成为自由贸易区，在海南实施更加开放的政策。

五 行动建议

基本考虑：国际化水平不高是国际旅游岛建设的突出短板。要以国际化为主题推进转型与改革，形成国际旅游岛升级版的大环境。

12. 重在转变增长方式

（1）改变各级政府对土地的依赖。改变地方市县土地依赖症，提高土地利用效率；改变房地产"一业独大"的产业格局。

（2）以现代服务业为主导加快经济转型进程。加快车联网、物联网等新经济发展。例如，海南有条件发展"新能源汽车＋车联网"。10年内，海南岛有可能在全国率先驶入"全岛无油汽车"时代。加快健康、养老、制药研发等大健康产业发展，到2020年，健康服务业增加值占GDP比重争取达到15%—20%。

（3）以"多规合一"改革形成增长方式转变的新动力。

"多规合一"改革重在创新体制机制，推进增长方式转变。

以"多规合一"改革破除增长的政策与体制障碍。破除土地等重要资源配置的区域分割和地区壁垒，集聚协调发展的合力。

13. 实现全岛统一布局

（1）按照"全岛一个大城市"规划布局，形成海南整体优势。释放土地等重要资源潜在价值；提高土地等重要资源平均价值；提高土地等重要资源使用价值。

（2）重点是推进"六个统一"。统一规划、统一土地资源利用、统一产业布局、统一基础设施建设、统一环境保护、统一社会政策。

（3）做大做优做强海口、三亚。采取大举措，按照省第七次党代会提出的"加快推进'海澄文'一体化综合经济圈和'大三亚'旅游经济圈建设"的要求，建议以"六个统一"为重点，加快"大海口""大三亚"的行政一体化体制创新，实现"全岛一个大城市"的重点突破。

14. 全面深化改革的重点突破

服务业市场开放要走在全国前列；以混合所有制为重点的企业改革取得重要突破；率先建立城乡一体化的体制机制；适应全岛统一布局推进行政体制改革。

15. 以国际化为主题的环境建设

（1）完善基础设施。加快实现县县通高速公路、加快健康医疗基础设施建设、加快文化体育娱乐基础设施建设、加快互联网、车联网、物联网、通信等信息基础设施建设；加快海洋基础设施建设，提高海洋公共服务能力。

（2）改善人文环境。以提高教育水平为重点加强社会环境建设。普及12年义务教育，提高全岛居民整体受教育程度。大力发展国际化职业教育与职业培训。

（3）引进国际化人才。与主要发达岛屿经济体研究制定人才互认政策；探索对健康、金融、养老等领域的急需人才实行人才新政，实行双重国籍政策。

（4）提升国际化管理水平。引入国际化管理模式和管理团队。例如，以发展健康社区和健康小镇为重点，引进国际知名的健康管理团队和健康产业发展模式，打造国际化健康管理和服务品牌。建立国际化的服务标准体系，包括食品安全标准、药品安全标准、健康服务等方面的服务标准。

海南全岛设立自由贸易港

以更大的开放办好最大的经济特区的建议(44条)[*]

(2017年7月)

当前,海南的改革发展进入新的历史阶段。适应经济全球化大趋势和我国改革开放新形势,海南要按照习近平总书记的要求,发扬经济特区敢闯敢试、敢为人先的精神,以更大程度的开放办好我国最大的经济特区,努力把海南打造成我国扩大开放先行区、改革创新试验区、绿色发展引领区、军民融合示范区。争取再用20—30年的时间,把海南建成高度国际化、现代化的岛屿经济体,成为中国特色社会主义的实践范例,成为泛南海地区打造"人类命运共同体"的先行范例。

一 实现"以更大开放办好最大经济特区"的重大突破

在新的发展阶段,推动海南更大程度的开放,以大开放促大改革、大发展,办好我国最大的经济特区,在推动经济全球化、推进21世纪海上丝绸之路建设中发挥更为重要的作用,为全国改革创新提供海南经验,为海南跨越式发展注入强大动力。

---

[*] 节选自中改院课题组《以更大的开放办好最大的经济特区——关于海南全面深化改革的建议(44条)》,2017年7月。

1. 把更大程度的开放作为主线

（1）习近平总书记明确要求海南在开放方面先走一步。2013年4月，习近平总书记视察海南时明确提出，海南"应该在开放方面先走一步"，"为全国发展开放型经济提供新鲜经验"。这是中央着眼于经济全球化大趋势，着眼于新阶段我国开放全局，着眼于统筹海南在全国大局中的定位，对海南发展提出的明确要求。扩大开放先走一步，是海南未来30年发展的主线，由此形成海南改革发展的行动路线。

（2）以开放促改革、促发展是海南建省办特区30年的基本经验。早在1978年的中央工作会议期间，习仲勋同志就建议把加快海南岛开发建设摆上国家重要议事日程。[①] 1984年，邓小平同志提出，"我们还要开发海南岛，如果能把海南岛的经济发展起来，那就是很大的胜利"。1988年4月，中央在海南建省办经济特区。2009年12月，中央把建设海南国际旅游岛提升为国家战略。从30年的发展实践看，什么时候开放有重大突破，什么时候海南的改革和发展就快。

（3）海南有条件推进更大程度的开放。海南具有独立地理单元优势、区位优势以及资源优势。建省办经济特区以来，在扩大开放方面积累了丰富实践经验。在中央的领导和支持下，海南有条件、有能力、有信心做大、做好、做足新阶段扩大开放这篇大文章，努力成为我国对外开放先行区。

2. 以更大的开放打造21世纪海上丝绸之路的重要战略支点

（1）"一带一路"大背景下海南扩大开放的重大使命。海南地处南海要冲，地理位置十分重要。推进"泛南海经济合作圈"，促

[①] 中共海南省委：《但开风气　情系宝岛——纪念习仲勋同志诞辰100周年》，《海南日报》2013年10月16日。

进 21 世纪海上丝绸之路建设，是海南在"一带一路"中的重大使命。

（2）建设 21 世纪海上丝绸之路的海南担当。从共建 21 世纪海上丝绸之路的战略要求出发，要把海南打造成为泛南海合作开发开放的重要基地，构建连接我国与泛南海国家和地区的自由贸易经济大走廊，由此形成泛南海区域重要的战略支点。

（3）以更大的开放促进"泛南海经济合作圈"进程。合作开发南海，要有一个基地，要有一个枢纽，要有一个支点。海南责无旁贷，要以更大的开放，促进"泛南海经济合作圈"的形成，加快泛南海地区"五通"进程，加快泛南海地区的合作开发进程。

3. 把建立自由港作为海南实现更大开放的重大战略选择

（1）探索更大的开放是海南全省上下的不懈追求。海南建省办经济特区之初，就曾提出建立"一线放开、二线管住"的"海南特别关税区"。为此，海南省委省政府在 1989 年 1 月和 1992 年 8 月两次向中央提出请求，实行境内关外的开放政策，把海南推向国际市场，实现中央把海南建成全国最大经济特区的战略意图。同 30 年前相比，今天，海南建立自由港的现实基础要好得多，时机要成熟得多，需求要大得多，意义要重要得多。

（2）建立海南自由港是以更大程度开放办好最大经济特区的战略选择。在新的特定背景下，建立海南自由港是我国引领经济全球化、推进全球贸易投资自由化进程的战略举措；是加快 21 世纪海上丝绸之路建设的战略突破。

（3）建立海南自由港形成海南改革发展的强大动力。岛屿经济体的发展高度依赖于开放。作为南海最大的岛屿，海南跨越式发展的动力来自于更大的开放。建立自由港，将形成海南改革发展的新动力，将加快推进海南国际化、现代化进程。

4. 要以更大的开放促进海南的改革创新

（1）以服务贸易为重点率先实现开放的重大突破。加快提升服务贸易开放度，不仅成为我国经济转型升级的客观需求，也成为我国引领全球自由贸易的重点和参与贸易投资规则重构的焦点。按照习近平总书记提出的"努力使海南成为我国服务业对外开放的重要窗口"的明确要求，海南要率先在服务贸易全面开放和服务贸易投资体制与政策变革方面先行先试。这符合经济全球化大趋势，符合我国经济转型升级大趋势，是海南在新阶段扩大开放的重大任务。

（2）以形成国际化营商环境为重点打造更具活力的体制机制。海南扩大开放的重要目标是全面提升国际化水平。未来30年，对标新加坡等发达岛屿经济体，以建设高度国际化、法治化的营商环境和服务环境为重点，按照国际化标准加快改革创新，激发各类市场主体活力，在打造更具活力的体制机制、拓展更加开放的发展局面上走在全国前列。

（3）率先闯出一条"保护与发展并举"的绿色发展新路子。生态是海南的最强优势和最大本钱。按照中央要求，着力在"增绿""护蓝"上下功夫，以开放改革形成绿色发展的新模式、新体制、新机制，闯出一条人与自然和谐发展的新路。

5. 海南未来30年的改革发展战略定位

（1）打造扩大开放先行区。发挥海南地处南海和东盟最前沿的区位优势，率先在服务业市场开放、服务贸易发展上实现重大突破，率先在全岛实行自由港的相关政策与管理体制，将充分发挥海南在推进21世纪海上丝绸之路进程中的重大作用。

（2）打造改革创新试验区。发挥海南最大经济特区的优势，加快理顺政府与市场关系、政府与社会关系，按照自由港的要求在经济体制、社会体制、行政体制等改革创新上取得重大突破，担负起全面深化改革排头兵的重要角色。

（3）打造绿色发展引领区。利用海南陆海生态资源优势，加快发展绿色产业，加快绿色发展的体制机制创新，率先走出"青山绿水变成金山银山"的绿色发展新路，为全国的生态文明建设当个表率。

（4）打造军民融合示范区。2013年4月，习近平总书记视察海南时明确提出，"把海南建设好，把祖国的南大门守卫好，政治责任重大，是光荣的使命"。整合地方和军队经济、技术、资本、市场等资源，加强军地战略合作，着力推进军民融合产业集聚发展、军民两用技术协同创新、军民信息及保障共享共用，创新军民融合发展体制机制，实现"一张图"规划、"一盘棋"布局、"一体化"实施。

6. 实现高度国际化、现代化的发展目标

（1）未来3—5年，到2020年。海南如期实现与全国同步全面建成小康社会，经济社会发展主要指标达到全国平均水平。

（2）未来10年，到2028年。即建省办经济特区40周年之际，海南经济社会发展主要指标达到全国先进水平。

（3）未来30年，到2049年。即在海南建省办经济特区60周年和建国一百周年的重要历史节点，海南经济社会发展主要指标达到新加坡等发达岛屿经济体的水平，建成经济繁荣、社会文明、生态宜居、人民幸福的美好新海南。

二 推进"泛南海经济合作圈"进程的重大使命

海南地处南海要冲，地理位置十分重要。海南要充分发挥区位优势与海洋资源优势，促进"泛南海经济合作圈"形成，以更大程度的开放实现南海更大力度的开发。这是我国与泛南海国家和地区共建21世纪海上丝绸之路的重大战略举措，是海南参与"一带一路"建设的战略担当。

7. 21世纪海上丝绸之路建设重在南海

21世纪海上丝绸之路建设重在南海，难在南海，突破也在南海。以构建"泛南海经济合作圈"破题21世纪海上丝绸之路建设，加快促进泛南海自由贸易区网络的形成；海南主动承担在促进"泛南海经济合作圈"形成中的重大使命；加强"泛南海经济合作圈"顶层设计和战略规划。

8. 海南在推动"泛南海经济合作圈"的战略角色

建设泛南海旅游经济合作基地、建设泛南海区域国际航运枢纽、建设泛南海能源开发基地、建设泛南海生物医药研发、生产和出口基地、建设泛南海综合服务保障基地、建设泛南海区域经济合作和文化交流基地。

9. 实现"泛南海旅游经济合作圈"的重要突破

（1）加快泛南海邮轮旅游发展。开辟以海南为中心的泛南海邮轮旅游航线。鼓励、支持央企参与邮轮建造，并给予相应的政策支持。支持海南与台湾、济州等邮轮游客互换、资源共享。实施与国际接轨的邮轮旅游通关政策。

（2）建立泛南海岛屿旅游经济合作体。率先建立海南岛—巴厘岛、海南岛—济州岛自由旅游经济合作体，积极开展旅游业项下的自由贸易。开辟泛南海重点岛屿地区至海南的直达或中转空中航线。借鉴APEC商务旅行卡的成熟模式，探索发起岛屿旅游卡发展计划。

（3）把"泛南海旅游经济合作圈"上升为国家战略。

10. 加快"泛南海经济合作圈"互联互通进程

（1）加快建立以海南为基地的泛南海区域航运枢纽。将泛南海区域航运枢纽建设纳入国家重点基础设施项目。加大物流港口开放力度。设立泛南海航运交易所。

（2）加快三亚邮轮母港建设的突破。加快邮轮港码头建设。完善邮轮母港功能。加快邮轮港交通基础设施建设。争取1—2年内建成邮轮港立体式交通疏散通道，使城市配套交通服务达到国际邮轮母港的基本要求。

（3）推动泛南海岛屿基础设施互联互通。进一步深化与泛南海沿线岛屿地区在港口、码头建设、邮轮客运等方面的合作，在扩建、新建港口的同时，组建港口联盟，提升海上基础设施互联互通水平。搭建"泛南海经济合作圈"信息和电子商务平台，实现信息互联互通。

11. 努力使海洋经济成为新的增长点

（1）加快深远海渔业发展。支持海南与南海周边地区以及印度洋、太平洋区域相关国家开展渔业捕捞合作，鼓励发展外海和远洋捕捞；发展水产品精深加工，建设水产品物流基地和渔业出口基地；以市场为导向，扶持龙头企业，创建知名品牌，提高渔业组织化水平。

（2）加快发展海洋装备制造业。支持发展为南海资源开发提供配套服务的海洋工程装备制造、维修服务、仓储物流、加工利用等产业；加大对海洋装备业的信贷支持力度，建立海洋装备制造产业项目贷款风险补偿机制；为中小海洋装备制造企业提供融资担保和保险服务；支持符合条件的海洋装备制造企业发行债券，推动企业上市融资和再融资。

（3）大力发展海洋生物医药产业。充分发挥博鳌乐城国际医疗旅游先行区政策优势，创新医药研发、国际合作新模式。加强与美国、欧盟药品研究和注册合作，突破核心技术和关键领域；支持海洋生物药品的临床试验，对承担国家"重大新药专项"等创新项目、具有自主知识产权和市场竞争力的产品研发提供融资服务。

（4）在海南设立国家深海实验室。支持海南推进以深海机器人为重点的深海智能装备研发；运用高科技手段，建立深海空间站，加强深海矿产、油气资源、深海生物等方面的研究，为南海资源开发提供强大的技术支撑。

（5）发挥央企在南海资源开发中的重要作用。组建由中石油、中海油等央企牵头、海南省政府参股的南海能源开发公司。推进分布式能源系统、海水淡化和综合利用等工程建设，增强岛屿补给能力；推进可燃冰开发利用；加大深海矿产资源勘探，推进深海油气、矿产等资源勘探开采储运的技术研发与使用。

12. 把洋浦港打造成为南海油气资源综合开发战略基地

（1）发挥洋浦在南海油气资源开发利用中的战略作用。依托洋浦港优势，把洋浦打造成为南海油气资源勘探开发服务、加工、储备、交易基地，并且时机条件已经成熟。建议将洋浦经济开发区建设纳入国家南海油气资源开发战略，支持洋浦在现有综合保税港区和经济开发区的基础上转型升级、功能扩展，建成泛南海地区最大的油气资源勘探、开发、加工、储备、交易、服务基地。

（2）打造洋浦能源加工、储备基地。加快建设能源储备仓库、港口泊位、集装箱、远洋轮船、大货车等配套设施；进一步提升洋浦炼油产能，把洋浦打造成为泛南海能源加工中心。

（3）建设洋浦国际油品交易所。建设涵盖现货、期货的国际石油石化产品交易中心；对在洋浦开展油品交易的企业资质，按照国际惯例审批。

（4）以洋浦为枢纽加快航道和内陆交通网络建设。打造集疏运便利的交通网络，使洋浦加工或转运的油品能够通过海上通道快速到达我国内陆目的地及东南亚各国。

（5）支持搭建南海资源开发投融资平台。加快建立南海资源开发的商业化、市场化运作机制；加大中央财政与开发性金融投入，形成以国有资本为主导，民间资本和国际资本共同参与的南海资源开发投融资平台；鼓励银行等金融机构加大对南海资源开发的重点领域、重点项目、重点企业的信贷资金投放力度，开展船舶、海域使用权等抵押贷款；支持符合条件的涉海企业在境内外资本市场上市融资。

13. 充分发挥三沙市在构建"泛南海经济合作圈"中的前沿基地作用

（1）以三沙市为重点打造南海公共安全综合服务平台。支持三沙市在南沙永暑礁、美济礁等岛礁建立基层政权和综合保障补给基地；建设海洋渔业基地，加快发展远海深水网箱养殖业。

（2）加快推进三沙旅游开放。推进西沙旅游及相关服务业的有序开放，适时允许港澳台和外籍游客赴西沙旅游。在三沙建设国家海洋公园。建议由国家海洋局牵头，海南参与配合，尽快编制三沙国家海洋公园的总体规划。

（3）在三沙市设立海洋型海关特殊监管区。在南沙美济礁建立保税物流园区，实施自由贸易政策。鼓励金融机构在三沙市设立网点，探索开展离岸金融业务；支持开展石油钻井平台、飞机、船舶等融资租赁业务。

（4）明确和落实海南的"西南中沙海域管辖权"，扩大海南省对三沙开放开发的管理权限。

三 建立海南自由港的重大战略选择

自由港是国际上公认的自由度和开放水平最高的经济特区。建立海南自由港，就是在海南实行比一般经济特区更为自由的投资、贸易、金融和人员进出等政策，实现生产要素的自由流动。总结海南建省办经济特区 30 年的基本实践经验，建立海南自由港：是以更大开放办好最大经济特区的重大战略选择；是充分发挥海南建设 21 世纪海上丝绸之路先行作用的重大战略选择；是率先在海南构建开放型经济新体制的重大战略选择；是实现海南高度国际化、现代化发展目标的重大战略选择。从自身资源禀赋与区位优势出发，海南具备条件建立自由港。

14. 建立海南自由港是我国扩大开放的重大战略

（1）建立海南自由港是我国推进经济全球化的重大战略。统筹考虑新阶段对外开放战略，在试点自由贸易区的基础上建立我国内地第一个自由港，拓展我国对外开放的广度和深度，将进一步彰显我国作为全球自由贸易引领者的主动担当。这不仅可以为有效应对贸易保护主义注入一支"强心剂"，而且将进一步提升、巩固中国"说到做到、言行一致"的负责任大国形象，进一步提升我国在全球经济治理新格局中的地位和作用。

（2）进一步增强国际社会对我国发展前景的信心。建立海南自由港，经过20—30年的努力，把海南这个相对欠发达的地区建成高度国际化、现代化的岛屿经济体，将会明显增强国际社会对我国发展前景的信心。

15. 建立海南自由港是推动21世纪海上丝绸之路的重大战略

（1）建立海南自由港是深化泛南海区域经济合作的重大战略。依托地缘优势，建立海南自由港，把海南打造成为泛南海区域经济合作的枢纽，有利于促进泛南海区域自由贸易区网络的形成，有利于加快推进泛南海区域"五通"进程，扩大区内各经济体的"利益交集"；有利于拓宽泛南海区域经济合作空间，形成泛南海区域"协同联动、开放共赢"的多边合作新格局。由此带来经济、政治、外交等多方面的正能量。

（2）建立海南自由港是加快南海资源大开发的重大战略。南海丰富的资源是我国新阶段能源资源供给的重要保障。建立海南自由港，在进一步加大中央投入力度的同时，可以更加有效地发挥海南在南海的独特作用，加大南海油气资源、矿产资源、渔业资源、旅游资源的开发力度，由此把海南打造成为我国南海资源开发的重要基地。

16. 建立海南自由港是构建开放型经济新体制的重大战略

（1）建立海南自由港是加快推进服务业市场开放的重大举措。建立自由港，可以在海南率先推动旅游、医疗、健康、教育、金融、物流、航运等服务业领域向社会资本和外资全面开放；借鉴香港经验，除特定领域外，在海南自由港全面放开外资准入限制和股比限制。这将是我国新阶段加快推进服务业市场开放的重大举措。

（2）建立海南自由港是加快服务贸易发展的重大举措。总的看，海南最有条件率先放开服务贸易。对标国际化，在海南自由港创新服务贸易体制机制，加快服务贸易发展，进一步优化海南开放结构，将把海南打造成新阶段我国扩大开放的前沿和重要窗口。

（3）建立海南自由港是完善我国开放型经济体制的重大举措。改革开放40年来，我国探索和实践了各类开放形式，形成了开放型经济的大框架。适应经济全球化的新趋势，在现有开放基础上，借鉴新加坡、中国香港等自由港模式，建立开放水平最高的海南自由港，将进一步推动我国的对外开放跃上一个新台阶。

17. 建立海南自由港是新阶段办好最大经济特区的重大战略

（1）建立海南自由港打造更具活力的体制机制。在全面深化改革新阶段，经济特区面临着如何进一步升级、进一步发挥先行先试作用的重大课题。适应于我国发展方式转变的需求，在海南自由港率先推进相关重大改革的先行试点，包括农村土地制度、税收结构、金融开放、中央地方关系等。这将为我国全面深化改革提供实践范例。

（2）建立海南自由港提升经济特区的国际化水平。总的看，海南经济特区的突出短板和软肋在于国际化水平不高，尤其是国际化的营商环境仍有较大差距。建立海南自由港，就是要按照国际惯例改革创新最大经济特区的相关体制机制；就是要按照国际惯例完善相关的管理制度；就是要按着国际惯例建立高效的服务体系。由此，明显提升经济特区的国际化水平，释放经济特区的巨大发展潜力。

（3）以建立海南自由港办好最大的经济特区。建立海南自由港，以更大的开放办好最大的经济特区，打造更高水平的改革创新示范区，将为全国开放型经济发展提供新鲜经验，发挥经济特区改革创新先行先试的重要作用。

18. 建立海南自由港是推动海南跨越式发展的重大战略

（1）建立自由港是海南加快发展的根本出路。海南是典型的"两头在外"的岛屿经济体，高度依赖于对外开放的重大突破。建省办经济特区以来，尤其是国际旅游岛战略实施8年来，海南发生了重大变化。但总的看，海南的经济发展尚未达到全国平均水平，与广东等发达地区相比，经济发展差距有所拉大。这与中央对海南的要求还有一定的距离，在某些方面甚至有比较大的差距。实践证明，海南走向更大的开放，主要不在于某一产业的进一步开放，也不在于某几块区域的进一步开放，而在于发挥岛屿区位优势，建立高度开放的自由港。

（2）建立自由港是发挥海南独特优势的重大选择。抓住"一带一路"的历史机遇，建立海南自由港，可以有效发挥海南联结内陆和泛南海区域的独特优势，加快内陆及海南的生产要素与东南亚乃至全球范围优质生产要素的整合、交流、优化配置，用足用好国内、国际两个市场、两种资源，由此形成新的增长点、增长极，加快海南经济社会发展。

（3）建立自由港是提升全岛居民福祉的重要保障。海南建省以来，城乡居民生活得到明显改善，但仍未达到全国平均水平。这有发展基础的原因，更有本岛居民难以充分享受开放红利的原因。比如，本岛居民目前还无法享受到关税减免的优惠。建立自由港，海南本岛居民能全面享受到免税红利，享受到更大开放带来的发展红利。

19. 海南具备建立我国内地第一个自由港的独特优势和主要条件

（1）具有天然独立地理单元的优势。建立自由港，不隔离就不便于实施特殊的优惠政策，也不便于实施监管。海南岛四面环海，无须进行"二线"专门隔离设施建设，有条件实行"一线放开、二线管严"的监管制度。

（2）拥有良好的区位优势。海南岛是连接东北亚和东南亚的区域中心；特别是海南授权管辖南海200万平方公里海域，是往来两大洋和两大洲的必经之地和海上要冲，也是连接亚太地区和世界最主要的海上运输通道之一。每年通过南海的各类船舶达5万艘次以上；按吨位计算，全球约1/2的商船途经南海，货运总量达到全球的1/3。[①] 在推进21世纪海上丝绸之路进程中，海南区位优势明显。

（3）拥有良好的港口条件。全球自由港大都依托于天然良港。海南拥有洋浦等天然深水良港；并且，经过30年的建设，海南已经形成了"四方五港"的港口布局，拥有44个万吨级以上港口泊位，拥有我国第一个10万吨级国际邮轮专用码头。

（4）建省办经济特区30年奠定了重要基础。无论是以基础设施为重点的硬环境建设，还是以政府管理为重点的软环境建设，建立海南自由港的综合条件基本具备。

（5）可以采取分步实施的务实路径。用1到2年做好准备；再用3年时间基本建成自由港，即到2022年全面实现海南自由港的投资、贸易、金融、人员进出自由，实现生产要素自由流动，自由港的制度与体制框架基本建立；再用5到6年时间，到2028年，

[①]《海南海事局实施十二项举措服务平安南海建设》，中国新闻网，2015年10月1日。

即建省办经济特区40周年时,海南自由港的规范水平明显提高,国际化水平明显提高,初步成为全球知名的自由港。

20. 建立海南自由港需要深入研究的重大问题

(1) 建立海南自由港是社会主义改革创新的重大举措。建立海南自由港,是在坚持社会主义制度的前提下,在经济领域实行高度开放和自由的政策与体制,目的是落实中央对海南的战略部署,把海南这块宝岛保护好、开发好、建设好。

(2) 以强化管理保障海南自由港顺利起步。建立海南自由港,关键是在起步阶段要事前设计、强化管理,防范可能出现的波动与风险。管住货物、放开人流。全面实施居住证制度。借鉴雄安经验,严格管住房地产市场。

(3) 对海南自由港进行专项立法,解决体制与特殊政策不相配套的突出矛盾。海南建省以来,各部委对海南发展给予了包括特殊政策在内的大力支持。但由于大体制尚未理顺,政策与体制"打架"情况时有发生,这使得一些重要的开放政策难以落地。建立海南自由港,需要建立与完善与之相配套的法治保障体系。建议全国人大出台相关立法,或者授权国务院出台专门条例或专项管理办法。

(4) 争取中央对海南自由港建设的财政与投资支持。争取中央财政给予定期补助。建立海南自由港,初期需要大量的资金投入。建议设立中央专项补助资金,重点支持海南改善基础设施等软硬件环境。

加大央企在海南自由港建设上的投资力度。发挥央企政治性强、实力雄厚的优势,鼓励、支持央企参与海南自由港建设投资。

(5) 把建立海南自由港作为贯彻落实党的十九大精神的重大举措。组织有关方面对海南自由港尽快进行内部研究和评估。建议在2018年4月海南建省办经济特区30周年和博鳌亚洲论坛上正式对外宣布。

四 以服务贸易为重点扩大开放的重大任务

习近平总书记2013年视察海南时提出,"努力使海南成为我国服务业对外开放的重要窗口"。在海南率先实现服务贸易领域的全面开放,符合经济全球化大趋势,符合"一带一路"与自由贸易区网络融合的大趋势,符合我国经济转型升级的大趋势,是海南扩大开放的重大任务。

21. 海南有条件加快推进服务贸易的全面开放

(1) 符合经济全球化大趋势。在新一轮经济全球化的大背景下,推进全球自由贸易进程的难点与贸易投资规则重构的焦点在服务贸易;我国引领经济全球化、推进全球自由贸易进程的重点也在服务贸易。

(2) 符合海南经济转型升级的迫切要求。从现实看,海南现代服务业发展水平相对较低,达到国际化水准的旅游产品、旅游服务供给与日益增长的中高端旅游服务型需求不相适应。为此,海南要在以旅游业为重点的服务贸易领域率先全面开放,激发市场活力,增加有效供给,加快形成以旅游业为龙头、现代服务业为主导的经济结构。

(3) 海南独特的地理优势,具备推进服务贸易全面开放的有利条件。独立的地理环境使海南有条件在旅游、医疗健康、金融保险、文化娱乐、航运物流、免税购物等服务贸易领域的开放上先走一步。

22. 加快推进服务业市场开放

(1) 率先实现医疗健康产业的市场开放。加快发展医疗健康服务业,是适应全国消费结构快速升级、释放全国对海南刚性消费需求的重大举措;是改善海南整体环境,丰富和提升海南休闲度假旅游产品与服务的重要支撑;是带动海南旅游、教育、信息、房地产等服务业转型升级的重要基础。支持海南尽快把博鳌乐城国际医疗旅游先行区的政策扩大到全省。鼓励和支持社会资本和外资以多种形式举办医疗健康机构。加快发展医疗健康保险产业。

（2）推进职业教育市场开放。进一步放宽办学准入。按照"非禁即入"原则制定教育领域准入负面清单；简化民办学校准入程序，吸引更多社会资源进入教育领域；支持在海南开展民办教育综合改革试点，扩大民办职业教育机构在招生、专业设置、收费等方面的办学自主权。引进国外优质教育资源。鼓励并支持国内外知名高校、教育培训机构落户海南；率先在职业教育领域开展中外合作办学试点，将相关审批权下放至海南。

（3）推进文化娱乐产业市场开放。进一步扩大文化娱乐产业对外开放。明确文化领域扩大对外开放的底线，实行文化开放负面清单管理；争取国家支持，扩大外资文化娱乐企业的经营服务范围；加大与国际友好城市之间的文化娱乐产业的交流与合作，积极开展文化娱乐产业项下的自由贸易。引进海内外具有国际竞争力和知名度的文化娱乐企业进驻海南。引进世界通行的娱乐项目。

23. 加快推进旅游业项下自由贸易进程

（1）实行旅游产业项下生产资料免关税政策。在严格用途管制、使用范围管制的前提下，为旅游业发展所需原材料的进口实行零关税；建筑配套的用品、设备的进口实行零关税；对大型旅游设施必备的基建设备、会议设备、电气设备进口时在核定总量前提下免征关税。比照"境内关外"相关政策，对从境内采购进入海南自用的旅游生产设备和维修零部件，视同出口予以退税。

（2）实行人员进出自由化便利化政策。扩大免签国家与地区范围。争取全球个人免签政策试点。把境外人员在琼工作签证审批权和居住审批权下放给海南。

（3）提高空中、海上互联互通水平。开辟新的空中、邮轮航线,加密已有航线;争取中央支持,在海南放开第六航权;加强以航空、海港为重点的国际化基础设施建设;对标中国香港、新加坡,推进全岛空港、海港综合交通体系建设。

24. 加快建立国际购物中心

(1) 建立海南国际购物中心,实现免税购物政策的重大突破。这不仅有利于提升海南旅游业整体竞争力,有利于降低岛内居民生活成本,而且可以吸引国人的境外消费回流,让更多消费留在国内。

(2) 加快建立"日用消费品免税区"。允许有实力、有资质的国内外企业进入海南免税市场经营;免税购物区域由现有的海口、三亚扩展到全岛;免税品种由国外产品扩大到国内名优产品;免税对象由乘飞机、火车离岛的游客放宽至所有离岛(乘船、乘车等)游客;本岛居民无论是否离岛均可购买免税商品。

(3) 积极吸引香港参与海南国际购物中心建设。香港是公认的国际购物中心,在免税购物的经营、管理、服务、营销、人才建设上积累了丰富的经验。建议尽快建立"琼港服务业合作试验区",以委托经营、独资经营等多种形式,引进香港资本及先进的经营、管理和人才,不仅可以尽快实现国际购物中心建设的实质性突破,而且可以有效丰富新时期下"一国两制"的内涵。

25. 在保税港区率先实施自由港开放政策

(1) 在海南自由港政策出台前,可先在现有保税港区和经济开发区全面实行自由港政策和管理体制。以海口、三亚和洋浦为平台,建设海港、空港与自贸园区一体化的对外自由贸易平台,发挥对外开放先行一步的引领作用。

(2) 以海口、三亚为重点发展大型空港自由贸易区。支持在区内大力发展保税业务。发展配套服务产业。引进国际专业服务机构,为企业提供法律、会计、贸易、通关、支付等优质服务;引进一批跨境结算机构,开展离岸金融结算、保税贸易结算等业务。

26. 实施更加精简的负面清单管理制度

（1）制定更加精简的负面清单。全面清理涉及外资的法律、法规、规章和政策文件，凡是同国家对外开放大方向和大原则不符的法律法规或条款，要限期废止或修订。到2020年服务业准入负面清单数量限制在40项以内（详见附件4）；明确负面清单只减不增，给投资者明确预期。

（2）加强相关法律法规的协调。更加精简的负面清单要真正落地，既涉及全国人大及其常委会制定的相关法律的调整，也涉及国务院及各部委相关条例的调整。为此，需要统筹解决海南扩大开放涉及的相关法律法规问题。

五 以形成国际化营商环境为重点改革创新的重大举措

以更大的开放办好最大的经济特区，需要按照国际化、市场化、法治化的要求推进体制机制的改革创新，营造一个稳定、公平、透明、可预期的营商环境，稳定并增强企业的制度预期，由此不仅为海南跨越式发展提供重要动力，而且为全国提供可复制、可推广的改革创新经验。

27. 以全面改善营商环境为重点深化市场化改革

（1）全面扩大企业自主权。作为市场主体，企业在注册、投资等方面的自由度越大，就越有活力。国际知名自由港内的企业大都拥有注册、投资、融资、结算等高度自主权。借鉴香港模式，在海南实行"注册易"，全面实施企业自主登记制度；全面实施企业简易注销制度。

（2）取消企业一般投资项目备案制。在严格规划限制、土地用途管制、环境保护的前提下，一般投资项目一律由企业依法依规自主决策，不再备案；民营企业投资，如不涉及公共资源，不再实施招投标；大幅提高符合国家战略导向的企业境外投资的上限。

（3）实现以混合所有制为重点的企业改革的重要突破。海南国有企业规模相对较小，在混合所有制改革上可以放胆突破，大胆创新。率先全面放开电信、石油、金融、军工等行业准入；鼓励非公有制企业参与国有企业改革，支持民间资本、外商资本等参与国有企业改制重组，实现投资主体多元化、股权结构多元化，推动内部治理结构不断完善；加快混合所有制企业员工持股改革。

（4）推进知识产权综合改革试点。2017年7月17日，习近平总书记在中央财经领导小组第十六次会议上强调："产权保护特别是知识产权保护是塑造良好营商环境的重要方面。"建议将海南作为全国知识产权综合改革试点省，加快构建有利于市场主体创新发展的知识产权服务体系，设立知识产权法院等。

28. 以税收结构转型为重点推进财税金融体制改革

（1）率先推进税收结构转型，增强税收竞争力。大幅降低所得税。除实施零关税外，企业所得税从目前的25%降至15%，全面降低企业综合税收成本。设计并实行新的税制体系。在中央支持下，合并简化税种，形成以所得税为主的新税制。适时开征财产税、环境税，率先实现税收结构从间接税为主向直接税为主的转型。率先合并海南国税与地税系统，建立统一、高效的税收征管体制，降低征管成本。

（2）全面提升企业投融资便利化水平。放宽私募股权投资基金发起设立条件，允许外资股权投资和创业投资管理机构在海南发起人民币股权投资和创业投资基金。大力发展多层次资本市场。吸引国内外产业基金、养老基金进入海南；大力发展中小企业债券市场；在海南发展各类产权交易市场，提高产权流动性。着力发展普惠金融，创新普惠金融贷款技术和管理制度，在加大对小微企业支持力度的同时，实现普惠金融的可持续发展。

（3）推进金融市场开放。在管住区域性金融风险这一底线的基础上，加快金融开放进程。放宽外资金融机构准入门槛，鼓励外资金融机构在海南设立独资分行；积极引进国内外知名的金融租赁、基金公司、财务公司、证券公司、消费金融公司、担保公司、信托公司等金融机构进驻海南。大力发展中小银行和民营金融机构。在海南试点人民币资本项下可自由兑换。

29. 以"多规合一"为重点深化综合改革

（1）按照"六个统一"合理布局，形成海南新优势。统一规划、统一土地资源利用、统一产业布局、统一基础设施建设、统一环境保护、统一社会政策。

（2）按照"全岛一个大城市"的思路推进行政区划调整。尽快形成若干区域性中心城市，增强其辐射带动作用，提升全岛土地、旅游等重要资源的综合利用效益。率先做大、做强、做优"大海口""大三亚"。优先支持两地发展所需要的行政区划调整，打破区域、城乡、部门间行政壁垒。

（3）率先取消城乡二元户籍制度，实施全省统一的居住证管理制度。率先建立城乡统一的居住证管理制度。建立以身份证号为唯一标识、全省统一的居住证管理制度，促进人口自由流动。建立以民政部门为主的人口综合服务体系。打破人口服务管理的"条块分割"，整合信息网络资源，加快建立以民政部门为主体，由公安、统计、卫生、工商、教育、社保等部门共同参与的人口综合服务系统，实现从人口管理向人口服务的转变。

（4）率先建立城乡一体的行政管理体制。对地处城乡接合部，非农经济占主导，人口城镇化率相对较高，土地大部分被征用（或预征）的乡镇，撤销镇一级行政设置，并入主城区，改为街道办事处。推进农村管理社区化，逐步将村委会改为社区居委会，作为依法成立的自治组织，推动居民参与社区管理。

（5）率先建立城乡统一的建设用地市场。统筹全省土地资源管理。将海南农垦国有农场土地纳入全省土地统筹管理范围，以提高农垦国有农场土地使用效益；将分散在不同部门管理的耕地、草原、林地、国有农场等土地资源以及海域使用权统一由一个部门管理，提高土地资源和海域资源的利用效率。建立城乡统一的土地交易市场，实现不同所有制土地"同地同权同价"。深化农村"三权分置"改革。严格保护农民土地财产权，允许农民承包土地和农民宅基地抵押、担保、转让；允许农村宅基地使用权在集体成员之外流转。

30. 以基本公共服务均等化为重点推进社会体制改革

（1）海南有条件率先实现城乡基本公共服务均等化。习近平总书记2013年视察海南时提出，"海南省地域小、人口少，实行省直管市县的体制，随着经济不断发展，最有条件搞好基本公共服务均等化"。按照这一要求，将"六个统一"释放的土地等重要资源增值收益主要用于建立城乡统一的基本公共服务体系，实现城乡公共资源均衡配置，使海南成为我国第一个实现城乡基本公共服务均等化的省份。

（2）多种途径增加居民收入，让城乡居民共享改革发展成果。健全工资正常增长机制，提高最低工资标准。改革个人所得税制，减轻本岛居民税收负担，建议参照香港个人所得税制度，实行更低的个人所得税率；探索建立制度化的"财政结余分红"机制，以提高本岛居民实际收入水平；控制物价水平；落实农民土地财产权。

（3）以提高教育水平为重点加强社会环境建设。全面普及12年义务教育，提高全岛居民整体受教育程度，提升全岛社会文明程度。大力发展国际化的职业教育与职业培训。重点服务业加快引进国际化的职业培训课程，对接国际通用职业资格培训标准，培养中高端职业技能型人才，提高本地各类服务人员的职业素养。

（4）加快社会组织管理制度改革。培育发展社会组织，提升社会自我服务和自治能力加快推进社区自治，增强基层公共服务和社区自治能力。引导城市社区服务资源向农村延伸，加大对社区的放权，逐步推进社区自治，将社区打造成基层公共服务和社会治理重要平台。

（5）建立灵活的用人机制。支持海南在公务员队伍中率先探索实行政务官和事务官两套管理制度。充分利用好省内存量人才的作用，加大对国家、省级认定各类人才的支持力度；创新科研经费等管理制度，给人才提供最为宽松的环境。对高端和紧缺人才实施个人所得税优惠；设立不动产信托基金，采取"先租后售"方式解决人才的住房问题。实施双重国籍制度，对海外高层次人才实行双重国籍政策；试点实施"绿卡"制度，支持在海南设立外国人永久居留服务机构。进一步完善"候鸟人才"服务机制，成立专门的"候鸟人才"服务机构，发挥"候鸟人才"对海南改革发展的独特作用。

31. **以简政放权改革为重点深化行政体制改革**

（1）动态调整、完善各级政府的权力清单和责任清单。完善各级政府权责清单，进一步厘清政府与市场、政府与社会以及政府部门之间的权责边界，纵深推进简政放权改革。调整优化部门职能定位，动态调整部门权责清单。规范、减少政府干预企业的自由裁量权，降低制度性交易成本，激发市场和社会活力。

（2）率先建立统一的市场监管体制。把监管变革作为深化简政放权改革的重点，推进监管与行政审批的有效分离，提高监管的独立性、权威性、专业性，实现由行政监管为主向法治监管为主的转型。在海南率先推进监管机构改革，建立"多管合一"的大市场监管体制。建议在海南开展法定机构改革试点，赋予食品药品监管机构法定职责权限；运用"大数据"等信息手段提高市场监管的效能，尽快建立全省统一的信用信息共享交换平台。

（3）加快调整优化行政组织机构和运行机制。支持海南根据发展需求和自身特点率先试点行政权力结构调整。加快"大部门"体制改革，最大限度地整合分散在不同职能部门相同或相似的职责；地方机构设置不要求与中央上下对口，以形成高效运行的行政体制，为全国行政权力结构调整提供试点经验。

六 依托海南生态优势打造绿色发展引领区的重大责任

习近平总书记2013年视察海南时提出，"中央要求把海南建设成为全国生态文明示范区，是希望你们闯出一条人与自然和谐发展的新路，为全国的生态文明建设当个表率"，"努力使海南的青山更绿、海水更蓝、沙滩更美、空气更清新，为子孙后代留下可持续发展的'绿色银行'"。海南有条件依托青山绿水、碧海蓝天这一生态优势，通过体制机制创新，打造绿色发展引领区，率先探索和实践绿色发展体制机制，闯出一条"保护与发展并举"的新路子。这是海南加快生态文明建设、实现绿色发展的重大责任。

32. 海南有责任、有条件建立绿色发展引领区

（1）海南肩负"闯出一条人与自然和谐发展的新路"的时代责任。生态环境保护是功在当代、利在千秋的事业。按照习近平总书记提出的要求，建立国家级绿色发展引领区，保护好全国最好的生态环境，加快形成绿色发展方式和生活方式，是海南的时代担当和历史责任。

（2）海南初步积累了绿色发展的实践经验。1998年，海南在全国率先提出建设生态省，2007年确立"生态立省"战略，2009年开始建设"全国生态文明示范区"，2012年提出"绿色崛起"发展道路，2017年省第七次党代会提出"生态文明建设领跑全国"。海南已有近20年探索实践绿色发展方式的历程，积累了丰富的经验。

33. 加快建设国家绿色热带农业基地

（1）建设国家绿色热带农业基地是海南绿色发展的重大任务。海南冬季瓜菜与热带水果畅销全国各地，丰富了全国人民的"菜篮子"和"果盘子"。建立绿色热带农业基地，发展绿色热带农业，为13亿国人提供绿色、安全的热带农产品，是海南绿色发展的重大任务。

（2）加快发展绿色热带农业生产资料。尽快禁用化学农药、化学肥料、化学除草剂、化学合成植物生长调节剂等农业生产资料；依托丰富的陆海生物资源，加快发展转基因育种、动物疫苗、生物饲料、非化学害虫控制和生物农药等生物农业；推广普及生物种子、生物农药、生物肥料、生物饲料等绿色农业生产资料。

（3）率先强制执行与国际接轨的热带农产品种植标准。以热带水果和冬季瓜菜为重点，严格规定：必须选择原生态无污染的自然环境作为种植基地；必须使用无污染的天然水、生物肥料、生物农药和生物杀虫剂。加快推进全岛绿色热带水果和冬季瓜菜生产过程的标准化和规范化。建立海南绿色热带农产品追溯制度，建设互联共享的质量安全监管追溯信息平台。

34. 率先建立绿色旅游引领区

（1）全面推进旅游产业的绿色化改造升级。全面倡导绿色旅游消费方式，推行酒店客房价格与水电、低值易耗品消费量挂钩，取缔一次性用品。颁布并强制执行与国际水平接轨的绿色旅游开发标准，完善绿色旅游产品体系，加快旅游景区绿色化改造，鼓励骑行或徒步等绿色旅游方式；建立旅游企业用能计量管理、节能减排体制机制。健全与国际水平接轨，以绿色景区、绿色酒店、绿色建筑、绿色交通为核心的绿色旅游标准体系，推行绿色旅游产品、绿色旅游企业认证制度。

（2）全面推行旅游产业的国际化改造升级。健全并强制执行与国际水平接轨的旅游产业标准体系。对全省旅游景点、旅游酒店、旅游路线、旅游交通、旅游生态进行国际化改造。对各类旅游产品进行国际化改造升级,包括观光旅游、度假旅游、商务旅游、文化旅游、运动旅游等。

(3) 建立健康旅游发展引领区。适应各方对海南医疗健康旅游服务需求全面快速增长的大趋势,以高端医疗和中医药服务为支撑,以医疗旅游、养老旅游、疗养旅游等为重点,加快推进医疗与旅游深度融合发展,全力打造世界一流的海岛休闲度假和健康旅游目的地。

35. 加快规划和建设热带国家公园

(1) 建设热带国家公园是环境保护的重大任务。设立国家公园,目的在于保护典型性、代表性和稀有性的生态系统、自然与文化遗迹。在海南建设热带国家公园,可以保护我国最丰富的物种基因库,最大的热带自然博物馆,最有原始性和生物多样性特征,最有典型性、代表性和稀有性的热带生态系统。这是海南绿色发展的重大任务。

(2) 加快研究规划热带国家公园建设。依据中央深改领导小组第37次会议强调的"生态保护第一、国家代表性、全民公益性的国家公园理念",依托热带原始森林与黎苗民族风情资源,在核心生态保护区进行热带国家公园选址,加快形成热带国家公园可行性研究报告和建设规划。

(3) 形成国家公园建设体制和相关政策。启动相关自然保护地的功能重组准备,理顺管理体制,创新运营机制,健全法律保障,强化监督管理。加快研究热带国家公园建设与运营的重要专题。包括:热带国家公园的资源特色与价值、自然资源权属、组织构建与运行模式、保护模式与制度、筹资机制、社区可持续发展、政策支撑体系等。

36. 加快热带海洋产业绿色转型升级

（1）强化海洋生态环境保护修复。修编并严格落实辖区海洋主体功能区规划，杜绝严重影响海域自然生态的项目开发，实施海洋生态安全追责与补偿机制，加快实施退养还滩、退养还湿、岸线整护、增殖放流、人工鱼礁等综合整治修复工程。

（2）加快海洋产业结构转型升级。推进热带海洋产业与绿色热带农业联动融合发展，以研发生产生物肥料和生物农药等绿色农用制品为突破口，开发海洋生物基因工程制品、海洋生物来源的新材料等。加快推进传统海洋产业向绿色热带海洋经济的转型升级。

37. 率先形成绿色城镇化的总体布局

（1）依托全国最好的生态环境，打造田园城镇。按照"望得见山、看得见水、记得住乡愁"的要求，对旧城镇进行改造扩容，并依托原有地形村貌、田园风光、农业业态和生态本底，加快建设有历史记忆、地域特色、民族特点的绿色城镇，打造"生态宜居、和谐发展"新型城镇化引领区。

（2）依托产业结构特色，打造绿色产业小镇。以"一镇一风情，一镇一特色，一镇一产业"为目标，加快建设休闲旅游型、绿色农业型、文化传承型、休闲渔业型、医疗旅游型、养老旅游型、慢性病康复旅游型、疗养旅游型、运动健康旅游型、养生保健旅游型等绿色产业小镇，打造"产城互动、节约集约"的新型城镇化引领区。

（3）形成全省域"城乡统筹、城乡一体"的绿色城镇化总体布局。把基本公共服务均等化作为新型城镇化的落脚点，加大公共财政向农村倾斜的力度，加快环境卫生、城乡交通、供水基础设施、教育、医疗等公共服务产品向农村延伸覆盖。

38. 率先建立支撑绿色发展的能源结构

（1）率先实现非化石能源占能源消费比重过半目标。依托海南丰富的可再生能源资源与核电基础，大力发展非化石能源。争取国家把深远海离岸式海上风电场、海洋潮流能和海洋波浪能重大项目优先安排在海南；率先形成非化石能源消费占比过半的新格局；加快南海可燃冰开发利用。

（2）深化能源产业市场化改革。加快推进能源市场化改革，打破行政垄断、自然垄断，为各类资本提供参与能源投资、建设、运营的平等机会；争取重大可再生能源项目向海南倾斜。

（3）建立全国性碳交易中心，率先开征环境保护税。把青山绿水变成金山银山，重要的是体制机制创新。十八届三中全会提出，加快"发展环保市场，推行节能量、碳排放权、排污权、水权交易制度"。在全国现有9个碳交易试点的基础上，进一步探索碳交易制度设计、数据核查、配额分配、市场培育、机制创新等，以此把海南丰富的碳汇资源资本化、价值化、市场化；支持海南尽早开征环境保护税，深化资源环境价格改革，率先建立碳税制度。

39. 支持海南加快建立绿色金融体制机制

创新金融制度安排，引导和激励更多社会资本投入绿色产业，利用绿色金融工具和相关政策，支持海南绿色发展；支持海南绿色产业企业上市，支持非上市公司通过全国中小企业股份转让系统转让股票；建立中央财政补贴、地方政府引导、市场运作的绿色产业开发主体贷款风险补偿基金，完善融资担保机制；鼓励银行加大对绿色产业领域的科技型企业信贷支持力度；开展知识产权等无形资产质押贷款试点。

40. 加大生态文明建设的力度

（1）全面倡导绿色消费。着力培育绿色消费文化，采取多种方式引导消费者主动选择和消费绿色产品；发展绿色交通，在全岛尽快布局"新能源汽车+车联网"，争取在全国率先驶入"全岛无油汽车"时代；建设绿色社区，重点推进农村的社区化改造，加快农村改水、改厕、环境整治。

（2）加快构建全民参与生态环境治理的新格局。进一步提高生态环境信息的公开透明度，凝聚全社会对生态环境保护的高度共识、高度警醒和高度自觉，建立生态环境治理全民参与平台、制度和机制，构建全民监督体系。

（3）强化生态文明宣传教育与全民生态环境保护意识。加强生态文明宣传教育，把生态文明教育宣传纳入基础教育、高等教育、职业教育体系；加强舆论监督和引导，宣传先进事例，曝光反面典型，增强全民生态环境保护意识。

41. 加强绿色发展的国际交流合作

（1）积极参与国际合作。在发展低碳经济、自然生态、污染防治、城市环境规划、环境科学研究、环境教育、环境能力建设等众多领域开展国际环保合作项目。

（2）建立环境保护国际合作新机制。成立环境保护国际合作中心，邀请国际组织和相关机构参与环保合作。

（3）成立海南国际环保产业园。在产业规划上以新型能源、节能环保材料、环保设备生产、环保技术咨询和研发为重点，吸引不同国家的知名环保企业入驻环保产业园，为海南的环保产业发展提供资金、技术、人才等。

七 海南建立军民融合示范区的重大担当

海南地处国防前沿和南海一线，授权管辖200万平方公里的海域面积。面对日益复杂严峻的南海局势，军地需要深化融合，合力履行好习近平总书记2013年视察海南时提出的"把祖国南大门守卫好"的重要使命。海南素有军政团结、军民鱼水情深的优良传统，有条件在军民融合发展方面走在全国前列。

42. 加快形成军民融合发展的整体布局

（1）大力发展航天产业。服务于国家航天强国的战略，加快建设海南文昌国际航天城。建设开放型、国际化、军民融合的航天发射场；鼓励社会资本进入航天应用领域，鼓励发展商用航天；加强航天领域的国际交流合作；发挥航天"清洁产业优势"，依托航天大数据，打造相关产业集群。

（2）鼓励发展通用航空产业。支持海南地方发展低空旅游，批准设立岛内各市县的双边、多边航线，允许成立以私人体验和旅游观光为目的的飞行俱乐部；军民合力推进通航制造关键核心技术的突破，实现军民科技资源互补和军民一体化；根据军民两用的要求，实现通航领域信息、资源、技术共享，打造军民融合的龙头示范产业，努力建成布局合理、便利快捷、制造先进、安全规范、应用广泛、军民兼顾的通用航空体系。

（3）搭建军民融合产业集聚平台。在省内军民融合产业基础较好、发展潜力较大的市县和省级开发区、高新区，保税园区，创建一批军民融合创新示范区和军民融合产业示范基地；合作共建军民融合产业协同创新平台。支持符合条件的企业进入海南的军工产业，推动军工技术向国民经济领域的转移转化，实现产业化发展。

43. 建立规范高效的军地协调管理机制

（1）建立省级军地协调的领导机制。成立海南省军民融合发展委员会，加强对军民融合的全面领导、顶层设计和统筹推进。

（2）建立军民融合规划管理机制。围绕安全和发展战略需要，整合军地需求、资源和建设任务，制订海南省军民融合发展总体规划；探索军地联合编制、双向衔接的规划拟制新模式；行政区域和行业领域出台配套实施计划，形成上下衔接、横向协调、便于落实的规划体系。

（3）建立军地需求对接协调机制。以军地联席会议为依托，建立定期会晤、情况通报、合署办公、项目联审等制度,加强军地之间的信息沟通与密切协作,建立军地联动长效沟通机制与协调机制。

(4) 重点理顺军地的海域空域管理体制。优化空域结构,协调海南与空军(南航部队)的管制空域,扩大海南地方空域容量,推进空域分类管理和低空空域管理改革;优化海域结构,协调海南与海军的管制空域,扩大三沙开发开放的区域。

(5) 建立促进军民融合发展的政策体系。对军民融合产业实施税收减免、抵扣、退税、补贴等财税政策;建立军民融合发展专项基金;支持军用技术转民用、自主知识产权研发项目。

44. 率先实现三沙军民融合发展的重要突破

(1) 尽快完成三沙岛礁军地土地确权。明确国防建设和经济建设的边界与空间布局,加快西沙从军管军控为主向开放开发为主转变;开展三沙岛礁土地和新增土地的确权登记发证工作,提升岛礁的行政管理能力,形成军民共管共治的局面。

(2) 明确三沙军地海域分界线。加快推进三沙旅游、渔业、海洋新能源等海洋产业的开放开发。

(3) 明确三沙军地空域分界线。研究西沙低空空域管理政策,在永兴岛、晋卿岛积极探索低空空域管理制度改革。

(4) 加强海上民兵建设。创新军地融合模式,成立一批半职业化的涉海经济组织,把三沙海域从事渔业生产的涉海企业及渔业公司纳入海上民兵编组范围,强化军事化训练,打造海上民兵队伍;完善军地协同配合的维权执法机制,形成"一线民兵、二线海警、三线军队"的联动维权格局。

(5) 推进军民基础设施和公共服务共建共享。加快三沙交通运输、能源通信、市政民生等基础设施建设,为生产生活、维权执法、军事国防提供基础保障;深入推进军队饮食保障、商业服务等社会化,提高军队保障社会化水平。

建立海南自由港方案选择与行动建议(20条)[*]

(2017年8月)

总的考虑是：谋划海南未来30年的发展：要考虑海南在推进21世纪海上丝绸之路建设中独特的战略角色；要考虑全面深化改革开放对海南提出的战略要求；要考虑跨越式发展对海南扩大开放提出的迫切需求。海南建省办经济特区30年的实践表明，建立海南自由港，在海南实行比一般经济特区更为自由的投资、贸易、金融和人员进出等政策，实现生产要素的自由流动，是重大的战略选择。综合来看，这项决策的时机和条件成熟，关键在于战略判断。

一 建立海南自由港的战略目的——争创中国特色社会主义实践范例的重大战略

建立海南自由港，是在坚持党的领导、坚持中国特色社会主义发展道路的前提下，在经济领域实行高度开放的政策与体制，不断丰富和发展中国特色社会主义。在海南建立中国特色社会主义自由港，是发挥社会主义优势、增强社会主义道路自信、理论自信、制度自信的内在要求；是落实中央对海南改革、开放和发展的战略部

---

[*] 中改院课题组《建立海南自由港方案选择与行动建议（20条）》，2017年8月。

署，争创中国特色社会主义实践范例的重大举措。

1. 建立第一个中国特色社会主义自由港的重大探索

（1）建立海南自由港是坚持中国特色社会主义发展道路前提下的重大探索和创新。新加坡、中国香港、中国澳门等全球知名的自由港，都实行资本主义制度；社会主义从诞生到现在，各个国家的探索中，还没有建立过符合国际惯例的自由港。充分发挥海南独立地理单元的岛屿优势，借鉴自由港的一般经济政策、运行机制、管理制度，结合海南实际，建立第一个具有鲜明中国特色的社会主义自由港，是新时期社会主义市场经济的拓展和提升，将成为新时期中国特色社会主义实践创新的一个重大突破。

（2）建立海南自由港是完善社会主义市场经济体制的重大举措。未来几年是我国全面深化改革的关键时期，是完善社会主义市场经济体制的关键时期。建立海南自由港，大胆闯、大胆试、自主改，推进投资与贸易的便利化，探索建立与国际通行规则相衔接的管理制度、运行机制和监管模式，尽快形成可复制、可推广的新体制、新机制、新制度，是完善社会主义市场经济体制的重大举措。

（3）建立海南自由港是完善我国开放型经济新体制的重大举措。改革开放40年来，我国探索和实践了各类开放形式，形成了开放型经济的大框架。在40年实践的基础上，充分借鉴新加坡和中国香港等自由港通行规律、规则、模式，建立开放水平最高的海南自由港，将为完善我国开放型经济新体制做出重大贡献。

2. 建立全球最大自由港的重大举措

（1）建立全球面积最大的自由港。世界知名的自由港，面积都不大。新加坡为719平方公里，中国香港为1104平方公里。建立海南自由港，意味着要在3.54万平方公里的全岛范围内实行自由港政策。这将是全球面积最大的自由港，远远超过全球目前任何一个自由港的地理范围。

（2）建立全球依托腹地最大的自由港。海南背靠着13亿国人的大市场，这个市场的规模在不断增长，结构在不断升级。海南依托这一大市场，形成连接内地与东南亚、整个泛南海地区乃至亚太地区巨大市场的枢纽，将形成全球市场空间和依托腹地最大的自由港。

（3）建立全球唯一包含城乡一体的自由港。目前世界主要的自由港，基本是城市经济形态，不包括农村经济形态。建立海南自由港，既有海口、三亚等中心城市，也有广大的农村。建立海南自由港，以更大的开放率先推动城乡一体化，把广大农村包括在自由港建设之中，使农民共享改革开放红利，由此走出一条与其他自由港不同的发展道路，充分体现中国特色社会主义发展道路的优越性。

3. 我国引领经济全球化的重大行动

（1）建立海南自由港是我国推进和引领经济全球化的重大战略。面对经济全球化不确定性的加大，我国坚持经济全球化方向不动摇，提出"一带一路"倡议，通过构建开放型经济新体制，形成全方位对外开放的新格局。在这个特定背景下，我国在试点自由贸易区的基础上，建立第一个中国特色社会主义自由港，不断扩大开放，是我国主动参与、引领贸易投资规则制定的重大举措，是推进经济全球化的"中国行动"，是有效应对贸易保护主义的一支"强心剂"。

（2）建立海南自由港是我国引领全球贸易投资自由化的重大战略。建立海南自由港，在坚持中国特色社会主义发展道路的前提下实行最大程度的投资贸易自由化，将大大拓展我国对外开放的广度和深度，进一步彰显我国作为全球贸易投资自由化、便利化引领者的主动担当，进一步彰显中国"说到做到、言行一致"的负责任大国形象，进一步提升我国在全球经济治理新格局中的地位和作用。

（3）建立海南自由港是加快推进"一带一路"进程的重大战

略。通过建立海南自由港,实施更大程度的开放,将更好地发挥海南经济特区的区位优势和体制优势,在推进"一带一路"进程中发挥独特作用。

二 建立海南自由港的战略需求——谋篇布局、经略南海的重大举措

海南地处南海要冲,面向东南亚,战略位置十分重要。依托海南的区位优势和海洋资源优势,建立海南自由港,促进泛南海区域自由贸易区网络的形成,尤其是"泛南海经济合作圈"的形成,以更大程度的开放实现南海更大力度的开发,是我国与泛南海国家和地区共建21世纪海上丝绸之路的重大战略布局,是海南参与"一带一路"建设的战略担当。

4. 21世纪海上丝绸之路建设重在南海,难在南海,突破也在南海

(1) 21世纪海上丝绸之路建设重在南海。作为亚太经济最具活力和发展潜力的地区之一,泛南海区域在全球经济格局中的重要性日益提升。特别是其地处两大洋和两大陆的交汇地带,交通区位重要,战略地位凸显。推进泛南海区域经济一体化,有利于增进该地区共同福祉,有利于把21世纪海上丝绸之路建成迈向"人类命运共同体"的重要通道。

(2) 经略南海事关中国的和平崛起。南海问题直接涉及我国的主权、安全和发展等国家核心利益,是我国和平崛起绕不开的一道坎。在南海问题上,要采取更为积极有效的行动,"搁置争议,共同开发",以此为我国未来30年发展赢得一个和平的空间,创造一个双赢和多赢的格局。

(3) 经略南海重在打好"经济牌""开放牌"。在南海问题上,我国的突出优势在经济领域,战略筹码更多集中在经济领域,可施展的更大空间也在经济领域。实践证明,区域局势越是复杂严峻,

越要高举区域开放与合作的旗帜,越要强化各方经济利益的连接。避免南海问题出现多种力量全面较量的复杂局面,关键在于发挥我方在经济开发建设方面的经验和优势。海南作为南海中的最大岛屿,可以在泛南海区域开放合作方面发挥特殊作用,承担更大责任,在打好"外交牌"和"军事牌"的同时,更好地打出组合式的"经济牌"和"开放牌"。

5. 以构建"泛南海经济合作圈"破题21世纪海上丝绸之路建设

(1) 以构建"泛南海经济合作圈"促进南海和平、合作发展。消除分歧的根本出路在于做加法,扩大共同利益。构建"泛南海经济合作圈",提高泛南海区域经济一体化的程度,扩大共同利益、推进结构互补,可以有效淡化南海争议、缩小有关主张分歧,打造以我为主、合作为主、高度融合的"利益共同体"。

(2) 重在加快形成泛南海自由贸易区网络。以开放性的次区域经济合作为导向,以海上基础设施互联互通为依托,以海洋产业和服务贸易合作为主题,以建立泛南海自由贸易区网络为重点,促进区域内生产要素和商品服务的自由流动,打造21世纪海上丝绸之路沿线国家和地区经济合作的新机制、新平台和新典范。

(3) 海南要主动承担在促进"泛南海经济合作圈"形成中的重大使命。海南的优势来自南海,海南的战略地位也来自南海,海南在建设21世纪海上丝绸之路中的特殊作用亦来自南海。发挥海南的独特作用,就是要突出海南在南海大开发中的新使命,以更大程度的开放推动南海更大力度的开发;就是要突出海南在服务国家海洋强国战略和经略南海的新使命,实现由海洋大省向海洋强省的升级;就是要突出海南在开放合作中的新使命,打造面向泛南海的开放新高地。

6. 把建立海南自由港作为促进泛南海区域经济合作的重大任务

（1）建立海南自由港是促进"泛南海经济合作圈"形成的重大任务。合作开发南海，要有一个基地，要有一个枢纽，要有一个战略支点。在这方面，海南责无旁贷。依托区位优势建立自由港，把海南打造成为泛南海区域经济合作的枢纽，促进泛南海区域自由贸易区网络的形成，加快推进泛南海区域"五通"进程，扩大区内各经济体的"利益交集"，形成泛南海区域"协同联动、开放共赢"的多边合作新格局，由此带来经济、政治、外交等多方面的正能量。

（2）建立海南自由港是加快南海资源大开发的重大任务。南海丰富的资源是我国新阶段能源资源供给的重要保障。建立海南自由港，可以更加有效地发挥海南在经略南海中的独特作用，加大南海油气资源、矿产资源、渔业资源、旅游资源的开发力度，由此把海南打造成为我国南海资源综合开发的战略基地。

（3）建立海南自由港是建设更为紧密的中国—东盟命运共同体的重大任务。东盟是亚洲区域经济一体化的积极推动者，是我国周边外交的优先方向。当前，中国—东盟自由贸易区升级版建设正处于"不进则退"的关键时期，需要尽快推出更高水平的开放举措。建立海南自由港，是扩大与东盟国家多领域的交流合作、进一步扩大投资市场双向开放、推进投资便利化和自由化、创造更加透明公平投资环境的重大举措。这不仅有利于建设"更为紧密的中国—东盟命运共同体"，也有利于务实解决南海争端。

7. 建立海南自由港的战略性、迫切性和现实性凸显

（1）服务我国转型改革发展大局。未来5—10年是我国经济转型与全面深化改革的关键时期。服务于这一大局，发挥"最大经济特区"的独特作用，就是要对标国际化，按照自由港的要求在经济体制、社会体制、行政体制等改革创新上率先试点，率先取得重大

突破。由此使海南担负起全面深化改革排头兵的重要角色，为全国提供可复制、可推广的改革创新经验，为我国全面深化改革提供实践范例。

（2）满足新时期国家对海南的战略要求。30年前，中央决定在海南建省办经济特区，是希望把海南岛作为扩大开放的重要试验区，通过大开放、大改革，把海南从一个封闭半封闭的国防前哨迅速地发展起来。站在新的历史起点上，海南以开放促改革、促发展的目标更高、任务更重。建立海南自由港，是以更大开放办好最大经济特区的重大举措；是把海南打造成为中国特色社会主义生动范例的重大举措。

（3）实现海南跨越式发展的要求。海南是典型的"两头在外"的岛屿经济体，发展高度依赖对外开放的重大突破。建省办经济特区以来，尤其是国际旅游岛战略实施8年来，海南发生了重大变化。但是，海南的经济发展尚未达到全国平均水平，与广东等发达地区相比，经济发展差距有所拉大。这与中央对海南的要求还有一定的距离，在某些方面甚至有较大的差距。实践证明，海南要实现跨越式发展，主要不在于某一产业的进一步开放，也不在于某几块区域的进一步开放，而在于发挥海南作为南海最大岛屿的区位优势，建立高度开放的自由港。

三 建立海南自由港的方案选择——服务国家战略、实现特区发展目标的重大突破

办好最大经济特区，把海南岛的经济好好发展起来，希望和出路在于实行"大开放"的战略。海南的"大开放"，不是一般意义的对外开放，它是立足海南岛屿经济特点的全岛开放；是能够完全按照国际惯例办事的全方位开放；是服务国家"一带一路"建设进程、经略南海、率先构建开放型经济新体制的深层次开放。这个根本性战略措施，就是全省上下30年来不懈追求、长期探索的"海南自由港"。

8. 海南走向大开放重在服务国家战略、实现特区发展目标

如何推进海南更大程度的开放，使海南在我国对外开放全局中发挥更大的作用，各方有不同讨论，提出了不同的方案。概括起来主要是三种方案。

（1）"自由港"方案。对标新加坡和中国香港，在海南全岛范围实行全球最高水平的开放政策和制度安排，建立我国内地第一个中国特色社会主义自由港。

（2）"局地开放"方案。对标上海等国内自由贸易试验区，选择岛内某些区域，比如洋浦、海口综合保税区等特殊监管区，以及空港、海港等部分区域，实施自由贸易区政策。

（3）"产业开放"方案。在以旅游及相关服务业为重点的产业开放上有重要突破，以产业开放带动产业转型升级，打造国际旅游岛升级版。

（4）优先选择第一方案。就三个方案本身来说，都有其合理性；但选择哪个方案，不仅要考虑海南自身情况，更要适应经济全球化大趋势，服务我国改革开放大局，服务经略南海的战略需求。基于以上考虑，中改院认为，在海南建立我国内地第一个中国特色社会主义自由港，是最优选择。

9. 推进泛南海经济合作进程与建立海南自由港

（1）发挥海南在泛南海区域的特殊区位优势要求更大程度的开放。发挥海南在泛南海区域总体事务中的战略性作用，这是考虑海南未来30年改革发展的根本出发点，也是与30年前建省办经济特区最大的不同所在。在三个方案中，产业开放方案和局地开放方案，都是有限开放，对泛南海地区的辐射带动效应是有限的，难以使海南在泛南海区域中充分发挥国家所要求的重大战略性作用。建立海南自由港，采取全球最高水平的开放政策，可以加快形成泛南

海区域开放的新高地，可以发挥海南在泛南海区域的整体区位优势，由此更好地履行海南在泛南海区域的战略担当。

（2）以海南为重要基地推进"泛南海经济合作圈"形成，要求海南实施更大程度的开放。这就要求海南通过更大程度的开放尽快成为泛南海地区能源开发、资源配置、要素流通、服务保障的一个重要基地。无论是产业开放方案还是局地开放方案，都难以承担起这个重任。

——产业开放方案涉及面有限，难以满足泛南海区域各经济体之间深化经济合作的需求。

——局地开放方案，只能发挥洋浦等个别地方的优势，其开发、配置、服务、保障功能要大大弱于全岛开放。

——只有全岛实行自由港政策，依托海南优势，尤其是三沙的区位优势，才能够有效发挥海南在泛南海经济合作圈形成中的枢纽与驱动作用。

（3）建立泛南海区域岛屿经济联合体要求海南最大程度的开放。泛南海区域的一个显著特点是岛屿众多，新加坡、中国香港、中国澳门等岛屿都实施了自由港政策。海南如果采取产业开放或者局地开放的方案，很难进一步深化与这些岛屿的合作。只有采取自由港政策，海南才能与这些岛屿站在同一个层次上在合作中竞争、在竞争中合作，由此实现经济要素有序自由流动、资源高效配置和市场深度融合。

10. 我国全面深化改革的战略布局与建立海南自由港

（1）以更大开放办好最大经济特区要求海南采取最大程度的开放。"办好最大的经济特区"，是海南建省的初衷。与内陆经济体不同，海南是一个岛屿经济体，很难走传统产业升级的路子。只有采取更大程度的开放，吸引岛外资源进入岛内，才能由此形成在某些领域的独特优势。从海南30年的改革开放历程看，产业开放和局地开放有一定的效应，但效应有限，尚未达到预期目标。

——受制于大的体制机制，有限开放难以获得一个好的政策环境。例如，从实际效果看，洋浦保税港区在体制机制创新上的效应有限。

——某些产业开放受现行体制的制约，在实践中很难落地。比如，《国务院关于推进海南国际旅游岛建设发展的若干意见》提出建设国际购物中心的目标。但免税政策在某些部委的层面始终没有大的突破。"挤牙膏"式的政策松绑，很难做好"最大经济特区"这篇大文章。

(2) 形成我国对外开放的新高地，打造开放型经济新体制要求海南以更大的开放发挥更加重要的战略作用。构建开放型经济新体制是我国适应经济全球化推进开放转型升级的重大任务。发挥海南在开放型经济新体制建设中的重要作用，仅推进产业开放或者局地开放，并没有超出现行开放试点的广度和深度，开放探索的意义有限。只有实施最高水平的自由港政策，在社会主义制度框架下建立第一个自由港，实施不亚于香港、新加坡的经济开放政策，在扩大开放上有重大突破，才能够有效发挥海南的独特作用。

(3) 先行试点重大改革的"硬骨头"，要求海南通过最大程度的开放增强改革动力。在全面深化改革新阶段，经济特区面临着如何进一步升级、进一步发挥先行先试作用的重大课题。海南要发挥最大经济特区的作用，需要在"啃硬骨头"上率先突破。比如，率先推进农村土地制度改革，率先通过税制改革调整税收结构，率先调整中央地方关系，率先建立城乡一体化的体制机制等。从过去的经验看，仅仅深化产业开放或者部分区域的开放，都无法实现重大领域和关键环节改革的突破。这客观上需要海南以更大的开放来形成改革攻坚的强大动力。

11. 实现海南高度国际化、现代化发展目标与建立海南自由港

（1）对标新加坡，实现海南跨越式发展，要求海南采取最大程度的开放形式。从国际经验看，岛屿经济体如果没有大开放，就不可能有大发展。建省办经济特区30年来，尤其是海南国际旅游岛建设8年来，海南发展面貌发生了重大变化，但客观上并没有实现中央关于建省办经济特区的发展目标。与广东等发达地区发展水平相比，差距甚至有所扩大。究其原因，在于海南大开放这篇文章还没有做足、做透、做好。下一步，无论是继续产业开放还是继续局地开放，其力度、广度、深度都有限，对经济增长的拉动作用有限。到2050年左右，把海南建设成为高度国际化、现代化的岛屿经济体，实现跨越式发展，根本出路在于实行开放程度最高的自由港政策。

（2）全面提升海南国际化水平要求最大程度的开放。随着全国城乡居民消费结构的升级，人们对海南国际化的产品、服务需求越来越大。总的看，海南的国际化水平偏低仍然是一个突出短板和软肋，尤其是国际化的营商环境仍有较大差距。要提高海南的国际化水平，关键在于实施最大程度的开放。这就要求按着国际惯例改革创新相关的体制机制；按着国际惯例完善相关的管理制度；按着国际惯例建立高效的服务体系。要实现这个目标，只有实行自由港政策，建立相关的体制机制，才能明显提升经济特区的国际化水平，才能释放经济特区的巨大发展潜力。

（3）着力改善全岛居民福祉要求推进最大程度的开放。海南建省以来，城乡居民生活得到明显改善，但仍未达到全国平均水平。根源在于，有限开放难以使红利外溢到本岛普通居民。比如，国际旅游岛建设以来，本岛普通居民难以享受到关税减免的优惠，反而承担了房价、物价上涨等压力。只有实施最高水平的开放，吸引更多要素流入岛内促进增长，同时又使海南本岛居民全面享受到包括

免税购物在内的开放红利,才能明显提升本岛居民福祉。

12. 海南30年历史性变化与建立海南自由港

(1)实现最大程度开放是海南建省办经济特区的初衷。大开放是海南的希望所在,也是海南的初心与出路。海南建省办经济特区之初,就曾提出要建立"一线放开、二线管住"的"海南特别关税区"。为此,海南省委省政府在1989年1月和1992年8月两次向中央提出请求,实行"境内关外"的特殊开放政策。30年来,尽管遭遇了一些挫折,但海南全省上下探索大开放的方向没有变,推进大开放的决心没有变。

(2)建立海南自由港的基础与条件与30年前相比不可同日而语。30年前建省办经济特区时,海南发展基础弱,管理能力有限。经过了30年的发展,海南今非昔比:

——以基础设施为重点的硬环境明显改善。目前,海南已经形成了"四方五港"的港口布局,拥有44个万吨级以上港口泊位,拥有我国第一个10万吨级国际邮轮专用码头。

——以政府管理为重点的软环境水平明显提高。尤其是国际旅游岛建设8年来,在开放型经济的管理上积累了比较丰富的经验。

——海南经济总量明显提升,经济实力不断增强。在中央强有力的支持下,海南有能力应对各类风险。

(3)适应未来30年发展趋势,要求海南推进更大程度的开放。今天,经济全球化格局发生重大变化,"一带一路"成为引领经济全球化的主角。这更加凸显了海南实施更大开放的重要性。今天,建立海南自由港,现实基础要好得多,时机要成熟得多,需求要大得多,意义要重要得多。

四 建立海南自由港的战略定位——在国家改革开放全局中发挥特殊作用的重大使命

从服务国家改革开放大局出发,依托海南独特的区位优势、地理条件和产业基础，实行比一般经济特区与自由贸易试验区更为开放的投资、贸易、金融和人员进出等政策，将海南自由港打造成为泛南海经济合作先导区、全国扩大开放先行区、全国改革创新试验区，使海南在我国改革开放发展大局中扮演更加重要的战略角色。

13. 打造"泛南海经济合作先导区"

（1）明确海南自由港在推进"泛南海经济合作圈"中的角色定位。建立海南自由港，就是要以开放增进交往合作，在泛南海区域形成由中国主导的合作开发新格局。为此，海南自由港应尽快打造成为泛南海区域经济合作和文化交流基地；泛南海区域国际航运枢纽；泛南海生物产业研发；生产和出口基地；泛南海新能源开发基地；泛南海综合服务保障基地。

（2）率先实现"泛南海旅游经济合作圈"的重要突破。

——加快泛南海邮轮旅游发展。加快三亚凤凰岛邮轮母港、海口秀英港邮轮码头建设，完善港口功能；开辟以海南为中心的泛南海邮轮旅游航线；支持海南与中国台湾、韩国济州等邮轮游客互换、资源共享、资格互认；实施与国际接轨的邮轮旅游通关便利化政策，如实行144小时过境免签。

——建立泛南海岛屿旅游经济合作体。借鉴APEC商务旅行卡的成熟模式，探索发起泛南海岛屿旅游卡发展计划，实现泛南海岛屿经济体之间旅游互通免签；率先建立海南岛—巴厘岛、海南岛—济州岛海洋旅游经济合作体，积极开展旅游业项下的自由贸易。

——把推进"泛南海旅游经济合作圈"上升为国家战略。建议对"泛南海旅游经济合作圈"进行顶层设计，建立高层次协调机制，形成各方广泛参与的合力。

（3）推进海洋产业项下的自由贸易进程。

——扩大海洋产业开放。支持搭建南海资源开发投融资平台，形成以国有资本为主导，民间资本和国际资本共同参与的南海资源开发格局；支持海南与南海周边地区以及印度洋、太平洋区域相关国家开展渔业捕捞合作。

——积极开展海洋能源、海洋渔业等产业项下的自由贸易。依托海南自由港政策体制优势，建设涵盖现货、期货的国际石油石化产品保税交易中心、海产品保税交易中心与涉海金融服务中心。

——加大泛南海区域海洋基础设施合作。支持海南与泛南海国家与地区共同开展分布式能源系统、海水淡化和综合利用、海底光缆等基础设施建设。

（4）加快推进泛南海区域互联互通进程。

——加快建立以海南为基地的泛南海区域航运枢纽。充分利用亚投行、丝路基金、中国—东盟海上合作基金等，并调动央企、民营企业等多方面的力量，推动泛南海区域航运枢纽建设；加大港口开放力度，全面放开船舶登记制度；支持在海南建立集航运资讯、交易、金融等功能于一体的泛南海航运交易所。

——推动泛南海岛屿基础设施互联互通。组建港口联盟，进一步深化与泛南海沿线岛屿地区在港口、码头、邮轮客运等方面的合作；搭建"泛南海经济合作圈"信息和电子商务平台，实现信息互联互通。

——扩大与泛南海国家和地区间的人文科技交流。

（5）充分发挥三沙在推进泛南海经济合作中的前沿基地作用。

——以三沙市为重点打造南海公共安全综合服务平台。支持三沙市在南沙永暑礁、美济礁等岛礁建立基层政权和综合保障补给基地；建设海洋渔业基地，加快发展远海深水网箱养殖业。

——加快推进三沙旅游及相关服务业开放。适时允许港澳台和外籍游客赴西沙旅游；在三沙建设国家海洋公园，建议由国家海洋局牵头，海南参与配合，尽快编制三沙国家海洋公园的总体规划。

——在三沙市设立海洋型海关特殊监管区。在南沙美济礁建立保税物流园区，实施自由贸易政策；鼓励金融机构在三沙市设立网点，探索开展离岸金融业务；支持开展石油钻井平台、飞机、船舶等融资租赁业务。

——明确和落实海南的"西南中沙海域管辖权"。扩大海南省对三沙开放开发的管理权限，明确授予和落实海南渔业开发管理权；下放部分远洋捕捞审批权，下放西南中沙海域外国渔船的管理和处置权；明确授予和落实海南油气开发管理权。将南海油气开发权部分下放给海南；赋予海南省对天然气行业统一管理的自主权；下放部分外交处置权，例如，下放西南中沙海域渔业合作的谈判权。

14. 打造"全国扩大开放先行区"

（1）加快推进服务业市场全面开放。

——率先实现医疗健康产业市场开放。支持海南尽快把博鳌乐城国际医疗旅游先行区的政策扩大到全省；将先行区内医疗急需、国外已批准上市但国内尚未批准的药品进口及使用审批权下放给海南；鼓励和支持社会资本以多种形式举办医疗健康机构；加快发展医疗健康保险产业。

——推进教育市场开放。简化民办学校准入程序；支持在海南开展民办教育综合改革试点，扩大民办职业教育机构在招生、专业设置、收费等方面的办学自主权；扩大教育对外开放，在遵守教育法律法规的前提下，允许外商以独资、合资、合作等方式举办各类教育机构；将中外合作办学的相关审批权下放至海南。

——推进文化娱乐产业市场开放。划定文化领域扩大对外开放的底线，实行文化开放负面清单管理；取消对外商设立文化娱乐场所及经营机构的股比限制与经营范围限制；加快引进国内外有实力的文化体育娱乐集团和世界通行的体育娱乐项目。例如，开放公益性赛马博彩，收益主要用于海南的教育、医疗等公益事业。

（2）实行更加精简的负面清单管理制度。

——制定更加精简的负面清单。对标中国香港、新加坡等自由港，实施极简负面清单管理，到2020年服务业负面清单数量限制在40项以内；明确负面清单只减不增，给投资者明确预期。

——加强相关法律法规的协调。更加精简的负面清单要真正落地，既涉及全国人大及其常委会制定的相关法律的调整，也涉及国务院及各部委制定的相关条例政策的调整。为此，需要统筹解决海南扩大开放涉及的法律法规问题。

（3）建立与自由港相适应的贸易便利化政策。

——实行自由港的海关管理政策。除战略物资、非法商品、危险性物品三种物品实行进出口许可证制管理以外，海南与境外的资金、货物、人员进出基本放开；除对个别商品课征关税外，其余商品无论自境外进口还是自本岛出口均适用零关税；在保证海南与内地正常生产、生活资料交流的同时，严格管理海南免税进口的外国商品输往内地。

——实行人员进出便利化政策。境外人员进出海南自由港，继续执行"落地签证"政策，并扩大免签国家和地区范围；争取中央赋予海南境外人员在琼工作签证审批权和居住审批权，支持在海南设立外国人永久居留服务机构。

——有序推进人民币的自由可兑换。放宽境外投资汇兑限制，放宽个人外汇管理要求，在与内地金融市场严格隔离的前提下，在海南通过放松乃至取消外汇管制，实现货币的自由兑换，为商品、资本、劳务的自由进出提供必要条件。

15. 打造"全国改革创新试验区"

（1）深化以全面改善营商环境为重点的市场化改革。

——全面扩大企业自主权。全面实施企业自主登记制度与企业简易注销制度；全面实施法人承诺制度；取消企业一般投资项目备案制；除少数规定外，企业境外投资项目一律实行备案管理。

——推进以混合所有制为重点的企业改革。鼓励非公有制企业参与国有企业改革，支持民间资本、外商资本参与国有企业改制重组，实现投资主体多元化、股权结构多元化；加快混合所有制员工持股改革。

——推进知识产权综合改革试点。建议将海南作为全国知识产权综合改革试点，加快构建有利于市场主体创新发展的知识产权服务体系，设立知识产权法院等，逐步将海南自由港建成泛南海知识产权交易中心。

（2）建立与自由港相适应的财税金融体制。

——率先推进税收结构转型。除实施零关税外，大幅降低所得税，建议将企业所得税从目前的25%降至15%，以增强吸引内外投资竞争力；争取中央支持，合并简化税种，形成以所得税为主的新税制；适时开征财产税、环境税，实现税收结构从间接税为主向直接税为主的转型；率先合并海南国税与地税系统，建立统一、高效的税收征管体制。

——全面提升企业投融资便利化水平。大力发展中小企业债券市场、各类产权交易市场等多层次资本市场，改变海南企业发展与资本市场脱节的现状；建立与国际接轨的企业评级制度，在对承销商严格监管的前提下，企业发行股票、债券由承销商根据企业评级进行审定并自主决定是否发行。

（3）深化以"多规合一"改革为重点的综合改革。

——按照"六个统一"合理布局，形成海南新优势。即统一规划，统一土地资源利用，统一产业布局，统一基础设施建设，统一环境保护，统一社会政策。

——统筹行政区划调整。按照"全岛一个大城市"的思路推进行政区划调整，逐步形成若干区域性中心城市；率先做大、做强、做优"大海口""大三亚",优先支持两地行政区划调整,打破区域、城乡、部门间行政壁垒。

——取消城乡二元户籍制度,实施城乡统一的居住证管理制度。建立以身份证号为唯一标识、全省统一的居住证管理制度;打破人口服务管理的"条块分割",加快建立以民政部门为主体,由公安、统计、卫生、工商、教育、社保等部门共同参与的人口综合服务系统,实现从人口管理向人口服务的转型。

——建立城乡一体的行政管理体制。对地处城乡接合部,与主城区联系比较密切的乡镇,撤销镇一级行政设置,并入主城区,改为街道办事处,作为区政府的派出机构;推进农村居民管理社区化,逐步将村委会改为社区居委会。

——建立城乡统一的建设用地市场。建立城乡统一的土地交易市场,实现不同所有制土地"同地同权同价";深化农村土地"三权分置"改革,在提升农村土地价值、严格保护农民土地财产权的同时,允许农村宅基地使用权在集体成员之外流转;将海南农垦国有农场土地纳入全省土地统筹管理范围,以提高农垦国有农场土地使用效益。

(4)尽快建立适应自由港的双重管理体制。

——探索自由港建设的双重管理体制。新加坡在建立自由港的进程中,不仅发挥政府的有效作用,而且通过裕廊镇管理局等开发区体制加快自由港建设进程。借鉴新加坡经验,建立海南自由港可以采取"全岛搞自由港,特定产业进开发区"的模式,把特定的产业集中到特定区域发展,实行专门的开发区管理体制。

——形成开发区负责经济发展、地方政府负责社会管理与民生改善的模式。在双重管理体制下,开发区重点负责产业发展,拥有相应的管理权限(或者代行政府某些经济管理职能),主要目的是促进相关产业跨越式发展;地方政府,尤其是基层政府,主要责任是社会管理与民生改善。

——全省统筹设计、重新规划全岛开发区格局。海南各市县大都有开发区，导致资源分散，没有形成集聚效应。需要统筹设计、重新规划，以服务自由港为目标整合全岛开发区。建议成立类似新加坡经济发展局的统一管理机构，负责全省的开发区管理；撤并级别过低的市县开发区，取消市县设置开发区的权限，以节约宝贵的土地资源；统筹考虑重要开发区的管理权限。

(5) 以基本公共服务均等化为重点推进社会体制改革。

——率先实现基本公共服务均等化。将"六个统一"释放的土地等重要资源增值收益用于建立城乡统一的基本公共服务体制，实现城乡公共资源均衡配置，使海南成为我国第一个实现城乡基本公共服务均等化的省份。

——多种途径增加居民收入，让城乡居民共享改革发展成果。健全工资正常增长机制，提高最低工资标准；实行更低的个人所得税税率，减轻本岛居民税收负担；完善岛内基本生活物资保障制度，建立低收入群体价格补贴与物价上涨联动机制；落实农民土地财产权，使土地成为农民财产性收入的主要来源。

——以提高教育水平为重点加强社会环境建设。全面普及12年义务教育，提高全岛居民整体受教育程度；建立与国际通用职业资格对接的培训体系，加快引进国际化的职业培训课程与团队，培养中高端职业技能型人才。

(6) 以简政放权改革为重点，深化行政体制改革。动态调整、完善各级政府的权利清单和责任清单，进一步厘清政府与市场、政府与社会以及政府各部门之间的权责边界；把监管变革作为深化简政放权改革的重点，在海南率先建立"多管合一"的大市场监管体制；充分发挥行业组织的自律作用，运用"大数据"等信息手段提高市场监管效能；加快调整优化行政组织机构和运行机制，支持海南根据自由港建设需求率先试点行政权力结构调整,为全国提供试点经验。

五 建立海南自由港的顶层设计和务实行动——需要深入研究的重大问题

在海南建立我国内地第一个自由港,是一项战略性综合性系统工程,涉及央地、军地、省域等多方面的关系。这就需要在中央的顶层设计、顶层协调与顶层推动,以形成各方共建海南自由港的合力。

16. 发挥党统一领导的政治优势

(1)建立海南自由港重在探索经济领域体制机制创新和对外开放的重大突破。建立海南自由港,目的是落实中央对海南改革、开放和发展的战略部署,把海南这块宝岛保护好、开发好、建设好,以更大的开放办好最大的经济特区。

(2)在党的统一领导下,规划部署和统筹推进海南自由港建设。在海南建立第一个中国特色社会主义自由港,不可避免地会遇到这样那样的挑战,会面临这样那样的风险。这更要突出党的领导、强化党的领导,发挥党统一领导的政治优势,对海南自由港进行顶层设计,周密部署、统筹推进。

(3)发挥中国特色社会主义"集中力量办大事"的体制优势,加快建立海南自由港。建立海南自由港,是国家层面的重大战略,是完善中国特色社会主义开放型经济新体制的重大战略。这既需要发挥海南作为最大特区敢闯敢试、敢为人先的精神,也需要发挥中国特色社会主义"集中力量办大事"的体制优势,在较短的时间内建立面积最大、水平最高的社会主义自由港,充分体现社会主义制度的优越性。这就需要中央对建立海南自由港做出顶层设计。

17. 加强战略规划和统筹协调

(1)研究制订《海南自由港建设发展总体规划》。建议国家相关部委会同海南省政府尽快启动专项调查研究,形成《关于建立海南自由港的若干意见》;在此基础上尽快制订《海南自由港建设发展总体规划》,明确海南自由港建设的战略定位、发展目标、重大任务、实施路径等。

(2)统筹海南自由港建设与内陆发展关系。建立海南自由港,涉及与内地发展的重大关系协调。既要发挥海南在改革开放上先行先试的重大作用,又要避免建立海南自由港、实施高度自由的政策后对内地带来的某些风险与冲击。这就要求周密做好包括资金监管、物资监管等重要事项的准备工作。

(3)统筹推进海南自由港和国防建设。建立海南自由港,涉及军地关系。从一些重要军事基地建设的经验看,扩大开放与推进军事建设可以并行不悖。比如,美国夏威夷既是著名的度假胜地,也是美国太平洋舰队大本营。建立海南自由港,关键在于统筹好海南全面开放与国防建设的关系。重点是整合地方和军队的经济、技术、资本、市场等资源,加强军地战略合作,着力推进军民融合产业集聚发展、军民两用技术协同创新、军民信息及保障共享共用,创新军民融合发展体制机制,实现"一张图"规划、"一盘棋"布局、"一体化"实施,从而使海南成为军民融合示范区。

18. 以严格的金融监管为重点防范风险

(1)适当控制金融开放进程,完善金融监管体系,防范金融风险。建立海南自由港,最大风险在于资金"大进大出"对全国以及海南经济发展的冲击。鉴于金融问题的复杂性和敏感性,在实现资金进出自由的同时,可以考虑:

——在全面开放投资、贸易的同时,适当控制金融开放步骤。投资贸易全面开放先行,金融开放适当控制。可设置10年的过渡期,有序推进,到2028年争取实现金融完全自由化。

——构建高规格监管体系。建议在海南自由港设置国务院金融稳定发展委员会特派机构（或中国人民银行特派机构），统一协调自由港的银证保综合监管。重点对资金进出规模、结构、方向进行严格动态监控，做好风险预警与防范。

——加强对内地其他省份的金融监管。在海南有序放开金融的进程中，强化对其他省份资金进出海南的监管，避免某些资金把海南作为"大进大出"的平台；强化内地企业跨国并购监管，在支持国家政策导向并购的同时，重点防范"内保外贷"式的高杠杆并购，防范借并购之名行资产转移之实。

（2）严格管控房地产市场，防范炒房风险。为了防止海南自由港相关设想引发土地和房地产非理性炒作，建议借鉴雄安新区建设经验，对海南的房地产市场实行严格管制，打击恶性炒房、哄抬房价行为，防止房价失控；同时建立多层次住房市场，保障基本住房需求。在特殊情况下，甚至可以在一定期限内行政性冻结房地产交易。

（3）严格海关监管，管住货物，放开人流。对货物实行"一线放开、二线管住"：除特别规定外，海南自由港内的投资、资金、货物进出全面放开；严格管理海南免税进口的商品，防止偷运内地。同时，放开人员进出，实现人员自由流动。

19. 争取中央对海南自由港建设的支持

（1）对海南自由港进行专项立法。海南建省办经济特区以来，各部委对海南的改革发展给予了各方面的大力支持。但由于大体制尚未理顺，政策与体制"打架"的情况时有发生。这不仅使一些重要的开放政策难以落地，而且导致全国人大赋予海南的特区立法权难以落地。建立海南自由港，需要建立与完善相应的法治保障体系。建议全国人大出台相关立法，或者授权国务院出台专门条例或专项管理办法，保障海南特区立法权能够真正落地，赋予海南更加充分的经济自主权和更大管理权限。

（2）加大对海南自由港的财政和投资支持。

——争取中央财政给予定期补助。建立海南自由港，初期需要大量的资金投入。建议中央设立专项补助资金，重点支持海南改善基础设施等软硬环境。

——加大央企的投资力度。发挥央企政治性强、实力雄厚的优势，鼓励、支持央企参与海南自由港投资建设。

——在重大项目安排上更多向海南倾斜。在推进南海基础设施建设的同时，统筹考虑岛内基础设施建设，将其通盘纳入国家基建的大盘子。

（3）支持海南更加灵活引进和使用人才。采取国际通行惯例建设和管理海南自由港，需要更多的国际化人才。建议赋予海南更大权限引进和使用国际化人才。

——鉴于中国香港、中国澳门、新加坡等地区在自由港建设上有丰富的人才储备，可以在某些具体项目上委托中国香港、中国澳门、新加坡的专业人士经营管理。

——在海南率先试行双重国籍制度；试点实施"绿卡"制度，加快设立外国人永久居留服务机构；赋予海南境外人员在琼工作签证审批权和居住审批权。

——建立与国际接轨的高层次外籍人才招聘、薪酬、考核、管理和社会保障等制度，为其提供国际化的工作和生活环境。

20. 建立海南自由港的时间表和路线图

（1）2018年4月，即海南建省办经济特区30周年之际，对国内外正式宣布建立海南自由港。以此，作为落实党的十九大精神、全面深化改革开放的重大举措。

（2）用1到2年时间，即2018—2019年，完成筹备工作，初步形成海南自由港框架。包括：完成海关体制调整，全面实施服务业对外开放，率先在洋浦等保税港区全面实施自由港政策等。到

2019年，形成海南自由港制度框架。

（3）再用3年时间，即到2022年，初步建成海南自由港。对标中国香港、新加坡，全面实现投资、贸易、金融、人员进出自由，实现生产要素自由流动，海南自由港制度与体制全面建立。

（4）再用6年左右时间，即到2028年，基本建成全球知名的自由港。即建省办经济特区40周年时，海南自由港的规范水平明显提高，国际化水平明显提高，成为泛南海区域最重要的自由港之一，成为全球知名的自由港之一。

（5）再用7年左右时间，即到2035年，总体实现经济繁荣、社会文明、生态宜居、人民幸福的中国特色社会主义美好新海南目标。

（6）再经过15年发展，即到2049—2050年，到21世纪中叶，在建国一百周年及海南建省办经济特区60周年之际，海南经济社会发展主要指标达到新加坡等发达岛屿经济体的水平，建成世界一流、现代化的国际旅游岛、生态岛、健康岛、长寿岛。

尽快建立海南自由贸易港的建议
（4条）[*]

（2018年2月）

一　建立海南自由贸易港在推动新时代我国对外开放新格局中扮演特殊角色

1. 建立自由贸易港是推动形成泛南海经济合作圈的重大举措

随着我国在全球化进程中地位的提升，随着南海局面的逐步缓和，南海的合作开发乃至形成以自由贸易为主线的泛南海经济合作圈将是大势所趋。以自由贸易网络为主线推动泛南海经济合作圈的形成，对于亚太区域一体化，乃至经济全球化，更对于我国扩大对外开放、形成发展建设的良好周边环境将产生重大影响。

构建泛南海经济合作圈，先导区在哪儿？突破口在哪儿？我们认为，第一，建立海南自由贸易港，通过海南岛的开放有利于加快推动泛南海经济合作圈。为此，对建立海南自由港的影响作用要有充分估计。第二，以泛南海旅游合作圈作为泛南海经济合作圈的突破口。从现实看，建立海南自由贸易港，首先需要突破的是泛南海旅游合作圈，以此推动泛南海区域的海上丝绸之路建设。这既有牵

---

[*] 本建议根据迟福林接受新华社记者采访稿整理，2018年2月。

动影响全局的作用，又有现实的可行性。第三，建立海南自由贸易港，将推动形成整个泛南海开放的态势，为未来泛南海自由贸易网络的形成打下重要基础。这一条，是其他地方所不具备的。海南作为一个独立的岛屿，把南海与海南结合起来考虑自由贸易港，全局意义重大。

2. 建立海南自由贸易港对促进以东南亚为重点的区域经济一体化有特殊作用

首先，海南区位优势明显。海南是中国—东盟自贸区的腹地，是连接东北亚和东南亚的地理区域中心，与菲律宾、文莱、马来西亚、新加坡和印尼隔海相望。其次，海南人文优势明显。海南华侨大部分在东南亚。海南是我国三大侨乡之一，具有独特的侨务资源优势，拥有浓厚的侨务文化氛围。目前，海南拥有100多万归侨、侨眷，同时拥有300多万琼籍华人华侨聚居在东南亚各地，活跃于政、商、学各界，并拥有较大的影响力。海南同乡会、海南会馆等海南元素社会团体遍布东盟地区，200多个东南亚华人华侨组织与海南保持着经常性友好往来。再次，海南与东南亚国家在历史上就联系非常广泛。例如，早在唐宋时期，海南岛就是中西商船往来的避风港、补给港以及内地、东南亚国家及本岛特产的重要中转集散地。所以，建立海南自由贸易港，对于形成东南亚利益共同体，推动区域一体化将起到特殊的作用。

3. 建立海南自由贸易港，对于推动两岸合作、两岸统一有着特殊作用

我国有台湾和海南两大岛屿。台湾通过20世纪七八十年代的开放实现了较快发展。30年前建立海南建经济特区的重要目的就是要在党的领导下，重点通过开放改革将海南岛建设成为国际化、现代化宝岛，从政治上体现出我国改革开放的巨大优势。正如习总书记所说的："如果把海南岛好好发展起来，中国特色社会主义就很有说服力，就能够增强人们对中国特色社会主义的信心，也就能

促进祖国和平统一进程。"

4. 海南建立自由贸易港，将加快推进海南建设现代化美丽宝岛的进程

过去30年，海南发生了巨大的历史性变化，但总体上看还没有实现当初设定的发展目标。根据我们的测算，海南建立自由贸易港，通过开放改革，用30年左右的时间，使海南赶上或者超过新加坡，成为一个现代化的、绿色发展的美丽宝岛，这才能真正实现习总书记视察海南时的讲话精神，"在开放上先走一步""成为中国特色社会主义的实践范例"。

总的说，建立海南自由贸易港，一定要从国家战略全局上看，不能就海南看海南，要充分估计建立海南自由贸易港的全局意义、特殊作用。

二 关于体制模式与政策落地的关系

30年的经历一再证明，海南作为一个岛屿经济体，如果没有体制模式的重大突破，政策是难以落实的。只有把体制模式创新与特殊政策相融合，才会产生巨大的活力、动力。就是说，给海南某些自由贸易政策，而不是建立自由贸易港是难以奏效的。

1. 海南是一个岛屿经济体

岛屿经济体如果没有开发模式的突破，而仅仅依靠某些政策的突破，实现大发展是很困难的。因为海南作为一个岛屿经济体，其自身基础差、能力弱，一个同样的政策，放在北京或者上海，其政策效应比在海南大得多。所以以某些优惠政策来拉动海南发展的作用是十分有限的。从这点看，若仅是赋予海南某些自由贸易港的政策，是难以实现大开放大发展的目标的。

2. 从国际经验看，任何一个成功的岛屿经济体走的都是开放的路子

以开放促改革，以开放改革促发展，是岛屿经济体的重要经

验。岛屿经济体的生命力在于开放，岛屿经济体的动力在于开放，岛屿经济体的活力也在于开放。没有开放的突破，政策很难落地。与其他发达地区相比，岛屿经济体既是海南的优势，也是海南的劣势。作为岛屿经济体，其与内地的经济关系，使得其政策的落实能力明显不足。

3. 从海南的历史经验看，建省至今赋予海南的多项政策并没有解决海南大开放的问题

例如，免税政策，至今已经 8 年多时间，但也没有落实到位；国际旅游岛提出海南要建设国际购物中心，但是仅靠目前的免税政策是做不成的。海南不像上海，这些地区与周边地区有极其紧密的经济联系，有广泛的腹地，海南作为岛屿经济体，主要靠自身。这就使得只有通过开放才能使其获得发展的动力。过去 30 年的发展经验证明，海南如果没有自由贸易港这种高度开放的模式和制度创新，仅是从政策方面考虑，是难以达到政策设计者的目标的，也难以释放政策本身应有的效应。

4. 建立自由贸易港是海南 30 年的一个梦

早在 1987 年筹备海南建省时，中央就开始酝酿海南能不能成为我国第一个社会主义自由贸易区，当时海南省委省政府的领导有疑虑，想着依靠中央的支持，"先吃娘奶，再吃洋奶"，错过了一次重要机会。后来意识到光靠政策不行，所以 1988 年 8 月海南省第一次党代会报告就提出建立特别关税区，1988 年 12 月就给中央提交了第一份建议《关于建立海南特别关税区》，但因为非经济因素被搁置下来。到了小平同志视察南方谈话，提出在内地"再造几个香港"，海南重新燃起了希望，当时提出了"大开放"方针，并于 1992 年再次向中央提出"建立特别关税区"的请求，后来由于多种因素，这件事情被搁置了。

2013 年，习总书记视察海南时的讲话提出"敢想敢闯""因改

革而生""在开放方面先走一步",又燃起来大家的热情。直到党的十九大提出"探索建设自由贸易港",又再一次燃起了希望。

落实总书记视察海南时的讲话,落实党的十九大报告精神,是海南上上下下的一个追求,一个梦想。此时,借助海南建省办特区30年之际,中央宣布在海南全岛建立自由贸易港,将形成巨大的合力,产生巨大的影响。

5. 关于制度创新,有三件事情至关重要

第一,要赋予海南最大的自主权。第二,按照"一个大城市",以"多规合一"为重点,实现体制创新。第三,企业制度创新。在社会主义制度范围内,完全按照国际惯例办事,实现高度开放。这将给予企业最大的制度活力。

三 建省办特区30年之际建立海南自由贸易港的时机最佳、条件最优、作用更大

1. 从基本条件看

海南现在的条件比历史上任何一个自由贸易港建设之初的条件要好得多。海南现在的条件比当时新加坡、中国香港建设自由贸易港时的综合条件要好。比如,海南环岛高铁开通运行,港口码头建设有序推进,如果未来航空、航运有大的发展,条件就更好。尽管现在条件有差距,但是只要有一股劲儿,这些潜力就能够迅速释放出来。

2. 时机最佳

第一,中国在经济全球化中的地位和作用日益凸显。第二,亚太区域一体化趋势。第三,南海合作的总体趋势。第四,"一带一路"建设的推进。这些赋予海南建立自由贸易港最佳时机。

四 海南有能力化解和防范潜在风险

从当时的各方疑虑看,主要集中在以下几条:财税,金融,环境,人口承载力,产业,人才,政府管理。这些顾虑主要集中在风

险上。事实上，在我看来，只要设计妥当，这些风险是完全可以控制和化解的。

1. 关于金融风险

从现实看，海南的资源，包括土地资源、自然资源等，远未开发出来。海南可利用可开发的资源还很多，如果深化"多规合一"改革，实现"六个统一"，即统一土地资源利用、统一产业布局、统一基础设施建设、统一城乡发展、统一环境保护、统一社会政策，将会释放巨大的能量，可以消化很多历史上的债务。更重要的是，建立海南自由贸易港，海南将成为金融开放区，进而由外来资本、社会资本组成的金融将把金融风险明显降低。

2. 关于环境风险

有人担心建立海南自由贸易港会破坏环境。我认为，海南的人口承载力至少为1500万左右，目前海南只有926万。台湾目前有2300万人口，海南的土地面积虽然比台湾少一两千平方公里，但可利用面积比台湾多，海南的人口承载力远没有成为突出矛盾。另外，现在建立自由贸易港，是在绿色生产方式、绿色生活方式、绿色发展理念背景下来建设，不仅不会破坏环境，还可能通过绿色发展形成自身的特点。对于人口的担忧，只要海南在房地产方面，采取坚定、适当的举措，例如不搞小型房地产，推进以适合于各种专业人士、中高端群体为目标的房地产转型；只要控制好房地产，不炒"短期"，海南在人口承载力、环境承载力上就不会出大问题。

3. 关于财政风险

有人认为海南财政穷，要搞自由贸易港，需要中央财政的大力支持。从现实看，目前海南基础设施建设基本告一段落，不需要中央财政大幅投入；只要能够按照国际惯例、按照自由贸易港惯例，采取15%—20%的企业所得税，就会有大量企业涌入，即使地方财政暂时存在困难，也可以通过发债、借债等形式解决财政困难问题。未来企业的大量涌入将扩大海南本地税源。更重要的是，中央可以把海南作为税收结构转型的试点，实现由以增值税为主体的间接税向以个人所得税为主体的直接税转型。这一转型，不仅成为中国税收结构转型试点，同时也使地方政府不再将主要精力放在产能上，而是放在营造发展环境、消费环境、营商环境上。

4. 关于管理风险

有人担心海南缺少能力。我认为，一是现在的干部能力比以往任何时候都好得多；二是可以通过体制创新，在省委统一领导下，建立自由贸易港的、以高效率为目标的开发机构，实行双重开发体制；三是建立自由贸易港，会有很多人才来海南，尤其是很多专业人才会到海南来。另外，海南岛是一个岛屿经济体，即使在某些方面失败了，对全国的冲击相比其他省份来说是最小的。更何况，这种情况不大可能发生。

总的看，海南建立自由贸易港的全局意义与当初不可比拟、条件不可比拟、机遇不可比拟。要把握全局，充分估计海南建立自由贸易港的特殊作用。不下大决心，不逼上一条死路，海南就没有更大的希望。作为岛屿经济体，海南只有通过大开放，才能起到别的地方起不到的特殊战略棋子作用。

第二篇
探索实行产业项下的自由贸易

在20世纪90年代中期我国全力争取加入WTO的特定背景下，海南何去何从，成为各方关注的焦点。围绕产业开放，中改院从90年代中期开始就在不断地进行研究探索，形成了一系列研究建议。有些建议虽然在当时由于多种原因没有变成现实，但至今看仍具有一定的前瞻性和参考价值，有些建议则直接被省委省政府采纳。

实行琼台农业项下的自由贸易。1994—1996年，为促进琼台合作，中改院与有关机构多次合作召开琼台经济合作研讨会，当时的主要观点是以农业合作为先导，推进琼台经济的全面合作。1997年7月，在香港回归祖国的背景下，中改院形成《实行琼台农业项下自由贸易的建议》；1998年初，中改院形成《关于实行琼台农业项下自由贸易的建议报告》。

建立洋浦自由工业港区。20世纪90年代后期，面对洋浦发展的困境，中改院于1998年5月向省委提交了《关于确定洋浦经济开发区为出口加工区的建议》；2001年初形成《南海开发计划与海南战略基地建设——对我国"十一五"规划的建议（18条）》，提出把洋浦建成我国新型工业港区；2002年，形成《洋浦经济开发区应成为海南油气综合开发产业集中发展的新兴地区》的报告，明确提出把油气综合加工作为洋浦经济开发区的主导产业。2005年4月，在以往研究基础上形成《建设洋浦自由工业港区的建议报告》；当年10月，又形成《洋浦自由工业港区总体设想》的报告。

全岛建立日用消费品免税区。2009年6月，中改院在《海南国际旅游岛政策需求与体制安排》研究报告中专章提出建立海南日用消费品免税区。2009年和2012年，迟福林院长先后在全国政协十一届二次会议和五次会议上提交了《关于建立海南消费品免税区的建议》和《关于支持海南加快"国际购物中心建设的建议"》；2015年，中改院再次提出《建立海南"消费品免税区"的建议（18条）》。近些年，中改院一直在呼吁建立海南"消费品免税区"。

实行旅游、健康等服务业项下自由贸易政策。习近平总书记2013年4月视察海南时提出，"努力使海南成为我国服务业对外开放的重要窗口"。中改院一直主张，旅游业及相关服务业的开放是建设海南国际旅游岛的重中之重，并先后提出了建设服务业先行开放区，推进重点服务业项下自由贸易的建议。

实行琼台农业项下的自由贸易

加强和发展琼台农业合作的建议（10 条）[*]

（1994 年 12 月）

早在 1989 年，两岛曾经认真讨论过全面合作事宜，台湾方面也曾有过公开态度和计划。现在是具体推进合作的时候了。

琼台合作最有利、最具条件的是农业合作，琼台农业合作是两岛优势互补和经济发展的需要。目前正是加速琼台农业合作的大好时机，应当加强、加快、加大两岛的农业合作。

合作的有利条件：

——琼台两岛自然条件十分相似，海南目前正处于工业化初期，如何吸取台湾经济起步的经验十分重要。琼台农业合作有利于海南充分借鉴台湾农业发展经验。

——目前台湾农业发展面临着土地少、成本高、缺乏竞争力等困难。台湾运用自己的资金、技术、管理方面的优势，同海南的劳动力、土地、自然资源等优势结合起来，加强台湾农产品在国际市场上的竞争力，这对台湾农业的进一步发展也是很重要的。

——海南农业开发有着中国内地大市场的广阔前景。加强琼台

---

[*] 中改院课题组《加强和发展琼台农业合作的十项建议》，《中改院简报》1994 年 12 月。

农业合作，开拓内地市场，这对双方农业发展是互惠互利的。

建议尽快实现琼台农业全面合作：

一　尽快成立海南农业开发促进会

学习台湾农复会的经验，建立海南农业开发促进会是十分重要的。海南农业开发促进会可由海南、台湾以及香港等地的有关专家、学者、企业家和其他重要人士组成，是一个独立的民间组织。它的主要任务应该有三项：

1. 为琼台企业界在农业方面的合作提供服务。

2. 通过民间形式推动两岛的农业合作。

3. 争取国际社会对琼台农业合作的资金和技术的支持，以进一步促进海南现代农业的开发。

二　开展琼台农业合作的交流活动

1. 加强琼台两岛农业管理人员、科技人员和企业界的相互交流和往来。

2. 促讲两岛在农业科研上的交流和合作。90年代台湾曾公布过对海南农业的援助计划，但由于种种原因，至今未能实施。应当继续争取台湾对海南农业的援助，促进两岛的农业合作。

三　争取台湾对海南农业援助

1. 争取台湾的资金援助。

2. 引进台湾农业优良品种。

3. 利用台湾的农业技术力量，加强对海南农业科技人员的培训。

四　争取在海南采用和推广台湾的现代农业科学技术

1. 打破界限，允许农业科学技术在海南大范围内的试验，尤其是在水稻、甘蔗、菠萝、杧果等热带农作物种植方面的试验和技术转让。

2. 应当允许台湾农业的优良品种进入海南，如在种子保密、商检等方面给予方便条件。

五　建立琼台合资合作的农业开发区

1. 采取土地低价政策，鼓励台资参与海南农业开发区的开发。

2. 特别鼓励台商与海南农垦的合作。

3. 鼓励成立台资农业开发区，或台商独资庄园、种植场、养殖场等。

六　加快琼台农产品加工业的合作

海南丰富的农业资源为发展农产品加工业提供了良好的基础，"椰树牌"椰子汁为海南企业和农民带来了巨大的利益，是成功的典范。为了尽快改变海南主要出卖初级农产品经济效益不高的局面，并大范围提高农产品的附加值，需要加强琼台在农业加工业方面的合作。引进和运用台湾的先进技术，改变海南农产品加工业方面的落后局面：

1. 食品加工业。

2. 甘蔗制糖业。

3. 水果、蔬菜保鲜技术。

4. 农产品及其加工品的包装。在这些领域，琼台合作将使海南农副产品出口创汇能力大幅度提高，同时也为台商带来丰厚利润。海南有必要使从事农产品加工业的企业享受与农业开发同等的优惠政策。

七　琼台合作开发海南农产品市场

1. 对于台湾投资生产的农产品及其加工品，视同海南自有产品允许其自由进入内地市场。

2. 力求在配额许可证方面有所突破，争取更多的海南农产品到香港销售，利用台资企业已有的国际营销渠道，开拓更多的国际市场，提高海南农产品的出口创汇能力。

八　积极推进琼台金融合作，以发达的金融业支持发展中的海南现代农业

1. 琼台合资兴办农业开发银行之类的金融机构，发挥各自优

势，以推动海南农业的高投入。

2. 加速农业融资合作，积极探讨和开展多种融资业务的可能性。琼台两岛金融机构共同对大型农业开发项目发放银团贷款。

3. 加强结算合作。积极探讨和争取海南与台湾银行建立直接通汇关系，以保证两岛结算业务的顺利开展，加强账户结算合作，并实现电脑联网。为从事农业开发和农产品加工、销售的企业提供优质服务。

4. 琼台联手设立"海南农业开发基金"，利用基金引导台商在海南搞农业的成片综合开发。力求上一些较大的项目。开发基金的来源可考虑从两方面解决：一是公开向琼台社会公众募集；二是向发起人募集。此基金在发起创立后，应成立该基金管理公司，专司基金的运作，尽量减少投资风险，争取获取最大的收益，并求尽早上市交易。此外，还可与台湾金融机构联手引进国外投资基金，以加速海南现代农业大规模的开发。

九　积极推进琼台海洋捕捞业的合作

1. 通过资金、实物等形式合资组成捕捞队，在海南周边海域从事海洋渔业生产。

2. 合资、合作经营海产品加工业。合资开发的渔业产品可自由进入内地市场和台湾市场，同时共同开拓国际市场。

十　加强环保合作，使"绿色道路"战略得以实现

1. 合作研究并总结台湾在经济发展过程中环境保护的经验教训，以供海南借鉴。

2. 聘请台湾环保农业专家，协助海南科学规划农业的发展道路。

3. 借鉴和引进台湾已实施的观光、休闲农业的经验与做法，并在这方面进行合作。

全面推进琼台经济合作的建议（10条）[*]

（1995年3月）

海南与台湾是祖国的两大宝岛，不仅面积差不多，而且在人文、气候、自然条件等方面有许多相似性，同时琼台经济合作又有很强的互补性。海南有丰富的旅游资源、农业资源、海洋生物资源、矿产资源、石油天然气资源等，台湾有雄厚的资金、先进的技术、科学的管理。海南资源的开发有赖于大量台资的注入，而寻求投资场所的台资可望在海南的开发中获得较高回报。琼台经济合作是一件互惠互利、造福两岛人民的好事情。

目前，琼台经济合作已有了一定的基础，琼台合作的潜力巨大。特别是江泽民的讲话，对两岸经贸合作产生重大影响。我们应当珍惜大好时机，充分利用海南的区位优势、政策优势、体制优势，先行一步，创造出琼台的经济合作优势。为此，特提出全面推进琼台经济合作的十点建议：

一 加强和发展琼台农业合作

琼台经济合作最有利、最具条件的首先是农业合作，琼台农业

---

[*] 迟福林：《全面推进琼台经济合作的十点建议》，《特区时报》1995年3月9日。

合作是两岛优势互补和经济发展的需要。

——应当继续争取台湾对海南农业的资金、优良品种、技术的援助，争取在海南大范围地采用和推广台湾现代农业科学技术。应当允许台湾农业的优良品种进入海南，双方应在种子保密、商检等方面给予方便条件。

——鼓励成立台商独资农业开发区、独资庄园、养殖场、种植场等。

——为大幅度提高农产品的附加值，应加快琼台农产品加工业的合作，如食品业、甘蔗制糖业、水果蔬菜保鲜技术、农产品的包装等。海南有必要使从事农产品加工业的企业享受与农业开发企业同等的优惠政策。

二　努力扩大旅游合作

就琼台而言，旅游业都是一个具有比较优势的行业。随着海南及内地人民生活水平的提高，消费能力增强，有强烈的赴台湾旅游的欲望，台湾没有理由忽视这个巨大客源市场，而海南的旅游资源对台胞也有强烈的吸引力。因此加强两岛旅游合作是大有可为的。

——强化双方旅游合作的前提是建立旅游合作组织，该组织的任务是制订旅游合作计划，协调旅游业务，定期举行会议，交换旅游信息，发行有关的旅游合作出版物，解决双方在旅游合作中出现的问题。

——合作开发新的旅游景点，开辟新的旅游路线，增加新的旅游项目。双方合资创办旅行社合作培训旅游管理人员、导游员和其他员工，对合资的旅游饭店、宾馆等给予必要的支持，增加双方在旅游业上的相互投资等。

——海南方面对台胞进入应采取更便捷的措施，台湾方面对于持有海南有效证件的游客应简化入岛手续。

三　率先实行"三通"，当务之急是通航

祖国大陆同台湾的"三通"是迟早的事，并且有很大可能加快实现。为此，海南有必要在这方面先走一步。特别是随着琼台经贸关系的扩大，人员交往的频繁，"三通"尤其是通航问题日益迫切。通航是通商、通邮的重要前提之一。海南方面应积极争取率先实现两岛通航。

四　以金融合作服务于经济合作

从目前琼台两地经济发展的状况出发，建议金融合作可采用如下方式：

——琼台两地兴办合资金融机构。

——相互向对方金融机构参股，增强同业竞争力，转变经营机制，分散经营风险。

——加强融资合作，琼台两地金融机构共同对大型建设项目发放银团贷款。

——加强结算合作，积极探讨和争取与台湾银行建立直接通汇关系，以保证国际结算业务的顺利开展。

——允许台商来琼进入证券业和产权交易业。

——率先在海南实行台币与人民币的自由可兑换。

——联手设立"海南开发基金"，合作引进国外投资基金，利用"基金"在海南搞成片开发，上大项目。

五　琼台海洋合作前景广阔

联合国曾形成决议，敦促世界各国把海洋开发引入国家经济发展战略中，认为当今世界面临着人口、环境、资源三大问题，开发利用海洋是解决这些问题的重要出路之一。琼台两岛共同面对浩瀚的海洋，丰富的海洋资源，为合作开发海洋，发展海洋产业，振兴海洋经济提供了良好的条件，有着广阔的合作前景。

——两岛合作开发利用南海石油、天然气资源。

——两岛携手发展海洋交通运输业和滨海旅游业。

——通过资金、实物等形式合资组成捕捞队，在两岛周边海域从事海洋渔业生产，并合资合作经营海产品和加工业。

六　在加强琼台科技、教育、文化交流中促进经济合作

经济合作离不开科技、教育、文化的交流，近年来，两岛间文化艺术、新闻、法律、科技等较高层次的学术交流活动十分频繁，我们完全可以在此基础上进一步活跃和推进这种交流。

——合资合作创办高水准综合性大学，联合培养人才。

——联合创办有关海洋开发、环境保护等专业化的研究所。

——加大科技、教育人才的交流量，允许和鼓励台湾有关方面在海南进行有关经营管理方面的专门培训。

——加强出版物及科技情报的交流。

——鼓励台湾方面在海南独资创办中小学以及幼儿教育机构。

七　率先对在琼台资企业实行国民待遇

为了鼓励和吸引更多的台商来海南投资，海南有必要宣布对台资企业实行国民待遇。

——允许有条件的台商来琼创办金融、保险机构。

——对于台湾来琼的产品用于海洋、农业开发及加工业的应视同海南自产产品。

——对台资企业在琼的税收、运输、市场销售等一系列方面，享有与内地在琼企业同等待遇。

八　琼台合作共同开发国际、国内市场

琼台两岛有良好的共同开发国际、国内市场的基础和条件：

——对于台商在琼投资生产的产品，视同海南自有产品允许其自由进入内地市场，台湾方面也应允许海南产品自由进入台湾市场。

——力求在配额许可证方面有所突破，争取更多的海南产品（尤其是农产品）到香港销售，利用台资企业已有的海外营销渠道，

开拓更多的国际市场，提高海南产品的出口创汇能力。

——两岛金融保险机构依靠联合资本优势进入国际保险、资本市场。

——海南的各类要素市场要对台资企业放开。

——两岛可加强劳动力市场的合作，允许有组织的两岛间劳动力的合理流动。首先可解决技术人才、管理人才在两岛间的流动问题。

九　借鉴和移植台湾先进的市场经济立法

琼台经济合作应尽量减少和消除区域法律冲突和障碍。为此，海南方面应积极主动地借鉴和移植台湾的某些经济立法，以取得某些法律规则上的沟通和协调，构建必要的法律环境。

十　建立推进琼台经济合作的高层次社会组织

积极快速推进琼台经济合作，需要双方强有力的组织去协调和推动。在目前，十分有必要尽快成立一个较高层次的、有官方背景的、被双方认可的琼台经济合作促进会之类的社会组织，其任务是：

——定期进行直接的经济合作磋商与对话。

——通过多种渠道收集和反映琼台经济合作中官方与民间的意见。

——为企业界的合作提供服务。

——为科技、文化、教育以及人员交流牵线搭桥并提供方便。

实行琼台农业项下自由贸易的建议(10条)[*]

(1997年7月)

抓住当前有利时机，尽快实现琼台农业项下的自由贸易，对推动两岸的经贸合作会起到十分特殊的作用。鉴于实行琼台农业项下自由贸易有很大的现实性和可操作性，特提出10项具体建议：

一 建议由中央政府宣布实行琼台农业项下自由贸易

海峡两岸的贸易是一种特殊的国内贸易。实行琼台农业项下自由贸易，可考虑两种做法：一是可以授权海南省同台湾方面进行商谈。二是中央政府做出决定。由于实行琼台农业项下自由贸易是一件大好事，它特别有利于台湾的投资者，能够受到广大台胞的欢迎，同时对海南的热带农业发展会带来巨大利益，还会丰富内地的农副产品市场。鉴于此，由中央政府做出决定，既有可操作性，又会起到举一反三的作用。

建议国务院为此公布《实行琼台农业项下自由贸易专项管理条例》（以下简称"专项管理条例"），对台湾必要的农业生产资料及农产品免税进入海南岛，以及对台商在海南岛生产的农产品及加工

---

[*] 迟福林在第六届海峡两岸关系学术研讨会上的发言，1997年7月29日。

品自由进入内地市场做出明确的规定。

二 建议授权海南省依据"专项管理条例"同台湾方面进行具体商谈

实行琼台农业项下自由贸易中涉及的一些具体技术问题，可以由海南省同台湾方面进行具体磋商。为此，建议授权海南省依据"专项管理条例"制定相应的法律规定和行政规定，切实推动和保证琼台农业项下自由贸易，有效保护台商的利益。

推进琼台农业项下的自由贸易，可采取灵活、务实的办法。可以以两岛名义进行，也可以在两岛限定的地区进行，还可以以海南与台湾的某一地区的方式进行。

三 建议海南省制定相应的特殊政策，尽快形成琼台农业合作的新局面

为创造条件，切实推动琼台农业项下自由贸易，海南省应及早制定和实行一些具体的特殊政策。例如：对台商所用土地给予一定的、有吸引力的优惠，真正实行以低廉土地价格推动琼台农业合作的政策；对台商的经营范围适当放开，既可搞种养业，也可搞加工业，符合基本条件的也可以搞农产品销售业，还可搞农产品运输业等；对在海南岛内生产的农产品进入港澳市场给予一定的照顾；允许成立独资、合资的销售或贸易公司，把农产品销往内外市场。

四 建议实行某些支持琼台农业项下自由贸易的金融政策

实行琼台农业项下自由贸易，必要的金融支持手段是至关重要的。建议可考虑实行的具体措施是：设立"琼台农业开发基金"，利用投资基金搞一些农业大项目。投资基金可由琼台投资者联合发起，并允许尽早上市交易；琼台可合资兴办农业投资银行，鼓励琼台金融合作；允许在海南岛投资的台资农业企业联合设立信用社，扩大台资用于在海南岛内农业开发的融资渠道；批准海南省发行一定数量的农业开发债券，并鼓励台湾投资者购买；在条件具备时允许琼台合作进行农产品期货交易，实行海南岛农产品市场同国际市场的直接联系；创造条件，争取在海南岛率先实行人民币与台币的自由兑换。

五　建议琼台合资兴办农业合作基地或试验基地

鉴于海南岛有大量可耕地用于琼台农业合作，为此，应支持和鼓励琼台投资者合作或合资兴办农业合作基地。可考虑以现有的国有农场为基础，也可划出适当土地，并对合作基地在一定生产期限内给予更优惠的免减税政策。

六　建议两岸支持鼓励农户或专业户自主、自由进入海南岛进行农业开发或农业合作

海南应欢迎内地的农户或专业户不受限制地来岛从事农产品生产或农产品加工业。

实行琼台农业项下自由贸易，最有利于台湾的投资者，对台湾农户有很大的吸引力。台湾方面应当对台湾企业和农户来海南岛从事农产品生产、加工、销售，不人为加以限制。

七　建议台湾方面对海南岛的农业、渔业等给予一定的技术援助

台湾与海南在农业方面有很大的互补性，琼台农业合作对双方都会带来可观的经济效益。台湾方面曾在1990年公布过对海南岛实行农业、渔业等技术援助计划，此计划至今尚未实行。为推动两岛农业项下的自由贸易，争取尽快落实台湾方面的1990年技术援助计划是很重要的。建议台湾方面履行1990年的承诺计划，以顺应两岛间农业合作的发展大趋势。海南应当允许和鼓励多种形式的技术援助，包括对农户的技术培训，合资或合作开办农业方面的科研机构或办专门学校，并欢迎台湾派人对海南岛借鉴台湾经验在农村中试办农协给予技术指导。

八 建议采取措施，加强琼台在海洋和旅游资源开发方面的合作

为促进琼台合资合作组建捕捞队，发展海洋捕捞业，建议在海南岛周边海域从事海洋捕捞业视同关外区处理，对在海南岛内陆地配套所需生产资料，如生产设备、经营海产品加工业的加工设备可实行保税政策，合资开发的渔业产品视同海南的当地产品可自由进入内地市场。此外，逐步创造条件，允许和支持两岛间合作进行南海油气资源的开发。

应采取支持鼓励政策，发展两岛间的旅游合作。台湾游客在海南应当全面享受国民待遇，所有国内线路均对台湾游客开放。允许台湾投资者合资或独资举办旅行社，开展两岛间的旅游项目，并可组织两岛间的海外旅游。

九 建议琼台率先实现"三通"

近两年，来海南岛的台商及游客每年约15万—20万人，预计实现琼台农业项下自由贸易后，台湾来海南的人数会大幅增加。此外，海南省航空公司是国内第一家合资的股份制航空公司，现已有一定的实力，三亚凤凰国际机场又是具有一定现代水平的股份制机场，很有条件越过一些技术性障碍，直接通航。通航后，建议允许台资以一定的比例，参股海南省航空股份公司和三亚凤凰国际机场。

十 建议以民间形式进行两岛农业全面合作的规划

为推动琼台农业项下的自由贸易，需要两岛间在自愿的基础上，组织有关学术界和社会人士，就琼台农业的全面合作进行规划。在目前，十分有必要尽快成立一个较高层次、被双方认可的社会民间组织，就农业项下的自由贸易问题进行直接的磋商和对话。

鉴于海南与台湾的可比性强，资源状况差不多，两岛又有着特殊的地理条件，因此，发展两岛间的全面经济合作有着得天独厚的条件。以实行琼台农业项下自由贸易为重点,并由此推动和促进两岛间全面的经济合作是适应形势、顺应民意的大好事,两岸都有责任为此采取积极的行动,尽快把这一建议变成实践。

邓小平10年前提出创办海南经济特区时,就把海南岛同台湾岛相联系,并对两岛间的经济合作寄予厚望。进一步把海南经济特区办好,并逐步形成两岛间经济、贸易和人员的自由往来关系,使海南特区在促进两岸经贸合作、推动祖国和平统一大业中扮演重要角色。

实行琼台农业项下自由贸易的建议(26条)[*]

（1998年3月）

海南与台湾在农业发展方面条件相似、互补性很强。海南建省办经济特区以来，部分台湾中小投资者已涉足海南进行农业开发，琼台之间主张全面推进两岛农业合作的呼声一直没有间断。按照邓小平同志创办海南经济特区的战略思想和江泽民总书记提出的处理两岸关系的八项原则，着眼于两岸关系的全局，实行琼台农业项下自由贸易，有利于促进祖国的和平统一，有利于加速海南的发展。这是一件利国利民的好事。

一　实行琼台农业项下自由贸易，会极大地加速海南现代农业的发展，充分发挥海南在祖国和平统一大业中的特殊作用

1. 琼台农业项下自由贸易的基本含义

实行琼台农业项下自由贸易，是指在海南经济特区对台湾投资者在农业项下实行自由贸易政策。这一政策包含的主要内容是：

（1）琼台农业项下自由贸易限定于农业中的种植业、养殖业及其相关的加工业。

---

[*] 节选自中改院课题组《关于实行琼台农业项下自由贸易的建议报告》，1998年3月。

（2）台商在海南投资从事农业生产所需的生产资料，如种子、种苗、化肥、农药、农用薄膜、农用机械，包装材料等，免关税和增值税进入海南岛。

（3）台商在海南从事农业生产所必要的自用设备，如运输工具、办公用品及其他物品等，经过严格核准，免关税进入海南岛。

（4）台湾当地自产的农产品及加工产品可免关税进入海南岛，允许海南自产的农产品及加工产品逐步自由进入台湾。

（5）台商在海南生产的农产品和加工产品，视为海南产品自由进入内陆市场。对台商在限定范围内使用从台湾进口的原料、半成品在海南加工生产的产品，参照国发〔1988〕24号文件规定，增值20%以上的，可视为海南产品进入内陆市场。

鉴于台湾是中国的一部分，实行琼台农业项下的自由贸易，可视为一种特殊的贸易形式。这种特殊形式的贸易，既可由国务院授权海南与台湾方面进行商谈，相互实行有关农业项下的自由贸易政策，也可以由国务院做出决定。综合各种因素考虑，我们认为，由国务院决定实行琼台农业项下的自由贸易政策，更有利、更主动、更具有可操作性，并且能够产生更大的影响。

2. 实行琼台农业项下自由贸易，是大大推动琼台农业合作发展的重大突破

目前，推动琼台农业合作发展，有三种可供选择的方案。

其一，在海南省权限范围内，对琼台农业合作，通过某些政策性的倾斜，采取鼓励措施，给予积极的支持和推动。

其二，划出一定的区域范围，建立琼台农业合作的"开发基地"或"实验基地"。在划定的区域内，实行更加特殊的优惠政策，以推动琼台农业合作。

其三，由中央决定实行琼台农业项下自由贸易，国务院颁布《实行琼台农业项下自由贸易专项管理条例》。

这三个方案中，由于第三方案涵盖了第一、二方案，属于上策，是一种最佳的选择。因为，第一方案很难使琼台农业合作发生重要变化。建立"开发基地"或"实验基地"，会在一定程度上推动琼台农业合作，但由于区域性、政策性的局限，难以促进琼台的全面农业合作，也发挥不了全局性的政策效应。实行琼台农业项下自由贸易，则既包含有实行自由贸易的相关政策，又包含有在实行自由贸易政策条件下所要求的体制创新以及相关联的许多重要领域的改革。它不仅对海南经济特区现代农业发展有巨大推动，还必将对海南经济特区的改革开放提出新的要求，实现在海南特区内体制创新，产业升级，扩大开放三个方面的统一和相互联动。

由中央政府宣布实行琼台农业项下自由贸易，是一项带有全局性、既含有经济因素又含有政治因素的重大举措。它不仅会推动两岸间的农业合作和交流，而且对两岸关系的发展会产生重大的影响。这种影响又会反过来给予两岸农业合作与交流以巨大的推动。

3. 实行琼台农业项下自由贸易，对加快海南农业现代化的发展有重大意义

海南和台湾是祖国两大宝岛。海南属热带海岛，全岛土地面积3.4万平方公里（台湾为3.6万平方公里），100米以下的台地、阶地、平原占61.3%；有1200多万亩可供开发的处女地，4000多种植物资源；年平均气温22℃—26℃，年日照时数1750—2750小时，年降雨量1500—2000毫米；有长达1617.8公里的海岸线，可供养殖的滩涂4.5万亩，可供淡水养殖的水面积55万亩，这一切构成了海南巨大的农业资源优势，并远优于台湾。

由于多种原因，海南农业的生产水平远远落后于台湾，并逐步拉大了差距。据统计，50年代初两岛的工农业总产值的差距是3倍左右，到了80年代扩大到22倍，90年代初台湾的生产总值比海南高74倍。台湾农业人口占总人口的19.2%，海南农业人口占总人

口近80%，但1995年台湾农业的产值比海南高5.7倍，人均农业产值比海南高7.72倍，农业出口值为海南的25.8倍，人均农业出口值为海南的34.95倍。

台湾农业经过40多年的发展，在种苗、生产技术、管理、加工、储运、营销等方面均具有很大的优势，这些正是海南农业发展中最薄弱的环节。

海南建省办经济特区以来，琼台农业合作发展有了良好的开端。据统计，全省台资农业有220多家，农业项目250多个，实际投入资金1.5亿美元，承租土地面积20多万亩。台商投资涉及种植、海淡水产品、家畜养殖、花卉、种苗、观光农业、农民培训、生物工程以及相关产业的加工等多个领域，引进各类优良品种500多个，投资效益普遍较好。

目前，琼台农业合作仍处在初步的、小规模的阶段。一是台商对农业的投资规模不大。据统计，1988—1997年，全省台商投资为12亿美元，其中农业投资为1.5亿美元，仅占12%；二是琼台农业项下的贸易虽然从无到有，有了一定的发展，但在贸易额不大的情况下，预计1997年比1996年有所下降。1996年进出口总值3917.5万美元（其中进口1471.1万美元，出口2446.4万美元），为历年最高水平。而1997年1—10月进出口总值则只有1569.9万美元（其中进口954.5万美元，出口615.4万美元）。

由于海南市场过于狭小和海南的现行政策与投资环境不够理想，对台商进行大规模、多领域、高层次的农业开发缺乏足够的吸引力。实行琼台农业项下自由贸易，既向台商放开海南市场，又向台商让出部分国内市场，同时实行相应的优惠政策和采取相应的措施，将会从根本上优化海南的总体投资环境，对台商产生很强的吸引力，对琼台农业合作产生巨大的推动作用。全面放开引进台湾在农业方面的先进技术、管理方法、营销渠道、优良品种和资金，使之与海南农业资源优势相结合，将会大大促进海南农业从小规模向大规模转变，从粗放型经营向集约型经营转变，从传统农业向现代农业转变，对于把海南建成我国热带高效农业基地，实现农业现代化，带动海南广大农村奔向小康，都具有十分重要的意义。

4. 实行琼台农业项下自由贸易，有利于充分发挥海南在祖国和平统一大业中的特殊作用

邓小平同志在1987年6月指出："我们正在搞一个更大的特区，这就是海南岛经济特区。海南岛和台湾的面积差不多，那里有许多资源，有富铁矿，有石油天然气，还有橡胶和别的热带、亚热带作物。海南岛好好发展起来，是很了不起的。"充分发挥海南经济特区在祖国和平统一中的特殊作用，正是小平同志和党中央创办海南经济特区的战略意图。

海南经济特区经过10年的发展，已经基本实现经济特区作为我国对外开放的"窗口"和改革试验田的目标，扮演了经济转型时期政策工具的角色。

香港回归之后，在新的历史发展时期，海南经济特区应在面向台湾，推进祖国和平统一进程中做出自己应有的贡献。这是海南经济特区建设的重要战略目标和应尽的责任。而选择从经济入手，面向台湾人民，实行对台更加开放的政策，建立起琼台经济更为紧密的联系，使两岛人民有着更加密切和频繁的往来，从而推动祖国和平统一大业，是海南经济特区发挥自己特殊作用的重要途径。

二　制定和实行相应的优惠政策，鼓励和支持实行琼台农业项下自由贸易

鉴于琼台农业项下自由贸易是一种特殊形态的自由贸易，必须制定和采取相应的政策措施，才能保证其顺利地进行。为此，提出以下政策建议。

5. 关于金融政策

（1）建议设立"琼台农业开发基金"。"开发基金"由琼台投资者联合发起，主要用于支持琼台合作的重点农业开发项目。在条件成熟时，允许在国内上市交易。也可考虑经主管部门批准在海南岛内公开发行，并在主管部门指定的证券机构进行柜台交易。

（2）允许从事农业开发的台商在海南开办信用社，以扩大台商用于在海南进行农业开发的融资渠道。严格限定信用社的数目、服务对象和服务范围。就当前情况看，台商开办的信用社以1—2家为宜，主要为在海南从事农业开发的台湾中小投资者筹集资金。

（3）在组建或改制海南地方银行时，可考虑让台湾投资者参与一定的股份，以便吸纳台湾资金支持农业项目的开发。

（4）鼓励台湾银行来海南开展服务于琼台农业项下自由贸易活动的金融业务。

6. 关于税收政策

参照国发〔1988〕24、26号文件有关所得税减免的规定，对从事农业开发的台资企业，给予企业所得税减税优惠。具体建议是：

（1）从事农业开发的台资企业，经营期限在十五年以上者，从开始获利年度起，第一年至第五年免征所得税，第六年至第十年减半征收所得税。经营期限不足十五年者，从开始获利年度起，第一年和第二年免征所得税，第三年至第五年减半征收所得税。

（2）从事农业开发的台资企业，在规定减免企业所得税期满后，凡当年企业出口产品产值达到当年企业总产值70%以上者，当年可以按10%的税率缴纳企业所得税。

（3）从事农业开发的台资企业，所获得利润如再投资于农业开发，退还其再投资部分已缴纳的全部企业所得税。投资经营不足五年而撤出者，应当缴回上述已退还的企业所得税。

（4）从事农业开发的台资企业在海南生产的农产品，如在岛内市场销售，免征产品税和增值税。

此外，为鼓励台商投资农业的积极性，建议在一定时期内，对台商在海南生产的农产品免征农业特产税。

7. 外汇政策

（1）为支持琼台农业项下自由贸易，建议在海南试行人民币与台币的自由兑换。鉴于人民币与台币目前还不能直接兑换，可考虑以香港当天的港币对台币的比价作为兑换的基准价格，指定海南一家金融机构来办理人民币与台币兑换的业务。

（2）允许从事农业开发的台商自有资金和获得的利润自由汇出。

8. 关于农产品出口政策

（1）对台商在海南生产、销往港澳地区的鲜活农产品，取消有关的许可证限制。

（2）对台商在琼生产的农产品返销台湾提供必要的方便条件。建议实行琼台农业项下自由贸易后，应把对台贸易视同对港澳贸易，经营的农产品种类不受限制。

（3）对台商在海南生产并经香港转口销往国际市场的鲜活产品，给予其所需一定配额和照顾。

9. 关于海关管理政策

（1）参照国发〔1998〕24、26号文件的有关规定，对台商在海南的独资、合资农业企业经核定批准的进口自用的生产资料和其他设备，免征关税和进口增值税。

（2）对台商用于在海南进行农业生产的生产资料及其他设备进入内陆市场时，按国家现行有关规定严格管理。

10. 关于商检政策

（1）对进入海南的台湾农产品、种子、种苗、种畜（禽）等时效性强的商品，在取得国家商检局认可的有关组织发放的质量认证资格后，建议授权海南商检机构审查批准，免予检验。

（2）对台商在海南投资农业所需进出口的其他物品，免去2.5‰的商检费，在商检、卫检及动植物检验方面给台商提供方便，严格规定商检时间，尽快放行。

11. 关于土地政策

（1）对台商从事农业开发需要征用土地时，视同海南岛内投资者，实行统一的土地征用政策。

（2）支持台商成片开发农用土地（含国有农场）。

（3）允许台商对用于农业开发的土地，在土地使用权的有效期内，可以依法转让、出租或者抵押。

12. 关于台资企业设立政策

对台商在琼台农业项下自由贸易所限定的范围内，设立新企业或需要变更登记时，给予支持和方便。

13. 关于人员管理政策

台湾来海南从事农业开发和贸易的人员，可以申请办理暂住证，时间为一年。居住一年以上的人员可以办理长期居住证。持有暂住证和长期居住证的人员及家属在社会保障、教育等方面享有与海南本地居民同等待遇。

三 采取必要措施，尽快促成琼台农业项下自由贸易的顺利实施

14. 建议国务院尽快颁布《实行琼台农业项下自由贸易专项管理条例》

（1）鉴于琼台农业项下自由贸易是我方对台主动放开海南农产品市场和部分放开大陆农产品市场的一种特殊贸易形式，并未列入两岸政治会谈，因此，无须两岸协商决定。建议由国务院制定《实行琼台农业项下自由贸易专项管理条例》（以下简称"专项管理条例"），在适当时机颁布实施。

（2）建议国家海关、税务等部门根据国务院所颁布的"专项管理条例"，对涉及本部门的内容、政策及相关问题做出具体明确

的专门规定。

（3）由国务院宣布实行琼台农业项下自由贸易，可表明中央政府发展两岸关系的决心、诚意和大度，对于促进祖国和平统一必将产生广泛而深远的影响。

15. 建议海南省政府根据国务院"专项管理条例"，制定具体执行办法

（1）以地方立法和行政法规的形式，对执行"专项管理条例"所涉及的问题做出明确规定，并结合国家有关部门落实此项条例的有关政策规定，制定实施细则。

（2）对国务院"专项管理条例"及国家有关部门落实此项条例的有关政策规定未涉及的、由地方政府分管的一些相关事项，如地价、农业特产税等制定专项管理办法。

（3）海南省在就琼台农业项下自由贸易制定政策和立法时，要注意借鉴台湾在农业方面有效的政策、法律及成功经验（如农协会的组织与运作），推动琼台农业项下自由贸易顺利实施。

16. 建议参照琼台农业项下自由贸易的有关规定，允许、支持台商对海南海洋资源进行开发

海南与台湾在海洋资源开发方面也具有很强的互补性和巨大的潜力。目前，应鼓励台商投资海水养殖、海洋捕捞和海产品加工业。逐步创造条件，允许和支持琼台合作进行南海石油天然气及其他海洋资源的开发。

17. 随着琼台农业项下自由贸易的发展，建议允许台湾旅行社来琼开展业务，合作开发海南旅游资源

为了方便海南与台湾之间的人员往来，同时加快海南旅游资源的开发利用，建议采取支持鼓励政策，允许台湾旅行社来海南开展业务，在海南合资或独资兴办旅行社，合作开发旅游项目。台胞在海南旅游视同本地居民对待。

18. 适应琼台农业项下自由贸易的需要，尽快推动海南和台湾直接通航

　　建议国家允许琼台之间率先直接通航。鉴于海南省航空股份有限公司是国内第一家合资的股份制航空公司，三亚凤凰国际机场是具有一定现代化水平的股份制机场，通航条件比较优越。建议允许台资以一定比例参股海南航空股份有限公司和三亚凤凰国际机场，用商务合作的办法来推进琼台直航。当前，可先进行海口航空港经澳门或香港与台湾之间以"一机到底"方式通航。同时，允许海南省指定海口港或其他港口与台湾高雄港直航，方便琼台之间的货物运输。

19. 建议以民间形式，推动琼台农业项下的自由贸易

　　鉴于当前海峡两岸政府间的直接对话的现状，建议在自愿的基础上，组织琼台有关学术界和社会人士，就琼台农业的全面合作进行规划。目前，很有必要尽快成立一个较高层次、被双方认可的社会民间组织，就两岛间农业项下的自由贸易问题进行直接的磋商和对话。通过民间交往，推动琼台农业项下的自由贸易。

20. 建议对其他外商投资海南农业，分别情况，给予一定优惠政策

　　琼台农业项下自由贸易是一种特殊形态的国内贸易，不可能完全适用于其他外商在海南的农业投资。建议对其他外商在海南投资于农业领域的高科技项目，经有关部门认定，可比照琼台农业项下自由贸易的有关规定，给予优惠待遇。其他一般性农业投资仍执行国家给海南的有关现行政策。

四　海南已具备实行琼台农业项下自由贸易的基本条件，应当抓住当前有利时机，尽早实施琼台农业项下的自由贸易

21. 海南拥有热带农业资源优势，开发潜力巨大，为实行琼台农业项下自由贸易提供了可靠的资源条件

　　海南是我国热带农业资源最丰富的地区，开发潜力巨大，发展

热带农业的条件优于台湾和国内其他地区，具有发展热带农业的绝对资源优势。目前，海南对热带农业资源的开发利用水平较低，与国内国际市场对热带农产品日益增长的消费需求很不相称，资源和市场的开发潜力巨大，对台湾农业投资者来海南从事热带农业开发产生了很大的吸引力。因此，从资源及开发前景看，海南完全具备实行以大规模、现代化发展热带农业为目的琼台农业项下自由贸易所必需的资源条件。

22. 琼台农业合作已有了良好的开端，为实行琼台农业项下自由贸易奠定了一定的基础

海南与台湾之间在发展农业所需的资源、资金、技术、劳动力、信息、营销等方面具有很强的互补性。从总体上看，琼台农业合作在一定程度上实现了海南与台湾之间农业优势互补，获得了良好的经济效益。除中小投资者外，台湾一些大型农业公司也开始参与琼台农业合作，如位居世界第四位、东南亚第一位的台湾农友公司已在海南设立了耀农公司，一些在海南投资非农产业的台资企业也开始转向投资农业。琼台农业合作历时近10年，在合作形式、生产组织与经营、政府管理及服务等方面积累了一定的经验，为实行琼台农业项下自由贸易奠定了一定的基础。

23. 琼台双方正积极寻求扩大、深化琼台农业合作的途径，实行琼台农业项下的自由贸易，完全符合双方农业合作的愿望

当前，琼台农业合作的进一步发展受到了来自政策方面的限制，如，台商自用的农业生产资料进入海南要征收较高的（约25%）关税和增值税。台资企业普遍希望在海南得到更好的发展环境，以便扩大农业投资规模，拓宽农业开发领域。海南方面也正积极探索，希望得到中央支持，通过体制和政策创新，采取更加开放的政策和形式，增强对台资企业开发海南农业的吸引力，推动琼台农业合作上一个新的台阶。琼台双方的学者及有关政府官员已就实行琼台农

业项下自由贸易进行了积极的探索和交流，并对此寄予很高的期望。因此，实行琼台农业项下自由贸易政策，完全符合琼台农业合作双方的愿望，是顺应琼台农业合作发展趋势的必然选择。

24. 海南投资环境有明显改善，有利于琼台农业项下自由贸易的实施

海南建省办经济特区以来，加强投资环境建设，取得了显著的成效。在投资硬环境方面，海口至三亚东线高速公路已建成通车，西线高速公路正在加紧建设。海口机场已进入全国十大航空港之列，海口新机场正在加紧建设之中，三亚凤凰国际机场第一期年客运能力达到150万人次，第二期可达1000万人次，全省共有空中航线46条，已开通至新加坡、韩国、马来西亚、日本、中国香港、中国澳门等航线。拥有港口20个，万吨级深水泊位11个，年吞吐能力1300多万吨。到2000年，海南将建成纵贯南北，连接大陆的铁路，进出海岛将更为方便。现有发电能力达140多万千瓦，满足了全岛生产生活需要。邮电通信和电子信息网络建设也位居全国前列。在投资软环境建设方面，海南积极利用中央给予的优惠政策和地方立法权，初步建立了现代企业制度、较为规范的市场体系、多层次的社会保险体系和市场经济法规体系。特别是海南拥有全国人大授予的特别地方立法权，为以法律手段保障、规范琼台农业项下自由贸易的顺利实施创造了条件。

25. 海南独有的地理条件，十分便于对琼台农业项下自由贸易实行有效的监管

海南岛四面环海，琼州海峡构成了隔离海南和内地的天然屏障。实行琼台农业项下自由贸易后，完全有条件实行"一线放开、二线管严"的自由贸易监管制度。这一点是国内其他地方所无法相比的。因此，在海南实行对台农业项下自由贸易比较容易操作。

26. 随着国内外经济政治形势的变化，实行琼台农业项下自由贸易的时机已趋于成熟

就台湾方面而言，台湾农业生产成本持续上升，本地农产品价格高于进口产品价格的2至3倍，岛内农业发展的空间十分有限。最近引起台湾农户恐慌的是，据美台最近达成的一项协议，美国同意台湾加入世贸组织，台湾承诺放开部分畜产品和农产品市场。据台湾"行政院"农委会主任委员彭作奎估计，此举将造成新台币542亿元的农业总损失。台湾农业今后的发展将面临十分严峻的形势。东南亚金融危机爆发后，台湾农产品向东南亚出口遇到了阻力，进行直接投资又面临着动荡不定的经济环境风险。相反，祖国大陆经济社会环境稳定，投资风险小，而且农业生产成本远低于台湾（据资料介绍，台湾农业工人工资成本大约相当于祖国大陆的20倍）。此外，祖国大陆的高档农产品市场基本被国外产品垄断。若台湾高档农产品能以优惠条件进入大陆市场，必然有很强的市场竞争力。考虑到这些情况变化，台湾农业投资者正积极寻求在祖国大陆扩大农业开发规模和领域，开展农产品直接贸易。适时宣布实行琼台农业项下自由贸易，就为处于困境的台湾农业提供了一条新出路，必将受到台湾农民和投资者的欢迎。

在海南，琼台农业合作所取得的小范围的成功使海南坚定了发挥热带农业资源优势，推进农业产业化，兴岛富民的信心。实行琼台农业项下自由贸易，完全可以更好地把海南对外开放优势与热带农业资源优势紧密地结合起来，把热带农业培育成海南最具竞争力和联动效应的经济增长点。既能有效推动海南经济发展，又能丰富内地市场。因此，实行琼台农业项下自由贸易，是当前海南贯彻落实党的十五大关于"坚持把农业放在经济工作首位"的精神，加快热带农业发展步伐的一条切实可行的捷径。海南人民对此寄予了很高的期望。

发展两岸关系，推进祖国和平统一进程，是世纪之交摆在中华民族面前的一件大事。江泽民总书记在党的十五大报告中指出"要大力发展两岸经济交流与合作"。抓住当前有利时机，推动琼台农业项下自由贸易，进而寻求琼台经济的全面融合，极有可能成为改善两岸关系的一个重要突破口。它可以通过增强台湾对海南农业及祖国大陆农产品市场的依赖性，进一步密切两岸关系，收到以经济手段推动祖国和平统一的效果。

我们认为，目前实行琼台农业项下自由贸易的时机已趋于成熟。为此建议尽快宣布实行琼台农业项下自由贸易，由此加快海南经济特区建设步伐，早日实现邓小平同志倡导创办海南经济特区、推动祖国和平统一大业的战略构想。

建立琼台自由贸易区的建议(9条)[*]

(2008年3月)

琼台自由贸易区属于次级双边的自由贸易区,即海南与台湾之间实行自由贸易政策。这种WTO成员的部分关税领土与其他成员的全部或部分关税领土所组成的次级双边自由贸易区,不违背WTO规定。

自国家批准在海南建立海峡两岸农业合作试验区20年来,琼台农业合作取得了重大进展。站在历史新起点,着眼于两岸关系发展的大局,着眼于海南深化改革、扩大开放的需求,建立琼台自由贸易区,不仅有利于加快海南的发展,也能充分发挥海南在两岸和平统一大业中的特殊作用。

海南地理位置独特,面向东南亚,处于亚洲中心。适应区域经济一体化的需要,建立琼台自由贸易区,是落实党的十七大提出的实施自由贸易区战略的重要组成部分。

一 建立琼台自由贸易区,是促进两岸和平统一和实施自由贸易区战略的现实选择

建立琼台自由贸易区,是一项具有全局性和现实性的重大举措。在新的形势下,对于促进两岸关系良性互动、合作共赢,对于

---

[*] 中改院课题组《关于建立琼台自由贸易区的建议》,《中改院简报》总第681期,2008年3月30日。

实施自由贸易区战略，均具有重大的现实意义。

1. 是新形势下充分发挥海南在两岸和平统一中特殊作用的重要选择

充分发挥海南经济特区在两岸和平统一中的特殊作用，是邓小平同志创办海南经济特区的战略意图之一。20世纪80年代末90年代初，台湾当局曾提出过对海南岛实施农业技术援助计划，以有利于台商投资海南。在刚结束的台湾地区新的领导人选举中，获胜的国民党领导人承诺开通两岸直航，主张"九二共识"。适应新形势，把建立琼台自由贸易区作为积极回应，实行对台更加开放的政策，极大地促进琼台两岛的经济合作，有助于实现两岸和平统一大业。

2. 是形成琼台更紧密经贸关系，奠定两岸经济一体化基础的重大举措

建立琼台自由贸易区，既包含实行自由贸易的相关政策，又包含在实行自由贸易政策条件下所要求的体制创新以及相关联的许多重要领域的改革，必将对海南经济特区的改革开放提出新的要求，促进海南在体制创新、产业升级、扩大开放三个方面的联动发展。建成琼台自由贸易区，有利于实现琼台之间原料、资金、人员等生产要素的自由流动，扩大台湾在大陆的市场，从而形成两岸更紧密的经贸关系，实现两岸经济发展的"合作共赢"。

3. 是实施自由贸易区战略的重要组成部分

建立琼台自由贸易区，是落实党的十七大报告提出的"实施自由贸易区战略"的重要组成部分，不仅能继续发挥海南经济特区对外开放"窗口"和体制机制创新"试验田"的作用，也能为实施自由贸易区战略提供有益的经验和借鉴。琼台两岛是中国距离东南亚国家最近的两个地区，与东南亚国家有着紧密的经济联系，建立琼台自由贸易区，能够更加密切中国与东盟各国之间的经贸关系，加快推进"中国—东盟自由贸易区"建设进程。

二 建立琼台自由贸易区的时机、条件已经成熟

琼台两岛地缘相近、血缘相亲、气候相似，经济互补性强，合作潜力巨大，海南特区具备多方面优势发展与台湾直接的、密切的经济关系。建省 20 年来，琼台两岛已经有了比较广泛的经贸联系。

4. 建立琼台自由贸易区，有利于台湾经济发展

琼台两岛面积差不多，在经济合作方面具有很强的互补性。海南有丰富的旅游资源、农业资源、海洋生物资源、矿产资源、石油天然气资源等；台湾具有雄厚的资金、先进的技术、科学的管理，但发展面临着土地少、成本高、缺乏竞争力等困难。通过建立自由贸易区，把两岛的优势结合起来，对两岛来说是实现优势互补、互惠互利的大好事，台资可以在海南的开发中获得较高的回报。近年来，台湾地区政党领导人如连战、吴伯雄，以及台湾农业界的许多人士在海南访问考察时，都表达了琼台之间建立更紧密的农业合作关系的愿望。台湾地区新当选的领导人马英九、萧万长阵营也提出了建立两岸共同市场的政见主张。建立琼台自由贸易区面临难得的机遇。

5. 琼台已有 20 年经济合作的良好基础

建省办特区以来，台湾一直是海南重要的对外经济贸易伙伴。截至目前，台湾在海南投资注册企业累计达 1580 多家，实际投资 23 亿多美元。同时，海南特区经过 20 年的建设发展，基础设施状况有了明显的改善；在投资软环境建设方面，初步建立了现代企业制度、较为规范的市场体系、多层次的社会保险体系和市场经济法规体系，为琼台自由贸易区的建立奠定了基础。海南还拥有全国人大授予的特别地方立法权，为以法律手段保障、以制度规范琼台自由贸易的实施创造了条件。

6. 海南独特的地理条件，十分便于对琼台自由贸易实行有效的监管

海南岛四面环海，琼州海峡构成了隔离海南和内地的天然屏

障，建立琼台自由贸易区后，有条件实行"一线放开、二线管严"的自由贸易监管制度，这一点是国内其他地方所无法相比的。

三 积极推进琼台自由贸易区建设进程

建立琼台自由贸易区，从长远看，是全方位、多层次、宽领域的，要有全局性的应对策略和措施，统筹协调，积极推进。

7. 选择特定的行业率先取得突破，逐步建立共同市场

产业合作是建立琼台更紧密经贸关系的重要环节。两岛农业具有很强的互补性，结合双方的农业优势，扩大两岛农业技术交流与合作，积极吸引台湾一些大型农业公司参与琼台农业合作。目前，台商在海南开设的农业企业累计达400余家，实际投资4亿多美元，承租土地约20万亩。与此同时，积极创造条件，鼓励和支持台湾服务业进入海南市场，积极推进在旅游、金融等领域的交流与合作。此外，加强加工贸易、环保方面的合作。

8. 由国务院授权海南与台湾方面进行商谈

台湾是中国的一部分，琼台自由贸易，可视为一种特殊的贸易形式。这种特殊形式的贸易，这种次级双边的自由贸易关系，并不违背WTO有关规定。因此，可由国务院授权海南与台湾方面进行商谈，相互实行有关自由贸易政策，然后由国务院做出决定并对外宣布。

9. 充分发挥社会组织的作用

推进琼台更紧密的经济合作，需要双方强有力的组织去协调和推动，目前十分有必要尽快成立一个较高层次的、有官方背景的、被双方认可的琼台经济合作促进会组织，其任务是定期进行直接的经济合作磋商与对话；通过多种渠道收集和反映琼台经济合作中官方与民间的意见；为企业界的合作提供服务；为科技、文化、教育以及人员交流牵线搭桥并提供方便。

建立洋浦自由工业港区

确定洋浦经济开发区为出口加工区的建议(16条)[*]

(1998年5月)

一 建议尽快将洋浦开发区确定为出口加工区

自由经济区在世界上已存在400多年,至今方兴未艾。人们一般把自由经济区分为四类,即自由港、自由贸易区、出口加工区和科学工业园区。自由港和自由贸易区是一种商业贸易型的自由经济区,出口加工区和科学工业园区是一种工业型的自由经济区。出口加工区是在自由港、自由贸易区的基础上发展起来的。第二次世界大战之后,发展中国家为了求得经济上的独立,急需引进资金和技术,发展本国的工业。发达国家由于产业结构的调整,一些传统工业需要向工资、地价相对低廉的发展中国家转移,于是出口加工区于二战后的20世纪50—60年代在许多发展中国家和地区蓬勃发展。

1. 出口加工区的主要特征

与自由港、自由贸易区相比较,出口加工区具有如下主要特征:

---

[*] 中改院课题组《关于确定洋浦经济开发区为出口加工区的几点建议》,《中改院简报》总第228期,1998年5月26日。

（1）出口加工区在提供一般关税优惠政策的同时，允许生产用机器、设备、原料和中间产品的自由进出，提供生产所需要的一切社会生产设施和比其他地区更为优越的投资环境。因此，出口加工区更便于吸引外资，吸收先进技术和管理经验，发展外向型工业和对外贸易。

（2）出口加工区的商品是在区内经过生产领域加工的产品，是增值了的商品。出口加工区的经济活动，以利用外资的直接投资为主，要求外商带来货币资本和生产资本，独立或合作经营并承担风险。因此，相对于自由港和自由贸易区，出口加工区在政策的界定和运用上，更优惠、更全面、更灵活。

（3）世界经济的波动不可避免地会对各种自由经济区产生冲击，一般而言，经济构成越高，功能越复杂的地区，其抗冲击的能力会越强。出口加工区要求按总体规划投入大量资金进行建设，使之具有较好的基础设施，为外资提供良好的投资环境。它与国内经济联系密切，可以借助国内经济力量共同抗击世界经济波动的冲击。它有一个统一高效的管理机构。所有这些使出口加工区较自由港、自由贸易区具有更强的抵抗冲击的能力。

（4）出口加工区的上述特点，使它在吸引外资，促进国际资金的流入，扩大出口，增加外汇收入；直接和间接地扩大就业机会，以及通过内联和技术转移、人才扩散，与区外经济的后向联系，对所在国家和地区的经济发展和产业升级，均比自由港和自由贸易区具有更大的辐射和带动作用。

2. 自由经济区的发展趋势

在世界经济一体化，贸易自由化以及高新技术革命的影响下，各国的自由经济区自身都在进行的调整，以适应世界经济发展的趋势。世界各国，不论是发达国家还是发展中国家，仍然十分重视发挥本国自由经济区的特殊作用。当前世界自由经济区出现了三个重要的发展趋势：一是区内的经济结构向高层次发展，劳动密集型产业逐步采用新技术、新工艺促进升级换代；通过调整政策改变经营方式，吸引外资，建立资本和技术密集型产业；更加重视发展高新技术工业区或科学工业园区。二是区内功能结构向综合化发展。出口加工区从单一的加工与制造转向兼营贸易和服务业；自由贸易区发生结构性变化，功能趋向多样化，同新技术的结合更紧密。三是实行更加优惠和灵活的政策以保持其生命活力。如实行灵活的内外销政策，对高新技术实行更优惠的政策，重视劳动力的培训，为外商提供高素质的人力资源，实行更廉价的土地政策和更自由的金融政策等。

世界各国的出口加工区，有成功的也有失败的，总结它们的经验教训，一个成功的出口加工区除了应具有其他自由经济区相同的条件外（如要有稳定的政治环境，国内政局稳定，中央政府给予的政策不随意改变，保持其连续性，区内法规齐全，给投资者以安全感；有统一高效的管理，能为投资者提供优质的服务等），一般还具有以下条件：其一，相对合理的选址。力求选择自然条件好的区域，有天然的良港，交通方便，靠近中心城市，有足够的水源、电源等，这样可以降低开发成本，加快开发速度。同时，又要从本地区工业发展的总体布局出发，从长远和全局着想，有利于带动所在地区经济的发展。其二，科学的发展规划，要正确地确定办区目的、发展方向、建设目标，合理地规定区内产业结构及总体布局，制订基础设施建设计划等。其三，完善的基础设施。按照规划要求，保证资金投入，完成生产性设施和现代化生活服务设施建设。其四，全面优惠的政策。要从有利于发展外向型出口加工业，有利于吸引外商进行直接投资，有利于引进先进技术，有利于带动本地区工业的发展，在一些政策难点上，如区内产品的内销政策、区内企业产品的国产化、引进内资企业入区等方面，采取更为灵活的政策措施。

3. 洋浦出口加工区的特点

洋浦是国务院批准设立的开发区。《国务院关于海南省吸收外商投资开发洋浦地区的批复》（国函〔1992〕22号）中明确规定："洋浦经济开发区应建设成为以技术先进工业为主导，第三产业相应发展的外向型工业区。"确认洋浦为出口加工区，符合国务院设立洋浦经济开发区的基本要求。与世界各国出口加工区相比较，洋浦出口加工区由于特定的历史环境和地理位置，有着自身明显的特点。

（1）洋浦出口加工区充分地运用减免关税等各项优惠政策，吸引外资，吸引先进技术，发展在国际市场上有竞争力的出口加工业，以便扩大出口，增加就业，增加外汇收入，并带动海南经济的发展。因此，它能充分地体现世界出口加工区的主要特征。

（2）洋浦出口加工区有一个十分优良的对外开放的港口，占地30平方公里，比台湾的高雄出口加工区（占地69公顷），楠梓出口加工区（占地90公顷），台中出口加工区（占地23公顷）大30倍以上，区内不仅可从事工业和发展第三产业，还可从事码头经营、内外贸易，既有工业开发区的功能，又有保税区的功能和自由贸易区的功能。因此，它是一个多功能的出口加工区。

（3）洋浦出口加工区通过扩大内联和技术、人才的扩散，对海南经济的发展和产业升级，将起巨大的辐射和带动作用。因此，根据海南经济发展特别是西部工业发展的需要，可以采取更优惠的政策和特殊措施，吸引国内一些大的企业集团，在洋浦出口加工区上一些大项目。同时，应当允许部分产品有限度地进入国内市场。因此，洋浦出口加工区应成为全国特别是海南发展先进工业的龙头。

（4）洋浦出口加工区应肩负起实现海南特区功能目标的责任，在我国对外开放中发挥应有的作用。通过对外经济活动，以洋浦特有的优势，密切与香港、台湾的合作，为香港的经济繁荣发展，为推动两岸关系和琼台经济合作，做出特殊的贡献。因此，洋浦出口加工区好好发展起来，能充分发挥海南联系国际市场，联结香港、台湾的桥梁和纽带作用。

二　建议洋浦出口加工区实行的基本政策

确认洋浦为我国第一个综合性的出口加工区，首要的是进一步明确洋浦出口加工区的基本政策。

4. 洋浦出口加工区全面享受保税区政策

洋浦出口加工区执行《国务院关于海南省吸收外商投资开发洋浦地区的批复》（国函〔1992〕22号）中规定的："在实施有效的隔离监管措施后，洋浦经济开发区的进出口管理，以及进出口关税和代征产品税或增值税的征免管理，除区内进口供应市场的消费类物资外，实行保税区的政策。"同时，执行海关总署1992年7月27日颁布的《中华人民共和国海关对进出口海南省洋浦经济开发区货物、运输工具、个人携带物品和邮递物品的管理办法》及其《实施细则》。

（1）开发区基础设施建设所需进口的机器、设备和基建物资，免关税和增值税。

（2）区内企业进口自用的建筑和装修材料、生产和管理设备、生产及营业用的燃料，数量合理的生产用车辆、交通工具、办公用品，以及上述机器设备、车辆所需维修零配件，免关税和增值税。

（3）区内行政、事业单位进口自用的数量合理的交通工具、办公用品和管理设备，免关税和增值税。

（4）开发区经营交通、通信、房地产、商业、饮食业等服务行业所需进口的物资，免关税和增值税。

（5）经批准设立的国营外币免税商场在规定的限额和品种内进口的商品免关税和增值税。

（6）区内企业进口专为生产出口产品所需要的原材料、零部件、元器件、包装物料，以及转口货物予以保税。

（7）进口供区内市场的消费物资，按规定税率减半征税，进口烟、酒应照章征税。

（8）开发区生产的产品出口，免征出口关税。

5. 参照国际出口加工区的通用做法，洋浦出口加工区对区内的工业产品实行具有弹性的内销政策

（1）对高新技术产品，放宽内销比例。

（2）对国内需要的工业产品或进口替代产品，适当放宽内销比例。

（3）对启动洋浦项目进入有重大带动作用的产品，适当放宽内销比例。

6. 洋浦出口加工区实行封闭式隔离管理，海关管理采取"进口境内关外，出口境内关内"的管理方式

（1）非开发区货物进入洋浦出口加工区不视为出口。

（2）非开发区原材料进入洋浦出口加工区增值20%的产品视为洋浦产品。

7. 实行更为优惠的金融政策

（1）经中国人民银行批准，可在区内设立外资银行和其他金融机构。

（2）区内企业经批准可以在境内外发行债券、股票。

（3）可以用不动产向国外金融机构抵押贷款。

（4）外商投资企业资金进出自由，用汇自由，调剂外汇自由，企业税后利润汇出自由。中资企业外汇收入流程允许保留现汇周转使用，区内企业或个人可去银行、其他金融机构自由调剂外汇。

（5）区内企业不办理出口收汇和进口付税核销手续。

8. 区内企业可从事国际贸易、中转贸易、过境贸易以及代理进出口业务

（1）区内出口商品均免领出口许可证，进口供区内使用的物资

免领进口许可证。

（2）国内供区内使用的生产资料和生活资料进入区内免领出口许可证。

（3）区内企业从事过境贸易和转口贸易的货物，由海关查验和监管，免领进出口许可证。

9. 制定对技术含量高的工业实行更为优惠的产业政策，以吸引技术先进的工业项目进入洋浦

（1）建议参照苏州工业园区的做法，对洋浦出口加工区工业发展规划中的项目，给予一揽子批准。

（2）对投资区内的高科技项目在利用国外原材料、半成品生产的高科技产品内销时，于2—3年的限定时期内，给予减征关税待遇，以利于技术先进项目进入洋浦。

（3）大力支持洋浦与香港、台湾建立更密切的经济合作关系，把香港、台湾技术先进的工业项目引进洋浦。

10. 境外人员进入区内，凭合法证件、免予签证，来去自由，国内人员进入区内，应办理入区手续

三 建议采取有效措施，抓紧进行建立洋浦出口加工区的准备工作

鉴于洋浦开发区目前存在的发展困难，以及东南亚经济危机后世界经济形势变化给洋浦开发区发展所造成的外部环境约束，我们认为，应当采取有效措施，积极推动洋浦出口加工区建立。

11. 建议国家正式对外宣布洋浦为出口加工区

过去，虽然国家给予洋浦开发区享受保税区的优惠政策，但是，由于政策本身没有明确、细化，加之有关部门在执行中对保税区政策的理解存在分歧和偏差，导致洋浦开发区的目标和政策缺乏明确性和稳定性。这对吸引内外投资者是很不利的。因此，国家正式对外宣布洋浦为出口加工区，将为洋浦树立鲜明的对外形象，大

大增强对内外投资者的吸引力，从根本上消除制约洋浦对外招商引资的政策因素。

12. 建议按照出口加工区模式，修订洋浦出口加工区发展规划

在产业选择和发展方面，洋浦出口加工区应以加工业为主，相应地发展商业贸易、现代服务业和运输业，重点是以高新技术产业为主导的加工业。但是，鉴于洋浦目前产业发展基础薄弱，且发展条件有限，因此，建议从尽快启动洋浦产业发展的实际出发，由发展一般性加工业起步，培植产业发展氛围，逐步发展到一般加工业与高新技术产业发展并存，商业贸易、现代服务业和运输业同步发展，最终形成以高新技术产业为主导，加工业为主体，其他产业协调发展、相互促进的发展格局。

13. 建议国家推动和协助洋浦土地开发商进一步完善基础设施建设

目前，洋浦的基础设施大框架已初步形成，但原定的基础设施建设规划项目尚有一半没有完成，特别是供水、供电设施急需完善。因此，有关方面应采取措施，推动和协助洋浦土地开发商以联合其他有实力的投资者共同开发，优惠出让土地开发权，组建新的股份制开发公司，或根据投资者需要，合作在洋浦开发范围内建立开发小区等多种形式，加快完善基础设施建设，为洋浦出口加工区创造良好的投资环境。

14. 采取灵活措施，尽快启动对洋浦出口加工区建设有带动或支撑作用的工业项目

由于洋浦目前大规模引进外资发展加工业和其他产业的时机尚未成熟，困难较多。建议在洋浦出口加工区建设初期，国家可参照对外资的优惠办法，按照出口加工区的运作要求，鼓励国内投资者在洋浦投资，以打开洋浦出口加工区的开发建设局面。特别重视利用国内投资或中外合资，尽快启动几个对洋浦出口加工区建设有带

动或支撑作用的工业项目。然后，逐步走向以外资为主的发展道路。

15. 建议严格按照国家对外宣布的洋浦出口加工区政策，依据洋浦出口加工区发展规划，改革洋浦现有海关管理政策和方式，尽快对洋浦出口加工区进行封关运作，为洋浦吸引外来投资和加强管理，创造条件

16. 参照国外出口加工区的成功管理经验，改革和完善洋浦出口加工区的管理机构，创造符合洋浦实际情况、有利于出口加工区快速发展的管理模式

目前，需要解决的主要问题是：明确洋浦出口加工区的管理权限、职责及相应的机构设置；明确划分洋浦管理机构与土地开发商在开发规划、管理及招商引资等方面的责任和义务；按照有利于洋浦出口加工区统一管理的原则，明确界定洋浦出口加工区管理机构与海南省政府及相关职能部门、儋州市地方政府及相关职能部门的管理权限与职责。并以地方立法的形式，将这些方面的规定法制化，以增强约束力。

洋浦经济开发区应成为海南油气综合开发产业集中发展的新兴地区的建议(11条)*

（2002年3月）

一　把油气综合加工作为洋浦经济开发区的主导奠基产业

1. 洋浦开发的目的是为海南油气资源的综合加工提供一个现代化的基地

在20世纪80年代先后设立的中国5个经济特区中，海南与深圳、珠海等其他4个特区的根本不同，就是它不是一个小面积的城邦，而是一个具有独立地理单元与丰富自然资源、实施更特殊政策的大面积区域，因而被人们形象地称为"大特区"。如果说，邓小平对其他特区（特别是深圳）提出的要求，主要是在旧的计划经济体制中"杀出一条血路"，发挥联络国际市场的"窗口"作用的话，那么，对"大特区"提出的要求则有明显不同，更侧重强调了其自身生产力的发展。即海南各种优势资源的开发，特别是对刚发现不久的海上石油天然气的开发利用寄予了极大的希望。

---

*　节选自中改院课题组《洋浦经济开发区应成为海南油气综合开发产业集中发展的新兴地区》，2002年3月。

1983年7月26日—8月3日，中国海洋石油总公司与美国阿科公司合作在三亚之南的崖城13构造上，打出日产天然气120万立方米的高产井，发现了崖13大气田。消息传到北京，邓小平十分高兴，12月1日在北京亲自会见了美国阿科公司董事长罗伯特·安德森，就崖13气田天然气的开发利用问题交换了意见。12月22日，邓小平听了姚依林、宋平的汇报后，又指示说："海南天然气很有希望。最近，美国阿科公司董事长安德森对我说，那里的天然气储量可能有900亿—1000亿立方米，用来搞化肥，产量可达700多万吨。如果这个情况属实，那是很好的。可以同外商合资生产化肥。"

　　随后，阿科公司提出了在海南岛搞500万吨尿素化肥厂的设想，邓小平又很高兴地说："很好，你们来干。"安德森迅速地在美国提出了具体方案，并制作了化肥厂装置的模型，用飞机运到北京，请邓小平同志和中央领导观看。同时，组织专家会同国家计委、化工部在海南全岛进行踏勘，选择海南具有最好深水良港的洋浦为拟建大化肥的厂址。

　　1984年2月，邓小平在视察广东、福建、上海等地回京后同中央几位负责同志谈话中指出："我们还要开发海南岛，如果能把海南岛的经济发展起来，那就是一个很大的胜利。"4月，中央做出进一步开放14个沿海港口城市和海南岛的重大决定。5月29日，邓小平会见美国著名企业家哈默，向他转告了这一重大决定，并说："我们决定开发海南岛，利用天然气还可带动其他产业，这里铁矿丰富，可以发展钢铁工业。"

　　1987年6月12日，在海南特区即将诞生前夕，邓小平在会见南斯拉夫客人时说："我们在搞一个更大的特区，这就是海南岛特区。海南岛和台湾面积差不多，那里有许多资源，有富铁矿、有石油天然气，还有橡胶和别的热带亚热带作物。海南岛好好发展起来，是很了不起的。"

可以非常清楚地看出，邓小平同志对海南近海石油天然气资源开发利用的罕见的高度重视。这种高度的重视，完全基于他对海南大特区特殊区情的深刻认识，基于他对石油天然气在现代经济发展中具有的特殊战略作用的透彻把握。正是在邓小平指示精神的推动下，国家与海南省先后数次组织编制了海南经济发展的战略规划，其中最主要的有两次，即1985—1988年日本国际协力团与国家计委编制的《海南岛综合开发计划调查》和1987—1988年由中国社科院专家编制的《海南经济发展战略研究报告》。这两个发展战略计划均把油气综合加工作为海南经济发展的一个重要方面，并毫无例外地把洋浦选择为发展海南油气加工的最佳基地。

1988年5月日本协力团完成的《海南岛综合开发计划调查》最终报告书中提出：铺设全岛输气管，把崖13—1气田的天然气直接送到洋浦。"在洋浦开发大型、临海的'综合化学工业基地'，以天然气为原料的合成氨、尿素的生产中心，生产甲醇、乙炔、烧碱、氯等的基础化学制品和这些物质衍生产品。另外，经洋浦港输入原材料，生产各种合成树脂及其制品。这样，可使洋浦发展成为大型的综合化学工业基地。"

1988年1月中国社科院制定的《海南经济发展战略研究报告》中提出："全岛可规划为五个经济区，这就是：北部的海口经济圈，主要是以发展轻工、电子和第三产业；东部的文昌经济圈，主要是发展农业和农产品加工；南部的三亚经济圈，主要是以旅游为中心，建立国际旅游区；西北部的那大经济圈，主要是以洋浦为中心，以天然气和石油为主，发展石油化工；西南部的八所经济圈，主要是发展钢铁、水泥等重工业。"

为什么历来的规划都要把当时仍是一片荒地的洋浦作为海南发展现代大工业特别是油气综合加工的基地呢？原因很简单，就是经过专家们的多次踏勘比较，洋浦比岛内其他港口和城市，更具备建成现代大型工业基地所不可缺少和替代的各种优势和自然条件。它处在海南最大的半岛之上，具有最好的深水良港、上百平方公里连片的宜工不宜农的平坦土地，靠近海南蓄水量最大的松涛水库，处于不易污染本岛环境的西北下风向位置。

为了把洋浦尽快建成一个能发展现代工业的基地，海南省采取了引入外商进行成片土地开发的创新路子。当不少人对这样的做法异议质难并引发一场不大不小的"风波"时，又是邓小平挺身而出肯定、支持了海南省的做法。1989年4月28日，邓小平在中共海南省委关于设立洋浦经济开发区的汇报材料上批示："我最近了解情况后，认为海南省委的决策是正确的，机会难得，不宜拖延，但须向党内外不同意见者说清楚，手续要迅速周全。"在这个批示中，被邓小平称为"正确的"海南省委的决策内容，主要有两点：除了外商成片开发外，就是中外专家在多次规划中提出的，将洋浦建设成为以近海天然气为主的大型综合油气加工基地。这个决策内容，在1988年8月25日召开的海南省第一届人民代表大会上，省政府做的报告中也得到了充分的反映。报告指出："以洋浦为中心的西北经济区，主要利用天然气发展石油化工行业"，"根据全省经济发展战略部署，我们将首先集中力量搞好洋浦开发区的建设。在不远的将来，洋浦将成为以化工工业为主的综合性的中等工业城市，走出一条成片开发，综合开发工业区的新路子，为其他开发区的建设提供经验和示范"。

2. 洋浦经济开发区已初步具备现代大型工业基地的基本条件

早在20世纪70年代初，由周恩来总理主持制订了一个在全国建200个万吨级码头的计划，洋浦也被列入其中。洋浦开发的真正启动，是与80年代初海南近海油气资源的发现与利用紧密联系在一起的。海南发现近海天然气后，洋浦被中外专家们选为发展大型化肥厂的首选厂址，国家在洋浦建港的计划才被付诸实施。

从"七五"（1986—1990）开始，先由国家投资兴建了洋浦港一期工程（2个2万吨级和1个3000吨级码头），随后海南省寻找了外商成片土地开发的新模式。"八五"（1991—1995）开始后，洋浦正式进入外商成片开发阶段，洋浦土地成片开发商在平整区内场地、修建区内道路、建设电厂、电信设施以及房地产开发上，共投入了约40亿港币（内部估算的静态投资数）。1995年后开发商基本上停止了区内大规模的投资。相反，国家出于对洋浦的重视，从1996年起先后投资或贷款兴建了近150公里的海口至洋浦高速公路（两段）、25万吨/日的供水工程和洋浦港二期工程（3个3.5万吨级泊位）。从"七五"开始到"九五"结束，前后15年时间，国家与外商共投入了近60亿元人民币，用于洋浦的基础设施建设（未算其他投资者的各种投资额）。经过这些年来的努力，目前已改变了洋浦原来的"三多三少"（石头多、荒地多、仙人掌多，树少、水少、人少）的蛮荒面貌，基本建成了发展现代大型工业基地所必需的基础设施。

在一片荒地上进行大规模的现代工业基地的开发，第一步都要投入大量的前期资本，进行基础设施的系统配套建设，才能为工业项目的进入创造前提条件。从发展经济学的角度说，这就是战后西欧复兴计划中采用的"大推进"做法。没有这样大规模的投入与推进，达不到基础设施自身配套的"门槛阈量"，是奠定不了洋浦今后各种产业发展的现代物质基础的。从这一点来说，海南省委引进外商成片开发的决策是有成效的；开发商在"八五"期间创造了当时国内外商单项投资最大数额的纪录，为海南和中国的对外开放出了一份力。

但是，一个地区基础设施功能作用的发挥，不是按其"长线"能力来衡量的，而是受其"短线"能力制约的。这就是经济学中的

"木桶理论",也就是陈云生前反复强调的按"短线"平衡的原则。目前洋浦基础设施中"长线"是电力(电厂建好后基本上一直闲置),"短线"是供水(至今供水工程还未搞好),其他设施项目包括生活设施也均没有很好配套。所以,虽然花了60亿元,一般中小工业项目进区还是较难;而且闲置的基础设施不仅要折旧,还要付息,有的甚至成为负资产。这是洋浦基础设施建设方面存在的突出问题。

可以认为,洋浦的基础设施已有一个较好的基础,但也有不少缺项。这种矛盾,在任何一个要把一片荒地急速发展为现代都市的大规模开发过程中,都是客观存在和难以避免的。从根本上说,它只能靠更有序、更有效的进一步发展来逐步解决。当前的关键,是要果断地把吸引大型的工业项目(特别是利用本岛优势资源加工的大型项目)和中小项目群作为洋浦开发现阶段工作的重点。在招进大的工业项目和项目群的同时,处理好基础设施与工业项目两者在投入时序与数量的关系,有计划、有针对性地把洋浦的城市基础设施逐步完善好,实现开发过程中社会资本与产业资本的良性循环。

3. 油气综合加工是洋浦经济开发区在21世纪发展中的主导产业

早在"九五"初期,当洋浦大规模基础设施建设告一段落的时候,在中央的关心和洋浦方面的努力下就曾出现过一个极好的产业发展机会。这就是1996年9月国务院正式批准的在洋浦建立2套45万吨/80万吨合成氨—尿素的大化肥项目,以及随之带来的其他天然气化工项目。在国家计委的指导下,洋浦方面还以这些为基础编制了以油气综合加工产业为主导的工业发展规划。然而,由于种种原因,这次难得的启动机会丧失了,而且至今还没有找到较好的大型工业项目来弥补这一空白。这也就是近几年来洋浦开发徘徊不前,开而不发的主要原因所在。

在 21 世纪之初,从国家的产业结构调整和经济能源安全的角度讲,从海南 21 世纪经济发展的全局看,海南油气综合加工产业将成为海南经济未来发展的战略重点产业。这是洋浦未来发展至关重要的机会。

(1) 从资源总体赋存上说,目前海南近海油气资源的综合开发利用刚刚开了一个头,对于资源更大的开发规模、更多的利用方式还在今后数十年内。作为未来海南工业最主要基地的洋浦,不能因为一个项目的变动,就放弃最初的基本定位,放弃对自己周边赋存的最具战略意义的石油天然气资源的利用。

(2) 从中长期市场需求上说,随着我国工业化进程向中后期发展,各产业的发展和人民生活的不断提高,均会导致对石油天然气以及它们的延伸加工制品需求的不断增大。根据日本重化学工业通信社的分析,人均 GDP 与石化产业的相关关系,当人均 GDP 超过 1000 美元时,纤维工业会急剧发展起来;达到 2000 美元时家电制造业则开始繁荣,当超过 3000 美元时就将进入追求汽车时代。当人均 GDP 接近 10000 美元左右,生活模式的改变及消费方式的巨大变化,会导致石化产品需求的急剧增加。因此,中国的石油化工行业将会在很长一段时间内,维持它在国民经济中的主导产业地位。这就为洋浦的油气加工产业的发展提供了有利的经济环境与广阔的市场空间。

(3) 从已探明资源的充分利用上说,八所一个地方消耗不了海南近海的全部天然气。仅东方 1—1 一口井的一期生产量,即使在八所建设了国内最大的大化肥基地,消耗了 8 亿立方米的气,仍还有 8 亿立方米的天然气要输送到洋浦和海口,用于发电与居民用气。

(4) 从洋浦开发区自身的条件来说,发展大型油气综合加工基地的不可缺少与替代的客观自然条件依然存在,而且,经过近年来特别是 2000 年以来的发展努力,洋浦开发区在软硬环境上都有很大进步，比"九五"初期更适合于工业项目特别是大型石化加工项目的进入。

（5）从产业自身特点和发展规律上说，油气综合加工项目的投资规模大，产业关联强，加工过程长，产品生命周期较长，水电等公共物品的用量较多，原料产品运输周转量亦大。从推动洋浦已有设施进一步完善配套和带动其他产业发展的能力角度讲，这些项目远比一般项目来得强，甚至也远比洋浦现有的一些大项目（如面粉、光纤项目）来得强。因而，这些大型油气综合加工项目的进区，对洋浦的产业基础奠基的作用更大。

基于以上 5 个方面的理由，我们认为，洋浦开发区和国内其他先进工业开发区相比，目前还处于艰难的产业奠基阶段，处于急需要带有奠基性的大型骨干项目的初级发展阶段。因此，油气综合加工仍然是洋浦开发区在新世纪发展中应该并且必须给予高度重视的重点主导产业发展方向。如果我们现在不及时地认识这个问题，不朝这方面做努力，就有可能会又一次丧失新的宝贵的发展机会。

二 新世纪洋浦经济开发区油气综合加工产业发展的规划构想

4. 21 世纪规划的基本思路

1997 年 2 月 25 日，国家计委召开主任办公会议专题听取了海南省政府领导关于洋浦工业发展规划的汇报。时任国家计委主任的陈锦华同志特别强调，搞好洋浦开发区也是继承邓小平的遗志。他在一一分析当时汇报的 12 个大项目后，提出要两手抓，一手抓已定的项目，一手抓规划，有"九五"期间，也要有更长远的。根据国家计委主任办公会议的精神，1997 年 4 月洋浦土地开发有限公司与洋浦管理局联合委托中国国际工程咨询公司制订《洋浦经济开发区工业发展规划》。由于种种原因，这个规划未能实施，但是，规划中的一些基本思路，对洋浦在 21 世纪初期的发展仍然是有价值的。

结合洋浦经济开发区在资源、区位、政策等方面的优势，选择面向国内外两个市场、以资源加工型的原材料工业为主导奠基产业的发展模式，是比较可行的。一方面是由于高新技术、轻工和电子加工业的产品更新换代快、市场竞争激烈，洋浦做这样的选择就会在近期内难以起步和立足；而原材料产业却具有产品变化虽不大，但市场容量和供需矛盾一直较大的特点，因而会更易起步。另一方面的原因是，天然气和石油为原料的原材料产业具有可以进一步深加工的特点，从而有利于洋浦经济开发区加快基础产业的构置，增强发展后劲，为进一步扩展、延伸下游加工业创造条件。

海南岛虽处于沟通、联系东南亚一些经济最具活力的国家和地区的有利位置，但毕竟是远离中国内地的海岛，特别是在陆岛铁路未建成之前，增加生产供应的中转运输成本在所难免。因此，在构建洋浦经济开发区的产业结构时，一要扬长避短，二要选准目标市场。把能够利用其资源优势、可以尽快起步、原料和产品可大进大出的原材料产业作为近期发展的主导产业，并把华南特别是西南广大地区和东南亚地区作为首选目标市场。

综上所述，洋浦经济开发区的起步阶段，最关键的是要尽快利用海南省最具比较优势的近海石油天然气资源、兴建以油气综合加工为主导的大规模的原材料基础产业。在这方面具体产业选择方向是：

——以天然气为清洁燃料的联合循环发电和玻璃、建材业及民用、公共事业。

——以近海天然气为原料的合成氨、氮肥、甲醇、乙炔等基础化工原料。

——以近海石油或进口原油为原料的炼油、乙烯、芳烃、有机原料和三大合成材料等石油化工业。

——以深水港为基础，与炼油及国家石油战略储备相配套的区域性的石油与油品的储存、中转基地。

随着大规模基础原材料产业的建立和发展，将会逐步创造必要条件，促进和带动轻工、电子加工业和新兴材料、海洋、生物等高科技产业的发展。并相应发展金融、商贸、住宅、服务等第三产业，逐步实现产业结构合理化和产业升级，从而形成良性循环的发展态势，把洋浦最终建成以油气加工为主导产业、高新技术产业及出口加工产业相应发展的现代化综合性的工业基地和海港城市。

总结前一个规划编制与实施中的经验教训，在确定洋浦21世纪油气发展规划项目时，除必须依循上述基本思路外，还必须注意解决以下几个关键性问题。

——要充分认识和发挥海南及洋浦的比较优势，特别要用好用足洋浦经济开发区的优惠政策，积极主动有目的地招商，更好地吸引国内外资金，特别是吸引世界有名的跨国公司进入洋浦进行油气化工产业的投资。

——要以确定的建设项目为起点和依托，面向我国加入WTO后面临的竞争态势，走技术高起点、装置大规模、产品深加工的路子，注重发挥集聚效应，扩展油气综合项目，近期与中远期结合，推行上下游一体化，发挥各自优势和组合效益。

——要搞好海南西部工业带的合理区域分工和项目布局，做到突出重点，统筹规划，各有特色，共同发展。

5. 21世纪规划的主要项目

根据以上基本思路、海南既有布局和市场的变化情况，在21世纪初的5到10年内洋浦油气综合加工产业先后有选择地侧重发展以下5个"龙头"性的大型项目，其中2个是属天然气系列的，3个是属石油加工系列的。具体包括：150万千瓦天然气发电基地、60万吨甲醇、600/800万吨炼油（包括芳烃及其后加工）、500万立方米的石油储备基地、60/80万吨乙烯。

6. 洋浦其他工业产业发展规划

强调油气综合加工产业的发展，并不是不要发展其他工业产业。恰恰相反，在油气产业发展的同时，洋浦利用国家赋予的优惠的政策和所拥有的良港优势，并根据实际已进区项目的情况，在最近的5到10年内还将重点推动以下特色优势产业。

（1）粮油与食品加工业。

（2）木材加工及家具制造业。

（3）电子及信息设施材料制造业。

（4）生物医药制造业

（5）纸浆及造纸业。

（6）新型建筑材料业。

（7）出口加工工业。

（8）有特色的劳动密集型行业。

三　发展洋浦油气综合加工产业急需解决的几个主要问题

7. 确认洋浦油气加工规划项目

中央领导多次指示：把洋浦作为海南发展的"重中之重"，工业主要就集中在洋浦，以工业项目带动洋浦开发，以洋浦开发带动海南经济。并多次为把重大工业项目引入洋浦而努力。这一系列指示，指明了洋浦产业发展的方向。

国家计委前后两任主任最近也对洋浦油气产业发展发表过具体的意见。2000年3月11日，在京举办的"海南'十五'发展战略座谈会"上，全国政协副主席、原计委主任陈锦华同志说："海南的天然气究竟要怎么搞？我总觉得洋浦要好好利用，那么大的面积，基础设施也搞了，要利用起来搞些不污染的产业，不然那个地方再搞下去，对海南的形象也不好。"2000年2月11日，现国家计委主任曾培炎同志受朱总理嘱托视察洋浦时，也指出，洋浦应该发展有区位、资源、地理优势的项目，要以天然气为主，要围绕天然气往下游发展。一个地区的发展，要找到中心。浙江南部以发展小商品为主，福建发展面向台湾，你这里以什么为主，要有自己的特点。天然气是很好的原料，你这里要充分利用了，海南其他地方就不要再搞什么工业了。

海南油气加工工业的发展曾有不同的发展规划设想，其中有些规划设想并没有给予洋浦"重中之重"的地位。因此，进入新世纪，面对新发展，必须坚决落实中央和海南省对洋浦经济开发区定位的一系列指示，把洋浦油气加工产业发展列入全省规划的重要组成部分，把一些重要的油气加工项目给予确认，真正体现洋浦在全省工业发展中的"重中之重"的地位，有效发挥洋浦工业带动全省经济发展的重要作用。

8. 重组洋浦开发主体

对国内（包括台湾地区）诸多成片开发案例的研究表明，成片开发是发展新型工业基地或区域的有效办法，但其成效的大小，除了当地政府的支持外，还与开发主体的经验与实力紧密相关。如果成片开发主体的经济实力强，人才经验丰富，这个成片开发区就见效快；如果成片开发主体的经济实力不强，人才经验缺乏，这个成片开发区的发展就慢。

总结洋浦开发区发展的经验，其中一个重要问题是洋浦的开发主体必须具备两个基本条件：一是要有足够的资金确保长期各项基本建设的投入，以形成良好的投资环境；二是要有项目建设能力，能以自身的大项目带动其他项目的进入，从而实现项目带动的发展策略。1998年12月，中国光大集团替代香港熊谷组成为洋浦的开发主体，两年半过去了，由于种种原因，光大集团未能起到开发主体的作用，建议中央对洋浦开发主体做适当调整，鉴于油气综合加工产业是洋浦经济开发区的主导产业，可考虑由中国海洋石油总公司作为洋浦的开发主体。

9. 加强政府对洋浦开发建设的领导

为了加快洋浦开发特别是油气综合加工产业的发展，政府亦应切实加强对洋浦开发的领导。

首先，要认真贯彻执行邓小平同志和党的第三代领导集体关于洋浦开发的重要指示，总结洋浦开发建设的经验教训，统一思想，形成共识。坚定开发洋浦的决心不动摇，洋浦在海南省工作大局中"重中之重"的地位不改变。全面贯彻落实朱镕基总理1998年视察洋浦重要指示和省委琼发〔1998〕22号文件，切实加强对洋浦经济开发区的领导，促进洋浦尽快启动和发展。

其次，建议成立一个由权威人士组成的洋浦经济开发区发展咨询委员会，就洋浦发展的重大问题，为中央和海南省提出决策参考意见。

再次，要进一步集中力量发展洋浦，加大资金支持力度，在项目安排、资源分配等方面对洋浦进行必要的倾斜，切实体现洋浦开发在海南省工作大局中的"重中之重"地位。要按朱镕基总理关于铁路要重新选线的指示，着眼于洋浦的尽快启动和长远发展，重新论证研究铁路通过洋浦的设计方案，为洋浦开发建设创造更加完善的投资环境。要在对全省经济布局进行统筹安排的情况下，把洋浦作为全省大型工业项目摆放的重点，策划一些大项目落户洋浦。同时，各职能部门要从全省大局出发，主动为洋浦排忧解难，主动为洋浦着想，做到洋浦的项目一路"绿灯"，以实际行动支持洋浦的开发建设。

10. 加快天然气资源的开发与重新分配

开发利用崖13—1与东方1—1的曲折过程说明，近海天然气的开发利用是一个复杂的系统工程，需要上下游统一考虑，兼顾各方面的利益，进行多方面的论证，寻求最终的利用方案。如果说前一阶段影响近海天然气开发利用的关键环节是下游用气项目不确定的话，那么目前的关键环节则是解决好上游天然气开采的时间和供给的数量满足下游用气项目上马的需要。因此，急需根据洋浦以及全省发展油气综合加工产业的实际需要，加快开发与重新分配可供开采的天然气资源。

从总量上说，2003年底之前，至少每年要供给洋浦15亿立方米的天然气，其中7亿立方米供发电及少量工业用气，8亿立方米供60万吨的甲醇项目。但目前只配置了7亿立方米的气，还缺8亿立方米。急需国家有关主管部门与中海油重新调整东方1—1的一期开采量，即从原来的16亿立方米增加到24亿立方米，也就是说，在2003年底前每年至少向洋浦供气15亿立方米。2005年后根据洋浦电厂扩建改造和其他用气项目的需要，再向洋浦供15亿—18亿立方米，这样前后加起来大约在2007年左右，每年共向洋浦供气30亿—33亿立方米。这不仅需要提前开发乐东气田的气，而且需要增加八所到洋浦的输气管径，至少要从目前设计的20英寸改为能满足30亿—33亿立方米年输气量的管径。

11. 调整开发区规划用地

用地规划总是要跟着项目规划的变化而调整。如果我们把油气综合加工产业作为主导奠基产业，上几个龙头项目，洋浦开发区现有可供使用的大约23平方公里的土地就显得不够，必须启动铁丝网外70平方公里的预留用地。

1988年10月12日，当时省政府的主要负责人曾对《洋浦港城总体规划》做过批示：洋浦的规划必须根据建省后的新情况（要求洋浦地区成为石油化工基地）重新修订，总体规划用地100平方公里，人口30万。根据这个指示精神，省政府曾委托有关设计院做过100平方公里的总体规划编制工作，并于1989年底通过了评审。当1992年国务院批准吸引外商成片开发洋浦之后，省政府及有关部门曾多次发文强调，要按100平方公里来控制洋浦经济开发区的规划用地。

  洋浦经济开发区规划预留用地的启用，不仅有利于油气综合加工产业的发展，也有利于开发区各项事业特别是农民安置就业问题的妥善解决。3.6万洋浦农民在区内除了仅有2.2平方公里居住用地外，没有一亩生产用地，区外预留用地的启用，不仅可以保证大型石化项目用地（这些项目用地至少几平方公里，大的甚至十几平方公里），亦可大大缓解这方面农民安置、生产就业用地的压力。

建设洋浦自由工业港区的建议(18条)*

(2005年4月)

洋浦经济开发区的设立是我国改革开放的重大战略步骤之一，也是海南省经济发展的重中之重。目前，洋浦经济开发区正面临着新的历史发展机遇，处于发展的关键时期。努力把洋浦建设成区位优势突出、具有国际竞争优势的现代自由工业港区，对于实现邓小平同志当年的战略设想具有重要意义。

根据吴仪副总理前不久视察洋浦经济开发区的讲话精神，我们提出洋浦自由工业港区建设的总体设想的基本思路：

从经济全球化和区域经济一体化的大趋势出发，抓住中国与东盟建立自由贸易区的机遇，并根据洋浦区位优势及资源优势，提出洋浦的总体发展目标是：建设成符合国际惯例的、高度开放的、新型自由工业港区。

从比较优势出发，研究洋浦自由工业港区的总体规划与产业定位，培育能够突出自身优势的产业集群。据此，我们提出"一个基地、三个集群"的总体设想，即把洋浦自由工业港区定位为中国南海油气综合开发基地，同时积极发展油气综合开发产业集群、现代

---

* 节选自中改院课题组《建设洋浦自由工业港区的建议报告》，2005年4月。

物流产业集群和特色制造产业集群。

本着"解放思想、开拓创新、实事求是、敢为人先"的精神，本报告提出，利用3—5年左右的时间分两步走，使洋浦成为我国第一个自由工业港区，并作为我国国家级经济技术开发区转型的先行示范。

一 洋浦自由工业港区的基本内涵

1. 基本内涵

在洋浦经济开发区范围内，以油气综合开发为重点，以实行自由港区的发展模式为目标，把洋浦建成具有国际竞争优势的现代化的油气综合开发基地和新型工业基地，成为我国对外开放程度最高的自由工业港区。

二 洋浦自由工业港区产业定位的总体设想

海南工业发展的关键在于洋浦，洋浦发展的关键在于正确而有效的产业定位。我们从洋浦的实际出发，提出以油气综合开发为重点的洋浦产业定位和产业总体发展目标。这是确定洋浦新发展模式与新管理模式的基础和前提。

关于洋浦的产业定位，基本的思路是："一个基地、三个集群。"即把洋浦自由工业港区定位为中国南海油气综合开发基地，同时积极发展油气综合开发产业集群、现代物流产业集群和特色制造产业集群。

2. 立足海南资源优势，把洋浦建设成以油气综合开发为主的新型自由工业港区

随着我国经济总量的不断增长，对能源的需求也与日俱增。由于我国陆地开采能源的空间已经不大，我国石油开采的潜力已经转向海洋。因此，无论从资源储备、技术储备，还是从国家安全的角度考虑，在我国石油多元化战略中，开发海洋油气资源已成为重要一环。目前，南海油气开采正处于快速发展的起步阶段，技术、资

金方面已无问题，各方面时机已基本成熟，只是缺乏必要的后勤保障和储运、加工基地，从这一点看，海南的洋浦港最有条件成为我国南海油气综合开发基地。（见图1）

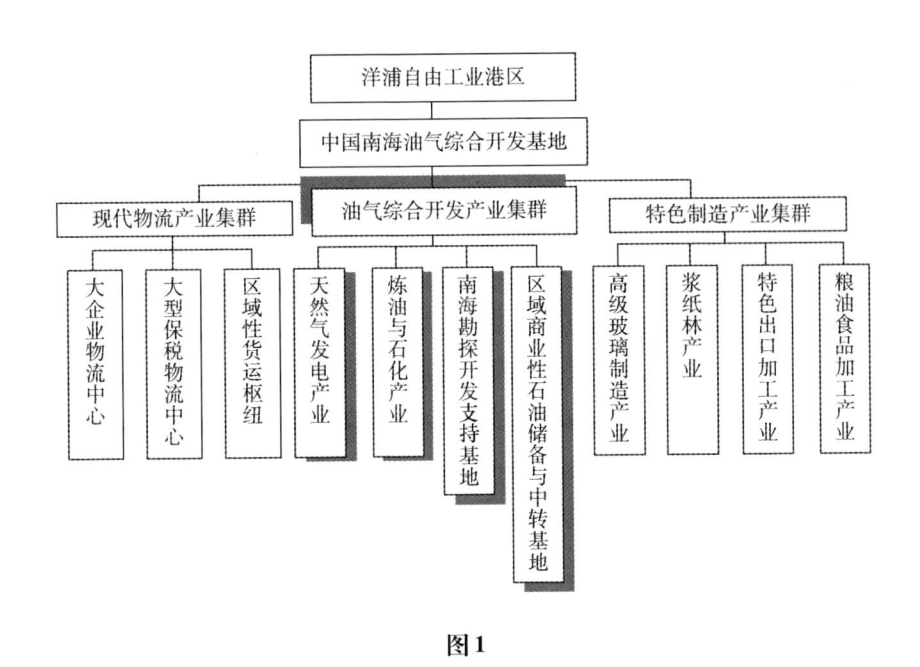

```
                    ┌─────────────────┐
                    │ 洋浦自由工业港区 │
                    └────────┬────────┘
                    ┌────────┴──────────┐
                    │中国南海油气综合开发基地│
                    └────────┬──────────┘
        ┌───────────────────┼───────────────────┐
  ┌─────┴─────┐      ┌──────┴──────┐      ┌─────┴─────┐
  │现代物流产业集群│   │油气综合开发产业集群│   │特色制造产业集群│
  └─────┬─────┘      └──────┬──────┘      └─────┬─────┘
  ┌──┬──┬──┐        ┌───┬───┬───┬───┐      ┌───┬───┬───┬───┐
```

大企业物流中心 / 大型保税物流中心 / 区域性货运枢纽 / 天然气发电产业 / 炼油与石化产业 / 南海勘探开发支持基地 / 区域商业性石油储备与中转基地 / 高级玻璃制造产业 / 浆纸林产业 / 特色出口加工产业 / 粮油食品加工产业

图1

3. 从实际出发，发展具有洋浦自身特色的产业集群

通过产业集群发展经济是发达国家和地区发展经济的经验，也是现代工业发展的客观规律。洋浦要实现新型自由工业港区的发展目标，应当以自身的综合优势为基础，充分发挥产业集群的效应。

洋浦的产业发展，除了确定把油气综合开发作为主导产业外，还可根据其拥有的深水港口优势与海南本岛所拥有的各种优势资源，规划发展一些有特色的加工制造产业，从而构造洋浦其他特色加工产业集群。

一是充分利用南海油气资源，发展油气综合开发产业集群。天然气供应、天然气发电、油气综合开发和油气储备中转等构成洋浦油气综合开发产业集群，通过这些产业奠定洋浦以油气综合开发为主的重化工业基地地位。

二是利用洋浦区位和港口优势，发展现代物流业。包括发展为自由港提供配套服务的保税物流产业；充分利用大企业资源，发展大企业物流；利用油气开发的契机，发展区域性商业石油基地，形成石油储备、转港、易货等物流产业；利用港区内各种类型企业，发展出口加工物流产业。

三是充分利用海南各种资源，发展海南特色制造产业集群。包括充分利用天然气资源和海南当地林业资源，发展符合国际环保标准的造纸项目；充分利用海南优良的农业资源，发展包括水果深加工、粮食深加工等农产品深加工项目；充分利用国家开发南海的契机，发展为其服务的相关机械制造业，如启动并加快南海勘探支撑基地的建设；充分利用洋浦建设油气综合开发基地的契机，发展服务于油气综合开发的各种高科技产业。

三　洋浦油气综合开发基地的基本布局

根据洋浦油气综合开发产业集群中主导产业的发展需要，把洋浦划分为天然气供应、天然气发电、油气综合开发、油气储备中转和南海勘探开发支撑基地五大功能区。

4. 天然气供应

世界各地尤其是南海天然气资源从洋浦上岸，不仅可以供洋浦自由工业港区内企业使用，而且可从洋浦转销国内乃至国际市场。初步的建议规划是：在2006—2010年，建设150万吨/年的进口液化天然气接收站；在2011—2020年，建设液化天然气接收站项目二期，新增年进口150万吨液化天然气的能力，使洋浦进口液化天然气接收能力达到每年300万吨的规模。

5. 天然气发电

发电是天然气产业利用的一个主要方向，在发达国家的趋势是发电用量远超过化工用量。天然气发电应是洋浦自由工业港区近海天然气利用的主要方向，这与国际发展的趋势相一致。其目标有两方面：第一，随着工业的集中发展，洋浦本身也将很快成为一个越来越大的用电市场。第二，通过"气电北送"，可以缓解华东与华南的能源短缺。

初步的规划建议是：在2006—2010年，建设70万千瓦的天然气发电项目。在2011—2020年，建设装机容量为2×35万千瓦的液化天然气发电二期项目（与天然气接收站二期工程相配套），使建成后洋浦电厂的装机容量增至184万千瓦。

6. 油气综合开发

洋浦自由工业港区必须在已开工建设800万吨炼油项目的基础上，周密考虑油气综合开发化工产业的发展，科学布局油气综合开发基地。

初步的规划建议是：在2006—2010年，启动芳烃及其后加工项目、乙烯及其后加工项目，建设60万吨/年对二甲苯（PX）和60万吨/年对苯二甲酸（PTA）项目；80万—100万吨/年乙烯工程。在2011—2020年内，新增1200万吨/年的炼油能力，使洋浦地区的炼油总能力达2000万吨；新增100万—120万吨/年的乙烯生产能力，使洋浦地区的乙烯生产总能力达200万吨；开辟油气综合深加工的新型化工区，把洋浦建设成为具有国际竞争力和影响力的现代化大型油气综合开发基地。

7. 油气储备与中转

初步的规划建议是：在5年之内建立目标总量为500万立方米的大型石油储备基地项目。这主要是与800万吨以及未来2000万吨炼油项目相配套的区域性石油储备中转库，保证洋浦油气加工产业原料供给的连续性和稳定性，以及其他民用和商业中转。

8. 南海勘探开发支持基地

争取把洋浦作为国家南海油气勘探开发支持基地，在这里生产开发南海所需要的海上钻井平台及其相应的配套机械、海底油气管道支架等，同时把洋浦作为南海开发所需各类机构设备的备品备件的存储基地。

四 洋浦自由工业港区管理体制的主要特点

新形势下，从我国国家级经济技术开发区规范发展的大趋势和洋浦的实际情况出发，洋浦自由工业港区的管理体制应当具有如下主要特点：

9. 境内关外，一线放开，二线管住，高度开放

10. 区港一体化，工业区与港口相互依存、共同发展

11. 以油气综合开发为主体的产业集群

12. 以南中国海油气资源共同开发为依托，以服务于中国与东盟自由贸易区为重要目标

13. 目标明确，措施灵活

洋浦自由工业港区的发展目标可以一步到位，也可以分两步到位。第一步的目标是：实行服务于油气资源综合开发项下的自由贸易；实现"港区联动""港区合作"；完成必备的法制建设和制度建设。第二步的目标是：满足"港区一体化"的最终目标要求；实行"一线放开，二线管住"的海关监管；完成对港区新的政策体系设计并获中央批准；宣布正式设立洋浦自由工业港区。我们倾向于一步到位的发展目标。

14. 统一协调，高效管理

通过人大立法或政府条例，建立依法管理的体制；在微观管理层面上，建立政府主导、政企分开型的管理体制；在地方监管方面建立独立型直接监管体制；在管理机构设置上建立精干、高效、廉洁的管理机构。

五 建设洋浦自由工业港区的相关建议

15. 建议把洋浦作为我国建立自由港区的先行试验

按照分两步走，并在 3—5 年把洋浦建成严格规范的自由港区的总体设想，当务之急是要明确自由港区作为洋浦未来发展的目标定位，这既是"打造新模式，创造新洋浦"的内在需求，又是经济全球化和区域经济一体化对洋浦经济开发区按照国际惯例规范发展面临的紧迫任务。

目前，国家级经济开发区发展模式转型越来越具迫切性，部分条件具备的开发区向自由港区或自由贸易区的发展模式过渡是大势所趋。实际上，目前我国在部分开发区实行的"区港联动"就代表了开发区转型的基本趋向，是开发区向自由港区或自由贸易区转型的过渡形式。在这个大背景下，洋浦作为我国最接近自由港区体制的经济开发区，具备许多有利条件成为我国开发区向自由港区转型的第一梯队。因此，建议国家尽快把洋浦列入第一批向自由港区过渡的国家级开发区。

16. 建议尽快组织力量，研究制订洋浦自由工业港区的产业发展规划

在产业目标定位的前提下，要尽快制订洋浦自由工业港区的产业发展规划，以便尽快对现行的产业发展做出调整，使产业发展布局趋向合理、科学。有利于选择和引进符合产业规划的项目，以尽快形成具有优势的产业集群；有利于按照国际标准严格控制有污染的项目准入，以便保护生态环境，维护海南生态优势；有利于加快吸引内外投资，吸引国外大企业入户洋浦，加快发展步伐。因此，建议尽快组织相关部门和专家，在已有的洋浦各种规划和论证材料的基础上，在总的发展目标认可的前提下，集思广益，统一思想，尽快制订和通过洋浦自由工业港区产业发展规划。

17. 制订洋浦自由工业港区的土地规划

洋浦自由工业港区的土地需求与产业发展规划，首先应规划和利用好现有的 31 平方公里；并从长计议，规划和设计产业发展所需的 100 平方公里预留地。在土地开发过程中要对土地实行严格控制的政策。预留地的规划有两种方案：第一，往东向洋浦的腹地扩展；第二，往北沿着海岸线扩展到洋浦和临高县交界的秀水湾，可充分利用深水良港的资源条件。中改院建议，制订洋浦土地规划时，国家一次性批准用地规划（含开发预留地）。

18. 建议按照洋浦发展目标的要求，构建洋浦自由工业港区的管理体制

洋浦作为我国建立自由贸易区的先行试验，必须创建新体制，造就新模式。洋浦经济开发区在创建初期，在管理体制上曾有过好的经验，但在发展过程中，由于目标管理不明确，已发生变化。现行的管理体制与自由港区的目标定位是不相适应的，需要进行切实的改造和创新。构建洋浦新的管理体制，需要总结和借鉴国内外开发区、特区的成功经验，特别是国际上成功的自由港区的经验。构建洋浦新管理体制务必要充分研究我国加入 WTO 后面临的新形势，要充分适应区域经济一体化发展的新要求。

经验证明，一个开发区的竞争力和基本优势，不仅在于政策的优惠，更重要的是创造自由、宽松的投资创业环境和优质高效的公共服务。洋浦开发区二次创业的实质是开发模式和管理体制的转换和创新。科学地构筑适应开发区发展需要的富有生机和活力的新型管理体制，应该是洋浦开发区抓住新的机遇，实现二次创业的根本任务。尽管我国很多开发区在管理体制上有很多先进的经验，但由于地域情况、产业布局、资源优势不同，洋浦开发区的管理体制不能照搬别的开发区的模式，而是必须结合自身的优势，建立一套适合洋浦开发区优势的新体制。

建立我国内地第一个日用
消费品免税区

建立海南消费品免税区的建议(3条)*

（2009 年 3 月）

海南省正式提出建设国际旅游岛的行动方案，得到各方面重视和支持。2008 年，国务院批复同意海南省在旅游业对外开放和体制机制创新上先行试验，全国政协也将海南国际旅游岛建设作为重点调研课题。

以旅游业开放为先导、推动相关服务业的开放，尤其是实行日用消费品的免税政策，一些岛屿国家（地区）快速发展的重要经验。借鉴国际经验，建议将国务院批准在海南办 4 家免税商店的政策扩展到全岛，使海南成为我国内地第一个日用消费品免税区。

一　海南日用消费品免税区基本内涵

即在海南全岛实行与旅游相关的日用消费品的免税政策，在限额、限量的前提下，对海内外旅游购物者在海南购买的日用消费品免征消费税。关于具体的政策设计，建议参照日本的冲绳岛、韩国的济州岛等符合国际惯例的相关规定和管理办法。

二　建立海南日用消费品免税区，有着多方面的重要意义

首先，它有助于实现海南国际旅游岛建设的重大突破，并由此

---

* 迟福林在全国政协十一届二次会议上提交的提案，2009 年 3 月。

明显拉动海南旅游产业的快速发展，促进海南相关服务业的进一步开放；其次，它对我国旅游产业发展会产生重要影响，并成为我国旅游产业扩大开放的重要举措之一；再次，在国际金融危机的背景下，它既有利于扩大国内消费，又有利于吸引国际消费。

三　建立海南日用消费品免税区，条件完全具备

首先，海南独特的区位优势、岛屿优势以及旅游度假的资源优势，使其有多方面条件成为国内第一个日用消费品免税区。其次，近些年海南国际旅游度假的发展势头很好，尤其是对俄罗斯等国家的游客有很强的吸引力。国际性的休闲度假旅游，已对建立日用消费品免税区提出现实需求。再次，海南是一个独立的岛屿，实行全岛免税政策的管理相对容易。

鉴于此，建议国家能够尽快批准把海南建成日用消费品免税区。我们的邻国已有多年的成功实践，我国完全可以而且有条件做得更好。由此，实质性地推进海南国际旅游岛进程。这无论对海南还是全国的对外开放都会产生重要而积极的影响。

支持海南加快"国际购物中心"建设的建议(4条)*

(2012年3月)

《国务院关于推进海南国际旅游岛建设发展的若干意见》明确提出"逐步把海南建成国际购物中心"。这是国家赋予海南的大政策、大目标,对拉动全国消费需求,吸引国人消费回流具有重要作用。目前我国已成为世界奢侈品消费大国,世界奢侈品协会2011年数据显示,中国人每年在国外进行奢侈品消费达数百亿美元,是国内市场的4倍之多。为此,应积极创造条件,加快推进海南国际购物中心建设进程,把国人巨大的旅游购物潜力留在国内释放。

国际购物中心建设也是提升海南国际化水平的重要举措。海南国际旅游岛重在建设国际化的海南岛。国际购物中心建设是贯穿以服务业为重点的相关产业开放和政策创新的一条主线。海南国际化水平相当程度上取决于国际购物中心建设目标的实现程度。对此,提出以下几点建议。

一 支持海南免税购物政策进一步突破

免税购物是国际购物中心的政策重点。国家赋予海南的"境外

---

* 迟福林在全国政协十一届五次会议上提交的提案,2012年3月。

旅客购物离境退税和离岛旅客免税购物政策"相继实施后，国人的旅游购物热情高涨，但受到经营主体、经营范围、购物点区域分布和免税购物额度、次数等限制，现行的免税政策效应还远未释放。保持岛内外旅游消费热情，建议国家支持海南在免税购物政策上实现更大突破。

我曾在2009年提交了"关于建立海南日用消费品免税区的建议"。现在看，各方面条件更加成熟。建议国家支持海南建立我国内地第一个"日用消费品免税区"：即在严格监管和市场准入的情况下，允许更多有实力、有资质的国内外企业进入海南免税市场经营；购物免税区域由现有的海口、三亚扩展到全岛；免税品种由国外产品扩大到国内名优产品；免税对象在境内外游客的基础上扩大到本岛居民，本岛居民无论是否离岛均可购买免税商品。

二 支持海南拓展离岛旅客免税购物方式

目前，世界免税市场主要销售渠道除市内免税店和机场免税店外，还有客运站免税店、供船免税店、火车站免税店、驻华外交官免税店等形式。未来国人对海南免税购物的刚性需求将不断增强。现行的免税购物方式和销售渠道显然不能满足国人旺盛的免税购物需求。建议借鉴国际经验，由海关总署会同海南省政府研究制定拓展离岛旅客免税品的销售、运送渠道和提取方式，逐步增加客运站免税店、供船免税店、火车站免税店，完善监管办法，做大海南的免税购物市场。

三 支持海南与香港免税业合作

海南免税购物政策实施两年来，相关的配套设施和管理服务方面还存在明显不足。香港是国际上公认的国际购物中心，在免税购物的经营、管理、服务、营销、人才建设上积累了丰富经验，形成了一整套成熟的免税购物服务体系和监管措施。为提升海南国际化水平，并有利于实现琼港优势互补，更大化地发挥"一国两制"作用,应积极支持香港参与海南国际购物中心建设。例如,建议国家支持在海南建立"琼港服务业合作试验区",在试验区内划定特定免税购物区域,探索建立委托经营、独资经营等多种形式的合作机制,引进香港资本以及先进的经营、管理和人才,以市场换管理,以政策换人才,尽快实现国际购物中心建设的实质性突破。

四 建议国务院批准《海南国际购物中心建设总体规划》

为保证海南国际购物中心建设的加快推进,建议国务院、全国政协等相关部门加强对海南国际购物中心建设的调研和论证,会同海南省政府制订《海南国际购物中心建设总体规划》,并上报国务院,明确提出到2020年初步建成海南国际购物中心的目标,部署海南国际购物中心建设的空间布局、主要任务、政策体系。在广泛论证的基础上,由国务院批准该规划。

建立海南"消费品免税区"的建议(18条)

(2015年12月)

《国务院关于积极发挥新消费引领作用加快培育形成新供给新动力的指导意见》提出"依托中心城市和重要旅游目的地,培育面向全球旅游消费者的国际消费中心"。我们认为,依托国际旅游岛,加快建立海南"消费品免税区",推进以免税购物政策突破为重点的消费改革试点,既是更好发挥新消费引领作用,加快培育形成经济发展新供给新动力的重要探索,也是落实《国务院关于推进海南国际旅游岛建设发展的若干意见》(以下简称《若干意见》)提出的"逐步将海南建设成为国际购物中心"的重大举措。

中改院在2009年就提出建立海南"消费品免税区"建议。从我国消费结构升级和旅游业转型升级大趋势看,依托国际旅游岛,实行更加开放的免税购物政策,海南有必要、也有条件成为我国内地第一个"消费品免税区"。为此,再次提出相关建议。

一 设立海南"消费品免税区"是积极发挥新消费引领作用,加快培育形成新供给新动力的重要探索

以旅游业开放为先导、推动相关服务业的开放,尤其是实行消费品的免税政策,是一些岛屿国家(地区)和主要旅游目的地快速发展的重要经验。"十三五"抓住我国消费主导的经济转型的新机遇，在海南建立我国内地第一个"消费品免税区"，推进与旅游购物相关的消费政策和体制创新，为扩大国内消费，吸引国际消费提供示范。

1. 建立"消费品免税区"是扩大国内消费、吸引境外消费回流的重要举措

党的十八届五中全会提出"消费对经济增长贡献明显加大"。问题是，由于国内消费环境、消费政策等因素制约，相当规模的国内消费潜力并未留在国内实现，消费外流问题比较严重。根据银联国际发布《2015 中国游客出境消费趋势》报告，2015 年中国游客出境游消费预计达 1.1 万亿元，其中最大消费是购物；购物结构逐渐从以奢侈品为主，向日用消费品转变。美国、欧洲国家、日本、迪拜以及我国台湾地区，为刺激消费，吸引更多的境外游客特别是中国内地游客，纷纷推出更为优惠的购物政策。形成境外消费高涨的主要原因是中国境内外商品的价差，包括较高的税率、国内流通成本过高、环节过多以及境外品牌商对华的高定价政策。建立"消费品免税区"，从税费、流通成本、品牌商对华定价政策方面采取措施，是缩小境内外商品价差，引导国人境外消费回流的重要举措。

2. "消费品免税区"是推进消费政策创新的试验区

释放消费潜力，形成消费拉动经济增长的新格局，需要财税、金融、投融资、物流、市场监管等一系列促进消费的政策和体制机制创新。依托主要旅游目的地建立"消费品免税区"，探索以免税购物政策突破为重点的消费政策体系、制度环境的综合改革，破解制约消费释放的政策障碍，为形成可复制、可推广的经验做法提供示范。

3. 建立"消费品免税区"是缓解我国服务贸易逆差，形成旅游服务贸易新优势的重要手段

我国服务贸易的逆差，主要是由旅游项下的逆差造成的，2014

年旅游贸易逆差突破 1000 亿美元，旅游购物逆差是主要构成。例如，近年来，包括大量的海外代购在内，国人境外奢侈品消费是国内消费的 4 倍以上。建立"消费品免税区"，大力发展以旅游购物为重点的旅游服务贸易，不仅有利于缩小旅游服务贸易逆差，还有利于促进货物贸易发展，带动国内消费品生产向价值链高端升级，打造"中国品牌"。

4. "消费品免税区"是丰富国际旅游岛内涵，打造国际旅游岛升级版的重要抓手

与世界主要旅游目的地相比，海南旅游价格、旅游产品、旅游服务水平都存在较大差距。2015 年上半年，海南接待过夜入境游客人数同比 2014 年减少 18.68%。海南旅游业竞争力下降是全国旅游业发展的一个缩影。适应国人消费结构升级的大趋势，加快推进以"消费品免税区"为重点的国际消费中心建设，带动与旅游购物相关的服务业转型升级，是丰富国际旅游岛内涵，提升海南乃至全国旅游业国际竞争力、吸引力，释放旅游消费潜力，打造国际旅游岛升级版的重要抓手。初步测算，若实施更加开放的免税购物政策，预计到 2020 年，如果人均购物额达到 6000 元（超过韩国水平），购物人次达到 3800 万（50% 的游客进店消费），那么免税品销售额将达到 2280 亿元。

5. 建立"消费品免税区"是落实建立生态补偿机制试点省的重要手段

《若干意见》提出把海南作为全国生态补偿机制试点省。初步测算，按每人每月 40 元的标准进行直接补偿，全岛居民年生态补偿费达 43 亿元。如果实行全岛消费品免税政策，本岛居民可以享受更优惠的免税购物政策，以 2014 年海南省全社会消费品零售额（1224.5 亿元）为基数，按国产日用品消费品 15% 的平均出口退税率算，可以节省 183.7 亿元。这不仅抵销了向全岛居民支付的生态

补偿费，没有增加财政负担，且有结余，还在一定程度上降低本岛居民的生活成本，提高生活质量；更为重要的是，它在实行严格生态保护的地区，尤其是欠发达地区探索建立"保护中发展、发展中保护"的新机制。

二　海南最有条件成为我国内地第一个"消费品免税区"

所谓"消费品免税区"，即在严格监管和市场准入的情况下，允许更多有实力、有资质的国内外企业进入海南免税市场经营；购物免税区域由现有的海口、三亚扩展到全岛；免税品种由国外产品扩大到国内名优产品；免税对象由乘飞机离岛的游客放宽至所有离岛（乘船、乘车等）游客；本岛居民无论是否离岛均可购买免税商品。简而言之，海南"消费品免税区"就是借鉴香港一半的做法，把海南建成我国内地第一个"免税购物天堂"。从综合因素看，海南具备建立"消费品免税区"的条件。

6. 建立海南"消费品免税区"是落实"开展加快发展现代服务业行动"的重要任务

近年来，为应对经济下行压力，国家出台了一系列拉动消费，尤其是刺激旅游消费、旅游服务的政策措施。党的十八届五中全会提出"发挥消费对增长的基础作用""开展加快发展现代服务业行动"。在海南建立"消费品免税区"，以免税购物、旅游服务消费为抓手，加快推进现代服务业综合改革，率先形成消费拉动经济增长的新格局和现代服务业为主体的经济结构，是落实国家消费主导战略的重要任务和积极探索。

7. 建立海南"消费品免税区"是满足日益增长的旅游购物消费的迫切要求

《若干意见》提出"逐步将海南建设成为国际购物中心"，并赋予海南离境退税和离岛免税政策。但从现实看，目前实施的离岛免税购物政策远不能满足消费者日益增长的旅游购物需求。受现行免税购物政策限制，2014 年，海口、三亚免税店人均免税购物额为 3108 元，与中国香港（1.2 万元/人）、韩国（5600 元/人）相比存在较大差距，游客普遍反映现行政策"不解渴"。为满足国人尤其是中等收入群体日益增长的旅游购物需求，迫切要求海南实施更加开放、更大力度的免税购物政策，以吸引国人境外旅游购物消费回流。

8. 海南具备建立"消费品免税区"的区位、资源和政策优势

海南独特的区位优势、岛屿优势以及旅游度假的资源优势，使其有多方面条件成为我国内地第一个"消费品免税区"；海南四面环海，是一个独立的岛屿，实行全岛免税政策的管理相对容易。另外，4 年来海南实施离岛免税和离境退税政策，为进一步实行全岛免税购物政策积累一定的经验。

三 设立海南"消费品免税区"的政策支持

建立海南"消费品免税区"，关键在于政策支持和体制创新。重点在服务业市场开放、财税、金融、出入境政策、管理体制等方面实现重要突破，争取到 2020 年基本形成"消费品免税区"政策体系和体制安排。

9. 实行更加开放的免税购物政策

为吸引外国游客购物，日本降低了免税购物门槛，满 5000 日元可享免税；我国台湾于 2015 年 4 月将离岛免税店除烟酒类以外的购物免税额，从 6 万新台币上调到 100 万新台币，目的是增强对大陆游客吸引力。适应国人旅游消费需求的变化，建议中央赋予海南更加开放的免税购物政策。

——扩限额。为了增加国际旅游岛对消费者的吸引力，满足消费者对高端商品的购买需求，建议在现有限制规定上做出调整，例如免税限额由现在单次 8000 元的限额提高到 1.5 万元；或不做金额限制，只做件数限制。

——扩次数。将目前每年2次放宽至3—5次；借鉴香港经验，取消岛内外居民差别待遇。将岛外游客每年2次、每次8000元的限制调整为每年3—5次，消费总和不超过4.5万—7.5万元，未使用的额度可进行保留，放在同年使用。

——扩数量。对老百姓需求较大的日用消费品（例如奶粉等）适当放开数量限制。

——扩品种。在进一步扩大进口消费品的同时，重要的是将更多国内名优产品、海南特色产品纳入免税范围。

——扩人群。免税对象由乘飞机离岛的游客放宽至乘所有交通方式离岛的游客；本岛居民无论是否离岛均可购买免税商品，让免税政策真正惠及海南居民。

——扩方式。拓展离岛免税购物的销售方式，例如增加市内免税店数量，开设口岸进境免税店、进口商品网上直销店、客运站免税店、火车站免税店、供船免税店、邮轮免税店等。

10. 扩大免税市场开放

——在全省范围内放开免税业务。购物免税区域由现有的海口、三亚扩展到海南省全域。合理布局免税点，重点在主要旅游城市、旅游小城镇、著名旅游景区、交通口岸以及三沙海洋型海关特殊监管区域设立免税店。

——推动免税经营主体的开放。在严格监管和市场准入的情况下，允许更多有实力、取得资质的企业进入海南免税市场；外商在海南投资和经营，不受控股比例、投资形式、经营类别和年限限制；引入国际知名免税品经营集团，如DFS，提升整个行业的竞争力和服务水平。

11. 加大财税政策支持力度

——财政政策。中央财政在一定时期内对海南消费品免税区的建设给予专项补助；完善消费补贴政策，推动由补供方转为补需方；支持海南在全岛范围内发放旅游消费券，吸引和刺激岛内外消费。

——税收政策。对进入海南"消费品免税区"销售的进口商品免征增值税、进口关税和进口环节税；国家出口退税目录下的日用消费品在海南销售可享受出口退税政策，按照国家规定的出口退税率给予税收减免；对从事免税购物的相关企业在营业税、增值税、所得税等税种上给予减免；支持海南推进消费税和资源环境税改革试点，提高直接税比重，扩大地方主体税源。

12. 实行更加灵活多元的金融政策

——扩大旅游购物企业投融资渠道。充分发挥海南省旅游产业基金、保险基金，以股权、债权、资产证券等方式支持旅游商贸物流发展；争取设立民营旅游银行，加大对重大旅游购物项目、旅游购物服务设施建设、小微型旅游购物企业的信贷支持力度；发挥海南银行等地方性金融机构的支持作用；支持优质旅游企业通过上市、发行债券、金融租赁等方式多渠道筹措资金；建立旅游投融资减息政策；建立信用直接融资制度，为信用良好的旅游企业提供融资担保服务；试行地方旅游国债、信托等新型旅游融资产品，提升融资能力。

——建立便捷安全的消费金融服务体系。支持发展消费信贷，鼓励符合条件的市场主体在琼成立消费金融公司；开发旅游分期付款、旅游保证金、旅行支票、旅游基金等旅游消费金融产品；推进刷卡消费便利化，实现商户与美国运通卡、VISA 卡、万事达卡和JCB 卡的互通；实现货币兑换便利化。推进个人本外币兑换特许机构受理代售电子旅行支票业务和退换业务；鼓励特许机构通过连锁、联合经营，整合现有资源，增加网点、扩大地域经营范围。

（3）建立健全旅游保险体系。鼓励保险机构开发更多适合旅游、购物等行业和小微企业特点的保险险种，在产品"三包"、重点消费品等领域大力实施产品质量安全责任保险制度；建立旅游保险服务信息平台，建立旅游事故保险救助联动机制。

13. 实行更加开放便利的出入境政策

扩大旅游购物消费的前提是扩大消费群体规模，针对目前海南国际游客比例长期偏低的现状，通过实行更加开放的出入境政策，实现人员进出自由。

——实行更加便利的签证政策。在海南实行"全球免签"和"琼港澳自由行"政策；扩大72小时过境免签政策范围，允许外国游客从国内实行72小时过境免签政策的城市免签证入境再中转国内航班到海南，在琼停留60天；研究三沙市对国际游客采取落地签政策；参照机场签证政策，在72小时内乘坐邮轮出境和入境的旅客实现免签证。

——积极开辟新航线。巩固和加密现有国际和入境航线航班，根据实际需求，增加新加坡至海南、韩国至海南、香港至海南、台湾至海南的航班；开通泰国曼谷、越南岘港、印尼雅加达、老挝至海南的直达航线；努力开发西欧、北美国家直达或经停国内枢纽机场到海南的航线；支持旅游企业发展旅游包机业务，发展低成本航空；对新开辟的国际、港澳台航线客运、货运航班，新进入海南航空市场的国际（地区）航空公司，给予起降费等方面的优惠。

14. 创新消费品免税区的管理体制

——创新海关监管体制。借鉴香港经验，探索实行"店内付款，即买即提，海关验放"的提货方式，为消费者提供更多便利；实行严格的对外籍旅客和国内旅客携带免税商品离岛的监管制度；借鉴上海自贸区的做法，实行"进境检疫，适当放宽进出口检验"模式，创新监管技术和方法；在确保有效监管的前提下，探索建立货物状态分类监管模式；优化卡口管理，加强电子信息联网，通过进出境清单比对、账册管理、卡口实货核注、风险分析等加强监管，推行"方便进出，严密防范质量安全风险"的检验检疫监管模式。

——建立良好的购物消费市场环境。建立与国际接轨的产品质量管理监督体系；通过风险监控、第三方管理、保证金要求等方式实行有效监管，加快形成企业商务诚信管理和经营活动专属管辖制度；建立质量公示制度；建立健全旅游购物点信用等级制度，对不符合市场准入条件、质量信用低下的产品，实施市场退出机制。

四 行动建议

建立海南"消费品免税区"，无论对海南还是全国的对外开放都会产生重要而积极的影响，需要得到国家层面的顶层设计、大力支持，才能尽快使这一构想变成现实，以产生示范带动效应。

15. 尽快研究制订《海南消费品免税区发展规划》

——建议国家相关部委会同海南省及研究机构在广泛调研的基础上，开展在海南建立"消费品免税区"的可行性研究。

——在此基础上，按照国务院提出2020年初步建成海南国际购物中心的目标，研究制订《海南消费品免税区发展规划》，提出建设"消费品免税区"的空间布局、主要任务、政策体系和行动计划。

16. 加强海南与香港免税业合作

香港是国际上公认的国际消费中心，形成一整套成熟的免税购物服务体系和监管措施。近年来，香港对参与海南免税业发展表现出强烈投资意愿。促进香港参与海南免税业发展，不仅不会形成对香港的冲击，而且有利于解决一部分内地游客涌入香港抢购免税消费品所带来的问题，有利于发挥琼港互补优势和实现共赢，维护香港的繁荣稳定。

——建议国家支持在海南建立"琼港服务业合作试验区"，探索建立委托经营、独资经营等多种形式的合作机制，引进香港资本以及先进的经营、管理和人才，以市场换管理，以政策换人才，尽快实现实质性突破。

——探索建立"琼港旅游商品和旅游服务自由贸易区"，合作开展免税消费品保税物流、保税展示、免税消费品制造、加工和维修业务。

17. 加大对海南旅游购物等服务业重大项目的支持

完善消费基础设施网络支撑，重点在健康、医疗、教育、文化体育、金融、物流、会展等服务业发展的基础设施和旅游公共服务设施上给予海南更多的项目和资金支持。

18. 分步推进海南"消费品免税区"建设

"十三五"时期，建议采取三步走：

——第一步（2016年）：赋予海南更加开放的免税购物政策；除海口、三亚外，在琼海、儋州、琼中、万宁等城市和主要旅游目的地布局更多的免税店；吸引更多国际知名的商贸、零售企业集团进驻，构建海南特色旅游购物体系，创造良好的旅游购物消费服务环境。

——第二步（2017—2018年）：加快推进健康、养老、医疗、教育、文化等生活性服务业和金融、保险、物流、检验检测认证、电子商务、信息等生产性服务业的全面开放，初步形成支撑免税购物的现代服务业体系，建立现代服务业高度开放区。

——第三步（2019—2020年）：进一步完善相关政策体系和监管体制；进一步改善基础设施；大力发展旅游服务贸易；营造安全、便利、诚信的良好消费环境；形成与国际接轨的营商环境，到2020年初步建成"消费品免税区"。

开展旅游、健康等服务业项下自由贸易

以开放带动旅游,以旅游促进开发的建议(16条)*

(1994年11月)

当今旅游业已成为国际性的主要产业之一,旅游业在区域间、国家间的竞争日益激烈。海南虽有很好的旅游资源,但由于基础差、起点低,要在很短的时间内把潜在性旅游优势释放为现实性优势,大大增强自己在世界性旅游业中的竞争能力,必须要有特殊的条件、特殊的措施。这个"特",就是要把海南旅游业的大发展同创造海南大开放的环境紧紧联系在一起。这里有三个问题值得我们重视:

1. *海南旅游优势的发挥有赖于进一步大开放*

现代旅游被称为"无烟工业""朝阳产业",旅游业已同石油、汽车工业一起成为国际经济的三大支柱产业。旅游是精神和物质的全面感受,是高层次的消费方式和生活方式,为其他任何产业所无法替代。因此,随着人们收入水平的不断提高,旅游已成为人们基本生活需要,用于旅游的支出在收入中所占比重将不断增长。这一大趋势对于海南下一步发展有着十分重要的相关性。

---

* 迟福林在"海南旅游发展与投资研讨会"上的发言,1994年11月8日。

旅游业是海南的优势产业，旅游资源是海南最大的资源。因此，我认为应停止6年来议而不决的关于海南产业政策的争议。海南省最早上市的5家公司上缴利税比岛内全部国营工厂还多，而30多家糖厂不如台湾一个中型糖厂创造的价值。事实已经说明，海南必须坚持以旅游业为龙头，大大发展第三产业，引导投资，促进资源开发，把丰富的热带旅游资源优势转化为市场优势和经济优势。

现代旅游业与传统的旅游业是不一样的，仅仅以自然条件形成旅游热点是难以做到的，在现代社会哪里开放度高，哪里就是旅游热点。在一定意义上，旅游业的发展程度已成为经济和社会开放的标志。香港地方不大，旅游资源并不丰富，缺少大小山川和名胜古迹，人文景观也不多，游览景点屈指可数。然而香港却能每年成功地吸引700多万游客（1993年已达890万），而其中愿再飞1小时到海南观光的游客却很少。究其原因，除了香港居于世界金融贸易中心地位和具有国际大都市风采之外，主要在于其是高度开放的自由港以及由此形成的购物天堂旅游特色。

2. 开放才会带来知名度，知名度是旅游业的生命所在

海南要像夏威夷一样闻名于世还需要一定时间，但开放度的提高一定会带来海南知名度的提高，有了知名度就有了游客，我1993年作为海南岛第一位被美国政府邀请的客人曾在华尔街活动一周，在我所接触的大金融家、企业家中，很少有人知道海南岛。因此，我们必须坚持在开放中办旅游，以旅游促开放，进而提高海南的知名度，这样就会有更多的游客慕名而来。

3. 现代旅游业已成为国际竞争的重要行业，海南旅游业必须有勇气、有策略参与国际竞争

进入20世纪90年代以来，对于整个世界旅游市场来讲，总的需求状况是增加的。但由于一些地区的政局动荡，西方主要发达国家经济出现衰退，持续了多年的国际旅游业的较高发展速度将减

慢。在这一背景下,市场竞争必将进一步加剧,竞争的方式也不断变化。这种竞争既有来自企业与企业间,也有国与国之间,更有甚者是大区与大区之间,形成大区间的相互渗透、联合及相互竞争的局面。如:东盟各国1992年联合推出了"东盟旅游年",同时采取了对主要客源国免办入境签证,大幅度降价等措施来吸引游客。东盟和亚洲"四小龙"经济形势看好,引起了欧洲、美国、澳大利亚等旅游业发达国家和地区的关注和兴趣,明显加强了对这一地区的推销活动。1991年欧洲旅游委员会(ETC)各国政府和企业筹集资金,加紧对东南亚的推销,澳大利亚则将海外的数千万华人作为亚太客源市场的重点目标。美国也在加紧吸引日本游客,同时不断开发韩国、东南亚等市场。由于上述国家和地区对我国传统的周边市场的竞争,给我国特别是海南省的国际旅游业带来了更大的压力。1993年,海南接待近280万人次的旅游者,国际旅客只占8.58%,这说明海南旅游业的国际竞争力还很不够。

国家旅游局确定的"1996年度假旅游在海南"给海南旅游业带来了一次极好的机遇,我们应当利用好这个机会,扩大开放程度,加大投资力度,加快开发进度。

一 采取更开放的政策,吸收更多的资本投入海南从事旅游项目的开发和旅游设施的建设

新加坡资政李光耀先生1995年访琼,就海南引进资金问题发表了重要看法,他认为今后5年对海南的发展是关键阶段,这5年中可以以很低的代价——银行低息贷款得到资本投入,再过一段时间,东欧经济起来后会加入资金竞争;同时,西方经济从衰退中走出来后可能会增加资金竞争压力。因此,海南如果能吸引新加坡、中国香港、中国台湾、中国澳门的资金与引进大内地(大陆)海外人才结合起来,经济就能发展得更快一些。我非常赞赏李光耀先生的分析。海南作为全国最大的经济特区,应该具有更大的开放度,通过进一步扩大对外开放，大力引进外资，发展外向型经济，在积极参与国际竞争和国际合作中形成自己对外开放的优势，这是增创海南新优势的一个重要方面。

目前海南依靠内资已面临不少困难，下一步的发展必须更多地依靠外资的注入，靠外资的大量投入带动海南旅游及整个经济的高增长。

1. 引大客商，抓大项目

国际上一些大企业看好海南，这无疑给海南经济带来良好的发展机遇。海南的投资环境已有了较大的改善，具备了引进大项目的基本条件。因此，我们要把更多的精力放在引进大客商和大的投资项目上来。引进一个大客商可以带来许多中小客商，同时还可带来更多的项目。外国财团较多地倾向于投资几亿美元以上的大项目，尽管建设周期长，投资规模大但投资回报稳定。如机场、高速公路、港口等基础设施可以更多地向外资开放。因为发展国际旅游业，需要投入大量资金修建符合国际标准的旅游基础设施和旅游服务接待设施，以满足国际旅游者的需要。

同时，目前海南大型旅游娱乐设施奇缺，这方面也可更多地利用外资加快建设。综观国内外，凡标新立异，独辟蹊径的大型旅游娱乐设施都能极大地推动旅游业的发展，并产生显著的经济效益和轰动的社会效益。美国迪士尼乐园、深圳的锦绣中华等均是成功的范例。国际级景观的建设，可极大地提高旅游地的知名度。

2. 拓展利用外资领域，探索更多利用外资模式

近几年来，国际资金市场利率总水平较低，美国联邦储备银行贴现率连续下降，从6.5%下降到3.5%，为近二十几年来最低水平，因此是利用外资的有利时机。就海南而言，要更多地吸引外商投资于旅游设施、旅游娱乐、景点、商品开发等。

同时要借鉴国外旅游业营运机制和办法。如建立和推广饭店连

锁集团模式，饭店连锁集团具有资本技术、市场营销、风险扩散等优势，这是利用外资发展旅游业的一条值得尝试的途径。同时，可通过股份制方式建立股份制旅游公司以达到筹集外资的目的，并允许更多的外资企业股票上市。还可通过 BOT（建设—经营—转让）投资方式更多地引进外资，即由外国财团对项目进行总承包，在项目竣工后的特定期限内进行经营，通过有偿服务来回收投资、偿还债务、赚取利润，到达特定期限后，财团将项目移交给政府管理。这种投资正日益受到各国的重视。此外，兴办中外合资旅行社，也是吸引外资、扩大客源可以采用的方式。

3. 灵活变通，政策创新，以吸引国内外资本

海南在很大程度上是靠中央的优惠政策发展起来的。今天我们仍要珍惜政策优势，通过灵活变通和勇于探索，力求政策到位、政策扩展和政策创新，进而吸引更多的国内外资本。如尽可能减少各种开发费用，有些费用（如城市开发费）可采取待开发商售房获益后再交的办法。同时，根据国外经验，在宏观经济的不景气而影响房地产投资时，政府应加强基础设施投资力度，从而使房地产增值保值，增强境内外投资者的投资信心。1992 年 9 月，国务院决定试办国家旅游度假区，在区内实行 7 项优惠政策（税收、进口物资设备、外汇商品、旅游汽车、旅行社、土地使用、外汇留成），用足用好这些政策，对于海南尤其是三亚的开发建设十分有益。此外，便捷的交通是旅游业发展的前提条件，与海外开通更多的航线，增加航班也是加大国际客流量并吸引国际资本的重要措施。国际上遵循对等飞行原则，就海南现状而言，是否可争取让外国航班先飞过来，值得研究。

二　创造海南购物天堂

在旅游者的吃、住、行、览、购、娱支出中，吃、住、行、览、娱支出基本是固定的，而购物支出则具有较大的弹性。在整个

旅游消费中属于"无限花费"和"动态消费",购物消费的高低,在很大程度上取决于旅游地商品生产的发展状况和商品组织的水平,对旅游者所能提供旅游商品的可供量和满足率。

香港作为自由港,"购物天堂"的美誉是对外来游客的主要吸引力。香港购物方便,许多商品价廉物美,游客有口皆碑。香港有近5万余家多类档次的百货公司和购物中心,超级市场和专门店、便利店、连锁店遍布港九地区大街小巷和住宅区,货品种类繁多齐全,令人目不暇接,眼花缭乱,几乎世界各国有名的商品都可以在这里找到它的影子。游客在香港争相购物的主要原因在于香港商品价格较世界主要城市低廉,物有所值,据1993年对欧美和亚洲11个热门观光城市调查,香港平均物价指数为78%,比昂贵的东京低59个百分点,是世界购物最便宜的地方,因而是名副其实的购物天堂。

海南1993年旅游商品创汇占旅游总创汇的比重为3.2%,全国为20%,发达国家为60%,海南的旅游购物不仅离国际性旅游地的要求相距甚远,与国内其他地区也不可类比,因此,要构建香港式的购物天堂还有许多工作要做。

4. 争取岛内更多关税优惠,形成商品价格低廉优势,带动购物和旅游业的发展

中央赋予海南在进口贸易及国内市场方面很多优惠政策,必须结合旅游购物的具体情况,把优惠政策落到实处。

5. 生产更多的品种齐全、适销对路的商品

旅游商品是旅游业中的重要组成部分,大力发展品种齐全、适销对路的商品,特别是富有特色的工艺美术品、旅游纪念品、日用化工品,纺织品等,设法提高商品的附加值,旅游者的购物支出会明显地甚至大幅度地提高。

6. 开辟国际购物免税商业区

借鉴法国免税购物办法,旅游团队在离境时可统一办理退(半)

税手续，经特批允许外商在旅游开发区较为集中的地域内，举办少数经营名牌商品的专业商店。

7. 建立大型、高档旅游购物免税场所

利用联营、合资或独资方式，在海口、三亚等重要旅游地建立大型、高档旅游购物免税商场，以及大型超级百货商场（这是海南目前很大的缺陷），优化海南旅游购物环境。

三　以高度发达的金融业支持快速增长的旅游业

在金融政策上要扶持旅游业，金融手段上要支持旅游业，快速增长的旅游业有赖于高度发达的金融业的配合。

8. 应积极创造条件组建地方性股份制的金融机构，特别是以支持旅游业为主的地方银行，通过多方融资加速海南旅游业的开发

9. 争取发行海南旅游开发债券，为海南旅游发展筹措更多的资金

10. 可考虑设立海南旅游发展基金

通过地方立法，用法规的形式规定每年从地方财政收入、旅游企业经营收入中提取一定比例，建立旅游发展基金，优先支持一些急需发展的旅游项目，达到集中财力办大事的目的。

11. 为货币兑换提供更便捷的条件

期望外来游客多消费，就得提供方便花钱的条件。除了供应适销对路的商品和多设立一些可用外币直接购物的商店外，兑换货币便捷也是条件之一。在有些国家，银行装备了兑换货币的流动汽车，开入游人稠密的游览点去现场服务。这种尽力为游客提供方便的服务观念是值得借鉴的，观念转变，各种更好的服务方式都会产生。

四　简化入境手续，丰富旅游娱乐

12. 简化签证

简化签证利于入境，是被越来越多的国家和地区所采用的招徕

外国游客的措施，因而成为当今国际旅游业的一种趋向。有些国家对某些客源国的游客还实行特别简化的手续，甚至给予"免签"，这与两国政府间的双边关系、是否对等优惠、是否是最主要的客源国等因素有关。海南的落地签证是一个优势，随着国际游客的增加，我们还可探索采取一些更灵活更方便的出入境措施。

13. 开发一些既健康又有吸引力、富于刺激性的旅游娱乐项目

知名旅游地必有自己富有特色的娱乐项目。如香港的赛马会和赛马场别具风味，对世界游客具有很大的吸引力，美国拉斯维加斯以赌城而闻名于世。我们也有必要开发出既合乎中国国情又能满足游客娱乐要求的特色项目。仅有少数民族风情、卡拉OK歌舞厅等是远远不够的，如赛马场、老虎机等是否可搞需要进行研究，直至进行有限范围内的探索。如何丰富游客的夜生活，也需要不断挖掘和创新。外国游客认为来中国旅游是"白天看庙，夜晚睡觉，白天疲劳，夜晚无聊"，此话虽然不确切，但花力气解决游客夜生活单调乏味的问题却值得重视。总之，要千方百计延长游客滞留时间，增加游客娱乐消费。

五 发挥政府职能，强化旅游管理

14. 通过地方立法，尽快出台《海南旅游管理条例》，使海南旅游业早日走上法制化轨道

15. 强化旅游规划的权威性，避免在开发建设上盲目

政府要加强宏观调控，坚持旅游开发规划的严肃性，使旅游资源的开发建设发挥出群体优势，取得最佳效益。防止盲目建设对旅游资源的破坏。

16. 大力培养旅游人才

从长期看，可以在适当时候筹建合资的海南旅游管理学院，为海南旅游业培养更多的高层次管理人才。短期内通过与一些国际组织合作，培养一批高素质的旅游人才。注重旅游业人力资源的培

训，提高旅游从业人员的素质，不仅反映一个旅游企业的质量，影响旅游效益，也直接代表一个国家、一个地区的形象。通过扩大国内外交流，尤其是引进外国娱乐业、酒店管理集团等组织，争取短期内使海南旅游管理上档次，上水平。

当代国际旅游业作为一个提供食、住、行、游、购、娱多样性服务的综合性产业，在世界经济中已成为一个高速度、高增值、高就业、高创业、高效应的新兴产业，在世界经济及各国国民经济中占有越来越重要的地位。海南只要抓住机遇，以开放带动旅游，以旅游促进开发，其前景就是十分光明的。

建设三亚国际化旅游城市的建议(18条)[*]

(1998年5月)

海南是我国热带旅游资源最丰富的省份,在全国旅游业发展的区际分工和参与国际旅游竞争中,担负着发展热带旅游业,积极进军国际旅游市场的重要任务。海南建省10年来旅游业发展的经验表明,扩大对外开放,在开放中获得发展的动力与机遇,是加快海南旅游业发展的必由之路。钱其琛副总理在九届全国人大一次会议上参加海南代表团讨论时就明确指出,"海南发展旅游业前景广阔","在旅游业的开放方面,可以进行一些积极的探索"。经过综合分析比较,我们认为,海南旅游业开放与发展的重点首选三亚。尽快把三亚建成我国第一个国际化旅游城市,将为全国旅游业发展和对外开放做出重大贡献。

一 三亚旅游业跨世纪发展目标——国际化旅游城市

三亚是我国最南端的热带新兴旅游城市。从资源条件、市场区位和环境质量这3个旅游业发展的关键因素衡量,三亚是我国能够有条件参与国际旅游市场竞争的为数不多的地方之一。

---

[*] 节选自中改院课题组《关于建设三亚国际化旅游城市的建议报告》,1998年5月。

十多年来,三亚已基本形成热带滨海旅游城市的雏形。旅游业已初步发展成为三亚市的主导产业。1992—1996年,全市以旅游业为主体的第三产业增加值累计占全市国内生产总值的32.77%,年均增长率为40.8%;1996年以旅游业为主体的第三产业从业人员占全市从业人员的比例达41.61%。由于多方面因素的制约,三亚在开拓国际旅游市场方面较为迟缓,与其所具备的基本发展条件很不相称。1990—1996年间,三亚接待的境外游客年平均增长率只有7.69%,低于海南省的平均水平(10.25%)。来三亚的境外游客中75%—80%以上是港澳台旅游者。1996年三亚接待的境外游客只占游客总数的6.13%,与1992年相比下降了1.34个百分点,涉外宾馆(酒店)的开房率只有42%。三亚凤凰国际机场因旅客少,运输能力严重闲置。1996年运送旅客26万人次,只占到该机场第一期设计能力的17.33%,占当年全省旅客空运量的8.07%。造成三亚国际旅游业务开展严重不足的主要原因是三亚对外开放度低,国际旅游竞争力弱。由于对外开放度低,境外游客进入三亚不便,游客数量少;由于对外开放度低,限制了国外投资者直接参与三亚的旅游开发和经营,进而制约了三亚旅游业发展能力的快速提高和与国际旅游市场的联系;由于对外开放度低,阻碍了三亚引进和推行国际旅游业的服务惯例,难以为境外游客提供国际标准的旅游服务;由于对外开放度低,三亚旅游业的经营服务范围局限性大,仅停留在观光旅游阶段,旅游收入少、重游率低、国际影响小。

我们认为,三亚在旅游业总体发展水平不高,国际旅游竞争又十分激烈的情况下,加快旅游业发展,增强国际旅游竞争力的唯一有效途径,就是全面扩大对外开放。以扩大对外开放为主导,消除束缚国际旅游发展的体制障碍和政策矛盾,释放旅游业发展的潜力,提高旅游业的内在素质,增强国际竞争力,充分发挥三亚在我国参与国际旅游市场竞争中的作用。

1. 国际化旅游城市的基本内涵

所谓国际化旅游城市是指旅游开发与经营对外高度开放，以国际游客为目标市场，按照国际公认标准或惯例为游客提供旅游产品和服务的旅游城市。它具有以下基本特征：拥有在国际旅游市场上知名度高、竞争力强的旅游产品，总体形象富有鲜明的个性和魅力，旅游内容丰富多彩；具有高质量的旅游环境，能为游客提供符合国际惯例的旅游服务；高度开放，旅游开发与经营国际化；具有开拓国际客源市场的能力和条件。

2. 国际化旅游城市的主要特点

国际化旅游城市是根据现代旅游业发展日益国际化、国外著名旅游城市的旅游开发与经营高度开放且行业规范逐步趋同的大趋势而提出的新概念，它与通常所说的国际旅游城市有着重大的区别。

其一，一般而言，对国际游客开放，且国际游客在游客总数中占有较高的比例的旅游城市都可称其为国际旅游城市。而国际化旅游城市除具有这一特征外，更重要的是，它的开放度要比国际旅游城市高得多，不仅对国际游客开放，它还在旅游资源开发、旅游基础设施建设、旅游业经营与管理、旅游人才培养等方面，对国外投资者进行全方位开放。

其二，国际化旅游城市在为游客提供旅游产品和服务时，必须遵循国际公认标准或惯例，而国际旅游城市在旅游业经营中则多是按国内标准或当地规则开展业务。

其三，国际化旅游城市的旅游开发与经营活动有国外投资者的广泛参与，成为国际旅游经济网络中的一员，在国际旅游的信息获取、国际或区域性旅游合作、国际客源市场开发等方面，都远优于国际旅游城市。

其四，国际化旅游城市建设不仅在旅游业要实现国际化，还要求与之相关的产业发展、旅游环境建设、城市管理等方面向国际化靠拢，进行必要的改革开放，便于与旅游业发展取得协调。因此，国际化旅游城市的旅游业发展对经济社会的改革开放波及效应远大于一般性国际旅游城市。

我们认为，根据三亚旅游业发展的条件和基础，国际旅游业发展与竞争的大趋势，以及新时期全国旅游业发展和对外开放的需要，三亚旅游业跨世纪发展的目标应该定位为国际化旅游城市。

二 建设三亚国际化旅游城市，将有利于增强我国旅游业的国际竞争力，充分发挥海南在全国旅游发展区际分工中的作用

现代旅游业是一个高度开放的产业。随着全球经济一体化，世界旅游业发展日趋国际化，大量国际化旅游城市的产生，是这一趋势的集中体现。国外经验表明，抓住机遇，重点建设国际化旅游城市，是发展中国家加快旅游业发展，实现与国际旅游业接轨的有效途径。

3. 建设三亚国际化旅游城市，将促进我国旅游业发展的国际化进程

现代交通运输业和通信业的快速发展，国际关系的日益改善，为开展国际旅游创造了更加便捷、自由的条件，打破了旅游以国界为限的封闭状态，逐步形成了统一的世界旅游体系，任何一个国家的旅游业都需要在世界旅游体系中寻找发展的方向和机遇。改革开放以来，我国旅游业以国际入境旅游为契机，取得了以高于国民经济总体发展速度的长足发展，成为国际旅游市场的一个重要组成部分。但是，总体而言，我国对旅游资源的开发利用层次仍然处于观光旅游的初级阶段，国际旅游市场的开拓能力和旅游服务水平与国际旅游发达国家相比，仍存在较大的差距。对外开放不够，国际化水平低，是制约我国旅游业，特别是国际旅游业发展的关键因素。

鉴于我国旅游业国际竞争能力较弱，旅游业的不可能一下子全面放开，而只能由点到面逐步推进。因此，建设三亚国际化旅游城

市对加速我国旅游业的国际化进程，提高现代化水平，就有着十分特殊的重要意义。其一，三亚可以作为我国旅游业对外开放试验区，大胆地引进外资参与旅游资源开发、旅游业经营和管理，在利用外资发展旅游的政策、范围、方式等方面积累经验，再向其他地区推广。其二，三亚可以直接引进国际先进的旅游管理技术、经营方式、企业制度和有效的发展政策，逐步推行旅游经营管理和服务的国际标准或惯例，率先与国际旅游业接轨，成为我国旅游业与国际接轨的对接点。其三，三亚建设国际化旅游城市，必然要求与国际旅游相关的对外交通、出入境管理、城市建设、环境保护、金融政策、人员培养等方面进行相应的配套改革和对外开放，从而可以探索为促进我国旅游业国际化而进行综合改革开放的方式、方法。

4. 建设三亚国际化旅游城市，将增强我国旅游业的国际竞争力

从某种意义上讲，发展国际旅游业是一个国家参与国际财富分配、分享世界经济增长成果的有效途径。因此，现代旅游业发展的国际竞争日益激烈。我国旅游业在走向世界的过程中，既有良好的发展机遇，又面临着竞争的挑战。从世界旅游市场格局的变化趋势看，未来世界旅游的重心将向东方转移。据世界旅游组织预测，1996—2010年，世界各地的旅游人数年均增长率，东亚是6.6%，南亚是6.2%，非洲是4.5%，中东是4.1%，美洲是4.0%，欧洲只有2.6%，全世界平均只有3.7%。东亚和南亚地区的旅游人数增长明显高于世界平均水平，居于首位。这是我国旅游业发展的历史性机遇。同时，我国旅游业发展又遇到东南亚国家的激烈竞争。新加坡、泰国、马来西亚、印尼等国家的旅游业均比较发达，是我国发展国际旅游的竞争对手。特别是东南亚金融危机之后，一方面，这些国家短期内出国旅游人数减少，影响了我国旅游的国际客源；另一方面，它们还针对我国不断升温的出境旅游，大力吸引我国游客到该地区旅游。这对我国旅游业发展产生了一定的压力。

国外的经验表明，一个国家参与国际旅游市场竞争，必须有自己独特的旅游名牌产品和进入国际旅游市场的有效渠道。建设三亚国际化旅游城市，完全可以在这两个方面，为我国旅游业发展做出特殊贡献。首先，三亚拥有世界上质量上乘的热带旅游资源和独特的中华文化，十分符合现代旅游业对发展度假旅游、生态旅游、高品位文化旅游的要求。而且，三亚位居东南亚这个当前国际旅游最活跃地区的腹地，具有连接东亚、南亚和欧洲的区位优势。因此，三亚有条件以独特的个性和较低的距离成本，直接进入国际旅游市场竞争，成为我国参与国际旅游市场竞争的名牌和拳头产品。其次，三亚旅游业的国际化，必然有利于增强我国与国际著名旅游公司、区域性和国际性旅游组织的联系，进入国际旅游网络，从而及时获得世界旅游信息，开展国际合作，增加国际客源，构造我国进入国际旅游市场的有效渠道。

5. **建设三亚国际化旅游城市，将有利于充分发挥海南在全国旅游区际分工中的作用**

我国热带地区狭小。海南是我国热带旅游资源最丰富、生态环境质量最好的地区，在全国旅游区际分工中的职能应是发展热带旅游、对环境质量要求高的国际会议旅游和文化旅游。就海南而言，三亚则是热带滨海、海洋和森林旅游资源最富有、环境质量最佳的地方。因此，建设三亚国际化旅游城市，就可以形成我国主要的热带观光、度假旅游目的地，成为我国举办国际会议旅游、大型文化体育旅游的最佳场所。

6. **建设三亚国际化旅游城市，将有利于支持港澳地区的经济繁荣，促进海峡两岸关系发展**

香港、澳门、台湾和三亚同位于南中国地区，前三者旅游业较为发达，在国际旅游市场上有较大的影响，后者的旅游业发展条件优越。三亚与港澳台之间在旅游产品供给、市场需求、管理水平、客源渠道等方面具有很强的互补性。旅游业是香港和澳门的重要经济部门，它的发展直接影响到香港和澳门回归祖国之后的经济稳定和繁荣。建设三亚国际化旅游城市，采取更加开放的政策，鼓励香港和澳门的旅游公司参与三亚的旅游开发和经营，就为它们的旅游业创造了新的发展机会。同时，也为生活空间狭小的港澳居民，特别是中低收入水平的居民，提供了就近休闲度假的旅游场所。

目前，海南与台湾之间开展大规模的旅游合作尚存在一定的障碍，游客相互往来在交通和出入境方面也有不便之处。建设三亚国际化旅游城市，则可吸引台商参与三亚旅游开发和经营，对台胞来海南旅游提供方便，从而增强琼台之间的经济合作与人员往来。

三 制定和实施特殊政策，加快三亚国际化旅游城市建设

根据国外同类旅游城市的发展经验和三亚国际化旅游城市建设的需要，建议国家从扩大对外开放出发，制定和实施特殊政策，加快三亚国际化旅游城市建设。

7. 开放三亚凤凰国际机场为自由空港，批准三亚海港为国家一级口岸

拥有便捷、顺畅的对外交通是开展国际旅游业务的先决条件之一。国外一些后起的旅游经济大国，均把开放主要旅游城市对外交通作为发展国际旅游的重要措施。三亚的国际游客数量很少，主要原因之一，就是对国外的航空、航海开放度低。并且，造成现有航空运输能力严重闲置。因此建议：

（1）划定三亚凤凰国际机场及周围一定范围内地区为自由空港区。实行人员、飞机进出境自由。在目前尚未具备外飞的条件下，允许外国航空公司先行开办本国至三亚旅游包机或定期航班业务。保留对飞权，待外飞条件成熟以后再实现对飞。同时，允许外国航空公司的旅游包机经三亚到内地航空口岸做两点停留，以利于三亚开展国际游客过境旅游业务。

（2）批准三亚海港为国家一级口岸。有与港澳台、东南亚等主要国际客源地的对开权，通行远程客轮和游轮。

8. 进一步简化出入境手续，允许对主要国际客源地的游客免签证入境

为了方便和吸引更多的国际游客，世界上许多国家纷纷对主要国际客源地的游客实行免签证入境，进行短期旅游。这一做法已成国际惯例。泰国早在90年代初给予免签证的国家和地区就达150多个。目前，三亚虽然有对境外游客的落地签证政策，但仍不及免签证方便，不利于三亚大力拓展主要国际客源地市场。因此，三亚需要参照国际惯例，在切实执行落地签证政策的基础上，进一步简化出入境手续。具体建议如下：

（1）允许三亚对香港、澳门、台湾、东南亚等主要国际客源地国家和地区的游客，免予签证入境。允许三亚对来自韩国、日本和欧洲国家的旅游团或乘坐旅游包机入境的游客，凡旅游时间在2周之内的，只需办理边关登记，可不办理签证。

（2）允许三亚在特定时期（如旅游旺季、旅游节、重大商务和会议期间等），经国家主管部门批准，临时扩大对国外游客的免签入境范围。获免签入境的国际游客在三亚逗留时间为15天。

（3）允许来三亚度假10天以上的国内游客，在指定旅行社的组织下，去香港、澳门做短期旅游。国内游客持有效签证可从三亚凤凰国际机场和海港出境旅游。

9. 允许外商在三亚开办国际旅行社

吸引国际大型旅游公司（集团）来本地开办旅行社，借助其国际业务网络来组织大量的国际游客入境旅游，是许多发展中国家开展国际旅游的通行做法。鉴于三亚目前没有力量自己组织国际客源，必须积极利用国际大型旅游公司（集团）为三亚打开国际客源市场。因此，建议：

（1）允许国际著名旅游公司（集团）与中方合资或独资在三亚开办国际旅行社，直接开展国际旅游业务。

（2）允许港澳台的大型旅行社在三亚设立分社，办理当地游客来三亚的旅游业务。

10. 逐步放开对旅游业务范围的限制

国际化旅游城市的主要特征之一，就是旅游服务业对国外经营者开放，旅游内容丰富多彩，以满足游客多样化旅游需求为服务宗旨。目前，三亚旅游服务业对外开放度低，主要以观光旅游为主，活动内容单调，极不利于开拓国际国内旅游市场。建议参照国际惯例，扩大外商在三亚的旅游业务范围，大力发展三亚免税商品业，丰富三亚的旅游活动内容，提高对国内外游客的吸引力。

（1）扩大外商在三亚的旅游业务范围。

——允许国际著名旅游饭店集团及连锁饭店独资或合资经营涉外宾馆、饭店，或以参股的方式发展连锁成员。允许国际酒店管理集团以租赁、承包、托管等形式参与中资大型宾馆、饭店、度假村的经营。从而，有利于三亚按照国际惯例为游客提供服务，提高服务的质量和水平。并能依托这些国外公司，为三亚吸引来更多的国际游客。

——允许外商独资或与中方合资创办大型游乐中心、文化中心、展览中心、会议中心等，发展适合国际游客的健康娱乐业，以丰富三亚旅游活动的多样性，增强对国际游客的吸引力。

（2）大力发展三亚旅游免税商品业。

——允许三亚开办旅游免税商店，为国内外的游客提供购买免税进口商品的机会；同时，允许外商独资或合资建设百货商场，从事批发零售业务，从而刺激三亚购物旅游的发展，增强对游客的吸引力。

——鼓励外商投资旅游商品生产。对其为生产出口旅游商品而进口的原材料、零部件、元器件、配套件、辅料、包装物料等，按照保税货物的有关规定办理。

11. 实行优惠政策，吸引中外投资者参与三亚旅游开发和经营

目前，三亚的旅游设施数量及水平离国际化旅游城市还有不小的差距，旅游建设成本比内地大约高15%，且不少设备和原材料需从国外进口。为解决这一问题，就需要实行优惠政策、吸引中外投资者参与三亚旅游开发和经营，加快三亚国际化旅游城市建设步伐。

（1）对投资于三亚旅游开发和经营的企业，其在投资总额内进口自用的建筑材料、生产经营设备、交通工具和办公用品，以及常驻人员所需进口的安家物品和自用交通工具，在合理数量范围内，经核定，免征关税和增值税。

（2）对投资于三亚旅游业的中外企业，经营期在10年以上者，从企业获利年度起，第一年至第三年免征企业所得税，第四年至第六年减半征收企业所得税。

12. 运用多元化的融资方式，支持三亚国际化旅游城市建设

建设资金不足是制约三亚国际化旅游城市建设的又一个关键性因素。因此，需要参照国外的一些通行做法，采取多元化的融资方式，支持三亚国际化旅游城市建设。具体建议如下：

（1）支持建立三亚旅游发展基金，主要用于旅游基础设施建设和大型旅游项目开发。"发展基金"由国内看好三亚旅游发展的投资者联合发起。经国家主管部门批准，可以在海南或全国范围内公开发行，在条件成熟时，允许在国内证券市场上市交易。

（2）对投资旅游基础设施建设的国内投资者，提供低息贷款，适当延长贷款使用年限。

（3）在国家主管部门严格监管下，允许三亚在国内外发行旅游开发债券，在国内发行旅游彩票，筹集旅游业发展资金，并严格限

定用于旅游开发项目。

（4）参照国际惯例，由国家指定的金融机构，对来三亚旅游的国际游客，视其需要，核定数量，实行人民币与外汇自由兑换。试行在大型免税商店和涉外宾馆直接使用外币。

四　采取相应措施，支持三亚国际化旅游城市建设

鉴于三亚旅游业和城市建设的自我发展能力有限，建议国家和海南省政府采取相应措施，支持三亚国际化旅游城市建设。

13. 建议国务院批准三亚为国家支持建设的我国首个国际化旅游城市

对外宣布国家制定的三亚国际化旅游城市建设优惠政策，以提高三亚在国际旅游市场的知名度，增强对中外投资者的吸引力。

14. 建议海南省政府根据国家对三亚国际化旅游城市建设的总体指导思想，组织制订《三亚国际化旅游城市建设总体规划》，并上报国务院批准

经国务院批准的《总体规划》是三亚国际化旅游城市建设的基本法律依据。

15. 建议国家把三亚国际化旅游城市建设列为全国旅游业发展的重点，责成有关部委给予优先扶植

（1）建议国家计委把三亚国际化旅游城市建设列入今后5—10年内全国旅游业重点建设项目和争取国际援助及低息贷款的重点项目，优先提供建设资金。

（2）建议国家旅游局组织国家大型国际旅行社尽快在三亚设立国际旅行分社，帮助三亚开拓国际旅游业务。

（3）建议国务院各部委优先把计划在我国举办的一些国际会议、大型商务活动、文化活动等放在三亚举行，扩大三亚的国际影响，帮助三亚发展会议旅游、商务旅游、文化旅游等，丰富三亚的旅游内容。

（4）建议国家教育部批准中外合作在三亚开办旅游学院和旅游职业学校，直接为三亚培养急需的具有国际水平的旅游管理及技术专业人才。

（5）鉴于国际游客对在三亚旅游期间有较高的医疗保健要求，建议国家卫生部允许外商独资或合资在三亚开办一家医院，并在主要度假旅游风景区开设其下属诊所，为国外游客提供医疗保健服务，增强三亚对国际游客的吸引力。

16. 建议海南省政府制订以三亚为中心，包括周边市县旅游风景点在内的大三亚旅游圈总体开发、控制规划

协调三亚国际化旅游城市建设与周边市县旅游资源开发、环境保护之间的关系，保证三亚国际化旅游城市可持续发展。同时，参照国际通行做法和成功经验，制定三亚国际化旅游城市建设的专项法规，如《三亚国际化旅游城市开发促进法》《三亚旅游业服务质量标准》等，以推动和规范三亚旅游业及城市发展。

17. 建议国家把三亚列为全国综合改革试点城市

允许三亚以国际化旅游城市建设为导向，在招商引资、财政税收、公司设立、项目审批、进出口贸易、土地政策、市政建设、人才引进、管理体制等方面进行全方位的大胆改革试验。

18. 建议国家和海南省支持三亚争创世界卫生城市，全国十佳环保城市、园林城市、精神文明城市和中国优秀旅游城市

全面改善旅游环境，树立美好的形象，使三亚真正成为我国旅游业进军国际旅游市场的名牌产品、拳头产品。

打好健康海南这张"王牌"的建议(20条)[*]

(2016年4月)

随着消费结构升级、人口老龄化和人口城镇化进程的加快,"十三五"时期,健康服务业将成为我国增速最快、发展潜力最大的产业之一。在这个特定背景下,"健康海南"有可能成为国际旅游岛升级版的一张"王牌"。

一 总体思路

"十三五"时期,紧紧抓住全国对海南健康服务消费需求全面快速增长的新机遇,充分发挥生态环境和特殊政策优势,以健康服务业市场全面开放为主线,以学区、园区、社区"三区合一"为载体,以引进和培养中高端健康管理和服务人才为支撑,重点打造医疗健康旅游、健康管理、健康服务"三大品牌",加快发展健康服务产业集群。

1. 以健康服务为主题提升国际旅游岛内涵

全国人民对海南的最大需求是健康。全国健康需求全面快速增长,为海南提供了巨大的市场空间。建议把健康服务业作为"十三

---

[*] 中改院课题组《打好健康海南这张"王牌"(20条建议)》,2016年4月。

五"国际旅游岛升级版建设的重要抓手和促进现代服务业全面开放的突破口，使健康服务业成为海南的一张"王牌"，在全国扮演好先行先试的重要角色。

2. 关键在于健康服务业市场全面开放

（1）破解"有需求、缺供给"的突出矛盾。面对多层次、多元化的健康服务需求与健康服务产品供给总量不足、结构不合理、服务水平不高的突出矛盾，关键要加快推进医疗健康产业全面开放，充分利用"两个市场"和"两种资源"，积极吸引国内外先进技术、新型健康产业业态、专业人才等高端要素集聚，以市场换管理，以政策引人才，尽快实现海南健康产业发展的重大突破。

（2）形成健康服务贸易的新优势。海南作为全国服务贸易创新发展试点省，其中最大亮点是在健康服务方面走在全国前列。建议把加快健康服务业市场全面开放作为海南服务贸易创新发展试点的重大任务。

（3）促进现代服务业转型升级。加快发展医疗健康产业，打响"健康海南"这张王牌，带动海南旅游、教育、文化、金融、信息、房地产等服务业转型升级，由此形成"一业兴、百业兴"的现代服务业发展新格局。

3. 重在打造"三大品牌"

（1）打造品牌健康服务产品。充分挖掘生态环境资源、医疗保健资源和旅游资源，着力打造以健康医疗旅游、健康养老服务、中医药健康服务、健康管理服务为重点的健康服务产业集群，带动相关健康产业上规模、上档次、出精品。

（2）打造品牌健康服务团队。着力破解医疗健康服务和管理人才短缺的突出瓶颈，把加大中高端健康管理和服务人才的引进和培养作为健康产业发展的重大任务；建立医疗健康人才国际交流机制，形成全国医疗健康服务业高端人才集聚地和职业技能型人才的培养实训基地。

（3）打造品牌健康服务业发展模式。以发展健康社区和健康小镇为重点，形成在全国可复制、可推广的健康服务业发展模式。

二 重大任务

"十三五"时期，加快推进医疗健康服务业市场双向开放，使国际资本、社会资本成为海南健康产业发展的重要力量。

4. 加快医疗健康服务业双向市场开放

（1）积极引进境外知名医疗、养老、保健、康复、养生、健康管理等机构，建成一批区域性的集医疗、科研和康复为一体的医疗健康中心。

（2）推动具备条件的境外资本在琼设立合资、独资医疗及健康服务机构。

（3）降低或取消外资股权比例限制，部分或全部放宽经营资质和经营范围限制。

5. 支持社会资本以多种形式举办医疗健康机构

（1）鼓励企业、慈善机构、基金会、商业保险机构和自然人以出资新建、参与改制、托管、公建民营、民办公助、公私合作、特许经营、公开招标等方式参与医疗健康服务业。

（2）鼓励社会资本以独资、合资、合作、参股、租赁、连锁化运营等方式，投资养老服务、中医药保健、康复疗养、健康体检与管理、健康旅游与文化等健康服务业。

（3）对于社会举办的医疗机构，鼓励通过技术、管理、品牌和资金等多种形式合作合资，向预防、保健、护理、康复等健康领域延伸。

（4）争取社会办医（国家）联系点建设。

6. 加强琼台在健康服务领域的合作

（1）探索以独资、合资、合作等形式与台湾开展健康服务业、健康管理、健康职业教育、健康技术研发等领域的合作。

（2）发挥澄迈"世界长寿之乡"的品牌优势以及与台湾良好的合作基础，建设"琼台健康服务业合作示范基地"。

7. 加快推进健康服务类职业教育开放

（1）鼓励国外和港澳台地区以参股、控股或独资的形式在海南开办健康服务类职业院校和职业培训机构。

（2）允许和支持有条件的科研机构、高校与社会力量合作举办健康服务类职业教育；支持社会资本采用民办公助、公益信托投资、公益教育基金、协议投资等形式参与健康服务业职业教育。

（3）明确对中外资非营利性民办职业教育机构在管理、税收、财补、土地、招生、人员福利等方面与公办教育机构享受同等的优惠政策。

（4）扩大民办健康职业教育机构在招生、专业设置、收费等方面的办学自主权。

三　空间布局

按照创建海南全域旅游示范省的要求，依托不同地区的资源特色，构建"健康小镇—健康园区—健康社区"一体化发展新格局。

8. 建设一批以健康为主题的特色小镇

（1）重点规划建设一批以温泉、养老、保健、养生、康复、疗养、运动为主题的健康小镇。例如，发挥澄迈世界长寿之乡、世界富硒福地等品牌优势，建设"农业+健康"特色小镇；发挥保亭黎苗族独有的医药资源优势，重点发展以中医药医疗保健为特色的小城镇；在琼海，探索打造大健康"迪士尼乐园"。

（2）在其他特色产业小镇中注入健康服务的理念和功能，丰富小城镇内涵，提升小城镇吸引力和竞争力。

9. 打造一批健康产业园区

（1）重点依托海口、三亚两个中心城市较为成熟的医疗健康资源和综合配套服务设施，整合北部和南部区域健康养生资源，建立以医疗信息、健康管理、养老服务、术后康复、健康职业教育、中医药、健康保险为特色的综合性的健康产业园区。

（2）整合医疗资源和土地资源，建设养生（老）医疗产业园区，重点发展居家养生（老）、休闲养生、康复护理等。

10. 打造"健康品牌社区"

（1）以医养结合为主题，将养老服务、家庭保健、康复护理等健康服务功能融入到海南房地产开发建设中，形成健康养老服务型社区。

（2）形成"互联网+健康"的品牌社区。利用移动互联网技术，开发健康服务APP，为消费者在健康管理、看护照料、养老养生方面提供长期跟踪、预测预警等个性化健康管理服务；建立全省社区医疗健康信息网络平台，打造健康服务网上预约、咨询、交流平台；建立和普及社区居民健康卡，力争到2020年，实现全省居民健康卡全覆盖。

11. 创建学区、园区、社区"三区合一"的健康产业示范区

（1）整合海南现有人才、科研、医疗方面的优势资源，以项目、市场为纽带，以学区、园区、社区为载体，打造旅游、医疗服务、中医药、养老养生、健康服务人才培养、健康技术研发的"产学研"孵化平台。

（2）未来2—3年，率先在海口、三亚、澄迈、琼海等地开展"三区合一"发展模式试点，为海南发展健康产业提供示范。

四 政策创新

在用足用好已有优惠政策的基础上，争取国家支持，在健康服务业市场开放的政策创新方面有重要突破。

12. 尽快将博鳌乐城国际医疗旅游先行区的优惠政策扩大到全省

（1）尽快出台落实国务院关于博鳌乐城国际医疗旅游先行区9

条政策的实施细则，使政策早日落地。

（2）允许医疗健康企业区内注册，区外经营，并享受先行区同样的优惠政策。

（3）向国家提出扩大政策实施范围的申请，尽快将博鳌乐城国际医疗旅游先行区的9条优惠政策扩大到全省。

13. **大力发展健康保险**

（1）鼓励商业保险公司与医疗、体检、养老、护理等机构合作，积极开展健康管理、健康咨询业务；尽快开展个人购买商业健康保险保费实行个人所得税税前抵扣的试点，鼓励有条件的企业与个人购买商业健康保险。

（2）将符合医保定点规定的非公立医疗机构、养老机构纳入基本医疗保险定点服务范围，执行与公立医院相同的支付政策。

（3）试点与主要客源国家医疗保险支付系统的对接，扩大境外健康消费。

14. **创新健康产业发展的投融资政策**

（1）创建健康产业投资专项基金。

（2）支持符合条件的健康服务企业在境内外上市融资。

（3）鼓励健康服务企业通过发行绩优债、私募债、集合票据等直接融资工具进行融资。

（4）鼓励各类创业投资机构和融资担保机构对健康服务领域创新型新业态、小微企业开展业务。

（5）探索建立健康服务业资源产权交易平台，鼓励健康服务企业参与股权交易中心挂牌交易和融资。

15. **加大政府购买健康公共服务**

制定政府购买健康服务类公共产品指导目录，由政府负责保障的健康服务类公共产品可通过购买服务方式提供，逐步增加政府采购的类别和数量。

16. 实现民办医疗健康机构与公立机构同等待遇

（1）非公立医疗健康机构在市场准入、医保定点、资格认证、专科建设、职称评定、等级评审、技术准入、运行监管等方面与公立机构享受同等待遇。

（2）非公立医疗健康机构在用水、用电、用气、用热等方面实行与公立医疗机构同价政策。

（3）对中外资非营利性民办职业教育机构在管理、税收、财补、土地、招生、人员福利等方面与公办教育机构享受同等优惠政策。

17. 探索发展养老服务消费券

（1）探索对本岛 60 周岁及以上的户籍人口发行养老服务消费券。

（2）探索对经济困难的高龄、独居、失能老年人，采取直接补助补贴等形式，鼓励特殊人群健康养老消费。

18. 加大健康管理与服务人才引进力度

（1）制定吸引医疗技术、健康管理及服务人才的落户、住房、职称、子女教育、学术科研保障政策，营造人才聚集环境。

（2）实施医疗健康领域人才项目，以更优的待遇和事业平台，鼓励和引导国外优秀医护人才、国内知名离退休医生、健康管理专业人才到我省执业。

（3）鼓励本省医疗及健康机构与国内发达地区大型医疗健康结对子，搞帮扶，引智引才引管理。

五　相关建议

打响健康海南这张"王牌"，需要加强顶层设计和市场监管，鼓励市县先行先试，积累经验。

19. 编制出台相关规划、行动计划和专项政策

（1）根据"健康中国"战略，结合海南特色，建议年内制订

实施《健康海南行动计划》。

（2）研究出台《关于支持海南健康保险业发展的若干政策》《关于支持海南中医药医疗保健服务发展的若干政策》等专项政策，形成健康产业发展的良好政策环境。

20. 举办高规格的健康产业发展论坛

（1）充分利用博鳌亚洲论坛平台，高规格举办以健康服务业为议题的分论坛，办出特色、办出影响。

（2）设立"琼台健康服务业合作发展论坛"。

（3）鼓励支持相关机构举办各类健康、养老等论坛及学术交流活动，努力提升海南"健康岛"形象。

支持海南开展旅游、健康医疗、职业教育等服务业项下自由贸易的建议（4条）*

（2017年3月）

在经济全球化的新背景下，实施某些产业项下的自由贸易政策可能比设几个自贸区的效果要好。随着我国居民消费结构升级、人口老龄化进程的加快，旅游、健康成为全国居民对海南的最大需求所在。2016年，国务院同意海南省开展服务贸易创新发展试点。

在国家支持下，海南旅游、健康等服务业及服务贸易发展有一定进展。海南当前面临的突出矛盾是，在旅游、健康等领域内具有国际化标准的产品、服务的供给与日益增长的中高端服务型消费需求不相适应。适应国内消费结构变化，尽快提升海南在旅游、健康医疗、职业教育等方面的发展水平，建议国家支持海南开展旅游、健康医疗、职业教育等服务业项下的自由贸易，充分利用"两个市场"和"两种资源"，尽快实现旅游、健康医疗与职业教育发展的重大突破。为此，建议：

---

* 迟福林在全国政协十二届五次会议上提交的提案，2017年3月。

一 全面实施旅游、健康医疗、职业教育等服务业项下的自由贸易

1. 打造旅游、健康医疗、职业教育等服务业项下的自由贸易发展平台

——按照有利于服务国家战略及突出海南特色、优势和潜力的原则，以旅游、健康等服务业为重点，支持海南与相关国家和地区共同打造跨境服务业合作园区，在园区内开展自由贸易试点。

——服务国家"一带一路"建设，鼓励海南与海上丝绸之路沿线岛屿建立以旅游、健康医疗、免税购物等服务贸易为重点的自由贸易合作区。

——充分发挥海南资源优势与香港、澳门资金、人才优势，支持在海南设立以旅游、健康医疗、职业教育等为重点的琼港澳合作园。

2. 国家允许并支持海南实施旅游、健康医疗、职业教育等服务业项下的自由贸易政策

例如，支持海南将博鳌乐城国际医疗旅游先行区的9条优惠政策扩大到全省。

3. 提升服务业项下自由贸易便利化水平

——借鉴APEC商务旅行卡的成熟模式，支持海南与主要旅游岛屿探索发起岛屿旅游卡发展计划，以实现岛屿经济体成员旅游互通免签。

——支持海南进一步完善旅游免签政策，取消现有政策对范围、人数进行限定的相关内容，将海南作为个人旅游免签证开放试点。

二 全面放开旅游、健康医疗、职业教育等服务业市场

1. 赋予海南服务业市场对社会资本开放更大权限

将旅游、健康医疗、职业教育等现代服务业进一步放开市场准

入，取消某些不合理的经营范围限制。鼓励和支持社会资本投资旅游、健康医疗、职业教育等相关领域的基础设施和公共服务投资，新增项目优先考虑社会资本进入。

2. 赋予海南服务业市场对外资开放更大权限

探索对外商投资实行准入前国民待遇加负面清单的管理模式。在风险可控的前提下，旅游、健康医疗、职业教育等服务业市场向外资开放，并实行内外资、内外地企业同等待遇。

3. 在海南先行探索医疗保障制度对接试点

将符合医保定点规定的非公立医疗机构、健康管理机构、养老机构纳入城镇职工基本医疗保险、城镇居民基本医疗保险、新型农村合作医疗、医疗救助等定点服务范围，签订服务协议进行管理，并执行与公立健康医疗机构相同的政策。

三　调整服务业市场开放的相关政策

支持海南尽快消除服务业发展的某些不合理政策，实现服务业与工业用地、用电、用水、用气等要素价格政策平等。以服务业市场开放为导向加快税收政策调整，支持海南在服务业领域全面实行"营改增"；率先开展消费税改革试点，使消费税成为地方的主体税种之一。

四　从国家层面支持海南形成服务业项下自由贸易行动方案

1. 支持海南全面实施服务业项下自由贸易政策

赋予海南更大试点权，探索实现与香港商事制度接轨，并形成更为精简的负面清单，积极引导社会资本及境外资本进入旅游、健康医疗、养老、职业教育等服务业领域。

2. 尽快形成服务业项下自由贸易的行动计划

建议由国家相关部委牵头，尽快研究形成《海南服务贸易发展及服务业市场开放的行动计划》，明确提出推进服务贸易发展及服务业市场开放的时间表和路线图。

第 三 篇
建言以大开放促大改革

作为一个岛屿经济体和全国最大的经济特区，海南的改革发展问题始终是和开放历程相融合的。中改院建院以来，就一直坚持海南要以大开放促大改革大发展的观点。30年来，适应海南走向大开放的基本需求，立足海南的实际情况和发展优势，以建立更具活力的体制机制为目标，分别从经济体制、社会体制、生态体制、行政体制四大方面提出改革建议。

关于经济体制改革：一是在20世纪90年代初期，服务于海南构建社会主义市场经济体制的基本目标，提出建立开放型市场经济新体制、产权制度改革等相关建议；二是在WTO和中国—东盟自由贸易区的大背景下，提出"海南走产业开放拉动产业升级之路最重要环节是市场化改革"；三是党的十八大以来，服务于海南全面深化改革的基本要求，中改院课题组提出加快构建海南开放型经济新体制等。

关于社会体制改革，20世纪90年代初期，服务建立"大社会"新体制，中改院研究并形成了海南社会保障体制改革方案，为全国社会保障制度改革起到了重要的示范和借鉴作用；2009年后，适应城乡一体化新要求，中改院提出建立城乡一体化的社会管理制度，实现城乡基本公共服务均等化。

关于生态体制改革，2004年，中改院首提海南建设环境保护特区的建议。2009年，进一步提出海南建设国家级环保特区是实现"最大限度地保护和利用生态资源，走绿色发展之路"目标的战略选择。2018年，适应自由贸易港建设对高新技术产业发展需求，中改院提出"未来5年左右全岛全面推广使用新能源汽车的建议"。

以资源效益最大化为目标推进行政体制改革始终是中改院关注的重要课题。90年代初期，提出精简、高效的"小政府"行政体制是海南发展社会主义市场经济，充分发挥市场优化配置资源作用的基本前提。进入产业开放以来，中改院提出"'以市联县'管理体制"。此后，沿着应打破海南现有资源被市县分割的行政格局，全岛按照"一个大城市"的思路进行整体开发，实现海南资源有效利用最大化的基本思路，不断深化海南行政体制改革的相关研究。

以激发市场活力为目标的经济体制改革

完善社会主义市场经济新体制，实现海南经济高速增长的建议（11 条）[*]

（1992 年 10 月）

中国的改革深入到今天，发展社会主义市场经济、建立和完善社会主义市场经济体制，已作为改革的基本目标被确定下来。这在理论上是一个重大突破，在实践上是一次重大推进。从党的十二大提出"以计划经济为主、市场调节为辅"，到党的十三大提出"有计划的商品经济"，党的十四大将进而确定社会主义市场经济的提法，是我们党领导的改革不断深化、不断前进的结果，它表明我们对社会主义的认识大大前进了一步。对这样重大的理论和实践上的突破，我们要结合自己改革的实践加深认识、加深理解。

海南特区这几年的实践证明，仅仅靠某些优惠政策来带动海南经济高速增长有一定的难度。只有建立社会主义市场经济新体制，才能实现海南经济的高速增长。海南大规模开发建设的展开，主要是在 1990 年底开始的。而 1990 年以后，《国务院批转〈关于海南岛进一步对外开放加快经济开发建设的座谈会纪要〉的通知》（国

---

[*] 迟福林：《建立完善社会主义市场经济新体制　实现海南经济高速增长的建议》，《海南日报》1992 年 10 月 20 日。

发〔1988〕24号文件）和《国务院关于鼓励投资开发建设海南岛的规定》（国发〔1988〕26号文件）规定的一些优惠政策实际上很难执行了。如贸易政策、外汇留成政策等，特别是文件赋予海南省政府经济决策自主权的政策规定大部分落实不了。为什么在这些优惠政策不能很好落实的情况下，这几年海南的开发建设速度还很快呢？这当然有许多原因，但最重要的，就是海南坚定不移地推进改革开放，确信"改革开放是海南的唯一出路"，并且在改革中又紧紧抓住了建立"国家宏观计划指导下，有利于商品经济发展的、主要是市场调节为主的新体制"这个核心，进而创造了对企业发展有利的市场条件以及宽松的社会条件，形成了各类企业平等竞争、竞相发展的基本局面。因此，从1990年下半年、1991年初开始，在海南投资的各种企业逐步增加，我们在总结海南改革实践时，要特别注意总结发展市场经济、建立和完善社会主义市场经济体制方面的基本实践。

当前，在邓小平视察南方谈话的巨大鼓舞下，全国改革开放的步伐大大加快，不仅经济特区和沿海开放城市，边疆和内地也都竞相出台了许多吸引内外投资者的优惠政策，把特区的政策拿来为我所用。

在这种情况下，海南特区的政策和其他特区、沿海沿边开放城市和内地一些地区相比，政策优势的落差已经很小，想依靠更多的优惠政策来带动海南开发建设的难度是很大的。在全国全方位开放的条件下，海南要发挥自己的优势，必须大力发展市场经济，加快建立和完善社会主义市场经济新体制，形成一个比较完善的、能够按照国际惯例办事的市场环境。

一　海南建立社会主义市场经济新体制的基本实践

经过4年来的改革实践，海南在省级初步实现了《国务院批转〈关于海南岛进一步对外开放加快经济开发建设的座谈会纪要〉的通知》(国发〔1988〕24号文件)的要求,建立了社会主义市场经济新体制的基本框架。具体地说,4年来在处理四个方面的关系问题过程中奠定了市场经济新体制的基础。

1. 价格和市场的问题

逐步放开价格、扩大市场调节的范围,是建立社会主义市场经济新体制的关键。计划经济和市场经济的根本不同点就是:由计划决定价格,还是由市场决定价格;以计划为主要手段来配置资源,还是以市场机制来实现资源的合理配置。改革传统的计划经济体制,建立社会主义市场经济新体制,首要的任务就是要逐步实现价格主要由市场来决定,从而实现以市场机制引导经济生活的经济运行机制。

这几年,海南在价格市场化的改革方面步子迈得较大。如,生产资料价格改革,海南这几年迈了两大步:第一步是尽量减少计划控制的主要生产资料的数量,使市场调节的生产资料数量逐步加大。因此,从建省办特区一开始,就决定除了国家指令性供应海南的那部分生产资料暂还实行计划供应外,其他渠道的全部生产资料都由市场调节。这样,使市场调节的生产资料的数量占全社会需求总量的72%左右;第二步是加快价格并轨的步伐。1992年,海南把除了煤炭、成品油、化肥外,其他16种生产资料的计划价格和市场价格实行并轨,由市场调节。现在,市场调节的生产资料已占全社会需求总量的87%左右。最近决定将煤炭、成品油的价格全部放开,年底前把化肥的价格也放开。这样,海南就在全国省一级率先完成了生产资料价格改革的任务,基本实现了生产资料价格的市场调节。

生活资料价格方面,到现在为止,可以说基本实现了市场调节。到1989年底,海南把除了粮食以外的全部生活资料价格放开,实现市场调节。在粮食价格改革方面,也走了三大步:第一步,从

1990年1月1日起，把城镇居民的平价粮食供应量压销了20%，使粮食的市场调节量由原来的21%左右提高到32%，但市场的粮食价格比较稳定。第二步，从1991年4月1日起率先在全国实行购销同价，并且购、销价格水平基本上接近市场价格。如大米从0.16元提到0.50元，和市场价基本一样，甚至还略高于市场价格。购销同价后，市场调节的粮食由32%上升到55%左右，也就是说，城镇居民消费的粮食有一多半是在粮食集贸市场上解决的。当然也出现了国营粮店的粮卖不出去的问题，但总的来说，这项改革相当成功：首先，市场粮价不但没有上升，反而下降了15%左右。主要原因是市场供应量增加。其次，大大减轻了财政负担，粮食的财政挂账问题由此在很大程度上得到解决。再次，促进了粮食节约。平均每一个家庭的粮食消费量减少了15%—20%。第三步，实际放开了粮食价格。1992年初本来打算宣布完全放开粮食价格，但由于宣布放开粮食价格会影响到中央对海南的财政补贴，因此，向国务院提出增加省的粮食价格的调整权。国务院同意海南省有10%的粮价调整权，从现在的情况看，正常情况下粮食市场价格的上下波动不会超过10%，这实际等于海南已经放开了粮食价格。现在最重要的问题是粮食企业的改革比较滞后。如何使国营粮食企业逐步变成自主经营、自负盈亏的经济实体，参与市场竞争。下一步海南决定用2—3年的时间使国营粮食企业真正走向市场。

海南在加快生产资料和生活资料价格改革的同时，也相应地进行了其他方面的价格改革。例如，劳务价格、外汇调剂价格、房地产价格等都基本上是放开的，海南初步形成了由市场决定价格的机制。

随着价格的放开，商品市场和各类要素市场相当活跃，给整个经济注入了生命力。如生产资料市场，海口市已有几百家。生活资料市场尽管规模小一点，但也很活跃。金融方面，海南建立了全国第一家规范的外汇调剂市场,从1988年到1991年,外汇调剂市场的外汇调剂量为17亿美元,占全国第三位,外汇调剂价格也并不是很高。资金市场也异常活跃。1988—1991年,通过资金市场拆借的资金达440亿元。海南房地产市场也相当"热",市场很活跃。

2. 企业和市场的问题

建立同市场经济相适应的企业机制,是建立市场经济新体制的基础工作。在传统的计划经济体制下,政企是不分的,在市场经济条件下,企业则是参与平等竞争的市场主体。因此,适应市场经济发展的需要,就要大胆改革政企不分、政府直接管理企业的弊端,使企业真正成为独立的商品生产者和经营者。在这一问题上,海南的指导思想很明确,比较自觉地按市场经济的要求来塑造企业,创造企业自由竞争的环境。

(1)着手解决企业平等竞争的问题。1988年初建省办特区时,经过研究和讨论,明确要真正吸收内外资金加速海南开发建设,必须对所有的企业都实行平等的政策。因此海南从一开始对所有在海南注册的企业都实行了15%的所得税。紧接着又提出,一切能公开招标、竞投的项目都可采取公开招标、竞投的办法。并且规定,所有在海南注册的企业都有权进口本企业所需要的生产资料和出口本企业生产的产品。这样,很快就在国内外掀起了一股海南投资热。

(2)允许各类企业不受所有制比例限制,竞相发展。只要投入一定的资金、符合投资条例、遵守法律,任何企业都可以在海南注册经营。这一条政策很重要,吸收了大量的企业和资金。到目前为止,已批准的内联企业有6000家左右;三资企业已近3000家;私营企业达到2700家;个体工商户至少10万多家。这为海南市场经济的发展奠定了基础,形成了力量。

(3)重点抓了企业经营机制的转换,也就是打造自主经营、自负盈亏、自我发展的经济实体。在这方面,我们有一个探索的过程。最初，我们和全国一样在80%以上的国营企业实行了承包经营责任制，虽也提出对少数企业实行停、并，但动作很小。从1990年起，我们就着手做股份制试点的准备工作。1991年6月，海南省政府出台了两个文件，一个是关于企业内部发行股票的暂行办法，一个是关于全民所有制企业进行股份制改革的暂行办法。办法颁布以后，选择了5家有代表性的企业进行股份制的试验。5家企业虽然数量比较小，但有代表性，也有一定的规模，这5家企业一共发行了近5亿元的股票。5家企业的规范化股份制试点很成功，在社会各方面引起了强烈反响，起到了股份制试点的典型示范作用。

在这个基础上，省委、省政府决定加快以股份制为重点的企业改革。现在，在还不允许向社会公开发行股票的情况下，要严格按照国家体改委等中央部委颁布的股份制企业规范化意见，积极慎重地进行以内部发行股权证为形式的股份制试点。从海南的情况看，我们在股份制这方面一定要加快，把它建成我们市场经济条件企业的主体形式。

股份制是实现国有资产最大优化及其保值、增值的一条好路子。现在的股份制企业多数是国有资产占主体。海南和其他省情况不太一样，市场基本形成了，价格基本放开了。搞股份制一有条件，二有强烈的内在需求。适应市场经济需要，要在股份制这方面加快一点，加大一点，这样，海南的市场经济才有了基础，有了力量，有了活力。

3. 社会和市场关系问题

正确处理社会和市场关系，是建立社会主义市场经济新体制的一个重要条件。在传统计划经济体制下，企业和社会是没有什么区分的，企业办社会，社会办企业，都是大而全、小而全的大社会、小社会，而且搞"大锅饭"的分配制度，劳动者被紧紧地束缚在一个企业里，不能够流动，更谈不到自由流动。劳动者不能"人尽其才"，劳动积极性受到压抑。

在市场经济条件下，企业和社会的功能是有差别的，社会能做的事情企业就不要去做，比如说社会保障、办学校，应该由社会来做，减少企业的负担，使企业能够轻装前进，能够集中力量搞生产和经营。另外在市场经济条件下，解决了企业和个人的关系问题，这就是企业可以选择劳动者，劳动者也可以选择适合于自己发挥才能的企业。这种双向选择，增强了企业的活力，也大大地解放了劳动力。要鼓励劳动者发挥自己的内在潜力，寻求适合发挥自己才能和智慧的企业，也同时鼓励优秀的劳动者向那些效益好的企业流动。这样就促进了企业的竞争。效益不好的企业，工资少，吸引不了人才，肯定会很难发展。在企业辞退了劳动者，劳动者在寻找新的企业的时候，会有一段失业的过程，有一个寻求再就业的过程，这就有一个社会对失业者的保障问题。由于企业对社会做出了贡献，个人对社会做出了贡献，社会就要对个人承担一定的责任，这就是国民经济的再分配在市场经济条件下的体现。因此，在建立社会主义市场经济新体制中，不能不重视社会如何同市场经济相适应的问题，为实现企业的平等竞争创造一个平等的社会条件。

海南从发展市场经济需要出发，从1989年下半年起，按照国务院提出的在海南、深圳一省一市进行社会保障制度综合改革的试点的决定，开始了社会保障制度改革的准备工作。成立了社会保障制度改革领导小组，进行了将近两年的研讨，形成了改革方案。在方案起草过程中，开过国际咨询会议，在中央各部门广泛地征求了意见，也在企业中广泛征求了职工的意见。1992年1月1日，省政府正式出台了职工养老保险、职工待业保险、职工工伤保险、职工医疗保险四大保险的暂行规定。这项改革出台以后，在全国有一定影响，产生了一些好的结果。

为什么说海南出台的社会保障制度改革方案是同社会主义市场

经济相适应的呢？关键在于这个改革方案较好地解决了4个问题：

（1）解决了企业平等竞争的社会条件问题。这个社会条件就是，无论何种性质的企业都按照统一的标准参加社会保险，在参加社会保险方面完全平等。开始研究方案时认识不一致，有的提出对三资企业收费高一点，国营企业收费低点，或者对私营企业干脆不要管。经反复研讨、广泛征求意见后明确，由于海南是搞企业平等竞争的市场经济，在社会保障方面区分不同标准是同发展市场经济、建立市场经济新体制不相适应的。因此，无论哪种企业都要按照一个标准参加到同一社会保障体系中来，在交费和享受保护方面完全平等。这样，就有了企业平等竞争的社会条件，也便于企业劳动者在全社会自由流动。不仅企业的工人，包括党政机关的工人、实行企业化管理和实行差额管理的事业单位，以及国营企业的干部，都要参加统一的社会保障。范围大大扩大了，为劳动者的自由流动创造了很好的社会条件。

（2）正确处理了国家、企业和个人三者的利益关系，调动了各个方面的积极性。海南的改革方案同目前全国的统一规定有所不同，即把在养老保险中个人缴费列入个人账户，既不搞新加坡式的完全个人账户，也不搞完全的统一调剂。海南养老保险中，现在个人缴费占工资总额的3%，这个3%存到个人的账户里，今后个人到了退休年龄时这笔钱也就归到个人。这样，个人才能有缴费的积极性，工资水平高的，缴费的水平高，今后享受养老保险的水平也高，反之享受的养老保险水平也就较低。并且，养老保险给付的标准是同企业缴费的标准挂钩的。所以企业的效益如何，不仅关系到个人现在的分配水平，也关系到以后的养老保险水平，这就使劳动者更重视企业的效益。

（3）把所有的劳动者，包括企业的管理者、事业单位的管理者都纳入社会保险体系中，这就为实现劳动者的自由流动创造了良好的社会条件。

（4）实现了社会保障管理的社会化。现在省政府有社会保障管理委员会，下设省社会保障局，统一操作社会保险事业，实现社会保险管理的专业化和社会化。这样的社会保障制度，为市场经济的发展奠定了一个很好的社会基础。

4. 政府与市场的关系问题

正确处理政府与市场关系，是建立社会主义市场经济的重要组织保证。没有这一条，我们的市场经济就是无政府的市场经济，就会是不成功的市场经济。传统计划经济体制下最大的弊端是政企不分，政府既管宏观方面也直接管理企业。政府既是裁判员，又是运动员，权力高度集中，该由企业管的事情，政府管了；该由下级政府管的事情，上级政府管了；该由社会管的事情，政府也管起来了。市场经济条件下，要求政企分开，要求政府从既管宏观、也管微观转到以间接管理为主的宏观调控，要求能够按照经济运行规律下放权力，企业的事情企业来办，社会的事情社会来办，该由下级政府办的事情就由下级政府来办。

目前，在由传统计划经济体制向市场经济体制过渡中，我们面临着一个很大的矛盾：一方面要改变政府过去统得太多，管理得过死的状况；另一方面在我们这样一个农民占大多数、市场经济相对不发达、各个地区经济发展水平不平衡的情况下发展市场经济，需要十分强调政府的宏观调控作用。如果政府的宏观调控受到严重削弱，社会主义市场经济的发展就会遭到挫折。韩国就是走了一条政府可调控的市场经济道路。政府在市场经济发展的初期发挥了很大的、并很有效的作用，所以它的市场经济发展相当成功。这为我们提供了重要的经验，在发展市场经济过程中要十分重视政府在市场经济中的宏观调控作用。但我们的难题也就在这里。政府管得太多，但应该管什么，不应该管什么还不清楚，还处在探索之中。另一方面我国的基本国情要求政府的宏观调控要很有力，要管得住，管得好。这确确实实是个很大的难题。我们在这个问题上往往是"一管就死，一放就乱"。我们还要探索解决这个难题的办法。因此，我们的改革是一个渐进和逐步的改革，只能条件到哪一步才能走到哪一步，使得改革能比较顺利地推进。

从海南这4年多的实践看，在处理政府和市场关系问题上有成功的经验，但也还有一些问题和矛盾没有解决。建省办特区一开始，我们就提出搞"小政府、大社会"，它的基本方向是正确的，"小政府"就是机构要精干；权力要下放；不该管的事不要管。"大社会"就是以大市场为基础，以大市场为前提，该市场解决的问题政府不要管。"小政府、大社会"的实践可以说是比较成功的。第一，初步实现了政企分开。第二，政府管理经济的方式基本是间接调控。第三，逐步下放了权力。第四，政府的机构相对其他各个省来说还是比较精干的，省政府的职能部门到现在也只有27个。当然，有过反复。但基本实践是成功的，路子是明确的。

经过几年的实践，海南在发展社会主义市场经济新体制方面初步解决了价格、企业、社会、政府同市场关系问题，奠定了市场经济新体制的基础和框架，为今后更好地落实中共十四大精神，加快建立和完善社会主义市场经济体制打下了良好的基础。我们应该珍惜自己的实践，在这个前提下再大大向前迈进一步。

二 海南进一步完善社会主义市场经济新体制的主要任务

从目前的情况看，海南下一步在建立社会主义市场经济新体制方面面临四大任务。

5. 放开各类价格，建立健全组织化程度较高的市场体系

价格改革还有一部分任务到现在为止没有完成。这一步问题已不大，下一步的主要任务是市场体系的建设。现在，海南的各类市场虽然比较活跃，但市场的组织化程度比较低。主要表现在：

（1）市场的组织层次较低，全省520个集市贸易市场基本上是初级市场形态。在市场经济发展到一定程度，市场的组织形式主要是批发市场、期货市场这样高层次的市场形态。这是市场经济发展对市场体系建设提出的要求。

（2）有一定建设规模的好市场很少。因此，当务之急是要动员和鼓励社会和个人集资办市场，办有一定规模的市场。

（3）市场管理水平比较低。把市场管理制度化，保证市场有可信度，这方面还很薄弱。当前，至少要从这样三个方面着手加快市场的组织化建设，才能够发挥带动经济发展、带动千千万万的商品生产者的作用。

6. 积极地、大胆地推进以股份制为重点的企业改革

要在完善承包责任制的前提下，推进企业各项改革。对那些实在办不下去、办不好的企业该兼并的兼并、该拍卖的拍卖、该破产的破产。经过实践我们越来越清楚地看到：发展市场经济，很重要的是要加快推行股份制。第一，它会形成市场经济的主体，使市场经济有力量。股份制企业真正成为市场主体以后，会迫使我们真正按市场规律办事。第二，它会大量吸引资金。现在股份制试点搞得快一点，十分有利于吸引投资。第三，它有利于国有资产保值、增值。股份制在我国是一个新生事物，社会主义的股份制怎么搞还没有经验。在这种情况下，不能疑神疑鬼，举棋不定。

7. 积极实施同社会保障制度改革相配套的住房制度、人事劳动制度和工资制度改革

1992年上半年，省政府成立了由省长直接牵头的社会配套改革领导小组。领导小组最近研究讨论了住房制度改革方案、人事劳动制度改革方案和工资制度改革方案。在广泛征求各方面意见后，争取在年底前逐步出台。

（1）住房改革的核心是要加快住房的商品化。住房改革方案总

的来说是实行提租、出售、建房相结合，同时，鼓励干部、职工买房。对那些已经住了私房的人要给予鼓励。住房商品化在海南是有条件的，海南的人均住房面积比全国平均水平高。在当前财政比较困难的情况下，如果把原有公房的 1/3 用以出售，初步预算可收回 1 亿元左右，这就为解决今后住房商品化的良好循环提供了保证。前一段时间，有些同志心有余悸，自己筹资买了房子，但又很担心被查。现在，我们不仅要鼓励个人买房、建房，还要给没住公房的人一定的补贴。

（2）人事制度的改革主要有三大块：其一，企业的人事制度改革，它的基本方向就是把企业的干部从党政机关干部中分离出来，企业的干部和工人一样要参加社会保险，也就是要从根本上打破企业干部和工人的界限，干部和工人一样能上能下。我们的干部应充分认识到，这是一项适应市场经济发展的、意义重大的改革。如果干部只能上不能下，不和企业的效益挂钩，企业也就不可能成为真正的商品生产者和经营者，优秀工人也就很难被提拔到管理岗位上。其二，事业单位的人事制度改革。这是最复杂的一块儿。现行干部队伍的 70% 左右都在事业单位。事业单位又分三类：一是纯粹的事业单位，如学校；二是担负一定政府行政职能的事业单位；三是实行企业化管理的事业单位。第一类改革的方向是实行干部聘用制，第二类按党政机关干部人事制度革的要求实行考任制度，第三类逐步向企业的人事制度靠拢。其三，党政机关干部人事制度的改革，就是按全国的统一要求，加快以考任制为基础的公务员制度建设。要建立严格的考任制度，同时强化干部培训。

（3）劳动制度的改革，就是要打破各类工人的界限，即不再存在固定工、合同工、临时工的界限。在企业工作一天，就是这个企业的职工。失业后，就领取失业保险金。这样工人就不再有身份界限，便于激发工人的积极性。

（4）工资制度改革，总的原则是要和人事劳动制度改革相配套，企业的分配制度要放开，真正同企业效益挂钩。

8. 继续完善"小政府、大社会"的体制

（1）彻底实现政企分开。前一段我们"小政府"的改革遇到了一些曲折，采取了一些妥协的政策。比如说，本来已从专业主管部门变为经济实体了，但有的又退回来，挂了两块牌子。实践证明，挂两个牌子的办法不是好办法，既不利于政企分开，也不利于政府的宏观管理。在明确了市场经济体制的条件下，这个问题要解决。

（2）进一步下放权力。这方面海南省政府已经制定了一些政策，下一步还会继续采取一些措施。比如，能够由企业决策的事情就下放给企业，能够由市、县决策的就下放给市县，开放区的自主权也将越来越大。

（3）加强宏观管理，探索政府在政企分开的前提下宏观管理的新路子。核心问题有以下几点：

第一，国有资产的管理问题。把国营企业推向市场，其核心不在于企业，而是政府。不是企业不愿走向市场，而是政府用什么手段管理企业。其主动权在政府，而政府方面的关键在于国有资产的管理。现在的办法是国有资产由财政直接管理，应该实现国有资产和市场的结合，把国有资产推向市场；改变目前的国有资产管理办法，把国有资产的投资、经营和管理分开。搞社会主义市场经济，一个核心的问题就是能否实现公有制经济和市场经济的结合。一些国有企业亏损是相当严重的，国有资产不是在增值，而是在白白地流失，为什么不把这些企业拍卖后把钱投入效益最好的企业，实现国有资产的增值呢？因此，如何在市场经济的条件下最大限度地实现国有资产的增值是个相当重要的问题，也是巩固社会主义经济的基础。如果把国有资产的投资、经营和管理分开，就能为政府管理企业提供良好的条件。除此以外，在财政方面，要按市场经济的要求搞"公共财政",就是把有限的财政投入公共事业上。

第二,计划手段问题。计划手段在市场经济条件下仍是必需的,但已由原来的直接计划转变为宏观计划,必须重视宏观经济预测和规划。也就是说,计划管理方法必须彻底改变。

第三,金融手段问题。政府如何通过金融手段搞活经济?如何发挥金融中介机构的作用?如何加强对市场的监督?这些都是宏观管理需要解决的主要现实问题。

(4) 加快县级综合改革的步伐。海南建省后,考虑到县里的经济发展水平和承受能力,没有在县一级实行"小政府、大社会"的改革。现在看来不改不行,建省快5年了,县级机构也应该逐年同省里挂钩,促进县级市场经济发展。当然,县的机构改革问题,目前不改不行,但改起来又相当难。最难的是县里的一批干部的出路很难解决。有一些政策还要具体地研究。另外,建立"小政府、大社会"体制还有"大社会"的问题,如事业单位的改革问题等。

(5) 要积极争取建立海南特别关税区,先行进行同国际市场相对接的市场经济的试验。1992年8月,已经以省委、省政府的名义正式向中央提交了建立特别关税区的报告。搞特别关税区,说到底,就是先行进行社会主义市场经济的试验。比如,实行基本放开的贸易制度,实行可自由兑换的货币制度,实行人员进出自由的管理制度,实行自由注册的企业登记制度,这些完全是按国际惯例办事的、比较发达的市场经济条件下的行为。现在应当提出一个口号,就是特别关税区不仅要争取,而且现在能够办到的事情,就要着手来办,为建立特别关税区奠定基础。

三 进一步解放思想,坚定不移地走以市场经济带动海南经济高速增长的道路

9. 以经济建设为中心

我们目前的工作的一切方面都要牢牢把握经济建设这个中心,

都要服从、服务于经济建设这个中心。不能以任何借口，任何理由，来动摇这个中心。这个话讲起来容易，但到了具体落实的时候，常常会发生问题。由于我们对某些问题认识不一样，对形势估计不一样，就有可能产生一些政策上的偏差，使得我们不是把主要精力、全部精力放到经济建设上来。目前在全局上，在某些局部上，在某些单位里都存在这个问题。如果我们不把海南经济搞上去，我们海南的干部怎么向党向人民交代？我们要有紧迫感，紧迫就紧迫在什么情况下我们都不能动摇经济建设这个中心。

10. 按市场经济规律去办

在目前政策优势很小的情况下，经济增长在很大程度上取决于市场经济的发育程度。市场经济越发育，特别是搞特别关税区后以能够同国际市场相对接，经济增长速度就越快。我们要充分地认识到这一点。能按市场经济办的事情，我们就办，能够创造的条件就要尽量去创造。

11. 按市场经济规律去闯

要大胆进行市场经济的试验。只要是有利于经济增长的市场经济的试验，就应该大胆地试验、大胆地闯。市场经济和社会主义的结合，这是中国的一个新课题，也是全世界范围内只有中国在进行的一个试验。既然是试验，难免会有这样那样的失误，难免在试验中碰到这样那样的矛盾。在这种情况下，作为领导者，必须要有一个判断的标准，允许试验，允许失败，允许犯错误，不能够揪着小辫子不放。特别是目前还有些政策规定是和市场经济相违背的，进行市场经济试验难免会和一些政策相抵触。如果我们不能鼓励这些试验，就会在很大程度上阻碍市场经济的发展。更何况作为海南特区的领导者，要按邓小平所说的，敢闯敢试敢冒。没有一点冒的精神是不行的。我们缺的就是冒的精神。

目前，全国有4个新的热点城市，即北海、大连、烟台、珲春。如果海南在目前的政策环境下,在基础还相对薄弱的情况下,不敢闯、不敢冒,干部忧心忡忡不敢放开手脚干,怎么有办法干好事情?所以我们无论在任何情况下,都要坚信搞社会主义市场经济没有错,在什么情况下都要鼓励人们敢试验、敢闯、敢干。只有造成这样一种气氛,才有利于市场经济的发展,才有利于海南经济的发展。

以放手搞活和发展企业为目标加快推进各项改革的建议(9条)*

（1993年3月）

一　为什么体制改革工作要以放手搞活和发展各类企业为重点

1. 海南的市场经济发展到今天，彻底搞活和发展各类企业已成为影响全局的迫切性的关键问题

一是引进外资。1992年全国实际利用外资160亿美元；广东省为49亿美元；海南是5.32亿美元，比上年增长1.4倍。海南省利用外资虽然发展很快，但实际发展水平约为广东省的1/10，约为全国的1/30。二是固定资产投资。1992年全国固定资产投资7300亿元人民币；广东省为672亿元；海南省是87亿元，占全国的1/100多一点，还不及广东的1/8。三是发展速度。1992年全国国民生产总值增长12%，人均1994元；广东省增长19.5%，人均3443元；海南省增长22.4%，人均2133元，比全国略高一点，比广东还差1310元。如果能保持22.4%的增长速度，海南学广东、赶广东还是有很多困难。

讲这几个情况是想说明一个问题，即海南正处在改革开放的关

---

* 迟福林在海南省体制改革工作会议上的讲话摘要，1993年3月5日。

键时期，要在建省 5 年取得显著成绩的基础上，将全省的各项工作、特别是经济工作大大向前推进一步，就必须进一步加快改革开放的步伐，这里的关键问题是企业问题。全省现有 40000 多家企业，香港那么一个小地方却有 40 多万家企业，我们企业的数量少，质量比人家差。在已逐步建立起社会主义市场经济体制基本框架的情况下，在投资环境已经得到初步改善的情况下，如果不放手搞活和发展各类企业，那么海南下一步的发展将会受到很大的影响。当前，海南在经济政策上已不具备明显的优势，搞活和发展各类企业就显得更加迫切。如何搞活和发展各类企业已经成为影响与决定海南经济形势的一个关键问题。更何况海南原有的国有企业的基础十分薄弱，企业的规模小、效益低。外资企业虽然已经发展到 4000 家左右，但总的看也是规模小。内联企业 8000 多家，基本情况也是这样。在这样一个前提下，大胆放手搞活与发展各类企业、发展市场经济就显得十分迫切了。

2. 海南经过 5 年来的体制改革，各方面进展比较大，但目前体制上存在的问题主要还是束缚和障碍企业发展的问题

最近我们从搞活和发展企业的目标和重点出发，研究了目前体制上存在的问题，看到企业从开始申报到最后走向国际市场的整个过程，现行体制上存在的各种人为的弊端还相当多。大家列举了许多问题，从企业的管理办法、管理制度到企业的自主权，各方面的问题比较多。所以，抓住搞活和发展各类企业这个关键，不仅可以起到带动整个经济发展全局的重大作用，同时也能解决体制上存在的一些弊端。

3. 海南搞活和发展各类企业的基本条件应该说是比较成熟了

一是通过 5 年的改革，初步奠定了市场经济发展的基础，形成了市场经济体制的基本框架，在体制上为搞活和发展各类企业奠定了一定的基础。二是原有的国有企业比较少，规模也较小，搞活与

发展企业的包袱不重，完全可以轻装前进。主要矛盾不仅仅是一般转换国有企业经营体制的问题，而是实现对国有资产管理的市场化、全面搞活和发展各类企业的问题。三是在近两年的改革发展过程中，出现了一批有竞争力的企业，特别是股份制改革中出现的有实力的企业，为搞活和发展企业积累了一定的经验。海南一开始建省办特区，中央就给予政策，允许放手发展各类企业，允许各类企业平等竞争，竞相发展。从各个方面看，搞活与发展企业的条件是基本成熟的，现在关键是要大胆采取措施，把这件事情真正抓起来。

二 搞活与发展各类企业的主要任务是什么

4. 在股份制试点的基础上，全面推进股份制

虽然1988年国务院24号文件就提出海南可以进行公开发行股票试点，但由于企业的基础以及各方面的条件还不具备，直到1990年下半年才真正把这件事提出来，到1991年上半年才逐步开展试点。从一年多的试点情况看，股份制企业与股份制试点确实给我省带来了多方面的好处。到1993年2月初为止，已批准规范化的股份制企业共52家，股本总额是74.65亿元人民币，其中新发起设立的股份制企业有17家，在老企业基础上改组设立的股份制企业有35家。这52家股份制企业一年多来在海南发展中所起的作用，可以概括为五条：

第一，股份制企业已逐步成为海南市场经济的主体企业，其根据有四条：一是这52家股份制企业的规模比较大，其中净资产在1亿元以上的就有39家，净资产在2亿元以上有8家，最大的5.8亿元。这在海南企业的历史上是没有的。二是股份制企业体制灵活，适应市场机制的需要，在市场经济中发挥很好的作用。目前，在深圳异地上市的企业只有5家，除了武汉商场以外，其他4家都是海南的企业，这对于提高海南企业的声誉起了相当好的作用。三是52家股份制企业的产业结构比较合理，以旅游和成片开发为主的企业

占40%，投资于工业和交通运输业的企业占27%，这两项共67%。四是股份制企业效益好，竞争能力强。

第二，海南省股份制企业已成为全省重要项目的主力军。现在全省15个重点旅游项目中，有6个项目由股份制企业承担，占40%。52家股份制企业承担的经国家和省立项的重点项目达40个，以成片开发为主的企业有11个。

第三，股份制企业开始成为海南省吸引资金、加速开发建设的重要渠道。52家股份制企业原来的资产存量只有26.32亿元；现在74.65亿元的股本总额中，增量达48.22亿元，占64.7%；在48.33亿元增量中，60%是岛外资金和社会闲散资金，这占1992年整个内引外联吸收资金的一半以上。

第四，股份制企业开始成为我省地方财政收入的重要来源。据企业报表，1992年在深圳上市的4家股份制企业上缴的各类税金是4853.89万元，平均每户纳税1213.47万元。如果海南的股份制企业都能这样发展下去，地方财政收入将会从股份制中大大受益。

第五，股份制企业成为国有资产保值与增值的重要的有效的途径。据统计，法人股中的60%左右都是国有资产股，4家上市企业的国有资产平均增值了128%，这在省内国有资产增值中可能是最高的。如果我们的国有资产都能这样流动与增值，那么就能把原有的国有资产的整个能量都释放出来，发挥社会主义国有资产的重要的主导作用。

当然，股份制改革试点中还存在一些这样那样的问题和不完善方面，但是它的初步实践已经证实了党的十四大提出的推行股份制有利于实现政企分开、转换企业经营机制和积聚社会资金。正是在这样的基础上，海南省1993年要全面加快股份制试点，全面推进股份制，其重要任务是三项：

一是扩大股份制试点企业的范围，有条件实行股份制的要尽快走向股份制规范化的道路，特别是要大力发展法人持股的股份公司以及有限责任公司，有限责任公司可以直接到工商部门登记。少数可以采取社会募集方式，一部分采取职工内部持股与法人持股相结合的定向募集方式。1993年要特别鼓励市县加快股份制试点。三亚市已经搞了4家，效果不错。现在琼海申报了2家，文昌申报1家，通什也在考虑。我们认为，在一些市县以龙头项目、重点项目为主，采取股份制发起设立的方式和改制方式，对于加快县级经济发展将起到重要的作用。

二是在扩大股份制试点范围，全面推进股份制的同时，着力培育股票流通的二级市场。最重要的是要抓好法人股的内部转让。第一，可以提高国有资产的回报率；第二，可以使企业通过法人股的转让吸收大笔资金，扩大企业规模或者上新的项目。

三是抓紧股份制公司的规范化管理。如果管理不规范，存在这样那样的问题，就会使股份制企业不能很好地发挥作用。这里特别重要的是原有的国有企业改制为股份制企业的，在管理方式上还有一个转变的过程，存在一个规范化管理问题。如果从企业管理到财会制度不能适应市场经济的需要，股份制企业就不能很好地发挥作用。所以说，体制能不能到位，是影响股份制企业作用的核心问题。

5. 尽快把国有资产推向市场，实现国有资产管理市场化

海南省原有国有资产规模不大，但亏损现象很严重。如何适应市场经济竞争的需要把国有资产尽快推向市场，在竞争中最大限度地增值保值，是发挥社会主义公有制经济力量的一个十分紧迫的大问题。国有资产的影响，主要是市场经济的资产增量问题，而不是搞了多少个全民企业。只有在市场经济的竞争中使国有资产的资本量增大了，货币量增大了，才能体现国有资产的力量。要按照市场经济的要求搞活国有资产。有关部门在这方面提出了许多建议。

6. 依据海南省转换全民制企业经营机制的实施办法，实施企业自主登记制度，破除一切对企业的不合理规定

从海南的情况看，要取消对企业的不合理规定，主要问题有三个：一是在经营问题上不要以所有制画线。只要哪里有项目，就往哪里投，要放手发展各类企业，搞活海南省市场，为市场奠定基础。今后要逐步破除全民企业，集体企业、私营企业这样一些在经营上的传统概念，逐步形成同市场经济相适应的股份制企业、有限责任公司、无限责任公司、合伙公司这样的新概念。在公司里国有资产有多大就是多大，产权明确。企业以什么形式组合完全是经营的需要、生产的需要，而不是所有制性质的需要。要在这方面解放思想，打破各种人为的束缚，真正将国有资产投到最有益的项目中去，使国有资产的回报率大大提高起来，使国有资产不断增殖扩大，发挥社会主义公有制的主导作用。二是解除一切对企业的不合理束缚。从企业的登记开始，到企业的经营范围，企业的立项，企业的主管部门，也包括对某些企业的验资，这些问题都要做出明确的规定，逐步取消一切对企业的不合理规定。要从企业登记开始，从过去的注册登记制度改为企业依法自主登记，除特殊行业如金融、邮电这样一些行业以外，其他经营项目都可以放开。企业搞什么项目，不搞什么项目，是企业内部的事情，不是国家与省的重点项目，不需立项的，就不要立项。企业的主管部门制度要逐步取消，使企业真正成为无上级主管部门的企业。三是要把本来属于企业的权力统统还给企业，落实转换经营机制实施办法中的14条自主权，凡是应由企业自主决定的权力都要还给企业。

三 根据放手搞活和发展各类企业的目标，搞好各项配套改革措施

7. 关于政府职能转变，就是要以一切有利于搞活和发展各类企业为目标来转变政府职能

政府是为企业服务的，要以是否有利于搞活和发展各类企业来

衡量政府职能的好坏，确定哪些职能应当保留，哪些职能不需要。在转变政府职能的同时，积极稳妥地进行机构改革，同时，把现在的行政性公司逐步转变为经济实体。近年来由于某种情况的变化，又将一部分经济实体赋予了行政管理的职能，要逐步将它们转为经济实体。县级机构改革的任务相当重。建省之初，1988年曾提出县和省一样搞"小政府、大社会"，但由于县级经济发展有个过程，县级机关干部的出路是个极大的问题，所以县级机构改革严格说来还没有出台什么大的动作。中央编委1992年开会确立了县的机构编制数和人员编制数。按照中央的编制数，我们的差距很大。从海南省情况看，县级机构改革还不可能一步到位，有一个转变职能和县级经济发展的过程，只能在县级经济发展过程中逐步实现这个要求，特别是少数民族地区，应当适当照顾。政府转变职能的另一个重要问题是国家事业单位问题。省级有350多个事业单位。如何按中央要求，逐步将有条件的事业单位实行企业化管理，企业化经营，来发展我们的各类事业，这是一项很重要的任务。现在18万干部中，事业单位占的比例相当大。政府职能转变方面还有一个下放权力、扩大市县权力的问题。

8. 市场建设最迫切的问题是提高市场的组织化程度

现在全省有549个集市贸易市场，应当说是比较活跃的。但是，能够带动生产，有规模的，能够联结国际国内两个市场的，现在还基本上没有形成。各类集市贸易市场的组织化程度比较低，所以1993年重点是要提高市场组织化程度。市场建设各方面都很重要，但最重要的是商品批发市场和金融市场。如何搞活金融市场对于我们整个发展相当重要。海南省金融市场是比较活跃的，短期资金市场拆借资金达到500多亿元，外汇拆借市场4年多来达到26亿美元，这对于活跃经济生活是相当重要的，但是随着经济的发展，如何做好金融市场的建设已成为市场建设的重要问题。

9. 围绕搞活和发展各类企业搞好各项社会配套改革

现在企业不能真正走向市场，有些不是企业的问题，而是有些外部条件还不具备。比如住房制度改革，要根据不同情况，积极稳妥地全面推出住房制度改革。社会保障制度改革要加大保障的覆盖面。此外，事业单位如何参加社会保障，党政机关如何参加，农垦如何与全省的社会保障统一起来，也是要解决的大问题。配套改革还有个干部人事制度改革，企业的人事制度怎样改，这里还有一系列问题需要解决。这些配套改革搞好了，对于搞活企业、发展企业将会起到重要的保证作用。

以放手搞活和发展企业为目标，加快各项改革。如果将这个关键问题抓住了，肯定会大大促进海南经济的全面发展。

建立完善适合海南实际的市场经济体制的建议(41条)*

(1994年1月)

一 海南经济体制改革已进入新阶段

海南建省办经济特区5年多来,已初步建立了市场经济体制的基本框架,主要内容是:各类企业平等竞争、竞相发展的基本格局已形成;由市场决定价格已成为经济运行机制的基础,各类市场比较活跃;统一的新型社会保障制度已出台,并正在逐步完善;以政企分开为前提、以间接管理为主的小政府、大社会新体制在几年的实践中不断完善,并取得初步经验。所有这些改革为经济社会发展创造了宽松的环境,并为进一步加快建立完善市场经济体制奠定了坚实的基础。

目前,海南建立市场经济体制已进入以产权制度改革为重点的新阶段。一方面,随着市场经济体制框架的初步建立,把产权问题突出出来,无论是完善以股份制为主体的现代企业制度,还是培育发展生产要素市场,都对加快产权制度改革提出迫切要求;另一方

---

* 迟福林:《建立完善适合海南实际的市场经济体制的建议》,《特区与开发区经济》1994年第2期。

面，要在全国加快建立市场经济体制的新形势下，继续保持和发挥海南省的体制优势，也要求加快以产权制度改革为重点的深层次改革。加快产权制度改革既有坚实基础，又有迫切要求。要适应当前的新形势，大胆推进以产权制度为重点的各项改革。

海南建立市场经济体制大概要经历三个阶段：第一阶段，奠定基本框架的任务已初步完成。第二阶段，要进行深层次改革，重点是加快建立产权制度，建立比较完善的市场经济体制。第三阶段，要建立按照国际惯例办事的高度开放型的市场经济体制。

目前，海南省的经济体制改革正处于从第一阶段向第二阶段转化的关键时期。这个时期改革的特点，一是速度要快，要充分利用几年来在建立市场经济体制框架速度上与内地形成的时间差，加快解决深层次问题。目前，全国建立市场经济体制的步伐都在加快，时间差在缩短，对此要有强烈的紧迫感。力争用2—3年时间初步完成以产权制度为重点的各项深层次改革；二是改革要有深度，要深入研究和解决体制改革中面临的产权制度、资本效益等深层次问题，促进市场经济体制的不断完善；三是要立足长远，要同第三阶段建立高度开放型市场经济体制紧密衔接，以加快过渡，并由此推动海南更大规模地对外开放。

二　以产权改革为突破口，加快建立和完善现代企业制度

目前，海南省已初步形成了各种所有制企业不受比例限制，平等竞争，竞相发展的格局，以股份制企业为主体的现代企业制度已呈雏形。与此同时，一些深层次的问题也逐渐暴露出来。目前，建立现代企业制度的核心问题在于产权制度改革。以产权制度改革为突破口，理顺产权关系，建立起独立的企业产权制度和确立新型的企业组织形式，加快产权的转让和流动，盘活存量资本，实现国有资产市场化。大力发展各类企业，在市场竞争中形成新的企业结构，加快建立和完善现代企业制度，是摆在我们面前的一项紧迫

任务。

1. 建立适应市场经济要求的新型的国有资产管理经营体制和企业产权制度，实现国有资产市场化

构造新型国有资产管理经营体制，必须有助于资源配置的合理化，必须有利于搞活国有资产。从单纯地搞活国有企业，进而发展到搞活国有资产，这是从计划经济向市场经济过渡的一个质的飞跃。搞活国有资产，出路在于把国有资产推向市场，实现国有资产市场化，这是产权制度改革的最根本的问题，也是建立社会主义市场经济体制的一个核心问题。新型的国有资产管理体制是：国家统一所有，政府分级监管，企业自主经营。

（1）按照政府的社会管理职能和国有资产所有者职能分开的原则，在国务院授权范围内，对国有资产实行分级监管。省、市（县）两级政府国有资产管理机构，作为国有资产管理部门，行使国有资产所有者的监管职能，主要从方针、政策、法规等方面对国有经营性资产、非经营性资产、资源性资产进行宏观的全方位的管理和监督。并对国有资产实行分类管理，使集中管理与分散管理相结合。属于国家垄断和控制的行业和产业，如邮电、铁路、银行、重点矿产土地资源、资产以及公用事业等，委托省、市（县）政府各有关部门具体管理。一般性竞争行业和产业应由国有资产管理机构实行统一管理。现有的一般行业主管部门不再直接管理国有企业，只负责制定行业政策，以后逐步由协会组织取代。

（2）按照资产管理职能与资产经营职能分离的原则，对国有资产实行委托营运。通过改造或重新成立若干国有资产投资中介机构，如投资公司、控股公司、企业集团公司、保险公司、商业银行、各种基金会等。受同级国有资产管理部门的委托行使国有资产投资的职能。除少数国家垄断行业由省、市（县）有关部门直接管理之外，重点的国有资产投资以及今后新增加的国有资产投资应由

专门的投资中介机构负责营运。国有资产管理部门不直接参与资产经营，只委派代表进入投资中介机构的董事会或管理委员会，参与决策，实施监督。国有资产投资中介机构只负责资本（资产）投资和收益，不直接从事具体的业务经营，具有独立的企业法人地位，是国有资产市场的主体，有权在授权投资经营的资产范围内，代行所有者权利依据资产数额，向有关企业委派代表参加董事会，行使企业决策权，同时参与资产的市场流动和转让，搞活国有资产，实现效益的最大化。

（3）按照国有资产所有权与企业财产权分离的原则，由国有资产管理部门授予国有企业法人财产权，建立起独立的企业产权制度。国有企业拥有包括国家在内的出资者投资形成的全部法人财产权，即占有、使用、支配、收益和依法处分的权利，成为享有民事权利，承担民事责任的法人实体。

（4）政府和国有资产投资中介机构不得直接支配企业法人财产。除另有规定外，政府和国有资产投资中介机构不得以任何形式抽取注入企业的资本金，不得平调企业的财产。企业以其全部法人财产，依法自主经营、自负盈亏、照章纳税，对出资者承担资产保值增值责任。出资者按投入企业的资本额享有所有者的权益，即资产收益、重大决策和选择管理者等权利。企业破产时，出资者只以投入企业的资本额对企业债务负有限责任。企业有权自主地将其拥有的全部企业法人财产按照市场经济规律进行营运，参与资产市场流动，优化组合，盘活法人财产，实现经济效益和货币价值量的最大化。

2. 建立起国有资产的开放和流动机制，加快企业产权的转让和流动，实现国有资产市场化

市场经济最基本的要求，就是资源配置市场化在现代市场经济条件下，要搞活国有资产，使其在市场竞争中不仅保值，而且要增值，就必须允许国有资产在资本市场和资金市场上，进行充分的流动，实行产权的转让和重组，按照市场竞争规律进行营运，实现资源配置的最优化，使国有资产在市场流通中，寻求最大的货币价值量，实现经济效益的最大化。

（1）加快中小型企业产权转让是搞活企业，盘活国有资产，提高资产效益的迫切要求。海南省国有资产经营效益比较低下，全省国有工业企业百元固定资产原值实现利税仅相当于全国平均水平的65%左右，国有企业亏损面达50%以上。国有资产经营历年累计亏损挂账近40亿元，相当于现有国有资产账面值近半数。国有、集体小型企业经济效益相当差，亏损面达72%以上。其中，商业企业亏损面达72%，粮食企业达70%，供销社达81%，全省仅商、粮、供三大系统小型商业企业累计亏损挂账达16.61亿元，资不抵债的企业已达80%以上。全省有相当比例的国有小企业处于停产半停产状态。国有企业的现状，有国有企业自身的问题，但根本的问题在于整个国有资产管理体制人为地禁锢和制约着国有资产流动和优化组合，使之难以追求更好的效益和最大的货币价值量。这同发展社会主义市场经济严重不相适应。实践证明，加快中小型企业产权转让和流动，是解决中小型企业问题的根本途径。

（2）采取多种形式加快中小型企业产权的转让。第一，实行企业产权拍卖。对那些长期亏损的企业特别是国有工业企业，通过产权交易市场，实行分开拍卖。第二，实行企业兼并。可根据企业不同情况选择不同的兼并方式：一是资产所有者在同一所有制内的强制性划转式兼并，但要特别反对"拉郎配"；二是承担债务式兼并；三是出资购买式兼并。第三，实行租赁经营。对那些行业分散、独立性较强、不便于系统管理的企业，特别是商贸企业，一般实行租赁经营，主要租赁形式有：一是抽资租赁经营，即抽掉企业流动资金，将企业固定资产和无形资产租给个人或合伙经营；二是职工集体抵押经营；三是职工个人或职工合伙抵押租赁经营；四是由社会人员抵押、担保租赁经营。第四，实行企业破产。对那些在市场竞争中，长期亏损、无力偿还到期债务、挽救无望、资不抵债的中小型工业、商贸企业应依法进行破产。第五，实行股份制改造。对那些经营效益较差的亏损企业，可采取一些特定方式改造为股份制企业，如吸收企业职工入股，将企业改组为股份合作制；由经济效益高的企业对亏损企业实行控股式的兼并；在债权人同意的前提下，将债权人的债权转为股权，组建为股份制企业等。

（3）加快中小型企业产权转让，必须彻底打破所有制界限，鼓励境内外法人和自然人到海南参与产权受让和转让，购买海南的中小型国有企业。

3. 进一步扩大法人股转让市场

允许更多的定向募集股份有限公司参与法人相互持股试点，通过股权市场出让和转让股权，实行股份制企业的产权转让和流动。搞活资本，促进股份制的健康发展。

4. 继续加速股份制改革步伐，尽快形成以股份制企业为主体的现代企业结构

从目前的情况看，经过两年多的股份制改革，已初步形成了以股份制企业为主体的现代企业结构。已批准设立的 114 家股份有限公司中，股本总额在 1 亿元以上的就有 88 家，相当于海南原有大中型企业的 2 倍。另外，股份制企业已成为实施重点建设项目的主力军，在全省重点建设项目中，大部分由股份制企业承担。同时，股份制已成为海南加快基础设施建设的重要途径。今后，加快股份制改革必须解决的问题是：

（1）对国有企业特别是工业企业，要大力推行股份制改造。凡能进行股份制的国有企业特别是工业企业，都尽可能实行股份制，并不要人为地限制国家控股比例。

（2）对于新投资兴建、在建并具有良好经营前景的开发项目、省内重点旅游开发项目和重点基础设施建设项目、能较快起带头作用的龙头项目，继续鼓励和支持采取股份制办法设立。

（3）非国有企业也要按照现代企业制度的要求进行制度创新。对城市集体企业、乡镇集体企业和民营科技企业要根据不同情况，改组为股份合作制企业或合伙企业，少数规模大、效益好的企业可以组建为股份有限公司。允许非国有企业、外商独资企业以发起人身份参与发起改造或组建股份制企业，以调动社会各方面及各类企业参股的积极性。

（4）建议修订《海南经济特区股份有限公司条例》，进一步明确私营企业、外商独资企业的发起人资格问题，外商投资参股比例的批准以及待遇等问题。

5. 积极推行有限责任公司制度，加速企业公司化进程，加快现代企业制度的建立和完善

今后凡新登记的企业，一律严格依照《海南经济特区有限责任公司条例》规范化设立。对无条件改造为股份有限公司或无法通过产权市场进行转让和重组的国有企业、有条件的非国有企业，经工商行政管理机关核准，依照《海南经济特区有限责任公司条例》，依法改组为规范化的有限责任公司。

6. 加强对股份制企业的规范化管理

（1）加强对股份制企业后续管理的立法工作。建议尽快制定《股份有限公司规范化管理的暂行规定》《股份制企业监管办法》，并明确股份有限公司的监管部门，依法对股份有限公司规范化运作进行指导、监督和管理。对股份有限公司的财务、人事、劳动、工资、利润分配、资金使用和管理等各项内部经营管理制度的建立，以及公司股东会、董事会、监事会、法人代表和内部审计机构等各种约束机制的建立，实行动态监督和定期考察。股份有限公司应建

立定期报告制度，并实行由注册会计师出具"两表"（"资产负债表"和"利润分配表"）的审计制度。

（2）加快配套改革。股份制企业为无上级行政主管企业，对股份制企业的各种经营活动，取消主管部门签章的规定。取消对股份制企业工资总额管理制度，进一步明确国有资产股权代表的选派制度和公司党组织属地管理制度。

7. 要加快现代企业制度建立的配套改革，切实推进企业内部三项制度改革

全面进行企业人事劳动制度改革和领导体制改革，实行董事会领导下的经理（厂长）负责制，取消行政部门隶属关系，实行行政管理；取消企业的行政级别；打破企业职工的各种身份界限，允许职工在不同所有制企业及不同地域企业间自由流动；实现企业用工自主和劳动者择业自主；全面推行全员劳动合同制。实行工资总量与企业经济效益直接挂钩的工资分配制度，建立起企业工资总额增长幅度不超过经济效益增长幅度的自我约束机制。此外，建立适应市场经济发展要求的现代企业分类定级制度。

三 以搞活资本为中心，加快培育发展以产权交易市场为重点的生产要素市场

资本是所有资源、所有生产要素中最重要的组成部分。资源、生产要素初次配置和重新配置，首先要通过资本的配置进行的。资源、生产要素在地区和部门间的流动，主要表现为资本的流动；市场机制在资源配置中的基础性作用，也是通过对资本的配置表现出来的。因此，提高资源配置效率的关键是提高资本配置效率，搞活资本是加快发展生产要素市场的中心环节。

8. 加快产权交易市场建设

产权制度改革是建立市场经济体制的关键环节，产权交换、产权流动和重组是产权改革的重要内容，这些活动都必须通过产权交

易市场来进行。因此，与产权制度改革相配合，加快产权交易市场建设十分重要。要鼓励各类产权如股权、专利权、实物资产等进入市场流通，特别是国有存量资产产权，要通过产权交易市场重新配置，盘活存量资产。从海南的情况看，目前需要做好以下几项工作：首先，制定产权转让规则，为产权交易提供法律依据，规范产权交易所，促进存量资产的合理流动和有偿转让；其次，建立产权交易中心或产权交易所，收集、发布产权交易信息，为产权交易提供场所和服务；再次，鼓励企业通过多种方式进行产权转让和受让，可以通过租赁、兼并、拍卖方式进行，也可以采用部分产权转让、整体产权转让的方式；同时要加强产权交易的组织和领导。

9. 加快金融市场建设

金融市场要以资金商品化、资金价格市场化为目标，以资本市场为重点进行全面改革，建立起适应社会主义市场经济发展要求的金融市场体系。

（1）资本市场。近期要以扩大资本市场容量，增加资本市场品种，加速资本周转和流动为目标，逐步增加各类债券、股票的发行量。要继续发展、完善证券市场。

首先，完善组织体系，办好证券交易中心，使市场功能更加齐全。对于国家下达的股票公开发行规模，要积极做好上市公司的选择和股票的公开发行工作；继续发展定向募集型股份有限公司和发起设立型股份有限公司，鼓励公司吸引外商参股和到内地募集股金；继续到境外发行债券，筹集建设资金；在国家下达的债券规模内，改革地方债券、企业债券的发行方式，增强债券的流动性，提高债券的吸引力；制定发债机构和债券信用评级制度，促进债券市场健康发展。

其次，积极进行金融创新，引进一些国际通用的金融工具，大胆试验，不断总结；增加金融品种，陆续推出一些不在国家控制范围内的证券新品种，拓宽资本市场领域，增加资本市场品种，扩大资本市场容量；积极发展各种基金组织，特别是共同基金，扩大投资基金数量；成立基金管理公司，代理个人和中小投资者进行投资。要加快发展投资基金，拓宽吸引外资渠道。

最后，在继续做好公有法人互相持股试点的同时，扩大市场容量，继续选择一些新的法人股上市，并积极争取进行法人股和个人股同权同场同价交易试点。

（2）资金市场。适应专业银行商业化的改革方向，鼓励国有商业银行打破原专业银行的业务分工，以资本效益为标准，放开信贷市场，开拓信贷业务；完善、规范同业拆借市场，发展规范的银行同业拆借；重点发展国库券、短期债券和可转让存单市场；积极发展商业票据承兑和贴现市场以及各项抵押贷款市场。海南作为全国利率试点省市之一，要加快利率市场化步伐，充分利用总行给海南的特殊政策，发展与全国同业市场的横向联系，加大市场融资量。

（3）外汇市场。按照中央统一部署，改革外汇管理体制，建立以市场供求为基础的有管理的单一浮动汇率制度。进一步发展和完善海南省以银行为交易主体的外汇市场；积极稳妥地按国际惯例开拓外汇拆借和外汇期货交易等业务，不断规范市场行为，扩大市场容量；在经常项目实行有管理浮动汇率的基础上，积极探索资本项目的可兑换问题。

（4）积极争取成立股份制地方商业银行，建立一批具有特色的商业银行。近期要在现有信托投资公司基础上，有选择地改造一两家为商业银行或投资银行；组建洋浦股份制发展银行，争取在全国开户，向境内外融资；在农村信用社、城市信用社的基础上组织股份制性质的农村合作银行和城市合作银行，让它们增强风险意识和竞争意识，与其他金融机构开展平等竞争。要充分利用自己的优势，在外资银行经营范围等方面放宽政策，近期争取有一家外资银行和一家合资财务公司获得批准,力争扩大外资银行和外资金融机构的数量,使外资金融机构有较大的发展。

10. **建立完善商品初级市场、批发市场,积极进行商品期货交易试点**

继续发展商品初级市场,使初级市场遍布全省城乡,方便农副产品购销和城乡人民生活。加速培育批发市场,通过大规模、大批量的交易,传递信息、发布信息,引导工农业生产的发展。积极进行商品期货交易试点,充分发挥期货市场发现价格、分散风险的功能。近期内加大白糖、橡胶、咖啡等具有海南地方特色的品种交易量。加强对期货交易所、期货经纪公司的监管。

11. **进一步发展、规范劳动力市场**

进一步完善省、市(县)现有职业介绍网络,积极推进职工、企业双向选择。打破城乡限制,允许、鼓励城乡间劳动力自由流动。企业选择劳动者可不受城乡地域限制。加强对外来劳动力的管理。公安、劳动部门要制定出具体、切实可行的外来劳动力管理办法,在促进社会经济发展的同时,创造一个良好的治安环境。

12. **加强房地产市场的规范和建设**

要在做好规范化管理的同时,严格土地审批权限,除县以上人民政府外,任何单位不得行使土地征用和出让审批权,积极推行"五统一"方式,由政府垄断一级市场,放开并规范二级市场。要继续贯彻低地价加速开发政策,在逐步加大土地招标出让和拍卖出让比例的同时,防止因土地价格过高而影响外来投资者的积极性。要进一步放开房地产市场,并规范市场交易行为。

13. **大力发展技术、信息市场**

制定和完善有关法律、法规,明确保护商标、专利、技术、诀窍等知识和技术成果。通过建立技术信息市场和信息网络,及时发布传递科技企业、生产企业的技术供给和需求信息,扩大技术市场，加快技术成果和科技信息商品化、市场化、产业化的进程。

14. 建立门类齐全、功能广泛的中介服务市场

海南目前中介服务组织已有一定发展，会计师事务所、审计师事务所、资产评估机构、保险经纪人、信息咨询机构、律师事务所等已具有一定的数量，在海南省社会发展中起到了积极作用。在继续发展上述中介服务机构的同时，进一步建立和发展非传统银行业务的金融服务中介机构，如产权交易公司、票据交易公司、经纪人公司、基金管理公司、资产评估公司、投资咨询、清算公司等；积极发展各种行业协会、公会等中介组织，促进政府转变职能。要加强对中介服务机构的管理。中介服务机构要依法通过资格认定，依据市场规划，建立自律性运行机制，承担相应的法律和经济责任，有关方面要依法加强对中介服务机构的管理。与此同时，改善和加强对市场的管理和监督。

四 以促进社会发展为目标，加快社会保障等各项社会改革

海南正处于市场经济发展的初期，需要建立统一的社会保障制度，为企业间的平等竞争、现代企业制度的建立、人才的流动和社会稳定提供可靠的社会条件。同时，各项社会事业也要有一个起步发展阶段。在政府公共财政支出严重不足的情况下，主要的出路是要实行社会事业社会办的体制。为此，加快建立市场经济体制，要从海南省的实际出发，以促进社会发展为目标，广泛地推进各项社会改革。

15. 为适应社会主义市场经济尤其是现代企业制度的要求，要加快建立统一的、多层次的社会保障体系

首先，要努力提高各项保障的社会化程度。要逐步扩大各项社会保障的覆盖面，由各类企业扩大到机关事业单位工作人员和个体劳动者，并根据情况，逐步吸收国有农场参加。中央在琼单位一律纳入地方统筹，同时抓好和不断扩大农村社会保险试点，使社会保

险制度最终普及全社会劳动者，以利于全省劳动力市场的最终形成。其次，逐步建立和完善多层次的社会保障体系。包括社会基本保险、企业补充保险和个人储蓄保险以及农村中各类合作保险相结合的多层次的社会保障体系。同时，积极发展各类商业性保险，作为社会保险的必要补充，以提高全社会的风险保障能力，满足城乡各层次劳动者的不同保障需求。

16. 加快医疗保险改革，建立个人医疗账户与大病保险相结合的社会医疗保险制度

部分富裕农村可在农民自愿基础上，建立适应农村经济发展水平的大病保险制。加强社会保障事业的民主管理和监督，是保证社会保障事业健康发展的重要环节。社会保障是社会公众的事业，社会保障的管理要社会化，要让广大劳动者通过参与民主管理把社会保障当成是自己的事业。因此，应当努力建立和实施为企业和受保人提供咨询服务的工作制度。还要尽快设立由政府有关部门和社会公众代表参加的社会保险基金监督组织——养老、医疗、失业、工伤等各项社会保险基金委员会，行使应有的监督职能，建立健全正常的工作制度和监督程序，认真搞好对各项社会保险基金收支、管理、营运过程的监督。

17. 加快住房制度改革，实现住房商品化、社会化

首先，实行租、售、建（即提租补贴、售房优惠、集资建房）三者并举，以售为主的方针，加快出售公房速度，解决目前行政机关事业单位和国有企业职工的住房问题，在以优惠价格向职工出售公房的同时，要认真搞好公房出售后的社会化管理服务，并将售房所得资金再投入，实现住房建设资金的良性循环，改善职工的居住条件，使公有住房尽快作为商品纳入市场经济轨道，调整和优化消费结构，促进房地产市场和劳动力市场的形成和发展。

其次，在全社会实行住房公积金制度。即每个劳动者及其所在

单位均按个人收入的一定比例逐月缴纳住房公积金，按人分户计息储存，产权归劳动者个人所有，按规定用于本人或亲属购房、建房。同时，按政事企三分开原则，借鉴新加坡等国经验，设立住房资金管理机构，其职责是：在当地人民政府住房制度改革领导小组领导下，具体负责住房公积金的收集、管理、运用、偿还、核算以及其他房改资金的管理、使用工作，有关的信贷业务委托金融机构办理，并接受同级财税、审计部门的监督。同时，设立若干家以保本微利、有偿服务为宗旨的物业发展管理公司，对城镇居民住房实行统一规划、开发建设和社会化管理服务。

根据城镇居民的不同住房需求，建设不同档次和面积的住房，并根据人们的不同收入水平分别按不同价格出售，对低收入者实行优惠价，对中收入者实行标准价，对高收入者实行市场价。同时实行分期付款购房和住房保险等办法，帮助中低收入者尽快解决住房问题。要加快经济适用房的开发建设，要根据城镇建设总体规划，建设功能配套、经济适用的新住宅小区。各市县要组建经济适用住房开发机构，安排出经济适用住房用地，争取及早实施。争取用10年左右时间，在全省县城以上城市基本实现"居者有其屋"的目标，使城市居民安居乐业。

18. 按照市场经济要求改革现行收入分配体制

坚持以按劳分配为主体，多种分配方式并存的制度，体现效率优先，兼顾公平的原则。实现收入分配的真实化、货币化，逐步实行收入分配的市场化。鼓励一部分地区一部分人通过诚实劳动和合法经营先富起来，并通过他们影响、带动和帮助后富，实现共同富裕的目标。收入分配要向效率倾斜，引入和完善竞争机制，合理拉开差距，克服平均主义，保证多劳者多得，贡献大者收入高，对于法人和居民个人的一切合法收入和财产，国家要依法给予保护，使其不受任何侵犯。鼓励城乡居民参与储蓄，对个人存款予以保密。

鼓励个人参与各类投资，允许个人以资本、土地、房产以及知识产权等各种生产要素参与收益分配，并依法保护个人投资分配所得。同时，要建立个人收入应税申报制度，依法强化征管个人所得税。

19. 鼓励、支持社会各方兴办科技、教育、文化、医疗等各项社会事业，保护出资者的合法经营收入

海南省各项社会事业基础相当薄弱，而地方财力不足，鼓励多渠道、多形式社会集资，实行社会事业社会办的体制，既可减轻财政负担，使政府集中力量办好一些重要的社会公益事业和抓好宏观管理，又可调动各方积极性，加快各项社会事业发展。对于社会集资举办和民间私人兴办的学校、诊所（医院）和科技文化企事业，一是从政策上支持，在申办登记、土地征用、税负、聘用人才和劳动力等方面一视同仁；二是加强宏观管理，引导、帮助其提高管理水平，把好质量关，维护社会公众利益。对于依法兴办社会事业的法人和居民个人的合法收入，应予以保护。除了政府明令规定的税收等必要负担外，任何部门和个人不得以任何名目强行索取"赞助""捐献"和各种"费用"，更不得以此为由随意干扰其工作秩序和正常经营。

20. 推进事业单位改革

按照政事分开的原则，扩大事业单位的社会服务职能，使多数事业单位面向市场，逐步实现企业化。现有的事业单位中，除担负一定行政职能的行政性事业单位和教育事业单位以及某些担任长期稳定的科研任务的科研单位外，其余的一般均实行企业化经营管理。有条件的事业单位，可采取社会集资入股的办法逐步办成独立经营、自负盈亏、自我发展、自我约束的企业法人，有的也可按股份有限公司和有限责任公司方式进行改革。

21. 完善投资交通基础设施综合补偿办法

要组织力量尽快制定并颁布《海南经济特区投资交通基础设施

综合补偿条例》。通过立法形式，把各项有关综合补偿的具体政策固定下来，确保政策的统一性、稳定性和可操作性。

五　以有利于加速开发建设为标准，建立完善以经济手段为主的经济管理体系

海南正处在开发建设初期，转变政府职能的目的是推动和保证开发建设，要以有利于加速开发建设为标准，建立完善有效的宏观管理体制，各级政府应当主要运用经济手段，加强对经济的管理。从实际出发，采取一切有利于解决、发展企业的措施和一切有利于加快经济发展速度的政策。同时，采用一切可能的手段，改善以基础设施为主的投资环境和公共服务为主的社会环境，切实由行政管理型向经济服务型转变。

22. 彻底改革计划投资管理体制，由项目计划审批制改为登记备案制

计划管理的重点是统一规划、综合协调，主要运用规划和政策来指导经济社会发展。要彻底改变现行的项目计划审批制，在符合统一规划的前提下，企业有权自主选择和自主决定竞争性项目，向项目管理部门备案登记。除国家特别规定的重点项目外，一切基础设施等重大项目，都应采取公开招标的方式和股份制的形式进行，鼓励各方投资参与基础设施建设。

23. 适应市场经济和开发建设的需要，加快建立政府公共财政体系

随着国有资产市场化的加快，一切国有企业和国有资产的运营都要按市场经济规律来办，政府不再直接管理和干预。要建立严格的公共支出计划，政府财政支出除保证机关和行政费用外，基本支出是社会公益支出。除基础设施和个别重大项目由政府投资一部分资金作为股份外，其他一切营利性项目政府不再投入。要建立有约束力的政府公共预算制度和国有资产经营预算制度，一切公共支出

（包括部分重大项目参股）都要按照预算严格执行，要完善预算立法，并切实加强立法机关对公共预算的监督。

24. 抓好分税制财政体制改革的落实工作，在完善分税制体制下理顺省与市县的财政分配关系

要在既有利于增强省级的调控能力，又尽可能维持市县既得利益的前提下，对市县财政体制进行调整；此外，为充分发挥市县的积极性并严格税收征管，可考虑把现行省与市县的财政包干制改为分税制；近期要通过调查研究，划分省与市县事权，并以此为基础提出省与市县实行分税制的具体方案。

25. 改革和完善海南特区税收制度

要在严格执行全国统一税法、贯彻国家统一税收政策的同时，进一步完善特区"公平、轻税、简便、稳定"的税收制度。要参照国际惯例，完善地方税体系，探索税种选择、税负调整、税收管理体制、税收征管等方面的改革新路子。

26. 推行现代征税制度和财政支持企业技术进步资金使用管理办法

建立支持企业技术进步资金。资金管理以财政为主，项目论证实行双重管理。根据产业政策，按照有偿使用的原则，不分所有制形式，重点支持海南省地方企业的高科技、新产品开发和效益好的项目。

27. 建立以经济手段为主的宏观管理体制，必须加快政府机构改革和职能转变

按照政企分开的要求，采取多种方式，尽快把经济专业主管部门转变为经济实体或半官方的服务机构。按照小政府的原则，加快省、市、县党政机关的机构改革，特别是市县机构改革，省级机关内设机构也要进行相应调整。机构的改革，重点是转变政府管理经济的职能。按照政企分开、政府的社会经济管理职能与国有资产所

有者职能分离的原则，着重理顺政府与企业的关系，依法把属于企业的法人财产权切实还给企业；把生产要素分配即资源配置的职能转移给市场；把经济活动中的社会性服务和监督的职能转交给中介组织；政府仍然保留的少量必要的审批职能也要公开化、规范化、制度化。不断提高政府运用经济政策、法律法规等间接调控手段管理经济的能力和水平，把行政手段限制在确实必要的范围之内。与此相适应，加快推行公务员制度，在实行干部分类管理的基础上，逐步将一部分党政机关、事业单位的干部分流出去走向社会。

六 以搞活土地为重点，加快建立农村市场经济体制

90年代我国农村经济体制改革的总体目标是，通过经营制度、产权制度、流通体制和政府宏观调控体制的改革，建立起以市场调节为主导的农村经济运行机制和管理体制。从海南省实际出发，实现上述目标的关键在于搞活农村土地。土地是农村最基本的生产要素，又是海南省农村最有优势的资源，特别是随着海南省开发建设的大规模展开，如何充分而有效地发挥海南省农村的土地优势，使之既有利于加速开发建设，又有利于促进土地的价值化，是加快农村市场经济发展亟待解决的问题。随着改革的不断深化和市场经济的发展，在土地问题上，暴露出了一些深层次问题，主要是如何进一步稳定完善农村的土地政策，真正落实农民对土地使用的自主权，建立科学合理的土地流转制度，加速土地开发。只有解决好土地的这些深层次问题，农民的市场主体地位才能真正确立，农村的产业和产品结构才能真正得到合理的调整，规模生产经营才有坚实的基础，乡镇企业才能加快发展，农村富余劳动力才能得到合理的转移。因此，搞活土地是加快建立农村市场经济体制的关键，要把它作为深化海南省农村改革的重点。

28. 搞活土地，建立科学合理的土地流转制度，加速农村土地开发

（1）要进一步明确农民对土地的使用权。在土地承包期内，在基本不改变农业用地性质的前提下，把土地使用的自主权真正还给农民，支持和鼓励农民从市场需求出发，自主种植、自主经营。

（2）在坚持农村土地集体所有制的前提下，在原承包期的基础上，对耕地的承包期延长到30年。根据海南省热作生产的特点，对荒山、荒坡、滩涂等的承包期可以延长到50年。

（3）建立有利于土地流转，加速开发的制度。在土地承包期内，允许农民之间或农民对内外投资者相互依法有偿转包、转让、租赁，抵押土地的使用权。允许和支持农民以土地使用权折价入股，合股或合作经营。允许农民建立土地开发公司，对土地合理规划，以土地招商引资，合股经营，加速农业开发。

29. 大力发展农村股份合作经济，促进市场经济发展

从实际出发，大力支持和鼓励发展多形式、多层次的农村股份合作经济，实现农村产权制度和经营方式的创新。要积极地把股份合作制引入乡镇企业，鼓励原有的乡镇企业改造成股份合作制企业，同时组建多种形式的股份合作制乡镇企业，有条件的企业，也可实行股份制和组建企业集团，在明晰产权的基础上，促进生产要素跨地区流动和组合，形成合理的企业布局和优化资源配置，要大力发展股份合作制形式的种养业企业和经济组织，一些有条件的农村私营企业和个体户根据自愿原则可以改造成股份合作企业，扩大生产经营规模，增强经济实力和提高经济效益。

30. 建立健全统一、开放、公开、有序的农村市场体系，搞活流通

今后一个时期建立和培育农村市场体系要坚持以继续办好集贸市场和各类专业市场为基础，把农副产品现货批发市场的建立和完

善放在重要的位置上。要重视市场质量的提高，健全制度，规范行为，加强与之配套的信息、仓储、运输、加工、保鲜等设施的建设。要注意发展一批在政府和市场之间、为市场主体提供各种服务，保证市场正常运转的市场中介组织。要大力培育和发展农村劳动力、资金、土地、技术、信息等要素市场。要发展农村社会化服务体系，促进农业专业化、商品化、社会化。同时，要鼓励和支持农民直接进入流通领域，通过自销、代购、代销与公司联营等形式，搞活农产品流通。

31. 大力发展贸工农一体化经济组织，促进城乡结合和协调发展

要打破区域、行业、所有制的界限，大力发展多形式、多层次的贸工农一体化、产加销一条龙、农科教一体化等经营组织。要抓住带头产业、产品，搞好基地建设和深度开发。要抓好龙头企业，特别是要抓住以农产品购销和加工企业为龙头，充分发挥其连接城乡的作用，同时也可以发挥农村中一些能人的作用，以他们的经济组织为媒体，把农民家庭的分散生产与市场连接起来，形成一条龙。要大力鼓励和支持内地和国外的大公司、大企业，通过合同形式与农民组成风险共担，利益均沾的利益共同体，实行生产、加工、销售的一体化，发展高附加值产品和出口创汇农业。

32. 搞活国有农场，加快国有农场公司化进程，促进农垦市场经济发展

为确立国有农场生产经营自主权，可以划小农场各部的核算单位，可按专业或行业组建若干公司，也可把现有的区、队改造成公司，办成经济实体。鼓励和引导以具有良好经营业绩的农场企业和具有发展前景的项目、拳头产品为基础，先行试点组建有限责任公司或股份有限公司。支持和帮助农垦社区试办农垦信用社或农垦财务公司，增强农垦融资能力和开发能力。允许国有农场以土地作为

股份，吸引内外资金，走股份制的道路，加快国有农场土地资源开发。

七　以发挥特区优势为基础，加快形成开放型的对外经济体制

海南建省办经济特区，中央给予了一系列对外开放的优惠政策。近年来，政策的优势逐渐减弱。但从目前的情况看，海南省的对外开放政策在某些方面，比如，人员进出境、外汇管制、税收优惠、进出口贸易、基建项目和利用外资项目审批等方面，仍比内地有一定的优势。要抓紧时间，充分利用目前的这些政策优势，按照国际惯例加快改革，进一步形成开放型的对外经济体制优势。

33. 进一步改革外贸体制和进出口管理制度，实行基本放开经营的外贸政策

取消对进出口直接的指令性计划管理和岛内进出口审批制度。对国家下达的进出口配额、许可证，按照效益、公正和公开的原则，实行配额、许可证招标拍卖制度。按照现代企业制度加快国有对外经贸企业的股份制或规范化公司制的改造，搞活外贸企业。一切企业（包括生产企业）都自主具有贸易进出口权，由市场规则和市场竞争来调节和管理企业外贸活动，取消对企业进出口的审批权，全方位开放海南省的进出口业务。允许各类企业在平等竞争中自主经营对外贸易，通过竞争发展一批国际化、实业化、集团化的综合贸易公司。同时，加强外贸经营协调机制，积极培育和充分发挥进出口商会的协调职能和中介机构的监督、服务作用。与此同时，允许外资以联营或参股的方式进入外贸。

34. 实行更加宽松的鼓励旅游开发政策，拓展旅游市场，加快旅游产业的发展

为了加快海南旅游业走向国际市场，对一些重点旅游开发项目，特别是旅游基础设施开发项目，向海内外公开招标，鼓励境内外投资者到海南从事旅游基础设施开发、旅游景点设计、旅游建筑产业开发。

35. 进一步对外开放海南的热带农业资源

在基本不改变农业用地性质的前提下，允许将农村土地成片有偿转让、转包或租赁给内外投资者生产经营，包括荒山、荒坡、滩涂，也包括耕地甚至是成片的农田。允许将农业建设项目，包括农业的基础设施建设，部分或全部对外招商建设。允许将集体农场和国有农场承包或租赁给内外商经营。鼓励和支持境内外投资者以合资、合作、独资或联营等形式兴办农业种养、加工、购销等经济实体，组织农工商统一体或兴办农业科研机构等。允许外商合作或独资经营农副产品，允许外商经营农业生产资料和优良品种。外商独资或合资生产的具有海南特色的名优农副产品，允许在省内销售或销往内地。减少对外商投资农业审批环节，并在人民币配套资金方面尽量予以满足。

36. 加强对外合作，加快南海资源开发

积极采取官方、半官方、民间等多种形式和途径。与台湾共同开发南海资源，并力争取得实质性进展。与此同时，向境外广泛招商，采用直接合作或间接融资等多种途径加快海南的海洋资源的开发利用。

37. 鼓励和支持海南的企业走向国际市场

选择几家经营管理较好，效益较高，有一定影响力、竞争力的大中型企业到欧美市场、东南亚市场公开发行股票上市交易，通过直接从海外资本市场融资实现海南企业与境外企业的沟通和融合。允许有条件的海南企业，采取多种形式，到海外直接投资办厂，开展跨国经营，大力开拓国际市场，发展外向型经济。

38. 加快重点项目、基础设施项目利用外资的步伐

要打破原有的，只有专用基础设施才允许外商独资经营的规定，筛选一批近期急需上马的重点基础设施项目作为招商引资的重

点。建议将海口美兰机场、环岛中、西高速公路、湛江至海口的火车海上轮渡工程、西环铁路工程等向境外公开招商，并允许外商以合资、合作、独资、参股等多种形式投资兴建。

39. 加快洋浦开发区的开发建设

要按照世界通用的开放型的市场经济体制模式，从多方面充分发挥洋浦在海南省对外开放中的"排头兵"作用。近期要根据不同情况采取第三产业、商业、保税生产资料市场、边贸区市等形式，加快"两区、两点"的启动，在保税监管的前提下，实行"一线放开，二线管住"。

八 以巩固、推动改革开放为目的，加快市场经济立法步伐

市场经济就是法制经济。市场经济体制的建立和完善，必须有完备的法制来规范和保障。加快建立健全与市场经济相适应的法律法规体系框架，是加速发展市场经济、建立市场经济体制的重要条件。海南市场经济发展较快，具备了较好的立法基础。通过加快立法进程，巩固已经取得并被实践证明行之有效的改革成果和推进重大改革。要充分利用海南的地方立法权，尽快建立与市场经济相适应的法律法规体系基本框架，使市场经济中的基本经济关系、市场主体行为与市场交易秩序逐步做到规范化，有法可依。对于政府自身的行为也要逐步做到用法律与法规的形式加以规范化与约束，逐步做到依法行政。今后一个时期经济立法必须主要完成5个方面的法律：一是规范市场主体资格、权利和义务的法律；二是调整市场主体关系，规范市场运行规则、维护市场秩序的法律；三是加强宏观调控，促进经济协调发展的法律；四是保护所有投资者合法权益的法律；五是建立健全社会保障体系和促进对外开放法律。

40. 通过立法巩固改革成果，深化体制改革

（1）通过立法，确保以股份制企业为主体的现代企业制度的建立。立法重点是：《海南省国有资产管理办法》《海南省企业产权

转让实施办法》《海南省企业公司化经营暂行办法》《海南省股份制企业监管办法》等。

（2）通过立法，规范市场主体行为，规范市场运行规则，维护市场秩序，鼓励竞争，保护竞争，反对垄断。立法重点是：《海南省产权交易市场管理办法》《海南省证券市场管理办法》《海南省合作持股基金管理办法》《海南省信托投资机构管理办法》《海南省抵押贷款管理办法》《海南省土地管理实施办法》《海南省房地产交易管理办法》《海南省劳动力市场管理办法》《海南省科技市场管理办法》《海南省期货市场管理办法》《海南省经纪人管理办法》等。

（3）通过立法，推动以社会保障制度为中心的社会配套改革，为企业创造平等竞争、安全宽松的社会条件，搞好社会发展事业。立法的重点是：《海南经济特区城镇从业人员养老保险条例》《海南经济特区城镇从业人员失业保险条例》《海南经济特区城镇从业人员工伤保险条例》《海南经济特区社会保险基金营运管理条例》《海南省民办社会保险业管理办法》《海南省社会审计管理办法》等。

（4）通过立法，为农村经济发展创造一个宽松的社会经济环境，推动农村改革的深化和农村经济迅速发展。立法重点是：《海南省发展乡镇企业条例》《海南省农村股份合作经济条例》《海南省现代农业开发条例》等。

41. 建立健全执法监督机制，切实加强执法监督

要加强执法监督机构的建设。在政府转变职能，调整机构，精减人员时，要选调一些素质较高的人员充实监督队伍；要通过各类培训不断提高监督人员的政治素质和业务素质。对不适于执法的人员要坚决调离，司法、经济管理部门要建立有效的约束机制，防范以权谋私，纠正部门和行业的不正之风，建立对执法违法的人员追

究制度和赔偿制度。在优化执行监督队伍的基础上，提高执法人员待遇，改善监督手段，形成强有力的、有效的执法监督体系。与此同时，以往制定公布的法律、法规，有的可根据市场经济发展的需要加以修订或增加新的内容，有的基本不适合发展需要的，要及时依法废止。

改革影响全局。要抓好对改革的宣传、教育、培训和解释工作，让广大干部群众了解改革，支持改革，参与改革。同时，要加强对改革工作的组织领导和抓好落实工作。充分认识体改工作对于发展全局的意义和作用，切实把体改工作放在十分重要的位置来抓，进一步加强领导，扎扎实实地推进。

发展海南产权交易市场的建议(5条)[*]

（1994年3月）

建立与发展海南产权市场不是哪个主办单位的个别愿望，而是海南目前发展到确实需要把产权交易提到一个相当重要和迫切的地位。下面我从海南的实践，从五个方面把这个问题提出来。

一 国有企业的产权交易问题

从全国看，国有资产闲置的问题比较严重，大概有30%—40%的闲置资产；但其交易量不到1%。海南的情况更为严重。海南国有企业实际亏损额（不包括潜亏）一直在30%以上。1993年1—9月海南国有企业上交税收总额还比不上1—6月海南五家上市公司上交的税金。这种状况与海南迅速发展的市场经济不相适应。但是到目前为止，国有企业改革还没有完全走到新的思路上来，没有走到如何适应市场经济大环境中来。国有企业改革相对滞后，是造成国有资产流失的最重要原因。

那么，如何推进国有资产改革呢？在国有资产改革的根本思路还未厘清之前，过早颁布国有资产管理条例未必有利。它可能会解决一些局部实际问题，但不可能解决根本问题，甚至反过来还会对

---

[*] 迟福林：《发展海南产权交易市场的建议》，《海南日报》1994年3月11日。

解决根本问题带来更多的障碍。在社会主义初级阶段的市场经济条件下，我们追求的不是企业数量，而是资本的营运效益，那我们就要按照资本投资的营运规律来运作国有资产，而不要把国有资产的管理局限在行政管理范围之内。

在这方面，国有资产管理市场化的观点有助于分析国有企业产权制度改革和交易的问题。事实上，无论是国有资产，还是其他资产，它们追求的效益从根本上讲都是资本效益。而市场配置资源的核心就是配置资本。通过国有资产的运营来调整企业结构问题，应当把国有资本运营到最需要投资的地方去。

现在实践当中遇到一个问题。要把那些竞争性的、暂时看来还有一定赢利能力的国有企业，拿到产权交易市场去，难度很大。一旦拿出去，就会被说成卖国有资产。但事实上，国有企业的产权转让不仅针对亏损企业，而且也针对那些效益还比较好的国有企业。只有把这些企业推向产权市场，我们才能抓住好机遇。

二　农村土地使用权的转让问题

这是海南市场经济发展当中遇到一个很大、很敏感的问题。海南是个大特区，这个特区不只是海口、三亚，而是整个3.4万平方公里的大特区。随着海南的发展，把农村土市场的发展，农民土地使用权的转让问题提到一个很迫切的位置上。随着下一步资本对海南的不断投入，如果这个问题不解决，海南的发展会受到很大制约。

海南最大的资源优势就是土地资源。从全国来看，1985年以前农村承包责任制部分解决了这个问题。在海南不少农民把土地丢掉了，而且离可以出卖几十万一亩的地方没有多远。如果不能有效解决农村土地问题，特别是在包括海南在内的沿海地区，想发挥土地资源优势，想把农民积极性调动起来，是很困难的。因此，在海南这样一个以农村土地占有很大优势的前提下，如何通过产权制度改革、通过产权市场把农民的土地使用权投到市场中去，是一个很大的问题。

我提出的解决办法是：给农民土地使用权并且延长它的期限，即在一定程度上在承认农民对土地拥有产权。在这个基础进行土地转让，开辟农村土地二级市场，是有理论基础的。从现实上看，如果农民（特别是海南，农村离城市近，整个岛都是一个特区）把这个问题解决了，即允许农民以股本形式或以其他转让形式把土地搞活了，这对于海南今后发展是极为重要的。

三 外资参与产权市场问题

从目前看，海南近年来吸引外资发展比较快。按统计局资料，1993年海南实际引进外资9.1亿美元。但在目前证券融资占很大比重的情况下，海南在这方面迈的步子却很小。主要因为很多条条框框的制约：一是有些领域不准外资进入；二是有些领域可以进入但比例受限制。而外资都想在股本中占很大比重，拥有发言权、管理权。这个问题不解决就不能适应外资进入的形势。例如，在建海口机场时，外资想占大比例，一次性投入，拥有控制权、管理权等。然后若干年后转让股权，按目前规定，这条路根本行不通。所以我认为，应当打破一些条条框框，允许海南在这方面有所突破，敢于实践。

四 劳动力产权问题

过去几十年，广大劳动者对国家做出巨大贡献，不仅产品由国家统一调拨，劳动力也由国家统一调拨，应当说国有资产原有的存量包含着广大劳动者的创造。

海南市场环境活跃应当与劳动力流动比较活跃有关。我们承认劳动力市场，承认知识产权，承认劳动者是国家主人，但又不承认劳动力产权，这从哪个角度都说不过去。当然，这面临的问题是很复杂的。但既然海南与全国不同，就应当允许海南在一些方面进行改革试验。

五 关于公众产权的保护问题

海南建省前私营企业不到两千户，现在已有一万家。为使这一部分资本能够真正公开化、真正地运用到整个社会的经济建设中来，应尽早解决公众产权的保护问题。现在有一部分股民发了财，心里不踏实，总想转移、缩小这笔财产。如果在他们参与市场过程中，其股权、财产权不能得到切实的法律与制度上的保证，这部分资本不仅不能发挥效益，反而会对整个经济发展会造成很严重的负面影响。所以，在今后的市场经济立法中，很有必要首先明确私有财产的保护问题。

服务于海南产业开放的改革
措施的建议(24条)[*]

(2000年10月)

改革是推动和解放生产力的根本,改革推动着经济持续快速增长。决定海南产业开放的最重要环节是海南的市场化进程。市场经济有两个最基本的要素:一是规范保护市场主体利益的制度环境;二是具有充分自主性、独立性的市场主体。制度环境建设必须通过改革,这是最具实质性、全局性的因素。海南作为特区省,不但发展需要改革,而且按照中央对海南的要求,需要建立起与发展相适应的、有自身特色的创新体制,必须通过改革。确立海南未来5—10年以产业开放拉动产业升级的经济发展战略,要进一步加快市场化改革进程,更需要尽快出台一些重要的改革措施。

一 适应产业开放要求,加快发展非国有经济

海南建省初期,中央就给海南明确的政策,允许海南不受所有制结构比例限制,支持和鼓励多种所有制形式的企业平等竞争,竞相发展。经过十多年的发展,海南非国有经济的企业已成为海南经

---

[*] 节选自中改院课题组《以产业开放拉动产业升级——中国加入WTO背景下的海南经济发展战略》,2000年10月。

济发展的重要力量。但是，在实际成长环境方面，如市场准入、资金借贷、技术服务、税收优惠等，都在向国有企业倾斜，这使非国有企业发展受到一定限制。国有企业投资大，但产业效益不高。在实施新的产业开放战略中，海南必须加大企业改革的力度，力争在未来五年内形成产权明晰、各种所有制企业平等竞争的所有制格局。

1. 进一步鼓励和扶持民私营经济的发展，使之成为21世纪海南发展的生力军

（1）要大力推进国有经济战略重组，通过职工持股、股份制、国有资产置换、出售等多种方式，使竞争性、营利性行业的国有中小企业发展成为混合经济企业。

（2）要引导、鼓励民私营企业走以高新技术为主导的发展道路，对民私营企业放松市场准入限制，扩大民私营企业在电力、金融、城市基础设施建设等方面的投资领域，并给予金融、财政、税收等方面的扶持。建立民私营企业信用担保体系、间接融资系统，拓宽直接融资渠道，强化中小企业贷款保证系统，完善资金辅导系统等以适应广大民私营企业发展的需要。

（3）大力发展城乡合作型的、以加工业为主的民私营企业。城市提供信息、技术、资金、管理，农村提供原料、劳力、场地等，通过城乡合作带动海南加工业的发展，解决农村劳动力转移问题，并在此基础上，逐步形成以城乡合作型民私营企业为主体的小城镇，推动海南的小城镇建设。

2. 加快企业个人收入分配制度的改革，实现产权占有多元化、社会化

海南在企业收入分配制度上的改革明显滞后，导致技术、管理骨干人才离开企业，或离开海南，到广东、上海、深圳等地谋求发展。企业要实现要素资本化，关键是吸引人才。增强企业活力的源泉在于建立与现代企业制度相适应的、合理的收入分配制度。

（1）建立职工持股制度，在企业和职工之间结成产权纽带关系，使劳动者成为产权主体，有效地激发职工的责任感、参与感和对企业的归属感。

（2）理顺和完善企业经营者的激励、约束机制。在加强对经营者监督制约的同时，着力解决对经营者的激励问题。应在有条件的企业内试行经营者股票期权、期股和年薪制等长期激励办法，解决好经营者的劳动力产权问题，使经营者获取与其职责和贡献相符的收入水平，调动广大经营者的积极性，这对企业收入分配制度改革和企业发展有特别重要的意义。

（3）制定和出台相关的政策和法律，争取在2000年海南省人大能通过企业职工持股的法案。大力鼓励企业收入分配向企业科技人员和技术骨干倾斜，不仅在薪金、奖金、股权、期权、住房、福利等物质收入方面要与普通职工拉开差距，而且要在企业形成尊重知识、尊重人才的风气，最大限度激发科技人员的创新积极性，增强企业技术创新的后劲。

3. 加快国有企业的改革，实现企业产权的社会化

为了实现产业开放的战略，海南要对国有经济布局做重大调整。

（1）严格控制国有企业数量，缩短国有经济战线，把国有资产从一般竞争性领域向必须由国有经济发挥作用的战略性领域集中。对于海南来说，这些领域应主要集中于重点防护林工程、大型不可再生资源的开采、非经营性公益事业等。

（2）以市场和产业政策为导向，以资产为纽带，在摩托车、化工、航空以及医药、农业等重要支柱产业中，鼓励企业兼并、重组、联合，组建若干家跨地区、跨行业、跨所有制大中型股份制企业集团，促进存量资产向优势企业集中。

（3）对食品、纺织、化纤、制糖、建材、商业等行业的国有中

小企业要采取灵活多样的方式，如职工持股、股份合作制、租赁、破产、出售国有资产转变为民营企业或股份合作制企业。

（4）要敞开大门，面向海内外开展企业资产重组，制定若干措施，吸引境外企业与海南国有企业之间的合资合作。通过外资的注入，改善国有企业的股权结构、资产结构、组织结构和管理水平。

（5）积极选择推荐更多符合国家和海南产业政策、涉及海南长远发展的、经营管理水平比较高、经济效益比较好的企业股票上市，使其成为公众公司，提高其产权社会化程度。

二 按照产业开放要求，全面实现经济运行机制市场化

4. 加快投资要素的市场化和规范化

投资要素市场包括商品、劳动力、资本、技术市场等。海南省的商品市场经过十多年的培育和发展有了一定基础，但也存在着竞争不平等、市场秩序混乱等问题，需要进一步规范和发展。其他要素市场，如资本、劳动力、技术、土地等市场则基本上还处于起步阶段，组织化程度很低，亟待采取措施进一步规范和发展。

（1）在对海南金融机构清理整顿的同时，还要着手培育以产业资金为龙头的资本市场，以资本市场发展带动诸多方面的改革。

（2）工资改革要进一步向市场化迈进，把工资分配纳入市场调节轨道，加速劳动力市场的形成。

（3）加强地价评估，商业性用地使用权的出让和转移，要通过招标、拍卖方式进行，加强竞争性，提高透明度。

（4）调整和理顺政府对自然垄断行业商品和劳务的定价和收费标准，使价格既能反映企业的成本，调动企业积极性，又能保护广大消费者利益。

5. 尽快推进服务领域的市场化改革

未来5年内，应把服务业的市场化改革作为海南市场经济向纵深发展的突破口。

（1）对服务领域的国有企业进行股份制改造，明确产权关系，建立现代企业制度，培育服务领域市场竞争主体。

（2）对服务业进行业务分解，把自然垄断性业务从其他业务中独立出来。由国家授权的企业垄断经营，政府要对其加强管制。其他非自然垄断业务，则由多家企业竞争性经营，完全由市场进行调节。

（3）政府对一些建设项目和垄断业务的特许经营授权应通过公开招标的方式进行，通过合同的方式，规范政府、企业、部门的行为。招标活动应该遵循公开、公平、公正和诚实信用的原则，保持招标的透明度，减少招标过程中的人为决定因素，减少腐败行为。

6. 积极推进经营者选择的市场化、职业化

培养和造就经营者队伍，保证使最具经营能力的人成为经营者是保证企业高效运作的核心。加快建立有效的经营者市场选择机制是海南加快建立经营者队伍的关键。

（1）取消组织和人事部门对国有企业的经营者的委任制，由董事会面向社会、面向市场公开招聘。

（2）确定明确的选拔条件，经营者必须满足从事经营决策、管理岗位所必需的基本条件，使经营者成为独立的职业阶层。

（3）尽快建立规范的经营者市场。建议有关方面应尽快出台相关规定，把经营者的选拔机制制度化、规范化。

7. 建立政府采购制度，加快财政支出市场化改革

目前我国正在推行的政府采购制度改革，填补了在财政支出管理方面的空白。因此，海南要尽快建立政府采购制度，形成与现代市场经济接轨的财政支出框架体系。

（1）建立特定政府采购机构——政府物料供应中心，以公开招标的方式，向社会集中统一采购行政、事业单位工作所需的各种设

备和提供修缮及其他服务,节约政府开支。

(2) 培育政府采购市场,可采取用计算机及现代化的通信网络,实施电子采购,在此基础上,实现全国物资采购的联网。

(3) 组建政府采购中介机构,如各类招标机构和仲裁机构,以解决政府采购所涉及的技术问题和争议问题。

(4) 建立和完善监督体系,对政府采购进行有效的法律监督和社会监督,确保有关部门在政府采购过程中公开、公平、公正。

三 进一步完善"小政府,大社会"行政管理体制,建立精干、廉洁、高效的政府

"小政府,大社会"是海南省市场化改革的重要特色,它在海南发展过程中起到了重要的作用。按照产业开放对政府管理体制提出的要求,下一步海南各级政府机构改革要在以下三个方面有所突破。

8. 政企分开要有新突破

按照管好所有权,放开经营权,政府行使宏观调控权的思路,以政企职责分开为突破口,以建立国有资产出资人制度为核心,对国有资产的管理、运营和监管体制进行大胆探索和改革,建立新型的、科学的国有资产管理、运营机制。

组建国家控股公司即国家授权投资的机构,建立控股公司与政府之间的新型关系。政府通过授权,使控股公司行使国有资产的出资者职能,成为国有资产的经营主体,从而使政府机构与经营国有资产的职能彻底脱钩,实现政府的社会经济管理职能和所有者的资产管理职能分开,政府的国有资产的管理与监督职能和国有资产的经营职能分开,最终实现政企分开。

9. 政事分开要有新突破

海南事业单位冗员沉重,吃财政饭的人员中,大部分是事业单位人员,给财政造成很重负担。因此,事业单位改革势在必行。政事分开是事业单位实现自主经营、自负盈亏、自我约束、自我发展的前提。政事分开要在下面几个方面有所突破：

（1）事业机构企业化和社会化是实现政事分开的基本前提。要进一步推行已开始的事业单位法人资格登记，核准事业单位法人资格，确定事业单位法人地位，实行法人治理结构。为事业单位走向市场，服务社会，实现自身企业化、社会化经营创造条件。

（2）通过改革，力争实现政府机关与事业单位在政事职能、政事机构编制、政事机构规格、政事机构名称、政事管理方式五个方面的分开。

（3）打破事业单位部门所有制，尽可能做到政府与事业单位在人、财、物等方面的分离，从而杜绝政府职能体外循环的可能性，堵塞政府机关附属机构不断膨胀的漏洞，减少行政事业经费的开支渠道。

10. 政社分开要有新突破

政社分开即政府机构与群众团体、中介组织和社会性服务组织的分开，充分发挥社会性团体和组织的自我发展和自我管理的作用，改变政府包揽社会事务的状况，真正实现社会事业社会办。

（1）明确界定政府和社会的职责，政府管理和社会管理分开，把社会可以自我调节与管理的职能交给社会，政府要极大地减少审批事项，把绝大多数事务性管理工作交给社会自律组织，真正做到还权于社会。发展和培养一批能够活动自主、经费自筹、领导自选、独立行使社会职能的社会组织，逐步增强社会的自治功能。

（2）改进政府对各种中介机构的管理办法，取消它们的挂靠单位，切实切断社会中介组织对政府的依赖关系，使其成为独立的法人实体。

（3）政府要制定好相关的政策和法律，加强对社会组织的依法监管，规范社会组织的行为。

四 完善全社会统一的社会保障制度,提供产业开放的社会条件

11. 进一步完善全省的社会保障制度,逐步扩大保障覆盖面,形成全省统一的社会保障体系

(1) 深化改革养老保险制度。在城镇,完善法定的基本养老保险制度,扩大覆盖范围,合理确定职工基本养老保险水平、筹资水平和积累水平;在农村,建立以个人交费为主、国家给予政策扶持的合作养老保险制度。

(2) 深化医疗保险制度改革,采取多种措施推动市县和农垦的医改进程。在城镇,完善社会统筹与个人账户相结合的医疗保险制度;在农村,推行合作医疗或大病统筹式的医疗保险制度。

(3) 完善失业保险制度,调整失业保险基金的使用机制,开展职业培训,扩大再就业机会。

(4) 扩大社会保障的内容,逐步建立起社会保险、社会救济、社会福利、优抚安置、社会互助和个人储蓄积累保障相结合的多层次社会保障体系。

(5) 完善社会保障基金管理运营制度,强化政府和社会对各项社会保险基金的监督和管理,确保各项社会保障基金的给付和调剂运营。

12. 多渠道筹集社会保障基金,摆脱仅靠增加企业成本支撑改革的局面

(1) 财政支出加大对社会保障基金的倾斜,要增加社会保障支出在财政支出中的比重。在现代市场经济条件下,财政支出重心要逐步由过去的投资生产建设性项目转向对社会保障、社会治安、基础教育等社会公共产品的支出,为市场经济发展创造良好的社会环境。

(2) 结合国有经济战略重组,将出售国有经济所得的部分用于

补充社会保障基金。

（3）逐步明确和增加个人对养老、医疗、住房等保障的投入，建立社会统筹和个人账户相结合制度，调动个人参与和积累社会保障基金的积极性和主动性。

（4）将若干社会保障项目费率合并，争取率先开征社会保障税。由国家税务部门利用征收个人所得税的程序统一征收，有利于降低征收成本，又可以使保障基金及时入库。

13. 以扩大再就业为目标，对下岗人员、失业人员提供基本生活保障

（1）要为下岗职工提供基本生活保障，做好基本生活费用发放和社会保险费用代缴。

（2）引导下岗职工和失业人员进入再就业培训中心，接受再就业培训，努力做到快进快出、出大于进，提高下岗员工的技能。

（3）社会保险要落实，要解决好在私营、外商企业工作的员工社会保障的连续问题和从事个人工商的个人投保问题。

五　推进农村和农垦体制创新，促进农业的现代化和可持续发展

14. 加快农垦民营化进程，全面推进农垦管理体制和企业制度的改革

以产权制度改革为突破口，进行农垦企业战略性改组，调整完善所有制结构，积极探索租赁制、股份合作制、有限责任公司制、家庭农场经营制等新的经营方式，使一批适合集体、个体、私营企业和混合经济组织经营的农垦企业转为非国有性质的民营企业。对一部分经济效益好的大中型骨干企业和在农业产业中起核心作用的龙头企业，进行公司制改造，按现代企业制度要求，完善法人治理结构，加快垦区集团化进程，按照主产品的特点和生产、加工、运销一条龙服务的要求，组成橡胶、热作和旅游等若干个企业集团。

与此同时，大力推进农垦社会服务体系地方化，加强垦区的小城镇建设，使农垦经济迅速摆脱国有企业普遍面临的困境，完成深化改革和第二次创业的过程，再次成为海南农业和农村现代化的中坚力量。

15. 全面落实延长农村土地承包至少30年不变的政策，实现农村土地使用权长期化、法制化

在全面落实第二轮土地承包至少30年不变的基础上，选择一些有条件的乡镇，在农户自愿的前提下，进行土地使用权70年不变的改革试验。从实际出发，创造条件实现农村土地使用权在自愿和规范的前提下的有偿转让，运用市场机制，将土地使用权作为生产要素进入市场，为有条件地发展适度规模经营提供条件。

16. 培育和发展农民自己的经济组织和专业服务组织，提高农民进入市场的组织化程度

从海南省热带农业的发展来看，引导农村资金、技术、劳动力等各类要素按市场需求组织生产的出路，在于推行"专业协会+农户"形式。专业协会要注册登记，取得正式组织身份，保持独立经营的主体地位，实行民办、民管、民受益，服务农民，发展专业生产。通过帮助农户解决经营取向、生产技术、产品销售问题，在农户和市场之间架起一座桥梁，促进农村生产、加工销售的一体化经营。

17. 加快城镇建设

在现存的专业化生产、区域化布局的基础上，逐步培育农村中心城镇，使之成为农产品的集散中心、产业集聚中心、技术辐射中心和经济增长中心。

18. 改革农村投融资体制

采取财政、信贷支持、吸引内外投资等方式，逐步形成政府引导、多种经济成分、多种投资主体参与的农村投融资新体制。

19. 推进农村基层的民主建设，建设富裕、民主、文明的新农村

海南的村民自治在各级党政领导的重视下，选举的民主化、规范化程度不断提高，村民自治的内容也不断完善。实践证明，农村基层民主建设为海南农村经济和社会发展注入生机和活力，促进了海南农村各项改革和建设事业的全面发展。

目前，海南的基层民主建设还需继续向广度和深度发展，在未来五年内，逐步把村委会直接选举扩大到乡镇一级，以加快农村的民主化进程。

六　加快海南现有金融机构的整顿和调整，重塑海南地方金融体系

资金缺口大，已成为制约海南实施产业开放战略，加速经济发展的主要因素，要实现海南预期发展目标，初步测算 2000—2015 年共需 9000 亿元人民币的资金投入，如果 50% 由省内自筹，那么第一个五年每年需筹资 125 亿元，第二个五年每年需筹资 250 亿元，第三个五年每年需筹资 500 亿元。因此海南面临的重要任务就是在整顿金融机构的基础上，加快投融资体制改革，建立和逐步完善适合海南实际情况的筹资方式。

20. 重建海南金融机构，稳定投资者信心，促进社会和经济稳定发展

采取积极措施，请求中央给予救助，尽快结束海南发展银行的行政关闭状态，恢复业务运营；运用债务重组和机构重组的策略，尽快将海南国际信托投资公司、海南省信托投资公司等转变为产权清晰、职责明确、股份制的投资公司和证券公司，尽快恢复正常经营能力。以此建立海南地方金融体系，为海南实施产业开放战略提供必需的前提和基础。

21. 尽快建立为中小企业服务的信用担保体系和股份制中小商业银行，切实解决民私营企业融资难的问题

由政府牵头建立中小企业贷款担保基金，基金来源可由三部分组成，一是一定量的财政拨款；二是一定规模的债务；三是基金会员企业缴纳的份额。设立中小合作银行。在操作思路上可考虑：一是对一些比较好的城市信用社或农村信用社按照市场要求，用商业银行的原则，鼓励其独立发展；二是鼓励更多的民间企业家参与中小商业银行的投资；三是成立地方性中小合作银行，按商业化、股份化运营，并给予中小银行一定的优惠政策；四是按照国家的有关法律和规定，海南省对中小商业银行先立法后发展，依法保护中小银行的法律地位。

22. 设立产业投资基金，加快海南投资增长

根据海南产业开放的特点，当前有两种基金可考虑推出试点：一是琼台农业投资基金；二是海南旅游投资基金。其操作方案设想如下：

琼台农业投资基金可设计为琼台合作基金的模式。即由海南省的某一家投资公司牵头，联合省内和台湾若干家实力雄厚、信誉卓著的机构和企业共同组建琼台农业投资基金公司。筹集的资金用于琼台两地农业的合作与开发。

海南旅游投资基金可设计为琼港合作的模式。由海南省指定金融机构牵头组织，在香港联合若干家有良好信誉的金融机构在香港注册，共同发起成立海南旅游基金管理公司。该公司通过招股的形式把境内外零散资金集中起来，投资海南旅游业。通过以上两种基金的发展，带动其他产业基金的发展，加快投资增长，从而促进海南经济增长。

产业发展基金的运作要吸取海南过去在金融方面的教训，控制规模，加强监管，防止操作失控和恶性竞争。

七　依法治省，营造良好的社会环境

海南法制环境以及体制环境是具有优势的投资软环境的核心内容，但也存在经济立法不完善，没有真正形成良好的运行机制等问题。经济活动的规范化、法制化，是扩大产业开放程度、提高产业开放水平的重要条件。因此，要进一步建立健全海南市场经济法制体系，切实推行"依法治省"，搞好法制服务。

23. 应当充分行使全国人大授予海南的特别立法权，参考港台经验，尊重国际惯例，从省情出发，用符合国际规范的方式，加强产业开放和涉外经济立法

围绕扩大开放填补重大立法空白，对产业开放和外商投资企业法制条例中不完善的地方应及时修订，使各项法制和政策进一步地配套完善，依法保护中外投资企业和职工的正当权益，并依法加强对外资的引导和监管。通过完善法规，使产业开放各个领域的工作都有法可依，中外各方面的权利、责任都有严明的法制保障。

24. 在制定和完善产业开放、涉外经济立法的同时，政府机关和社会监督机构必须做到依法行政、依法办事，防止违法行政、滥用职权

司法机关要做到严格执法、公正司法，坚决纠正有法不依、违法不究的现象，严惩执法犯法、贪赃枉法之徒。加强社会治安综合治理，尤其是乡村的治安管理，严厉打击刁难、勒索、偷盗投资者的行为。同时，还要进一步强化人大的法律监督和社会、新闻舆论监督。这样，通过实行依法治省，建立高度的法治文明，切实依法保护投资者的投资安全和人身安全，用宽松有序、安全安定的环境来增强对投资者的吸引力。

海南市场化改革要继续走在全国前列的建议(7条)[*]

(2003年1月)

加入WTO后,我国的改革开放进入新阶段。中共十六大报告提出了"以开放促改革促发展"的重要方针。中共十六大报告明确指出,"鼓励经济特区和上海浦东新区在制度创新和扩大开放等方面走在前列"。总结海南建省办特区近15年的基本经验,贯彻落实中共十六大报告的要求,最重要的实际行动是适应我国加入WTO的新形势,继续在市场化改革方面取得新的突破。由此,推动海南经济的持续快速增长。

实现改革的新突破,是海南下一步发展最关键的问题。这是因为:

第一,紧紧依靠改革开放加快经济社会发展,是海南建省办特区近15年的基本经验。海南建省办特区之初,特别是在邓小平视察南方谈话的鼓舞下,进行了改革多方面的超前试验并取得丰富成果,在全国产生了广泛的影响。海南建省最初几年经济的快速增长,同改革走在全国前列有着直接的联系。

---

[*] 迟福林在政协海南省四届二次会议上的发言,2003年1月。

第二，近几年，海南改革滞后。由于多种因素的作用，这些年海南的改革已滞后于全国许多省市，主要表现为：非国有经济发展滞后，政府改革滞后。例如，据《中国市场化指数：各地区市场化相对进程2001年报告》，2000年海南"非国有经济发展指标"全国排名第14位，"减少政府对企业的干预指标"全国排名第27位，"缩小政府规模指标"全国排名第25位。与此相联系，"九五"时期和"十五"初，海南的经济发展速度明显落后于全国平均水平，特别是沿海发达地区水平。

第三，全面建设海南小康社会对改革提出新的要求。我们测算，如果未来20年海南经济以年均9%或10%的速度增长，可望于2018年前后达到人均GDP3000美元的目标。从海南15年的实践来看，要实现这样一个发展目标，重要的出路应在于改革开放。

第四，抓住机遇，实现海南产业开放的新突破，关键在于市场化改革继续走在全国的前列。无论是建立国际旅游岛实现旅游产业的新突破，还是在中国—东盟自由贸易区的大背景下实现农业产业开放和资源加工业的新突破，都在很大程度上依赖于"改革"的动态比较优势。我们应当清楚地看到，在一些具体的政策或政策潜力开发方面与改革直接联系在一起，改革到位，政策就到位。我们需要着重研究的是，在我国加入WTO的背景下，海南如何通过改革形成新的政策优势。

从上述基本分析出发，对海南下一步在市场化改革方面如何继续走在全国前列，提出以下几点建议：

一 营造民营经济发展的良好制度环境和社会环境，大大提高民营经济的比重

前几年，海南的经济发展不尽如人意同民营经济发展缓慢密切相关。例如，1999年海南全社会固定资产投资额民营经济仅占16.8%，83.2%是国有投资。最近一两年，民营经济投资的比重有所提高，但同沿海发达地区相比差距甚大。如果民营经济在海南整个经济比重中没有明显的提高，海南实现经济的持续增长就是不现实的。民营经济的增长速度快，海南经济的发展就快。依据党的十六大报告精神，从海南经济社会发展的需要出发，应把民营经济的发展作为市场化改革的重要任务之一。

1. 充分利用海南地方的立法权，尽快出台关于支持鼓励民营经济发展的地方法规

省人大、省政府为民营经济的立法进行了一年左右的调研。建议在此基础上，按照党的十六大报告的精神，借鉴各地区在发展民营经济方面的经验，把此项立法和相关规定列入2003年工作的一个重点。

2. 拓宽民营经济的投资渠道，充分发挥民营经济在海南经济发展中的主导作用

当前，建议重点抓好三件事情：第一，制定和出台相关政策，鼓励和支持民营经济在海南省第三产业发展中发挥重要作用，尽快改变第三产业发展相对滞后的局面。第二，采取若干措施，积极支持民营科技企业的发展。第三，打破垄断，允许并支持民营经济进入城市供水、供电等公用事业领域和基础领域。

3. 采取若干措施，欢迎建省之初在海南起步和发展的一批民营企业回到海南投资发展

20世纪90年代初前后，海南民营经济发展速度很快，有一大批民营企业迅速成长起来。前些年，大部分民营企业，尤其是比较成功的一些民营企业陆续到外地发展。其中相当一部分民营企业和企业家对海南还很有感情，也有回海南继续投资的意愿。如果我们能在这方面采取若干措施，会引导一些民营企业陆续回到海南。在这件事情上，建议政府有关方面要主动去做工作，宜早不宜迟。

二 大力发展混合所有制经济，实现国有企业改革的新突破

党的十六大报告明确提出积极推行股份制，发展混合所有制经济。海南股份制改革起步早、比例大，对当时拉开全国股份制改革的序幕起到了重要的促进作用。后来由于多种原因，海南的混合所有制经济发展受到了严重的挫折，这对海南的投资环境和经济发展都产生了某些负面影响。

1. 以股份制改革为重点，加快国有企业改革

海南经济发展的逐步好转和投资环境的改善，对积极推行股份制很有利。为此，应当鼓励符合条件的国有企业尽快实行股份制改造。例如，资源加工型企业、基础领域的企业和农产品加工企业。为鼓励农产品加工企业的发展，国务院提出符合条件的大型农产品加工骨干企业可申请公开发行股票并上市。建议政府有关方面抓住这个机遇，在发展大型农产品加工骨干企业方面有所突破。

2. 建议政府尽快采取措施，帮助和支持现有股份制企业实施重组

目前，相当一部分股份制企业经营严重困难，已上市的某些股份制企业长期效益低下甚至亏损，处在随时被摘牌的境地。能否帮助这些企业尽快重组，步入良性经营状态，不仅是这些企业的问题，对海南的整个投资环境也有重要影响。要从海南经济发展的全局出发，尽快采取具体措施来改变这一局面。

3. 从积极发展混合所有制经济出发，探索符合海南实际的国有资产管理体制改革路子

海南国有资产的总量比较小，国有资产经营效益比较低下。为此，海南国有资产体制改革的主要目标是尽快实现国有资产的资本化运营，由此来实现国有资产的保值增值。例如，省政府把在海航中的国有资产授权委托企业管理并产生明显效益，这个经验很值得总结。

三 加快农垦改革，发挥农垦优势

农垦是海南经济发展的一支重要力量，农业组织化程度比较

好，规模经营水平比较高。但由于农垦的改革长期处在徘徊的局面，使农垦在海南经济发展中的比重由改革开放之初的30%下降到目前的7%左右。农垦的全面改革不能再拖下去，再拖就会进一步降低农垦在全省的经济比重，既对农垦的发展不利，对全省的发展也不利。

几年前，我提出农垦改革"股份化、民营化、地方化"的思路。核心就是把农垦的优良资产，例如橡胶加工和木材加工，整合起来重组为股份制企业，并吸收社会投资者，使之尽快地成为上市公司，以此带动农垦相关产业的发展。与此同时，大部分农场应当逐步实现民营化，学校、公安等应当实行属地化管理。近年来，省里有关方面和农垦也组织了部分专家提出改革的具体操作方案。建议省委、省政府尽快研究这些改革方案，对农垦的全面改革做出具体部署。

四　以股权激励为重点，实现收入分配制度改革的实质性突破

按照党的十六大报告提出的，确立劳动、资本、技术、管理等生产要素参与分配的原则，加快收入分配制度改革。这对企业的发展，对吸引技术和管理人才将产生重要的影响。如果海南能够真正按照党的十六大确定的原则加快收入分配制度改革，就不愁没有人才。

1. 从海南实际出发，探索劳动、技术、管理等生产要素参与分配的途径

海南国有中小企业占的比重很大，但经营状况普遍不大好，有条件也有需求进行企业内部分配制度的改革。两年前，中改院受省人大的委托，提出《海南省职工持股条例（征求意见稿）》并广泛征求了中外专家的意见。实践证明，职工、技术层和管理层通过多种方式购买本企业的股份，是国有中小企业改革的一条重要出路。建议尽快把这一条例的制定列入海南省立法计划，以积极、规范地

推动国有中小企业改革。此外，对技术、管理等生产要素在参与分配的形式、比重等做出具体的规定。这对吸引人才，发展高科技企业都会产生重要的影响。

2. 以股权激励为主要形式实现企业家制度创新

实践越来越清楚地表明，解决国有企业的主要出路之一在于承认和实现企业家价值。海南省已经有以陈峰、王光兴等为代表的创业型企业家，他们为企业的发展做出了重大贡献。要产生更多的优秀企业家，关键是建立以股权激励为主的企业家激励机制。把这个问题解决得好一些、规范一些，不仅对培养企业家有利，而且对企业的发展也会产生深远影响。海南省完全有条件在这方面的改革中走在全国前列。在企业家制度尚未建立，各种相关制度和法律还不完善的情况下，对于经营者持股的改革探索要多给予支持和指导；对其中发生的某些问题，本着实事求是的态度加以纠正和解决。

五　以提高农民收入为目标，加快农村改革

加入WTO以后，我国农业暴露出来的主要问题不仅在于农产品的竞争力低下，而且在于农民收入低下问题。这些年，农产品虽然增加，但农产品的价格不断下跌，农民从农业中增收变得越来越困难，由此看来，现阶段增加农民收入应当从城乡结构及其相关的制度中寻求出路。海南是一个农村占大头的经济特区，虽然农村情况比全国一些地区要好一些，但是农民的收入问题及其相关的一些问题仍旧比较突出。要全面建设海南小康社会，重点也在农村。

1. 制定农村土地承包法的实施细则，真正赋予农民长期而有保障的土地使用权

前不久刚刚出台的《中华人民共和国农村土地承包法》，为全面保障农民的土地权利和稳定农村社会提供了法律依据。全面贯彻实施这个法律，首先取决于实施细则的具体制定。海南作为经济特区率先制定实施细则，有利于稳定农村的土地关系，有助于减少城

乡收入差距，同时也将在全国产生一定的影响。

2. 实现县一级改革的新突破至关重要

海南省除海口、三亚外的其他县（市）都是以农业为主体。发展县域经济有利于农村发展，有利于农民增收，有利于农村剩余劳动力的转移。实现县级改革的新突破，农村的改革发展才大有希望。一是赋予县一级经济发展的权力，调动县一级经济发展的积极性；二是应当把海南省小城镇发展的重点放到以县城为重点的中心城镇的建设上来，并相应地采取必要的支持措施和实施相关的鼓励政策。

3. 积极探讨农村的财政税收制度改革，逐步取消对农民的不合理税收

在全国进行费改税的情况下，海南能否在这方面的改革先走一步，即逐步取消农业税、特产税、屠宰税和耕地占用税？这"四税"属于地方税，在地方税收中所占比例很小，可否考虑：一是在中部少数民族地区先行取消"四税"，条件成熟时再在全省推开；二是先取消屠宰税、特产税，再取消农业税和耕地占用税。

在海南省农村还占大头的情况下，财政税收制度改革涉及一系列复杂的问题，需要相关的改革相配套。例如，农村的义务教育费用问题，农村基层政权组织的改革及其公共开支等问题，需要在深入调查研究基础上，积极稳妥地推进农村的配套改革。这里，把这个问题提出来，作为深化农村改革的探讨，目的在于加快海南省农村的经济社会发展，尽可能减少农民负担，充分调动广大农民的积极性，以有利于加快海南省农村经济社会的稳定和发展。

六 加快人力资源开发，把人力资源开发作为改革的一项重要任务

全面建设海南小康社会，重要的是加快人力资源开发，培养各类专业技术人才和具有一定素质的劳动者。在这方面，海南省同全国相比有明显的差距。例如，每万人拥有的大学生，海南只相当于

全国的58%，高中以上文化程度的劳动力，海南只有全国的一半左右。这种状况，对未来5—10年海南经济社会的发展将产生严重影响。现在把这个问题提出来，希望能够引起各方面的重视，并切实采取措施逐步改变这一局面。从海南的情况看，改变这一局面的出路仍在于改革。在加快教育体制改革、整合教育资源的同时，要发挥全社会多方面的积极性，鼓励和支持社会办学，并为社会办学创造多方面的有利条件。不在这个方面寻求出路，则难以扭转海南人力资源发展的落后局面。

七　继续按照"小政府、大社会"的要求，加快政府改革

海南建省之初"小政府、大社会"的改革在全国有相当广泛的影响，对海南改善投资环境，加快发展曾起过重要的作用。适应我国加入WTO的新形势，并从海南的实际情况看，政府改革仍然是一个重点。应当继续按照"小政府、大社会"的要求，实现政府改革的新突破。

1. 按照行政决策权、执行权、监督权相互制约和监督的原则，加快政府管理体制改革

党的十六大报告强调指出，"加强对权力的制约和监督，建立结构合理、配置科学、程序严密、制约有效的权力运行机制，从决策和执行等环节加强对权力的监督，保证把人民赋予的权力真正用来为人民谋取利益"。海南省的很多事例说明，政府职能转变滞后的深刻原因在于，某些行政权力扩大的背后隐藏着政府部门的自身利益。分析某些腐败现象不断蔓延的缘由不难发现，腐败案件的频发与权力的授予和使用机制不健全有关，与缺乏民主监督和缺乏对权力的制约有关。目前，某些行政权力、人事权力、司法权力等已演变成少数部门和官员谋取私利的工具，并已有演变成体制性腐败和集团性腐败的迹象。在利益主导的背景下，政府自己的职能转变是非常困难的。根本出路在于，按照党的十六大报告的要求，采取

改革措施，限制权力，制约权力，监督权力，以真正实现政府职能的实质性转变。在这方面，海南有过去的成功经验，现在也有条件在这项改革中走在前列，切实取得成效。

2. 政府的诚信建设最重要

企业的诚信、社会的诚信都同政府的诚信相关联。在现实条件下，政府的诚信就是投资软环境的重要体现。这在海南尤为重要。为了加强党政机关的诚信建设，树立海南省党政机关的良好形象，建议政府派员深入调查研究，尽快出台党政机关诚信建设的相关规定，对全省党政机关进行诚信教育。

3. 加强推进各类事业机构、社会团体的改革，积极培育社会各类中介组织

在特定的经济转轨时期，改革的成果直接反映在政府的工作效率和工作状态上。从这个意义上说，政府的工作效率和工作状态是改革成果的第一反映。政府机构只有处在一个不断改革自身的状态下，才会产生效率，产生为企业、为社会服务的动力，才会产生创新的思路和创新的精神风貌。

按照党的十六大的要求，海南在制度创新和扩大开放方面走在前列，就完全有可能提前几年实现全面建设小康社会的目标，我们应当有这个信心。第一，海南有较好的发展前景，经济已经走出低谷进入恢复性增长阶段，并正在步入持续快速增长阶段。第二，海南具有独特的资源和地理优势，有可能在我国的对外开放尤其是中国与东盟实现贸易投资自由化的进程中，扮演重要角色，发挥重要作用。第三，海南走可持续发展的道路，潜力巨大，优势巨大。第四，我国加入WTO，海南在产业开放方面仍然存在着某些重要机遇。例如，尽快实施国际旅游岛计划，海南经济的持续快速增长就大有希望。这些都说明，海南有条件在改革开放方面走在全国的前列，事在人为。

支持海南成为全国服务业综合
改革试点的建议(5条)*

(2013年3月)

海南国际旅游岛建设重在服务业发展。国家明确要求国际旅游岛建设要"形成以旅游业为龙头、现代服务业为主导的特色经济结构",为全国"调整优化经济结构和转变发展方式提供重要示范"。从现实情况看,服务业,尤其现代服务业发展严重滞后,成为国际旅游岛建设的"软肋"。2012年,海南服务业比重仅为46.9%,其中,传统服务业比重占到40.7%,高出全国4.3个百分点,与新加坡、中国香港、美国佛罗里达等岛屿地区相比,差距更大。适应全国对海南不断上升的旅游消费需求,加快实现国家提出的服务业发展目标,根本出路在于更大程度的开放和体制机制创新。为此,建议国务院将海南列为"国家服务业综合改革试点省",给予多方面支持。

1. 批准实施《海南服务业发展规划》

为加快实现海南服务业发展目标,形成更加灵活的体制机制与更加开放的政策环境,建议国务院确定《海南服务业综合改革试点

---

* 迟福林在全国政协十二届一次会议上提交的提案,2013年3月。

省实施方案》。在此基础上，由海南省政府提出《海南服务业发展规划》，上报国家相关部委批准。

2. 重点支持以教育、医疗为重点的服务业全面开放

服务业开放是国际旅游岛建设的重中之重。具有国际标准的教育、医疗服务是营造一流的人文旅游环境、拉动旅游消费的基本前提和重要保障。从现实情况看，海南医疗、教育发展严重滞后。当务之急是争取国家政策支持，重点引进社会资本，尤其是外资参与海南教育、医疗发展。

（1）扩大教育市场开放。在严格监管的前提下，允许和支持国外和港澳台地区知名大学、职业教育机构以控股、独资等方式在海南设立分校，并将相关的审批权下放给海南；支持海南民办教育综合改革试点。明确对中外资非营利性民办教育机构在管理、税收、财补、土地、招生、人员福利等方面与公办教育机构享受同等优惠政策。

（2）扩大医疗市场开放。允许并支持外商独资在海南办医疗机构，并将审批权下放给海南；将海南引进的先进医疗技术和医疗设备纳入国家颁布的《鼓励进口技术和产品目录》，享受财政、税收等优惠政策；对于经过欧盟、美国、日本和韩国等国家药监部门依法注册审批的医疗器械和药品，免办进口注册许可，简化通关手续；延长外籍医师在琼行医执业时间至3年以上；扩大医疗保险市场开放，试点与主要客源国家医疗保险支付系统的对接。

3. 支持海南服务业发展的体制机制创新

与服务业开放相结合，重点支持海南发展服务业的财税体制、投融资、土地等体制机制创新。例如，支持海南在全岛范围内推进服务业的"营改增"改革，促进中小企业发展；支持海南实行服务产品出口退税制度；支持海南探索实行服务业与工业用地同价改革；支持符合条件的服务业企业上市融资，探索发行国际旅游岛债券等。

4. 支持琼港澳在免税购物、博彩业等领域的合作

为提升海南服务业的国际化水平，并在更大空间上发挥"一国两制"的作用，建议国家有关方面积极支持港澳参与海南国际旅游岛建设，形成优势互补、资源共享、协作配套的现代服务业体系。

（1）支持海南与香港免税购物的合作。海南免税购物政策实施3年来，相关的配套设施和管理服务方面与国际购物中心的发展目标还存在明显差距。香港是国际上公认的国际购物中心，形成了一整套成熟的免税购物服务体系和监管措施。为此，建议国家支持在海南建立"琼港服务业合作试验区"，在试验区内探索建立委托经营、独资经营等形式的合作机制，引进香港资本以及先进的经营、管理和人才，尽快实现国际购物中心建设的实质性突破。近期，建议国家相关部委会同海南省政府抓紧研究制订《海南国际购物中心建设总体规划》，明确国际购物中心建设的时间表和路线图，并上报国务院批准。

（2）支持海南与澳门博彩业的合作。海南是国务院确定的"探索发展竞猜型体育彩票和大型国际赛事即开彩票政策"的内地唯一省份，但该政策至今尚未有实践上的突破。澳门在博彩业的运营、管理、培训和服务方面积累了相当成熟的经验。建议国家支持海南与澳门在博彩业的管理和职业培训等领域的合作。近期，建议全国政协等相关部门加强对海南发展博彩业的调研，国家相关部委会同海南抓紧研究制订《海南博彩业发展专项规划》，并上报国务院批准。

5. 加大对海南服务业重大项目的支持

重点在教育、医疗、文化体育、金融、物流、会展、旅游房地产等服务业发展的基础设施和旅游公共服务设施上给予海南更多的项目和资金支持。例如，优先考虑将国家重要教育类国际项目和基地建设放在海南；支持国际医疗旅游类重点项目优先落户海南；支持海南承办国际大型文化体育赛事和国际会议。

推进海南"十二五"重点领域改革的建议(26条)[*]

(2011年12月)

"十二五"是海南深化改革开放,加快转变经济发展方式、形成国际旅游岛基本框架的关键时期。科学判断、主动适应国内外形势新变化,认清当前及今后一段时期面临的突出矛盾,加快破除不利于国际旅游岛建设发展的体制机制障碍,在重点领域和关键环节的改革上取得实质性突破,对于加快推进国际旅游岛建设具有决定性作用。

一 改革开放的新突破是加快海南国际旅游岛建设的决定性因素

1. 国际旅游岛建设进程取决于"十二五"改革的重点突破

"起点低与要求高"是国际旅游岛建设面临的主要矛盾之一。"十二五"时期要实现《国务院关于推进海南国际旅游岛建设发展的若干意见》提出的目标任务,仅靠常规工作,难以达到预期效果,迫切要求加快推进重点领域的改革开放。

---

[*] 节选自中改院课题组《海南"十二五"改革规划——国际旅游岛背景下的重点领域改革》,2011年12月。

2. 深化改革开放，重在破解国际旅游岛建设面临的突出矛盾

"十二五"是我国扩大国内消费需求的关键时期，全国对海南旅游及相关服务的消费需求全面快速增长与海南供给结构、消费环境和供给总量偏小的矛盾日益突出。主要表现在：休闲度假旅游需求与休闲度假供给结构不合理、养老需求与养老服务供给不足、文化市场需求与文化产业发展滞后的矛盾突出、消费预期提高与消费软环境有待进一步完善的矛盾突出、岛内居民的消费需求升级与公共服务消费水平偏低的矛盾突出。"十二五"改革开放的着力点应放到破解这些突出矛盾上。

3. "十二五"改革开放总体思路

"十二五"时期海南的改革开放，要紧紧围绕国际旅游岛建设，服务于我国经济发展方式转变大局，适应全国对海南旅游及相关服务消费需求快速增长的趋势，以经济结构调整为主线，以提高旅游服务国际化水平为目标，以发展中小企业为重点任务，以改善民生为根本出发点和落脚点，以保持世界一流的生态环境为特色，以行政体制改革为突破口，解放思想，抢抓机遇，以更大的决心和勇气全面推进改革开放，力争在事关海南国际旅游岛建设全局的重点领域和关键环节的改革上取得重大突破，为把海南建成科学发展示范区提供体制保障。

二 服务业发展的体制与政策创新

与旅游相关的现代服务业发展水平既是旅游国际化程度的重要标志，也是满足全国对海南旅游消费需求结构升级的基本前提。海南服务业，尤其是与旅游相关的现代服务业面临"底子薄与要求高"的突出矛盾。"十二五"时期需要加快推进服务业发展的体制机制创新，实施更大程度的服务产业开放，大力发展生产性服务业和消费性服务业，在服务业转型升级方面走在全国前列。

4. 推进服务业转型升级的体制机制创新

（1）旅游房地产业转型升级的体制与政策创新。把大力发展旅游房地产明确为"十二五"房地产业发展的重点目标；加快房地产业的结构性调整。重点开发具有热带海岛特色的旅游房地产，构筑以专业化旅游地产为主导，居住地产、商业地产和办公地产协调发展的多元化产品体系；大力发展以度假酒店、度假村、主题公园、高尔夫、游艇、康体养生为代表的专业化、经营性旅游地产；加强对房地产市场发展的政策引导，在规划、土地审批、财税、金融等方面向旅游房地产倾斜；加快研究制定《海南旅游房地产发展专项规划》《海南省旅游房地产管理办法》等专项规划及相关配套法律法规，为海南旅游房地产业健康发展提供法规保障。

（2）扩大金融业对内对外开放，推进金融业转型升级。加快发展现代金融体系。用3年左右的时间，重点实施海南金融业的"五个一工程"：设立一家海南自己的地方法人银行、一家面向全国的股份制商业银行、一家总部位于海南的保险公司、一家海南的信托公司、一家海南的大宗商品期货交易中心；研究制定扶持政策，积极引进国内外金融机构入驻海南；创新金融产品。大力发展风险投资、私募股权投资和各类基金，设立旅游产业投资基金，开展房地产投资信托基金试点，支持发行企业债券；推进外汇服务便利化，推动开展跨境贸易人民币结算试点，改善结算环境；开展个人本外币兑换特许业务试点，完善外汇支付环境；探索开展离岸金融业务试点。

（3）深化管理体制和发展机制改革，加快物流业转型升级。用好用活国家赋予洋浦保税港区启运港退税政策；结合增值税转型，争取将物流业纳入增值税"扩围降率"试点范围；科学制订物流园区发展专项规划，对纳入规划的物流园区用地给予重点保障；完善物流业市场准入机制与监督机制；推进物流业开放与合作。吸引更多航运公司的船舶挂靠海南港口和世界知名船舶管理公司入户海南设立总部、区域总部或运营中心,开辟国际集装箱班轮航线和公共驳船航线;深化物流管理体制改革。成立由省主要领导牵头、省政府各个相关管理部门共同参加的"海南省现代物流发展工作领导小组",作为全省物流发展组织与协调管理机构。

5. 扩大服务业对外开放

(1) 推进文化市场开放。降低准入门槛,引进国外、境外文化产业主体、促进文化项目的集聚,争取在"十二五"时期打造3—5个享有国际知名度的文化产业品牌;在金融、保险、外汇、财税、人才、法律、信息服务、出入境管理等方面建立国际通行的文化产业运行机制;完善国际区域文化合作机制。充分利用博鳌亚洲论坛和博鳌国际旅游论坛,扩大国际文化交流,积极组织文化企事业参与政府间的文化领导互访,开展与多国民俗文化、会议博览、旅游体育赛事合作等文化交流活动;扩大文化国际贸易。大力扶持具有海南民族特色的文化艺术、演出展览、影视出版、动漫、民族音乐舞蹈和杂技、民俗工艺制作等产品和服务的出口。

(2) 扩大教育市场开放。降低门槛,放宽教育市场准入条件,促进社会力量以独立举办、共同举办等多种形式兴办教育,实现社会资本投资比重高于全国平均水平,争取到2015年达到40%—50%;创新机制,大力支持民办教育,健全公共财政对民办教育的支持机制,开展对营利性和非营利性民办学校的分类管理试点,完善民办学校变更和退出机制;允许外资以独资、合资和合作的方式参与职业教育和高等教育发展,形成多层次的教育服务体系,尽快使海南教育达到全国中等偏上水平。

(3) 扩大医疗卫生服务市场的对外开放。放宽限制,重点引进境外著名医疗机构在海南设立具有国际水平的医院、突发病急救中心和康复中心;鼓励民资、外资投资兴办护理院、老年病医院、康复医院、精神病医院、传染病医院等公益性非营利性医院;鼓励民资、外资兴办大型高水平、高档次的综合性医院、高精尖专科医院、专门为来华人员提供医疗服务并连接境外医疗保险体系的高档次营利性医院；积极争取海南省成为境外资本在我国境内设立独资医疗机构的试点省；鼓励和支持社会资本参与公立医疗机构的改制、重组；加快医疗保险的对外开放。开通国际、国内联网的医疗保险支付系统，率先试点与主要客源市场国家医疗保险支付系统的对接；对来海南投资的国内外知名综合医疗机构，经严格评审后，给予无偿划拨土地或低价出售土地的优惠政策。

6. 加快服务业发展的政策创新与体制突破

（1）推进服务业税收制度改革。"十二五"时期，海南可积极争取中央支持，率先取消服务业营业税，积极推进增值税"扩围降率"改革，逐步将服务业纳入增值税的征收范围，实现营业税与增值税并轨，争取"十二五"末在服务业领域全面推行增值税；进一步完善服务产品进出口税收征管制度，探索服务产品出口退税制度；完善企业所得税优惠措施。针对制造业企业的"主辅分离"以及服务外包，延长服务业企业所得税免征或减征期限，加快生产性服务业发展。对于固定资产投资量比较大的新兴服务业，允许固定资产加速折旧，鼓励服务业加快技术进步。

（2）加快服务业准入制度改革。凡国家法律法规未明令禁入的现代服务业领域，全部向外资、社会资本开放，并实行内外资、内外地企业同等待遇。各类投资者均可以独资、合资、合作等方式进入。凡不需要上报国家核准的服务业基本建设项目，按属地管理备案制度执行；对于同一行业，要统一不同市县服务业准入流程和规则，实行统一的服务标准，改革烦琐的行政审批制度，减少环节，缩短审批时间；加强服务业市场准入法律法规配套体系建设，建立司法审查制度，对于违反规定的部门、个人给予相应的法律制裁。

（3）强化琼港澳（台）在现代服务业领域的紧密合作。重点加强在现代服务业领域的合作。"十二五"期间，可在 CEPA、ECFA 框架下，进一步放宽市场准入限制，重点加强琼港澳（台）在教育、医疗、金融、文化体育娱乐、商贸服务、免税购物和物流等服务业领域的合作。积极创造条件，建设琼台农业出口加工基地；探索建立多种形式的合作机制。应积极探索独资经营、外包服务、委托管理等多种形式的合作。在不断扩大合作领域的基础上，可考虑建立"琼港澳（台）服务业合作综合试验区"，运用"一国两制"的办法探索新的开发模式和管理体制；重点在市场准入、财税、土地、开发管理等方面给予港澳（台）政策扶持与体制保障。

三 中小企业促进体制机制创新与深化国企改革

中小企业是服务业发展的主要载体。从近几年的发展趋势看，中小企业正在成为海南国际旅游岛建设的重要推动力，但中小企业整体实力较弱。因此，加快建立有利于中小企业发展的体制机制，深化国有企业改革，是"十二五"时期海南改革开放的重大任务。

7. 完善促进中小企业发展的体制机制

（1）放宽行业准入。凡是国家法律、法规没有明令禁止或对外开放的服务行业和部门，都要对中小企业和民营资本开放，对外资实行的特殊优惠政策同样适用进入该领域的中小企业和民营资本，鼓励中小企业投资金融、研发、现代物流等生产性服务业和教育、卫生、文化、体育等公共服务领域，以及软件开发、服务外包、网络动漫、广告创意、电子商务等新兴服务业；放宽注册登记条件。放宽资金条件，实施零首付注册制度；对高校毕业生在服务业创业方面实施更加灵活的支持政策，鼓励高校毕业生在现代服务业创业；放宽场所限制，简化审批程序。

（2）完善支持中小企业发展的财税体制。推行中小企业结构性减税。研究出台简化小规模纳税人的征收办法，将征收营业税的中小企业纳入增值税征收范围；提高中小企业尤其是微型企业的税收起征点；扩大减免中小企业营业税和所得税的覆盖面，延长减免期限；对中小企业一定数额内的利润转投资实行税收抵免；减轻企业税外收费。减少、简化行政审批，严格执行对中小企业收费项目的公示制度；鼓励各市县根据地方经济发展状况和财力等综合因素，减免对中小企业的各种行政事业收费；对微型企业给予社保补贴和培训补贴；对微型企业引进大学毕业生或其他专业人才提供一定期限的岗位补贴。

（3）完善中小企业金融支持机制。加大政府对中小企业融资的直接资金支持；鼓励金融机构加大对中小企业的融资支持。加强商业银行中小企业信贷业务的税收优惠；加快设立专门服务中小企业的政策性银行；扶持中小金融机构特别是村镇银行和小额贷款公司的发展，在财政补贴和税收优惠方面给予中小金融机构更加优惠的政策；认真落实并完善对小企业贷款的差异化金融监管政策，对符合有关条件的小企业贷款进行专项考核。支持有条件的中小企业整合资源上市融资，鼓励支持优良的中小企业发行企业债券；建立政府财政和民间资本分工合作的信用担保体系，鼓励各地建立中小企业信用担保基金。

（4）进一步完善中小企业政策法规体系。尽快制订《海南中小企业发展专项规划》，研究适应国际旅游岛建设要求的中小企业发展目标、政策、战略和任务。颁布《海南省中小企业权益保护条例》，制定新的中小企业划型标准，出台创造公平竞争环境的准入、融资、信贷等领域的竞争政策和规制垄断的政策，完善基础设施和垄断领域公私合营特许经营（PPP）政策和行政法规，以地方法规的形式保护中小企业的合法权益。

（5）完善中小企业管理体制。加强和完善中小企业发展促进部门之间的协调机制，成立海南省促进中小企业发展工作领导小组，下设办公室，增加编制，充实力量，使其成为高规格、有权威性的专门机构，专司全省中小企业发展促进的管理和协调工作，引导推动各市县理顺中小企业的政府管理体制，建立起省、市（县）上下统一、协调一致、运转高效的中小企业管理体系。

8. 深化国有企业改革

继续深化省属国有企业股份制改造；按照"产业相近、行业相关、主业相同"的原则，采取兼并收购、资产划转等方式推动企业重组，培育组建优势国有大公司、大集团，充分发挥资源整合效益；进一步完善以董事会为重点的法人治理结构，引入外部独立董事；加强和改进监事会工作，建立健全监事会规章制度；深化国有资产监管体制改革。规范国有资产基础管理工作，完善服务企业的工作机制；完善国有资本经营预算制度，探索建立公益性和竞争性国有企业分类管理；推进农垦体制改革，进一步推进农垦体制融入地方、管理融入社会、经济融入市场。

9. 公用事业市场化改革

逐步放开公用事业的建设和运营市场，社会资金、外国资本均可采取合资、合作等多种形式，参与市政公用设施的建设；城市道路桥梁、公共管网、广场、园林绿化等大型市政公用设施的建设，仍要以政府投入为主，也可采取市场化运作、以综合开发带项目的办法；对尚不能完全市场化运作的市政公用设施，要进行政策扶持、投资引导、适度补贴；鼓励城市建设投融资主体通过收购、兼并等方式，培育上市公司；积极争取省级政府债券的发行试点；完善公用事业特许经营制度。凡投资建设特许经营范围内的市政公用项目，项目建设单位须首先获得特许经营权；完善公用产品服务价格形成机制，尽快研究制定市政公用相关行业的价格调整办法，建立政府公共财政合理补偿机制。

四　资源环境保护体制机制创新

独特、优良的生态环境是海南可持续发展的最大优势和生命线。失去这一优势，一切无从谈起。保护环境，实现低碳、绿色增长，重在体制机制创新。从各方面因素看，海南最有条件在保护与发展并举的资源环境制度建设上走在全国前列。"十二五"时期应加快资源环境保护体制机制创新，为把海南打造成为全国人民的四季花园提供体制保障。

10. 环保产业发展的政策与体制创新

以新能源产业发展为重点支持对象，建立支持环保产业发展的财政专项奖励资金；建立环保产品政府绿色采购制度；对环保企业在城镇土地使用税、土地增值税和房产税等方面实行优惠政策；推进"绿色金融"体系建设。成立绿色环保专项基金，建立"绿色信贷"体系，发行"绿色证券"，建立"绿色保险"制度；加大环保、生态、低碳技术开发，加快环保、生态、低碳科技成果的转化和应用推广；建立环境保护国际合作的新机制。在海南成立环境保护国际合作中心，举办高规格的环保、生态、低碳国际论坛，成立海南国际环保、生态、低碳产业园。

11. 环境产权制度创新

健全生态保护补偿机制。充分利用"将海南作为全国生态补偿机制试点省"的优惠政策，争取中央更多财政支持，逐步提高补偿标准；巩固退耕还林成果，逐步提高国家公益林补偿标准，加大对市县的生态转移支付力度；探索建立排污权有偿使用和交易制度；探索启动碳排放交易试点；探索开征环境税。

12. 资源环境保护管理体制创新

建立环境保护"大部门"体制，整合分散在各职能部门的环境行政权。近期建立省级环境管理协调联席会议制度，条件成熟时成立省级环境保护管理委员会；严格环境保护监管制度。建立污染物及能源消费总量控制制度，严格执行环境影响评价、监测及信息公开制度；加大环境保护行政考核、问责力度，强化生态环境保护在领导干部综合考核中的权重,严格实施环境保护行政首长问责制,实行环境保护一票否决制;利用特区立法权,推进地方性环境保护法律法规建设,加强对流域环境、土壤环境、城镇环境、农村环境、海洋环境的立法保护。

五 社会体制改革

保障和改善民生,大力发展社会事业,加快推进城乡和区域协调发展,形成经济和社会和谐发展格局,是国际旅游岛建设发展的基本目标。"十二五"时期要以建设海南百姓的幸福家园为目标,加快推进社会体制改革。

13. 收入分配体制改革

推进行业性、区域性最低工资制度改革。探索以街道、乡镇为单位,在全省范围内推进区域或行业最低工资标准制定和动态调整机制;建立健全企业工资支付保障机制。出台《海南省工资支付条例》,完善企业工资指导线备案制度和工资支付监控警示制度;分类推进工资集体协商机制改革,成立工资集体协商指导员队伍和顾问团,建立示范点;多种途径增加居民收入。构建居民获得财产性收入的体制机制,重点推进农村产权制度改革;进一步规范收入分配秩序。强化政府依法监管,打击取缔非法收入,规范灰色收入,逐步形成公开透明、公正合理的收入分配秩序。

14. 推进基本公共服务均等化

建立基本公共服务财政长效投入机制。加大基本公共服务支出比重,各级财政用于民生的投入增长服务不低于经常性收入增长幅度;将每年中央均衡性转移支付资金的增量部分主要用于补助市县;加大对农村和困难地区的转移支付,保障社会公益事业发展;创新基本公共服务供给机制,引入市场竞争机制,扩大政府购买服务的范围,探索实施教育券、卫生免疫券、养老券制度;创新公共服务投融资体制。利用参股或控股、特许经营权、投资补助等方式支持民间投资。

15. 推进事业单位改革

"十二五"海南要以促进公益事业发展为目的，以"政事分开、事企分开、管办分离"为原则，全面推进事业单位改革。在公共服务体系建设框架下统筹推进事业单位改革；重点推进教育、卫生等事业单位改革。全面取消各类学校行政级别，促进公共教育机构法人化，探索在各类学校建立以"党委会＋校董会＋校长负责制"为核心的新型法人治理结构；通过"回归公益性、强化专业性和提高独立性"，在改革中理顺各种利益关系，尽快把公立医院改造成基本医疗卫生服务的供给主体。

16. 社区发展与管理体制创新

在合理划分社区公共事务，明确各类组织社区公共管理和公共服务职能的基础上，进一步完善社区公共管理和公共服务运作机制；完善社区管理体制改革工作体系。制订社区发展规划，明确社区建设目标、内容、标准；尽快出台《海南省城乡社区建设管理条例》，推进社区管理行政法规体系建设；逐年加大各级财政对社区工作经费的投入；依托彩票公益金投入，利用建设资金补贴、运营补贴、土地政策，积极鼓励和引导社会力量投入社区基础设施；多渠道改善社区用房条件。将政府部门、事业单位的国有闲置房及部分直管公房无偿划拨给社区使用。

17. 养老服务的政策与体制创新

统筹推进社区居家养老服务网络建设，尽快形成基本完备的市（县、区）、乡镇（街道）、村（居）三级社区居家养老服务网络；完善社区养老服务补贴制度和居家养老服务券制度；统筹规划城乡养老服务机构布局。进一步完善市（县）—乡镇（街道）两级机构养老服务网络；引导公办养老机构从单纯供养向供养、教育、医疗、康复、经营等一体化的办院模式转变；完善养老服务工作协调机制，成立省级、市（县）、乡镇（街办）涉老服务工作机构；尽快将养老服务专业人员培养纳入全省中等职业免费教育范围；鼓励和支持有条件的高等院校、职业教育机构、医院和疗养院开办专业培训；完善养老医疗、护理服务体系；加快养老服务信息化体系建设。

六　统筹城乡发展的政策与体制创新

国际旅游岛建设，客观要求加快城乡一体化进程。通过完善统筹城乡发展的体制机制，将海南遍布城乡的旅游资源、热带农业资源、土地资源、生态资源整合起来，实现优化开发，变潜在的资源优势为现实的竞争优势，走出一条有国际旅游岛特色的城乡一体化道路。

18. 土地制度改革

（1）深化土地管理体制改革。严格执行土地利用总体规划，对不符合土地利用总体规划的项目，一律不予审批；严格土地用途管制，落实最严格的耕地保护制度，完善耕地保护补偿机制，建立稳定的耕地保护补偿基金；强化省级政府的土地调控能力。成立全省土地规划管理委员会，将原属市县、开发区国土资源、房管部门的土地规划管理权适当上收；建立严格的岸线土地管理制度。由省政府直接掌控一批易于开发、升值空间大的岸线土地；尽快出台《海南省海岸带开发利用与保护条例》；整合海岸带行政管理职能，成立省海岸带管理委员会。[①] 严格海岸带开发利用审批制度和开发利用许可证制度。

（2）建立土地集约利用机制。通过限期开发、改变用途、调整使用等方式全面盘活批而未用的闲置土地资源，加快已批土地的征

---

① 可考虑让海洋、交通、国土、水利、农业、林业、盐业、渔业、环保等部门参加，常设办事机构设在海洋部门。

收、供地，引导新上项目使用存量建设用地；把不符合土地利用总体规划或零星分散的国有存量建设用地，与规划为建设用地的农用地进行置换；建立全省统一的土地分类、分级投资强度标准；巩固农村集体土地确权取得的成绩[1]，在"三不"原则基础上[2]，建立健全土地承包经营权流转机制，鼓励农民以转包、出租、互换、转让、股份合作等形式进行土地承包经营权的流转；建立农村土地流转的有形市场，如农村产权交易所；争取中央支持，探索省内市县间建设用地增减挂钩试点；争取国土资源部的改革试点，率先取消土地供应双轨制。

（3）深化征地制度改革。完善征地补偿制度。依法征收的农村集体土地，应按照同地同价原则及时足额给农村集体组织和农民合理补偿；建立征地补偿稳步增长机制。根据经济发展水平、当地人均收入增长幅度等情况，结合农用地分等定级和城镇基准地价，适时调整征地补偿标准，逐步提高征地补偿水平；探索公益性征地市场价补偿办法；完善被征地农民住房安置、基本养老保险、医疗保险、最低生活保障、困难救助等配套制度。出台将被征地农民纳入新型农村社会养老保险的新办法。建立被征地农民就业保障制度，参照城镇登记失业人员就业扶持政策，通过就业统计、就业和创业培训，征地与就业挂钩等机制，增加被征地农民的就业机会。

19. 现代农村金融制度创新

健全农村金融体系，引导中国农业发展银行、农信社、邮政储蓄银行等涉农金融机构加大对"三农"的扶持力度；大力发展新型农村金融机构，鼓励和支持省外银行、外资银行和海南省各类地方银行发起主办村镇银行、社区银行、资金互助社；加快农村金融服

---

[1] 海南省已基本率先在全国完成农村土地确权工作，参见《海南省基本完成农村集体土地确权登记发证工作》，《海南日报》2011年9月14日。

[2] 即不改变土地集体所有性质，不改变土地用途，不损害农民土地承包权益。

务网络建设。建立农户信用档案和信用评价系统，积极推广农户小额信用贷款；健全农村保险制度。扩大政策性农业保险试点范围和覆盖面；加强与再保险机构合作，加快建立农业再保险和巨灾风险分散机制；探索建立全省性的农民专业合作组织贷款担保体系，开展农村集体建设用地使用权抵押贷款试点。

20. 农村合作组织发展政策与体制创新

理顺农村合作组织管理体制。进一步明确农业行政部门对农村合作经济组织的业务指导和管理职责，农业、林业、供销、民政等部门要加强对农民专业合作社的指导、协调和服务；创新农民合作社组织服务体系。组织农民专业合作社开展规模化种养、标准化生产和品牌化经营，大力推行农业生产规范和农产品认证；建立健全农村专业合作经济组织与龙头企业、基地、农户之间紧密的利益联结机制，积极推广"专合组织＋农户""龙头企业＋专合组织＋农户""专合组织＋市场（含超市）＋农户"等联结机制；加大对农村合作组织的财税、金融和项目支持。

21. 加快推进中小城镇建设

（1）建立支持中小城镇建设的投融资体制。充分发挥财政资金的导向作用，引导社会资本加大对小城镇各项基础设施、社会事业的投资；镇政府辖区内的行政事业性收费以及部分地方税收应主要用于小城镇建设，镇域内的土地出让净收益大部分返还给乡镇；发挥政策性金融在小城镇基础设施建设项目上的作用，规定将商业银行所吸收的农村存款一定比例用于农村投资；积极开展项目融资（BOT、TOT 等），建立小城镇基础设施投资基金，探索发行小城镇建设债券。

（2）完善中小城镇开发管理体制。推进"扩权强镇"改革。对具备一定人口规模和经济实力的重点镇赋予必要的城市管理权限，依法赋予其发展决策自主权、资源分配权、项目直接报批权、收益分配优先权、行政执法管理权、干部人事调配权、公共服务发展权等方面的权限；对有条件发展为区（县）级的中小城镇，允许增设行政管理和公益性机构，配备相应编制和经费；县（市）用地指标应向重点小城镇倾斜，或者重点小城镇用地指标实行省级单列；对于经济发展快、城镇化程度较高、财政收支规模大的重点小城镇应建立比较完善的一级财政，并实行全口径预算管理；推进中小城镇户籍制度改革。把符合落户条件的农业转移人口逐步转移为城镇居民。设立居民委员会，按城市户籍管理有关规定管理小城镇人口，形成城乡人口有序流动机制。

七 行政体制改革

"十二五"应把以统筹资源利用为重点的行政体制改革作为海南结构调整的重要任务之一。全岛按照"一个大城市"的思路统一规划设计，从根本上打破旅游、土地等重要资源的行政分割和地区壁垒，通过区域行政一体化的体制安排和政策突破，整合全岛资源，实现优势资源利用最大化。

22. 以全岛整体开发为重要目标深化行政体制改革

全岛按照"一个大城市"的思路统一规划资源利用，以把海南岛作为一个大城市建设的总规划为蓝本，各专项规划与之衔接，建立和完善"统一规划、责权明晰、属地管理、分级审查、强化监督"的规划管理体系；统一基础设施建设，实现全岛交通一体化、城乡环境保护一体化、全岛通信网络一体化；统一土地资源利用，严格执行《海南省土地利用总体规划（2006—2020年）》，省和各市县的土地规划要以人大立法形式确定；严格实行土地用途管制，严禁擅自修改调整土地利用总体规划；统一社会事业发展。逐步缩小医疗、教育、就业、社会保障等基本公共服务在城乡、区域、人群间的差距，实行全省统一的基本公共服务制度，做好省内、省际制度衔接。

23. 推进区域行政一体化，加快五大中心经济区发展

加大对海口、三亚、琼海、儋州、五指山五个中心城市的政策支持力度，优先把五个中心城市发展成为经济强市，增强对周边市县的集聚和辐射能力。在做大五大中心城市的基础上，设立五大中心经济区，在区域内逐步实现行政一体化，以行政一体化推进经济、社会一体化。

八　规划实施建议

为保障"十二五"各项改革任务的落实，全省上下要统一改革认识，把握改革时机，进一步解放思想，勇于攻坚克难，创新改革推进方式，以体制机制创新奠定国际旅游岛的制度基础。

24. 建立高层次、高规格的"海南省综合改革领导小组"

对全省经济、社会、行政体制改革实施全面统一领导和集中协调；逐步实现改革决策、执行、监督分开，确保改革决策的独立性、客观性和科学性。

25. 积极推进改革试点

充分发挥三亚服务业综合改革试验区等专项改革的引领作用，扩大地方综合改革试点范围。尽快选择有条件的地区实行包括服务业、环境保护、旅游业、基本公共服务均等化、中小企业制度、城乡一体化发展体制机制等在内的综合改革试点。

26. 充分利用特区立法权，加强改革立法

重点将生态环保、基本公共服务均等化等重大改革以立法形式加以确立，使其上升为法律意志；加强改革程序性立法，研究出台《海南省改革创新促进条例》。

海南全面深化改革的重点突破的建议(50条)[*]

(2013年12月)

当前,海南的改革发展和国际旅游岛建设正处在关键阶段。深入学习贯彻党的十八届三中全会《关于全面深化改革若干重大问题的决定》(以下简称《决定》),要紧密结合海南实际,以重大问题为导向,抓住重点,着力破解海南改革发展面临的突出矛盾和问题,为推动海南科学发展、绿色崛起、加快国际旅游岛建设奠定具有决定性意义的基础。

为贯彻落实《决定》提出的"五位一体"改革目标,围绕事关海南全局和中长期发展的重大领域和关键环节的改革,建议2014年内制订出台全省改革专项规划和实施方案,成熟一个,推出一个。这里,就未来2—3年海南全面深化改革的重点突破提出建议。

一 市场化改革的重点突破

1. 全面实施企业自主登记制度

放宽市场主体经营场所登记条件,尽快落实"先照后证、宽进

---

[*] 中改院课题组:《海南全面深化改革的重点突破(50条建议)》,《中改院简报》总第977期,2013年12月17日。

严管、网络管理"企业登记管理制度；对鼓励类、允许类项目的内外资企业一律实行直接登记制，免予提交审批文件。

2. 全面实行项目备案制

对不涉及公共资源开发利用的项目一律取消核准，改为备案管理；对境外投资项目，大幅提高备案项目的投资规模上线。

3. 全面推行行政审批的网络平台

利用全省统一的电子政务平台，建设统一的审批服务信息系统，实行全程电子化网上审批。

4. 大力发展股份制

除部分国有投资公司外，大部分国有企业都可通过股权多元化改革，逐步发展成为混合所有制企业；积极吸引岛外大型民营企业集团参与国有企业股权多元化改革；完善国有企业法人治理结构和内部运行机制；重点推进农产品加工企业的股份制改造；着手组建一两家以民营经济主导的旅游产业的股份制集团公司。

5. 鼓励支持企业实行员工持股制度

鼓励中小企业率先探索职工持股计划，并逐步在大中企业推广；尽快研究出台"海南混合所有制企业员工持股实施方案"；利用特区立法权，尽快制定比较完善的员工持股法律制度。

6. 以管资本为主改革国有资产管理体制

探索设立国有资本运营公司。将省级融资平台以及各市县有条件的城投、城建公司等平台公司改组为国有资本投资公司；完善国有资本经营预算制度。减少并逐步取消特殊优惠和特殊保护政策，建立常态化的国有企业收租分红机制，确保"十二五"末期国有资本上缴国库的税后利润不低于25%。

7. 实现以中小企业为重点的民营经济发展的新突破

进一步放宽市场准入，鼓励和支持中小企业进入旅游、教育、医疗、文化、金融、物流等现代服务业领域。

二 政府职能转变的重点突破

8. 2014 年内削减三分之一以上的行政审批权

尽快建立行政审批法律审查机制和量化管理机制；进一步削减行政审批权，全面清理市场准入和前置审批事项。对确实需要保留的，应明确准入条件，消除模糊和歧视条款，简化手续，取消不合理的收费；推动政府监管由事前审批为主向事中、事后监管为主的转变。

9. 实行负面清单管理

2014 年，在海口、三亚和洋浦保税港区、海口综合保税区等特殊监管区域试点"负面清单"管理；在总结试点经验的基础上，力争 2015 年在全省范围内实行"负面清单"管理。

10. 加快公共事务公开透明进程

2014 年出台全省统一的一揽子政务公开、预决算公开和财产公开的实施细则，制定全省统一的政务公开指导目录。

11. 实施全面规范、公开透明的预算制度

全面清理各部门现有收入来源，推进综合预算管理；以"三公"经费的全公开、可查阅、可质询为重点，逐步把政府所有收支全部纳入预算管理；整合政府公共预算、政府性基金预算、社会保险预算、国有资本预算，推进四套预算一体化，实现全口径预算公开；逐步将政府债务纳入财政预算管理。

三 新型城镇化与城乡一体化体制机制改革的重点突破

12. 深化"省直管市县"改革

科学划分省、市（县）两级政府职责。省政府及所属部门集中力量履行战略、规划、政策、标准等制定和实施的职能，强化市县政府在市场监管、公共服务、基础设施、环境保护、社会管理等方面的职责。在全省统一规划下，继续推进以增强市县经济发展活力为目标的扩权强县（市）改革。放权的重点在行政审批、行政收费、行政处罚、国有资产管理和社会事业管理等方面，真正把实质性、关键性和涉及具体利益的权限下放给县（市）。

13. 尽快在全省实施"六个统一"

为保障有序开发，提高资源利用效率，要尽快在全省范围内统一规划、统一土地利用、统一基础设施建设、统一社会政策、统一环境保护、统一重要资源开发。

14. 建立全省统一的规划管理体制

成立海南省规划委员会，集中统一行使规划管理权；利用海南特区立法权，以法律形式将省总体规划确定下来，保证其权威性、约束性和长期性；健全规划协调机制，加强全省总体规划与市县规划、土地利用规划、产业规划等规划的衔接。

15. 加快特色小城镇建设

重点发展旅游主导型、农业主导型、商贸主导型、海洋渔业主导型等特色小城镇；对具备一定人口规模和经济实力的中心镇和旅游重镇实行"扩权强镇"改革，赋予必要的城市管理权限；加大各级政府对小城镇的转移支付力度，实现新增财政城市建设资金主要用于小城镇；加大政策性金融对小城镇公共设施、公共服务的金融支持。

16. 推进城乡公共资源配置均等化

按照提高水平、完善机制、逐步并轨的要求，建立城乡一体的公共服务体制和经费筹集、财政投入机制；大力推动社会事业发展和基础设施建设向农村倾斜，重点在就业、社保、教育、卫生、文化等方面推动城乡公共资源均衡配置；建立城乡一体的社区公共服务体系；支持企业和社会组织在农村兴办各类社会事业。

17. 实施城乡统一的户籍管理制度

在小城镇全面取消户籍制度，建立人口登记制度；2—3年内，在全省实行以身份证为载体的"一卡通"管理模式,实现全省城乡户籍一元化;放宽外来人口落户限制,把户籍政策设计与吸引人才、吸引投资有机结合起来。

18. 积极发展农民土地股份合作社

允许土地直接作为股份合作社的注册资本,赋予农民对集体资产股份占有、收益、有偿退出及抵押、担保、继承权。2014年,先在几个乡镇试点,争取2015年在全省发展农民土地股份合作社。

19. 深化农垦管理体制改革

进一步加快农场属地化改革,全面实现政企分开、社企分离,推行农场社区管理模式;推进农垦内部管理体制改革。省农垦总局作为省政府直属特设机构,履行国有资产出资人职责;省农垦集团对农垦经营性资产依法享有经营自主权,落实国有资产保值增值责任。

四 创新社会治理体制机制的重点突破

20. 率先设立专责政府机构

率先在省市(县)两级政府设立作为政府组成部门的社会发展与社会治理委员会,在省政府统一领导下,专责社会治理、保障和改善民生、培育发展社会组织、提升服务社会能力等工作。

21. 出台《海南国际旅游岛社会治理体制机制创新方案》

针对海南社会治理长期面临的突出问题,明确提出未来2—3年海南社会发展与社会治理体制机制创新的总体目标和重点任务。

22. 强化政府公共服务与社会治理能力建设

严格规定各级财政社会发展和社会治理财政支出占比,逐步增加社会治理财政投入;加大向社会放权力度,增强乡镇基层政府的社会发展、公共服务和社会治理支出能力。

23. 不断完善保障和改善民生的体制机制

进一步健全创业就业促进体制机制,多渠道开发就业岗位;进一步健全保障性住房的建设、分配、管理制度，确保省第六次党代会提出的保障性住房制度覆盖面目标；进一步完善社会保障体系，尽快实现城乡居民养老保险和城乡居民医疗保险双并轨。

24. 加快推进社区自治

加大对社区的放权，将更多的人事、财务、管理权力下放到社区，将社区打造成基层公共服务和社会治理的重要平台；创新城乡社区自治机制，实行议事会制度，全面建立城乡社区公共事务公开制度，成立监督委员会，扩宽城乡社区民主监督渠道。

25. 大力培育发展社会组织

降低准入门槛，简化登记办法，实行公益慈善类、社会服务类、工商经济类等社会组织备案制；取消对社会组织从业执业资格、资质类等技术服务和行业管理类审批，交由行业组织自律管理；加快完善社会组织税收优惠制度安排，逐步提高公益捐赠扣除比例；重点培育和优先发展行业协会；支持和发展志愿服务组织。

26. 加大政府向社会组织购买服务的力度

制定政府购买服务规划、实施办法和经费管理办法；建立政府购买服务的准入和退出机制，加强对政府购买服务的监督评估，形成"政府定制埋单、部门考核监管、社会管理服务"的新机制。

27. 推进信访体制与司法体制的联动改革

把各种社会利益纠纷和社会利益诉求纳入法制解决轨道。强化公共安全和应急管理责任，加大问责和惩处力度，严格实施责任追究制度。

28. 建立社会治理责任考核机制

抓紧建立健全社会治理法规规章制度，做到依法依规依章程加强社会治理；确定各地各部门年度社会治理目标责任，完善社会建设工作考核评价指标体系。

五　构建开放型经济新体制的重点突破

29. 建立医疗市场先行开放区

用足用好国务院赋予博鳌乐城国际医疗旅游先行区的 9 项政策，争取将优惠政策逐步向全岛推开；积极吸引国内外知名医疗旅游机构、康复保健中心、医学中心、医疗培训机构落户海南。

30. 加快教育市场开放

允许和鼓励省内外科研教育单位联合创办国际学校；明确对中外资非营利性民办教育机构在管理、税收、财补、土地、招生、人员福利等方面与公办教育机构享受同等政策。

31. 建立与国际接轨的文化体育娱乐市场

用足用好竞猜型体育彩票和大型国际赛事即开彩票政策；鼓励非公有制文化企业发展，允许社会资本参与对外出版、网络出版，允许以控股形式参与国有影视制作机构、文艺院团改制经营。

32. 加快推进以免税购物政策突破为重点的国际购物中心建设进程

扩大免税经营主体，在严格监管和市场准入的情况下，允许更多有实力、有资质的国内外企业进入海南免税市场经营；扩大免税购物区域，由现有三亚、海口逐步扩展到全岛；2014 年出台《海南国际购物中心建设总体规划》，在广泛论证的基础上，年内上报国务院。

33. 扩大金融开放

积极引进国内金融租赁、担保、信托、基金财务公司、证券公司，消费金融公司等金融机构进驻；在加强监管前提下，降低准入门槛，允许和引导具备条件的民间资本依法发起设立中小型银行、农村资金互助社、小额贷款公司等金融机构，重点为海南旅游及相关服务业、中小企业和三农提供服务。

34. 创新服务业体制机制

积极推进服务业"营改增"改革；探索开展消费税试点，并利用特区立法权，出台《海南消费税征收条例》；研究探索实行服务业用地与工业用地同价政策。

35. 推进洋浦自由工业港区建设

在洋浦经济开发区范围内，以油气综合开发为重点，以实行自由港区的发展模式为目标，使其成为我国对外开放程度最高的自由工业港区。

36. 以构建旅游经济带为重点建设海上丝绸之路

加快发展海上丝绸之路旅游经济走廊，加强旅游国际合作，共建环南海旅游经济圈；积极引进社会资本，有序开发无居民岛屿。

37. 发挥博鳌亚洲论坛的平台和品牌优势

加快推进博鳌公共外交示范基地、三亚国家首脑休闲外交基地、万宁中非交流合作促进基地和海口侨务工作交流示范区建设，使海南在与周边国家和地区互联互通、海上丝绸之路上发挥更大作用。

38. 加快南海资源开发和服务基地建设

利用三沙市的区位优势，增强海洋新能源开发服务、油气勘探服务、海洋生态环境保护、南海科考与研究、公益服务建设等综合服务功能，务实推进"南海资源开发和服务基地"建设。

39. 推动临港、临空保税区发展

在海口综合保税区等特殊监管区先行实行自由贸易区政策和管理体制；积极推动临港、临空综合保税区发展成为自由贸易园（港）区。

六 着力取得生态文明制度建设的重点突破

40. 率先划定生态红线，明确全省生态文明制度建设的空间布局

划定全岛重要生态功能区保护红线；通过地方立法实施生态红线区控制，协调经济发展规划和生态功能区划关系，确保生态功能

区划先行。

41. 加快建立产业准入、提升、退出机制

出台产业环境准入政策，严格执行产业项目用地、节能、环保、安全等准入标准，禁止国家明令禁止的项目和列入国家淘汰产品目录的项目进入，确保新上产业项目不放松环保要求、承接产业转移不降低环保门槛、扩大产业规模不增加排放总量。

42. 加快建立资源产权制度

对全省域范围内水流、森林、山岭、荒地、滩涂、矿产等自然资源进行统一确权登记，形成归属清晰、权责明确、监管有效的自然资源资产产权制度；实行矿产资源严格审批制度，依法加强对矿产资源的集中管理。不再审批新增金、钼、钛等矿产资源开采权。

43. 加快推进环境资源有偿使用制度试点

尽快出台排污权和碳交易试点方案，出台主要污染物排污权有偿使用和交易管理办法，形成"谁污染谁付费、谁减排谁受益"的市场体系；颁布城镇生活垃圾收费管理办法，加大污水处理费征收力度；开展企业环境行为信用评价、环境污染责任保险试点。

44. 探索开展资源环境税试点

积极争取海南先行开展资源环境税试点；利用海南特区立法权，研究出台《海南环境税征收条例》；在海南选择防治任务繁重、技术标准成熟的税目开征环境保护税，逐步扩大征收范围，以此作为建立"环保专项基金"的重要来源。

45. 探索农村环境综合治理新体制

按照"户分类、村收集、乡中转、县处理"的垃圾处理模式，建立"农户—村组保洁员—乡村环保合作社"的农村环保自治体系和"以市（县）为主、省级补贴、镇村分担、农民自治"的运行机制；成立农村环保投资公司，作为农村环境保护的长期投融资平台；引进企业投资，形成"企业＋养殖户""环境治理＋资源利用"模式。

46. 推进环保管理体制改革

成立省、市（县）政府主要领导牵头的生态环境治理协调机制；率先建立环保"大部门制"，整合分散在各职能部门的环境行政权，统一集中到环境行政主管部门；加大生态环境保护在领导干部综合考核中的权重。

47. 大力培育生态文化

编制和印发《国际旅游岛中小学生态教育指导纲要》《国际旅游岛生态教育读本》，创造"教育一个孩子、影响一个家庭、带动一个社区"的生态教育模式；通过开展生态理念和生态环境保护行动进机关、进企业、进学校、进园区、进社区、进乡镇、进家庭等示范创建活动，使有利于生态环境保护的生产方式和消费模式逐渐成为人们的自觉行动和生活习惯。

七　组织实施

48. 关键在于突破思想观念的束缚和利益固化的藩篱

要实现海南全面改革的重点突破，务实地推进海南国际旅游岛建设，必然要求全省上下尤其是领导干部进行一场深刻的思想解放，营造全面深化改革的大环境，抓住改革创新突破点，积极争取先行先试。

49. 建立改革业绩评估体系

改变单一的 GDP 政绩考核机制，将改革业绩作为海南领导干部政绩考核的重要衡量指标，建立明确的改革责任分工和责任追究机制。

50. 省委成立"全面深化改革领导小组"

负责全省改革总体设计，统筹协调、整体推进、督促落实。各市县党委要切实履行对改革的领导责任，市县党委主要负责人直接负责，并成立专门的改革机构，务实推动改革。

"十三五":构建海南开放型经济新体制的建议(11条)[*]

(2015年6月)

"十三五"时期,紧紧把握"一带一路"开放政策深度实施的机遇和我国经济转型升级的大趋势,充分利用国际、国内两个市场,加快构建开放型经济新体制,到2020年形成海南全方位开放的新格局。总的建议是:"十三五"时期构建开放型经济新体制需要确立"一大抓手、两大目标、三大任务、四大突破"的战略思路,形成岛屿开放与经济转型有机融合的开放型经济新格局。

——一大抓手:加大国际旅游岛开发开放力度。

——两大目标:形成以现代服务业为主导的经济结构和建成21世纪海上丝绸之路的"南海服务合作基地"。

——三大任务:以健康产业为重点,加快开放型服务业发展;以洋浦自由工业港区为重点,争取设立自由贸易园区;以"五规合一"为路径,破题"全岛一个大城市"。

——四大突破:服务业发展的体制机制创新的突破;以负面清单为重点的行政审批制度改革的突破;用足用好开放型政策的突

---

[*] 节选自中改院课题组《"十三五":构建海南开放型经济新体制的建议》,2015年6月。

破；以"互联网+"为支撑提升海南开放水平的突破。

一 把"加大国际旅游岛开发开放力度"作为总抓手

基本考虑：国际旅游岛牵动海南经济社会发展全局，是扩大产业开放、推动区域开放、争取政策开放的重要载体。"十三五"，海南要抓住"一带一路"开放战略和我国经济转型升级的历史新机遇，加大国际旅游岛开发开放力度，弘扬特区精神，努力打造国际旅游岛升级版。

1. 紧紧抓住"一带一路"的开放新机遇

（1）增添海南开放动力。"十三五"，把握中国—东盟自贸区升级版契机，发挥侨乡优势，推动海上丝绸之路邮轮旅游等海洋产业合作，加快人流、物流、资金流、信息流区内无障碍流通、基础设施区内无障碍互联互通，形成海南全方位开放新格局。

（2）提升海南战略地位。以建设海上丝绸之路的"南海服务合作基地"为目标，加大国际旅游岛开发开放力度，既是海南承担国家赋予的新战略、新使命，也是提升海南战略地位的重大任务。

（3）拓展海南发展空间。"十三五"，海南需要以海洋经济拓展提升陆域经济，实现由海洋大省向海洋强省的转型升级。初步预测，到2020年，海南单位岸线海洋经济产出率达到广东2013年的水平（1.48亿元/公里），海南海洋经济总产值将达到2698亿元，相当于2013年海洋经济总产值的3.2倍。

2. 以更大程度开放释放国际旅游岛巨大发展潜力

（1）开放政策潜力巨大。以免税购物政策为例：受免税品种类、免税购物限额、免税店布局、提货方式等限制，海口、三亚免税店人均购物额仅为2670元，与香港（1.2万元/人）、韩国（5600元/人）相比存在较大差距。"十三五"，积极争取更加开放的免税购物政策，到2020年，如果人均购物额达到8000元，购物人次达到3800万，那么免税品销售额将达到3000亿元。

（2）市场需求潜力巨大。海南以良好生态环境为依托的旅游消费市场需求潜力巨大。以中产阶层为例，其是健康、教育、文化、信息等中高端旅游消费的主体。到2020年，我国中产阶层规模将从目前的25%提高到35%—40%左右，人口规模接近6亿人。如果每年有5%的中等收入群体来海南消费，到2020年人均消费额如果能逐步提高到香港2010年水平的50%（2200元左右），那么将累积创造约2500亿—3000亿元的消费规模。

二　"十三五"构建开放型经济新体制的两大战略目标

基本考虑：新阶段海南扩大对外开放，重中之重是通过"一带一路"建设发展现代服务业。为此建议，到2020年把基本形成以现代服务业为主导的经济结构和建成21世纪海上丝绸之路的"南海服务合作基地"，作为"十三五"构建开放型经济新体制的两大战略目标。

3. 基本形成以现代服务业为主导的经济新格局

（1）把服务业占GDP比重达到65%作为"十三五"构建开放型经济新体制的重要约束性目标。2010—2014年，海南服务业占比从46.1%上升到51.9%，年均增长1.45个百分点。"十三五"，海南服务业如果保持过去5年增速，2020年服务业占比将达60.6%；如果加大服务业市场开放力度与体制机制创新，服务业有可能保持年均2个百分点增速，到2020年服务业占比将达到65%左右，比全国高出10个百分点，基本形成服务业主导的经济新格局。

（2）着力提高现代服务业比重。2013年，海南餐饮、交通、房地产等传统服务业占第三产业比重为57.8%；金融、保险、信息等现代服务业比重仅为42.2%，比全国平均水平低9个百分点。现代服务业发展滞后成为海南经济结构中的突出矛盾。"十三五"，抓住中国—东盟自由贸易区升级版建设的契机，重点推进健康医疗、免税购物、教育、邮轮游艇旅游、文化体育等现代生活性服务业和金融保险、融资租赁、信息研发、第三方物流等现代生产性服务业，到2020年基本形成以现代服务业为主导的经济结构。

（3）2020年，力争金融业增加值占地方生产总值的比重达到10%以上。金融业代表着一个地区服务业发展的水平。2013年，海南金融业占第三产业比重4.82%，不仅低于全国平均水平（5.92%），与上海（13.07%）、北京（14.47%）等发达省市相比，差距更大。"十三五"，加大金融改革创新与开放力度，积极推动离岸金融业务试点，吸引境内外金融机构落户海南，力争在"十三五"末使海南金融业增加值占地方生产总值的比重达到10%以上。

4. 基本建成21世纪海上丝绸之路的"南海服务合作基地"的新格局

（1）确立海陆统筹的发展思路。以海上丝绸之路"南海服务合作基地"建设为总目标，坚持海陆统筹、综合开发、联动发展，以海带陆、以陆促海，统筹海陆产业布局、基础设施建设、海洋公共服务和环境治理保护，把南海的资源优势、后发优势与陆域的综合优势、先发优势结合起来。

（2）重点实施"1234"战略。

——建设"一大枢纽"。即建设面向东南亚、背靠华南腹地的航运枢纽。

——打造"两大基地"。即全面建设"南海发展战略基地"和"南海综合服务基地"。

——发展"三大产业中心"。以南海地区旅游合作为抓手，构建南海丝绸之路旅游经济中心；以南海油气资源开发为重点，建设南海能源开发、加工、物流和交易中心；以大力发展现代海洋渔业为目标，建设海南现代海洋渔业产业中心。

——构建"四大战略支点"。即构建三沙前沿战略支点、临空自贸区战略支点；以洋浦为重点的油品加工出口和交易战略支点；

以博鳌为中心、面向东盟的对外交流合作战略支点。

三 "十三五"构建开放型经济新体制的三大任务

基本考虑:"十三五"时期,服务业开放、金融开放、自由贸易区建设,以及开放型经济体制机制创新成为新时期我国开放战略的突出特点。抓住机遇,依托海南的区位优势,以服务业开放促进区域合作,以区域合作带动区域的全面开放。

5. 以健康产业为重点,加快开放型服务业发展

(1) 大力发展健康服务业。

——加大对医疗旅游的政策支持。争取将博鳌乐城国际医疗旅游先行区的优惠政策扩大到海南全省;积极引进境内外知名医疗和保健机构,建成一批区域性的集医疗、科研和康复为一体的医疗健康中心。

——扩大养老服务业市场开放。对民办养老机构给予公办养老机构同等的用地、用水、用电等待遇。

——扩大健康服务业职业教育市场开放。争取国家支持,使海南成为民办教育综合改革试点省。

(2) 加快推进以免税购物为重点的国际购物中心建设。

——争取更加开放的免税购物政策。1至2年内,在现有政策基础上,争取在扩大免税经营主体、扩大免税购物区域、扩大免税品种、提高免税购物限额和次数、拓展离岛旅客免税品的销售、运送渠道和提取方式等免税购物政策方面的更大突破。

——研究制订《海南国际购物中心建设总体规划》。按照2020年初步建成海南国际购物中心的目标,研究提出国际购物中心建设的空间布局、主要任务、政策体系和行动计划,并列入"多规合一"改革试点的重要内容。

——建立海南与香港在免税购物领域的长效合作机制。争取国家支持在海南建立"琼港服务业合作试验区",探索建立委托经营、

独资经营等形式的合作机制，引进香港资本以及先进的经营、管理和人才，以尽快实现国际购物中心建设的实质性突破。

（3）率先建立教育市场先行开放区。

——允许和支持国外和港澳台地区知名大学、职业教育机构以控股、独资等方式在海南设立分校。

——争取海南民办教育综合改革试点，允许和鼓励省内科研教育单位创办国际学校。

——明确对中外资非营利性民办教育机构在管理、税收、财补、土地、招生、人员福利等方面与公办教育机构享受同等优惠政策。

（4）推进金融市场开放。

——吸引境内外金融机构落户海南。争取国家支持，将海南列入鼓励、引导、支持各类外资金融机构进入的地区；在CEPA框架和海峡两岸经济合作框架下适当降低港澳台金融机构进入海南的条件；放宽限制，优先批准港澳台和国际知名金融机构在琼设立分支机构或参股海南地方金融机构建设。

——尽快开展离岸金融业务试点。探索实行政府主导、大型企业参与的区域性、服务贸易型离岸金融新模式；重点发展离岸银行业务，条件成熟时，可逐步发展债券、保险、信托等多层次的离岸金融业务；推动资本项目可兑换的放开，争取开展外币离岸金融业务和境内企业投资形成的人民币离岸金融业务试点；争取银监会支持，尽快批准《海南离岸金融业务试点方案》。

——争取外汇管理改革试点。鼓励和吸引有条件的社会资本经营个人本外币特许业务，扩大个人本外币兑换机构的数量；争取海南成为跨境金融产品和服务的试验区域；在海南开展跨境人民币贷款试点；在海南开展外资股权投资企业整体结汇额度试点；支持在海南的企业和金融机构在港澳台发行人民币债券试点；允许海南开展多币种信托基金试点，使外资和港澳台资金更便捷地流入海南。

（5）建立与国际接轨的文化体育娱乐市场。

——引进一批国际影视盛典、国外奢侈品展览、国际游艇展览等大型国际性文化会展和娱乐节庆活动。

——以赛马博彩为重点，积极引进国际大型品牌体育赛事活动。

——争取国家支持，在CEPA框架下，加强海南与澳门在博彩业的管理和职业培训等领域的合作，加快竞猜型体育彩票和大型国际赛事即开彩票政策落地。

6. 以洋浦自由工业港区为重点，争取设立自由贸易园区

（1）争取洋浦成为自由工业港区。把洋浦建成具有国际竞争力的现代化油气综合开发和加工基地，使其在南海油气资源开发中发挥重要作用。

（2）在现有临空、临港综合保税港区和经济开发区的基础上，试点自由贸易区政策和管理体制。争取中央支持在三亚探索发展大型空港自由贸易区；以海口、三亚和洋浦为平台，建设海港、空港与自贸园区一体化的对外自由贸易平台。

（3）探索建立琼港旅游商品自由贸易区。合作开展免税消费品保税物流、保税展示、免税消费品制造、加工和维修业务。

7. 以"五规合一"为路径，破题"全岛一个大城市"

（1）把推进新型城镇化作为"多规合一"改革的基本载体。城镇化是服务业发展的重要载体，城镇化质量也是衡量"多规合一"改革成效的基本指标。为此，"十三五"，按照"全岛一个大城市"的思路，以"多规合一"为路径，加快推进统一规划、统一土地开发利用、统一重要资源开发、统一基础设施建设、统一社会事业发展、统一环境保护，整合全岛资源，实现优势资源利用效益最大化。

（2）建立全省统一的规划管理体制。

——成立高规格海南省规划委员会，集中统一行使规划管理权。

——健全规划协调机制，加强全省总体规划与市县规划、土地利用规划、产业规划等规划的衔接。

——在统一规划的前提下，最大限度向市县放权。

（3）统一土地资源开发利用。

——强化省级政府对土地的统筹利用，严格执行土地统一收购储备、统一开发管理、统一公开供应，统一规划岸线资源，严格土地审批，限制最低地价，提高平均地价。

——建议在新的全省土地总体规划尚未出台前，严格控制用地审批。

——在统一土地规划利用的前提下，充分发挥市县的积极性。

（4）统一基础设施建设。

——重点推进全岛交通一体化，实现各类交通工具换乘无缝对接。

——推进全省范围内的电信网、广播电视网、互联网"三网融合"工程，打造"数字海南"，实现全岛通信网络一体化。

（5）统一环境保护体制。

——建立省级统一的环保体制，各市县环保部门为省级派出机构。

——建立环保"大部门制"，整合分散在各职能部门的环境行政权，统一集中到环境行政主管部门。

——加大生态环境保护在领导干部综合考核中的权重。

（6）统一社会政策。

——"十三五"末，基本实现全省统一的基本公共服务制度。

——做好省内、省际社会保障制度的衔接。

四　"十三五"构建开放型经济新体制的重点突破

基本考虑：构建开放型经济新格局关键在于体制机制创新和政策开放。"十三五"，以推进服务业开放的体制机制创新为重点，加快构建有利于开放型经济新格局的制度和政策环境。

8. 服务业发展的体制机制创新的突破

（1）重点推进商事登记制度改革，实行企业自主登记制度。激发"大众创业、万众创新"活力。

（2）加快服务业向社会资本开放。要把健康、教育、医疗、免税购物、文化、金融、信息为重点的服务业市场开放作为重点，使社会资本成为服务业市场发展的主体力量。

（3）以琼港澳台四地合作为重点，提升服务业国际化水平。

——重点支持琼台在健康服务业领域的合作，支持国外企业和国际资本合作开展健康管理中高端技能型人才培养。

——允许外资在教育、文化、商贸物流等服务业领域在海南设立机构，逐步取消合资或合作机构的境外资本股权比例限制，逐步放开境外资本设立独资机构。

——积极开展高等教育对外开放试点，引进具有国际视野的高端专业人才。

——服务海上丝绸之路建设，与东盟国家合作共建"南海大学"，为海洋强省提供人才支撑。

（4）积极推进有利于服务业开放的财税体制改革。

——积极推进服务业的"营改增"改革。短期看，"营改增"会减少地方税源；从中长期看，"营改增"对加快服务业发展利大于弊。着眼于长远，海南应积极推进服务业的"营改增"改革。

——探索开展消费税试点。争取海南成为消费税先行试点地区，并利用特区立法权，出台《海南消费税征收条例》。

——争取实行服务产品出口退税制度。

（5）尽快实行服务业用地与工业用地同价政策。

9. 以负面清单为重点的行政审批制度改革的突破

（1）深入精减行政审批事项。

——进一步取消和下放"含金量"较高的行政审批项目。

——清理非行政许可审批事项。

——全面清理行政审批前置条件。

——进一步加大行政事业性、服务性收费的取消力度。

——争取国家向省级最大限度地放权。

（2）全面实行负面清单管理制度。

——推进"负面清单"管理试点。2015年在海口、三亚和洋浦保税港区、海口综合保税区等特殊监管区域试点"负面清单"管理。

——在总结试点经验的基础上，力争2016年在全省范围内实行"负面清单"管理。

10. 用足用好开放型政策的突破

（1）加快推进重大政策落地。组织力量，对国家有关部门支持政策的实施效果进行全面评估。在此基础上，加强省内统筹协调，打破地方利益、条块分割的掣肘，对国家给予的竞猜型体育彩票、洋浦保税港区启运港退税、国际购物中心建设、离岸金融业务试点等重大政策尽快落地实施。

（2）寻求高层的支持。对于竞猜型体育彩票、国际购物中心建设、邮轮游艇旅游开发开放、低空空域开放和通用航空发展等政策实施，涉及国家多个部门之间以及军地、地地之间的协调配合，需要得到中央层面的支持。

（3）出台配套政策。例如，重点争取中央出台落实国务院关于博鳌乐城国际医疗旅游先行区9条政策的实施细则，使政策早日落地。

11. 以"互联网＋"为支撑提升海南开放水平的突破

（1）"互联网＋"推动产业结构转型升级。例如，健康服务业进入"大数据"时代，全国对海南健康服务的刚性需求，必然催生大数据、云计算等信息产业的快速发展；再如，通过建设便捷、快速的充换电设施，海南最有条件发展"新能源汽车+车联网"，从而带动新能源汽车整车、关键零部件等新型工业发展以及车联网技术创新和应用。

（2）"十三五"，建成一批互联网产业基地，形成互联网产业集聚发展的优势格局。重点推进以海口、三亚为两翼的南北两个互联网产业基地建设，形成移动互联网、云计算、物联网、车联网、大数据等新一代信息技术在健康、旅游、海洋、农业、金融、电子商务、智慧城市等领域的应用和创新的产业集群。

以城乡公共服务均等化为目标的社会体制改革

完善海南省社会保障管理体制改革方案的建议（4条）*

（1992年12月）

有效的社会保障是保证社会稳定与发展的重要因素。在当前的改革中，它将为中国市场经济的发展创造稳定的社会环境，保证其健康、顺利地成长。

海南省社会保障制度改革方案出台前，按照方案要求对原有管理体制进行了改革，并初步建立省社会保障委员会和社会保障局等有关管理机构，使多数改革项目得以投入操作。但由于方案出台时间紧迫，管理体制上的矛盾又非一时所能理顺，仍存在一些有待解决的问题。

因此，继续深化社会保障管理体制，逐步建立一个社会化、制度化、科学化的社会保障管理体系，仍是海南省当前的一项极其重要的迫切的任务。

一 社会保障管理——社会化

生产的社会化要求保障的社会化，保障的社会化要求管理的社

---

* 节选自中改院课题组《中国社会保障管理体制改革的思路与海南省改革方案的建议》，1992年11月。

会化。社会化是社会保障的本质特征,是社会保障的重要目标,也是社会保障管理的内在要求。针对现行体制存在的弊端,依据改革方案的要求,借鉴世界各国的管理经验,海南省实现社会保障管理社会化应当遵循如下原则:在社会保障对象与管理范围方面,对各种不同经济成分、各类不同企业、各种不同身份的职工和养老、医疗、待业、工伤等各项社会保险实行统一的社会化管理原则;在管理机构设置方面,实行政、事、企三分开,宏观间接管理与微观直接管理职能分离,拟法、监督与经办执行机构分设的原则;在管理的性质与内容方面,实行管理与服务(包括社区管理与社区服务)结合,经济保障与服务保障(包括劳务服务、设施服务和信息咨询服务等)结合的原则。

社会的多层次性和社会保障的多层次性,决定了社会保障管理的多层次性。海南省社会保障管理机构设置及其职能分为三个层次:

1. 宏观管理层

(1)省社会保障委员会:是全省社会保障事业的主管部门,履行省政府的社会保障管理职能。负责社会保障的拟法、监督与协调,以及各项社会保障制度改革方案的设计与修订。由分管副省长为主任,设常务副主任和若干副主任,省体改、劳动、卫生、计划、财政、民政、工会、经济研究中心、人民银行、人民保险、农垦等部门负责人参加。人数13—15人,由省政府委任。下设精干的办公室常设机构,负责日常工作。

(2)省政府有关部门(劳动、人事、卫生、民政、计划、财政、审计、监督、人民银行等)按照各自的行政职能范围,对社会保障事业及其管理机构的工作实行必要的行政监督。

(3)养老、医疗、待业、工伤等各项社会保险基金委员会:主要职能为对各项社会保险基金的收、管、用以及投资营运实行必要的监督。每个基金会委员会11—13人,由政府、企业家、受保人

（工会）和社会保障专家四方代表组成。基金会主任由政府委派，其余各方代表分别由各方推荐或协商选举相结合的方式。实行委员任期制。

2. 中观执行层

建立省社会保障局，受省政府委托作为社会保障事业的经办机构，在省社会保障委员会的领导下，负责全省养老、医疗、待业、工伤等各项社会保险事业的具体运作。包括各项社会保险基金的征缴、管理与给付，为投保单位和受保人提供优质高效的资金保障和服务保障，并接受有关行政部门、各项基金委员会和受保人的必要监督。

3. 微观操作层

设立市县社会保障局与基层社会保险办事处，负责各项社会保障实务的一线操作。具体经办保险征缴、保险金给付和受保人的社区服务。基层社会保险办事处根据投保单位和受保人公布状况分片设置，可以同时兼办辖区社会保险与金融储蓄业务，以保险促金融，以金融养保险，一举多得。

二 社会保障立法——制度化

社会保障与建立在社会契约基础上的一般商业保险不同，它是一项以社会立法为手段的重要的社会制度。首先，它带有明显的强制性，涉及国家、社会保障职能机构、企业（单位）和公民等各个主体的权利与义务关系。其次，它是社会主义本质要求，是社会主义优越性的重要体现，关系国家、社会的稳定和人民群众的切身利益。因此，必须以法律规范来调整国家（通过一定的职能机构）、集体（企业或单位）和个人在社会保障活动中所发生的各种社会关系，明文规定每项社会保障制度的具体目标与运作程序，以及每个社会成员的基本权利与义务，使每项社会保障制度的实施制度化、规范化、避免各种人为的障碍与偏差和人治的主观随意性，以及人事变动造成的社会保障制度的不稳定性，克服保障给付中的"恩准""恩赐"形式和各种可能的弊端，实现每个社会性成员在社会保障面前的平等和尊严，保证社会保障制度的健康发展。

根据海南省的实际情况、改革方案的要求以及职工群众的意见，当前迫切需要以法律形式来规范的社会保障关系主要是：

1. 国家、社会保障管理机构、企业或单位和职工个人等各社会保障主体之间的权利与义务关系

2. 社会保障项目与水平，各项社会保险费的缴纳比例和社会保险金的给付标准的确定与调整关系

3. 社会保障管理机构的设置、编制、职能、责任、经费开支与工作程序的确立与调整关系

4. 社会保障资金的收付关系

即各项社会保险基金的筹集、管理、支付和投资营运（包括投资营运的项目、原则、利益分配、风险承担等），以及各项社会保险管理费用的提取比例、使用范围与开支办法。

5. 社会保障的监督关系，以及违反社会保障法的处罚关系

三　社会保障监督——多元化

社会保障是一项重要的社会制度，是为人民群众谋利益，与人民群众息息相关的事业。对社会保障的运作过程和社会保障管理机构的各项工作进行必要的监督，是保证社会保障事业健康顺利发展的有效措施，也是对广大受保人的公民权利的应有尊重。社会保障监督是否健全而有效，是社会保障制度是否成熟的重要标志之一。

建立健全社会保障的各类监督组织，是实施社会保障监督的前提。社会保障监督包括国家权力机构（各级人民代表大会）的监督、政府（通过各有关部门）的行政监督、司法机构的司法监督、法定机构（含各项社会保险基金委员会）的特定监督、社会保障职能机构上下左右的内部监督和人民群众的民主监督等。所有这些监

督都应做到有机构、有人员、有职责、有制度，真正落到实处，不流于形式。海南省社会保障制度改革方案已出台实施近一年了，各项社会保险基金委员会迄今尚未按改革方案的要求建立，各项保险基金的收支、管理和营运自然就缺少应有的监督。这是应当尽快解决的。

人民群众的积极参与，是搞好社会保障监督的关键。这不仅要靠深入宣传发动，更重要的是要有扎扎实实的组织、制度和正常可行的民主监督渠道，确保广大受保人真正有机会、有条件参与管理和监督。社会保障职能机构应以全心全意为企业、为受保人服务为宗旨。受保人是社会保障的当然主体，他们的意见和要求理应得到足够的重视和尊重。这样，受保人就会在切身体验中增强社会保障的主体意识和参与意识，增强对全体保障事业的权利感和责任感，热心参与监督。

社会保障管理机构及其工作人员应主动地做好管理和服务工作，切实履行自己的职能和义务，正确地对待和接受监督。社会保障管理机构应当明确规范自己的工作职责和所属每个部门、岗位的工作责任和办事程序，并公之于众，以便接受群众的检查监督。每项社会保障基金的征缴、管理和给付的细则与详情，应努力做到公开化，提高社会保障管理全程的透明度，随时接受受保人的咨询。受保人有权向管理机构询问自己的保费缴纳、积累和保金给付等情况并得到及时明确的答复。

为了保持社会保障职能机构与管理人员的廉洁和维护受保人的合法权益，省社会保障委员会和各级社会保障局均应设立监督组织，规定受保人在其合法权益受到损害时提出申诉的程序，指定接受与承办申诉的专门机构和专门人员，对受保人的申诉要求做到条条有下落。

四 社会保障资金管理——基金化

社会保障资金管理是社会保障管理的重要内容。海南省养老、医疗、待业、工伤等各项社会保险制度改革方案全面出台,全省一年筹集的社会保险基金可以达到 4 亿多元。这是职工群众的血汗钱、保命钱,收好、管好和用好这笔钱,是社会保障管理机构的重要责任。尤其是养老保险基金的筹集模式由现收现付统筹改为社会共济统筹与强制储蓄预筹相结合后,有了部分积累。随着时间的推移,积累还会逐步增多。据统计,养老保险改革方案出台实施后,头 10 年可以积累 35 亿元,20 年可积累 167.89 亿元,30 年可积累 389 亿元,40 年可积累 506.56 亿元,即使只能征缴和积累 80%,也是一笔相当大的资金。因此,社会保障基金管理的好坏,资金营运效益的高低,能否保证长期保值增值,决定着社会保险制度的成败,并直接影响着受保人的合法权益与信心。

事实证明,社会保险基金单纯采取存在银行和购买部分政策债券两种方式,是不可能实现保值增值目的的。国内外的经验表明,社会保险基金的保值增值,必须走保险与金融相结合的道路。即按照安全与效益相结合的原则,以间接的和多向的投资方式,投向那些风险较少、效益较好,有利于经济发展的项目,实现社会保障基金的保值增值。

为了保证社会保险基金的管理和投资运营工作健康发展,维护社会保险基金的所有者——广大受保人的正当权益,必须努力做到:

1. **建立社会保险基金的投资营运机构**

社会保障局作为社会保障事业管理机构,肩负着各项社会保险制度的操作和管理,任务是十分繁重的,它不可能也不应该担负社会保险基金的投资营运的工作。这方面的工作应由政府指定的专门金融机构来承担。一是设立海南省社会保险银行,专门负责保险基金营运。开始人数不要很多,只要组织一个通晓保险和金融业务的精干班子即可。二是委托省内某个专业银行或非银行金融机构代理投资业务,只收取一定的佣金或管理费,或者以承包经营方式,确定一定的资金利润率，超利部分比例分成。无论是指定或委托哪个或几个金融机构经办这些业务，均需由社会保障委员会和社会保障局进行必要的检查监督，并接受各项社会保险基金委员会的监督。三是可考虑同其他有关方面合作，集资入股组建地方发展银行，并保证基金在其中的一定比例。

2. 制定关于社会保险基金管理与投资营运的法规

通过法律形式对社保基金的管理责任、管理办法和投资营运的目标、原则、方向、渠道、利益分配和风险承担以及管理监督等有关问题加以明确规范，做到事事有章可循，堵住一切可能的漏洞，并严厉打击以保险基金谋私舞弊的行为，用法律规范确保社会保险基金的安全。

建立城乡统一的户籍政策的建议(9条)[*]

（2009年6月）

逐步剥离附着在户籍上的各种社会职能，还原户籍的管理功能，建立城乡一元化的户籍制度：对内分步骤解决城乡人口一元化管理问题、城乡人口流动问题、区域人口流动问题；对外实施更具吸引力的落户政策为海南建设吸引人才、技术、资金。

一 实施城乡统一的户籍管理政策

按照建立城乡统一的新型户籍管理制度要求，全面推行一元化户籍管理制度，逐步对全省户籍人口取消农业和非农业户口性质的划分，统称为"居民户口"，按实际居住地登记，实行海南省城乡户口一元化登记管理。

1. 争取在2015年前，分区域实现城乡户籍一元化

在五大功能经济区内放宽农村户口迁向城镇的限制，实施居住证制度，推广公民以住房、生活基础（有稳定的职业和收入来源）为落户标准的户籍迁移办法。

2. 到2018年，实现全省城乡户籍一元化

按照公民在居住地登记户口的原则，采取与迁徙自由相适应

---

[*] 节选自中改院课题组《城乡一体化体制机制与政策研究》，2009年6月。

的、开放的、城乡统一的以身份证为载体的"一卡通"管理模式，消除依附在户籍关系上的特定的社会经济利益，使户籍恢复其只承担单纯人口基本信息统计功能，真正成为反映公民身份、提供人口数据、保证公民平等参与社会活动和行使法定权利的政府社会管理和公共服务的基础性制度。

二 实施区域一体化的户籍政策

与推进省内区域间基本公共服务均等化相结合，打破省内地区间劳动力和人才流动的限制，实施宽松的户籍政策，鼓励发达地区和落后地区之间、城乡之间的劳动力和人才的双向流动，优化人力资源配置。

3. 采取优惠政策鼓励城市人才到乡村创业，鼓励发达地区的人才到落后地区工作

实施社会保障区域间可转移接续等政策，鼓励大学生、专业技术人才到农村以及少数民族地区工作、创业，推进人才的合理分布，促进农村落后地区的加速发展。

4. 使农民工、失地农民能够方便地办理城市户口，并能够享受到与城镇居民水平大致相当的基本公共服务

形成统一的人才市场，促进农村剩余劳动力转移，推动城镇化和农业现代化进程。

三 放松外来人口落户限制

实施与国际接轨的户籍管理办法，突出前瞻性，把户籍政策设计与吸引人才、吸引投资有机结合起来。放宽落户政策，吸引各类省外人才参与海南省的建设，使海南成为华南地区中、高层次人才集聚地。

5. 对具有大学本科以上学历或中级以上技术职称的各类专业技术人才及管理人才，到海南工作户口随到随办

6. 对具有特长的技术工人、非公有制经济所需的各种人才，

放开户籍迁入的门槛

7. 使户籍由严格的行政管理变为人性化的服务管理，为吸引人才创造有利条件

8. 通过购房入户等政策，吸引社会资本流入岛内，带动旅游、房地产的发展

9. 实施投资入户政策，对到海南投资的外籍人士，优先办理海南户籍

实现海南基本公共服务均等化的建议（21条）[*]

（2009年11月）

制订基本公共服务发展战略规划，创新政府投资体制，加大基本公共服务投入，并引入市场、社会的力量参与基本公共服务建设，争取成为我国新时期基本公共服务均等化的省级试点地区。

一　制订《海南省基本公共服务均等化战略规划（2009—2020）》

在《中共海南省委关于大力改善民生推进基本公共服务均等化的意见》的基础上尽快制订《海南省基本公共服务均等化战略规划（2009—2020）》：

1. 确定基本公共服务的范围、标准和衡量指标

为各级政府有效推进基本公共服务均等化提供依据。（见表1）

2. 确定基本公共服务均等化的总体目标

海南实现基本公共服务均等化的总体目标是：到2018年，即建省办经济特区30周年之际，在全省范围内建立起城乡相衔接的基本公共服务体系，全省公民享受基本公共服务的机会均等、结果

---

[*] 节选自中改院课题组《城乡一体化体制机制与政策研究》，2009年11月。

大体相同，城乡、区域、不同社会群体之间基本公共服务差距控制在社会可承受的范围内，保证所有居民都能享受到有制度保障的最低标准的基本公共服务，使全省居民学有所教、劳有所得、病有所医、老有所养、住有所居。

表1　　　　　　　海南省基本公共服务范围及其界定

项目	义务教育	公共卫生和基本医疗	公共就业服务	基本社会保障	公共文化服务
范围	在九年制义务教育的基础上，发展到12年义务教育（包括高中教育）	城乡医疗卫生服务，包括预防、保健、治疗、康复、健康教育、重点疾病监控、突发公共卫生事件应对和计划生育服务；基本医疗保险等	包括免费职业介绍、职业指导、职业培训、职业技能鉴定、创业训练等	包括城乡最低生活保障、基本养老保险、工伤保险、生育保险、失业保险、社会福利和社会救助等	包括基本的公共文化基础设施，公共信息等

3. 确定基本公共服务均等化的重点任务

在义务教育、公共卫生和基本医疗保险、基本社会保障、公共就业服务、公共文化服务五个领域加大资金投入，尽快实现城乡基本公共服务的全覆盖。

4. 分步骤推进基本公共服务均等化

把农村社会事业的发展纳入城乡社会发展的规划，制定相关标准，明确发展的目标及工作任务，分步骤推进。

二　加快推进重点领域城乡基本公共服务均等化进程

着重推进城乡义务教育、公共卫生和基本医疗保险、基本社会保障、公共就业服务、公共文化服务一体化。

5. 推进城乡义务教育一体化

全面普及义务教育,全面提高义务教育质量,实现义务教育的全免费。建立起一个规模适度,结构合理,质量较高,均衡、协调、可持续发展的义务教育体系。

6. 推进城乡基本医疗与公共卫生一体化

到 2010 年,基本建立起与全面小康社会相适应的比较完善的卫生服务体系,居民主要健康指标达到国内中等偏上水平;到 2018 年,建立与全面小康社会相适应的、完善的卫生服务体系,人民群众享有质量优良的卫生服务,居民健康水平持续提高,主要健康指标达到国内先进地区水平,基本实现卫生事业与经济社会的协调发展。

7. 推进城乡公共就业服务一体化

调推进经济结构调整与就业结构改善,进一步拓宽就业渠道。基本解决体制转轨遗留的下岗失业问题,促进城镇新增劳动就业,推进城乡统筹就业,加强失业调控,建立起就业与社会保障的联动机制。

8. 推进城乡基本社会保障一体化

基本建立起与经济发展水平相适应的、制度比较完善、管理比较科学、体系比较健全、城镇各类从业人员充分参加的社会保险制度和管理服务体系。

9. 推进城乡公共文化服务一体化

改变城乡之间公共文化资源不平衡、农村公共文化基础设施建设落后的状况。以政府为主导,加快纵贯全省、遍布城乡的文化基础设施建设。实施广播电视村村通工程、文化信息资源共享工程、乡镇综合文化站和基层文化阵地建设工程、农村电影放映工程、农家书屋建设工程和全民健身工程等国家重点文化服务工程建设。

三 建立与基本公共服务均等化相适应的财政体制

10. 明确各级政府在基本公共服务中的分工

率先对地方各级政府基本公共服务责任进行明确、正式的划分，使各项基本公共服务供给可问责。

11. 强化省级财政在基本公共服务均等化中的责任

明确界定各级财政在基本公共服务的投入比例，重点增强省级财政的调剂能力，使其在熨平地区差距、城乡差距中发挥主导作用。尽快实现制定省级标准，统一提供。改变主要由市县提供导致的统筹层次低，政策不统一的局面。在当前省级财政能力并不强的情况下，应当逐步提高省级政府的财政能力，并发挥省级财政均衡市、县财政能力的作用。

12. 按照财政能力均等化的原则完善转移支付体系

上一级政府既要对本级财政预算平衡负责，还要负责辖区内不同地区财政能力的均衡。除特殊的项目外，转移支付要以一般性转移支付为主。考虑到海南省级财政能力现状，单纯依靠纵向转移支付很难熨平不同地区的人均财力差距。为此，应当积极探索横向财政转移支付制度。尽快制定出台《海南省转移支付条例》，加大海口、三亚等发达地区对中部山区的财政帮扶力度。引导和鼓励同级政府间发展制度化、规范化的横向转移支付，保证欠发达地区的政府能够提供全省最低标准的基本公共服务。

四 创新政府基本公共服务投资体制

13. 实行公共服务项目公示制

优化政府投资的使用途径，加强社会监督，最大限度地降低成本，提高政府公共服务的供给能力、质量和效率。

14. 采取代建制、承包制、订购制方式提供公共服务

实行公共工程招标代建制，控制政府资金的使用质量与工期。对非经营性政府项目实行代建制，将非经营性政府项目的建设管理

任务交由专业化、常设性的项目管理机构或公司而非项目使用单位承担。实行基本公共服务合同承包制，分散政府资金的使用风险。

五　调动社会力量参与基本公共服务建设

15. 放宽学校、医院等公共服务投资的准入限制

打破公共服务领域垄断经营的格局。对有关地方性法规、政策以及各职能部门设定的行政许可和审查制度进行清理，凡是国家没有明文禁止和限制的公共服务领域，都要对社会开放；凡是对社会举办和参与公共服务事业带有歧视性的做法和不合法的规定，都要取消。

16. 利用投资补助等方式支持民间投资

对于实际收益低于投资成本的医院、学校与社会福利部门，政府可以按补偿成本加合理回报、财政拨补和社会公众合理承担相结合的原则，给项目经营单位贴补一定经营费用，也可以在建设期内一次性补贴投资费用，从而使社会力量能够借助于政府补贴，使投资收益至少达到盈亏平衡点。通过贴息贷款支持民间投资，弥补公共投资信用能力的不足。

17. 创新基本公共服务社会化的投资方式

利用参股或控股等方式吸引社会资金，弥补财政投资能力的不足。通过特许经营权等方式吸引民间投资，弥补政府抗风险能力与经营能力的不足。政府可以在项目建成之前或之后，通过公私合营、民间承包经营、BOT（建设—运营—移交）、TOT（移交—运营—移交）等方式向民间资本转让全部或部分经营权，形成公私合作方式，逐步减轻政府投资经营的负担。

18. 推进城乡基本公共服务供给社区化

制定社区建设促进条例，改革政社不分的传统模式，促进自治型社区的建立，将社区打造成为城乡居民提供高质量基本公共服务的重要载体。

六　争取成为基本公共服务均等化的省级试点

19. 海南有条件成为省级基本公共服务均等化试点

我国已确定了到 2020 年实现基本公共服务均等化的总体目标。海南的人口少、城乡差距较小，城乡基本公共服务体系相对完善，政府层级相对简单，有可能率先建立基本公共服务均等化的体制与政策，为全国其他地区提供借鉴。

20. 海南可以在基本公共服务均等化多方面先行试点

一是可以在地方政府基本公共服务分工体制上先行突破；二是可以在区域财政能力均等化上先行突破；三是可以在基本公共服务领域对外开放，引入社会资本上先行突破；四是结合户籍制度改革，可以在基本公共服务跨城乡、地区转移接续方面先行突破。

21. 争取中央财政的支持推进试点

海南作为经济欠发达地区、财政小省，在基本公共服务均等化的改革探索上，需要中央财政的多方面支持。应积极申报成为我国省级基本公共服务均等化的试点。

把海南作为全国城镇化综合改革试验区的建议(13条)*

(2011年3月)

党的十七届三中全会提出:"促进大中小城市和小城镇协调发展,形成城镇化和新农村建设互促共进机制。积极推进统筹城乡综合配套改革试验。"从各地情况看,地区间、城乡间面临的行政体制的束缚和行政区划壁垒的矛盾越来越突出,迫切要求加快推进城镇化的综合配套改革。从综合因素看,海南最有条件成为全国推进城镇化综合配套改革的试点省。为此,建议国务院把海南作为国家推进城镇化综合改革试验区。

一 海南最有条件成为全国城镇化综合改革试验区

1. 国际旅游岛建设作为国家战略,要求海南加快推进城镇化进程

《国务院关于推进海南国际旅游岛建设发展的若干意见》明确提出"用10年左右的时间,即到2020年,第三产业增加值占地区生产总值比重达到60%",为全国调整优化经济结构和转变发展方式提供示范。实现这一目标的关键在于,整合城乡、区域资源配

---

* 迟福林在全国政协十一届四次会议提交的提案,2011年3月。

置，全岛要按照"一个大城市"的思路推进城镇化进程。

2. 海南岛作为一个独立的地理单元，人口少，面积小，易于把全岛作为一个整体，科学规划城镇化建设

3. 海南交通等基础设施明显改善

"十二五"海南将形成衔接快捷的现代综合交通体系，将进一步强化城乡、区域的有机对接。

4. 海南建省之初就实行了行政上省直管县体制

这为进一步打破地区间的行政壁垒、按照经济社会发展的需要、加快市县之间的融合、扩大中心城市规模提供了体制保障。

二　加快推进海南城镇化综合改革

5. 全岛按照"一个大城市"统一规划

从国际旅游岛建设的现实需求出发，允许海南全岛应按照"一个大城市"的发展思路，统一规划、统一基础设施建设、统一土地开发利用、统一社会事业发展，由此加快推进城镇化进程。

6. 重点推进中心城市建设

国家支持海口、三亚、儋州、琼海、五指山 5 个中心区的发展，使 5 大中心区成为海南国际旅游岛的重点发展区，从而带动相关市县以及小城镇的发展。建议的方案是：(1)"撤县改区"。在 5 大城市内，设 20 个左右市辖区，主要通过"撤县改区"，把原有县市直接转变为市辖区。(2)"按人口规模重组市辖区"。按照人口经济发展需要，打破既有市县的行政区划范围，重新组合 5 大城市的市辖区。

7. 城乡一体化，城乡管理社区化

对乡镇发展统筹规划，乡镇融入市辖区管辖范围；实现农村居民管理社区化；逐步将村委会改为社区居委会，作为依法成立的自治组织，推动居民参与社区管理，维护社区治安稳定；建立社区决策、执行、议事等组织，形成城乡社区一体化管理的新格局。

8. 以大部门体制改革为重点,加快政府职能转变

以资源利用最大化为导向,整合重复管理、交叉管理的职能部门,减少审批环节,简化审批程序,提高部门行政效率。推进决策、执行、监督适度分离,强化省、区域中心城市的决策职能和监督职能,强化市辖区以下政府的执行力。

三 争取国家相关部门多方面支持海南城镇化综合改革试验

9. 支持海南按照"一个大城市"思路制订总体规划

突破市县间的地域分割和行政分割,把海南岛作为一个整体科学规划,合理布局。建立城镇总体规划与经济社会发展规划、区域规划、土地利用规划、主体功能区规划等相关规划的衔接和协调机制,形成推进城镇化的合力。

10. 支持海南推进行政区划体制改革

打破18个市县的行政区划体制,通过区域行政一体化的体制安排和政策突破,形成"省下辖5大区域性中心城市"的行政格局。

11. 支持海南城乡一体化体制机制创新

重点在建立城乡一体化户籍管理体制、基本公共服务体制、土地管理体制等方面给予支持。

12. 支持海南行政体制改革

以海南为试点,探索建立以基本公共服务均等化为目标的中央地方关系。明确各级政府公共职责分工,使其法定化、可问责。支持海南在公共服务体系框架下整体设计和全面推进事业单位改革试点,把事业单位建设成依法独立行使职能、高效运作的公共服务供给服务主体。支持海南制定出台《海南省政府绩效管理条例》,强化"执行力"。

13. 在重大项目建设上给予海南支持

重点在铁路、公路、机场、港口、电力、通信、环保等基础设施建设上给予海南更多的政策和资金支持。

以绿色发展为目标的环境保护体制改革

建设生态经济省,实现可持续发展的建议(12条)[*]

(2000年11月)

21世纪是一个高度重视人类生存环境的世纪。良好的生态环境不仅成为十分稀缺的资源,也是对外开放的重要条件和社会经济发展的重要基础。在迈入21世纪前夕,海南省政府提出了建设生态省的奋斗目标,省人大二次会议通过了《关于建设生态省的决定》,并且批准颁布了《海南生态省建设规划纲要》。规划未来经济的发展,必须正确处理经济发展与生态建设的关系,把海南建成经济繁荣、人民富裕、社会文明、环境优美的经济特区。

一 正确处理扩大开放、加速发展与生态建设的关系,实现产业开放战略与可持续发展战略的统一

1. 实现产业开放与可持续发展的统一,必须坚持正确的产业发展道路

一要摒弃单纯追求经济总量增长的传统发展道路,逐步走一条经济、社会、资源、环境、人口相互协调和相互促进的发展道路;

---

[*] 节选自中改院课题组《以产业开放拉动产业升级——中国加入WTO背景下的海南经济发展战略》,2000年10月。

二要跨越"高消耗、高污染"的传统工业化发展阶段，摒弃"先污染后治理""先破坏后恢复"的传统发展道路，走一条以高新技术为主导，以发展生态型经济为目标，坚持生态环境建设与经济建设相配套，开发资源和保护资源相协调，以实现经济效益和生态效益相统一的发展道路。

2. 实现产业开放与可持续发展的统一，必须坚持正确的产业升级目标

海南产业升级的一个重要目标就是发展生态型产业，形成生态经济省。海南生态型产业的主要特征是：不论是农业、旅游业、工业和海洋产业，都对海南良好的生态环境有极大的依存性，与生态环境建设有良好的协调关系和互动关系。这种产业采取低投入、少消耗、高效益、高产出的集约型增长方式，具有技术含量高、高效低耗无污染的特点；在生态产业内部结构上，具有产业链相互延伸，相互渗透，相互交叉的特点。海南生态经济省建设的主要目标是，按照生态系统良性循环的要求，恢复和建设以森林为主体的自然生态系统，发展高效低耗无污染的生态型产业，营造良好的生态环境，形成体制合理、社会和谐的生态文化，开创经济发展与环境建设、物质文明和精神文明、自然生态与人类生态协调发展的新局面。

3. 实现产业开放和可持续发展的统一，必须在开放和发展的过程中，实现经济发展与环境质量的同步提高

一方面，低下的生产力水平和封闭的、落后的生产方式，可能对生态系统产生破坏性的影响。另一方面，良好的生态环境也是对外开放的基础条件。海南虽然具有良好的自然生态环境，但随着经济的发展，环境质量也出现了下降的趋势。以产业开放拉动产业升级，提高生产力水平，转变落后的生产方式和生活方式。与此同时加强生态环境建设，提高环境质量和生态水平，不断地在新的发展

水平上建立新的平衡点，相互协调和相互促进，才有可能实现真正的可持续发展。

二 加强生态环境的保护与建设，建设生态经济省

4. 推进海南农村经济建设和环境建设协调发展

（1）实现农村生态经济的协调发展，必须优化和调整农村产业结构，加大农业和农村的开放力度，引进先进的农业生产技术，加大资金的投入，提高农副产品加工企业的技术水平，加强资源的综合利用和循环利用，走农业产业化和生态农业的发展道路。

（2）实现农村生态经济的协调发展，必须加强农村基础设施建设。长期以来，海南农业的农田、水利、防护林网、道路等建设欠账太多，基础薄弱，既制约了农业和农村现代化的进程，也妨碍了农村生态环境的改善。今后要加大这方面的投入，尽快改善农村基础设施的落后状况。

（3）实现农村生态经济的协调发展，必须提高农村人口的整体素质。采取多种形式，开展农村职业培训，帮助农民建立科技、卫生知识的宣传学习活动场所。在普及九年义务教育基础上，发展"九加一的教育"，即增加一年职业教育，鼓励大中专毕业生到农村为农业现代化做贡献。

（4）实现农村生态经济的协调发展，必须合理利用土地、山地资源，努力提高耕地单次产出值，加强对山地和坡地天然植被的保护和恢复。

5. 加强城乡建设，营造优美的城乡人文生态环境

（1）海口、三亚及各市县应重点解决人居生态环境的五大问题：一是进一步完善海口市、三亚市中高级生活区的建设，在县城建设中高级生活水平、功能较为齐全的生活居住示范区，配合人才引进政策，吸引人才的流入；二是改善贫困户的居住及交通设施和街道环境，从社会服务、生活服务、体育活动服务及绿化等多方面

完善居住区的建设;三是完成老城区的环境改善工作,特别是着力搬迁污染较大的工厂等污染源;四是加速解决城市生活污水和垃圾处理问题,引进垃圾资源化技术,以实例提高居民垃圾分类的意识;五是完善城市交通系统的建设,特别是要做好海口市、三亚市公交车路线的合理规划,达到省时、准时、减少污染与经济效益相结合。

(2) 认真抓好对城乡人文环境有重大影响的三大污染物即废气、废水和固体污染物的治理,使各种污染物的排放量符合国家规定的标准。对排污超过标准的企业,即使是当地的"税利大户",也要限期整改,决不姑息。

(3) 增加人民收入,特别是农民收入。提高人民生活水平,为改善居住环境、改变农民生活方式提供物质基础。

6. 大力发展生态产业

生态产业是按照生态学的原理组织和运行的产业领域,它既符合生态系统的内在规律,又可以产生显著的经济效益。生态产业不是一个孤立的产业领域,它与主导产业紧密结合在一起,是主导产业在生态领域的延伸和扩展。海南的生态产业主要包括生态型农业和生态旅游业。生态型农业是一种资源综合利用型的农业,要求将农业与畜牧业、加工业组成一个物质和能源循环利用的"链条",使废物的排放量降到最低限度。生态型旅游业是使旅游观光与游客的活动及环境的优化与保护融为一体,形成人与自然的高度和谐的关系。

三 加强生态建设的主要配套措施

生态省建设是一项长期而复杂的工作,需要政府和社会各界的艰苦努力和全力配合。因此,海南生态省建设规划纲要提出了行政、法制、经济和技术四条保障措施,也就是把生态省的建设作为一项社会系统工程来抓紧抓好。

7. 加强科技力量和提高全民的环保意识

集中海南现有环保管理和科研机构组成"海南省生态环境科学研究院",开发对海南生态建设有重大影响的科研项目。在各级各类学校开设环保课程,科协和教育部门把环保科普活动列入日常工作,各级政府要把环境质量监测和环境保护体系建设列入社会经济发展计划,把经济发展和环境保护真正结合起来。

8. 改善农业的耕作方式和生产组织形式,加强对农村生态系统的保护和建设

在发展经济果林的同时注意永久性防水土流失和生物多种性保护林网的建设,同时注意林业与牧草加工业的结合,发展幼林、饲料、牧草种植业。在中部贫困山区,要尽可能减少农业粗放经营对植被的破坏。要对山区乡镇的主要干部进行生态环境教育,通过他们带领农民保护好当地的生态环境。

9. 在5年内完成对海南近海,特别是海岸带经济发展强度与生态环境保护、建设关系的研究

以翔实的研究结果指导海岸带的经济发展和环境保护。通过详细的规划和法律解决海岸带养殖业、采矿与沿海防护林、红树林等植被保护之间的矛盾。

10. 加强对新建项目的环境质量影响的评价和论证

无论是工业项目、农业项目、海洋开发项目还是旅游项目,都需要对可能带来的环境影响进行客观、公正的评价和论证。对建设项目的环境破坏性影响设置相应的"警戒线",对正在运行的项目和新建项目都实行环保监督,本着对全国人民负责和对子孙负责的态度,保住海南这块"净土"。

11. 加强生态建设和环境建设的立法工作

在现阶段人们的生态意识还很淡薄的现实情况下,加强环境保护的立法和执法是一项关键性的措施。

12. 进行生态经济环境的相关培训

指定省内研究和教育机构，对政府人员、企事业高层管理人员进行专题培训，切实提高各级管理者建设海南生态经济省的自觉性。

实行绿色发展战略
——率先在全国建立第一个环保特区的建议(15条)*

（2009年6月）

绿色发展战略是最大限度地保护和利用生态资源，实现绿色发展的战略抉择，也是海南落实中央科学发展观要求的具体实践。为此，应当努力地把建设我国第一个环境保护特区纳入国际旅游岛建设规划，组织国内外专家研究编制具体方案，积极争取国家的批准和支持。

一　国际旅游岛对生态环境保护的现实需求

1. 海南一流的生态环境是建设国际旅游岛的最大优势

海南拥有全国独特的旅游资源、海洋资源、热带农业资源、土地资源、生态环境资源、矿产资源等，是一块生态环境优美的宝地。这些资源是海南最大的优势，但许多资源都处于未开发或浅度开发的状态，其潜力远未发挥出来。建设国际旅游岛，是海南实现绿色复苏的一个重要载体，是把潜在的资源优势转化为现实的竞争优势的现实途径。海南应通过环境保护的体制机制创新，利用优

---

* 节选自中改院课题组《国际旅游岛政策需求与体制安排》，2009年6月。

势、发展优势，走出一条开发与保护并举的绿色发展之路。

2. 国际旅游岛要以保护生态环境为前提条件

保持海南世界一流的生态环境是建设国际旅游岛的根本条件和生命线。海南如果不能保持良好的生态环境，就失去了建设国际旅游岛的基本优势，国际旅游岛就无从谈起。

(1) 海南单位产值资源消耗量高于发达省市。海南与其他沿海发达省市相比，经济总量小，但单位产值的资源消耗量已经超过广东、上海、浙江、福建等省市。

(2) 控制工业污染难度大。工业废气排放量逐年增加。2000—2007年，二氧化硫排放量从2.01万吨增加到2.6万吨，年均增长18.5%，而"十一五"末国务院批复的海南二氧化硫排放量要控制在2.2万吨。

化学需氧量（COD）排放大。根据环境科研部门测算，海南水体COD环境容量限度为13.5万吨/年，2007年全省COD排放量已经达到10.14万吨，比2006年增长了2.4%。工业固体废物综合利用率低。2007年，海南工业固体废物综合利用率为89%，高于全国（62.1%）的平均水平，但是与天津（98.4%）、江苏（96.1%）、山东（94.6%）、上海（94.2%）、浙江（92.2%）相比，还存在一定差距。

(3) 农业生态环境保护形势严峻。海南具有天然生态环境优势，应当发展绿色农业，种植无公害的特色作物。但海南化肥、农药施用水平在全国是比较高的。2000—2007年，海南化肥施用量从26.3万吨增长到41.7万吨，增长了近1倍。2007年，海南化肥施用水平为163.48千克/亩，大大高于全国（60.25千克/亩）的平均水平。

(4) 城镇环境保护压力增大。近年来海南省城镇生活污水排放量不断增长，2001—2007年间，生活污水排放量增长了82%，生活污水中主要污染物COD和无机氮的排放量分别增长了53%和

56%；大部分市县的城镇生活污水未经任何处理直接排入江河，全省城镇生活污水处理率目前仅为36.46%，远低于全国平均水平。

（5）海洋生态环境污染加重。海南省大部分近岸海域的水质优良，近岸海域沉积物和海洋生物质量状况良好。但由于海洋捕捞、海水养殖及海洋旅游等海洋开发活动强度的加大，以及港湾开发后无序的利用与管理，加上受到近岸海水污染的影响，近岸海域生态环境遭到一定程度的破坏。2004—2007年监测显示，近岸中度污染和重度污染海域的比重明显减少，清洁海域所占的比重明显下降，较清洁和轻度污染海域的比重上升，说明近岸海域水质质量总体呈下降趋向，尤其是人口密集、船只活动频繁的港口区、江河入海口邻近海域和入海排污口等局部近岸海域污染有加重的趋势。近岸海域污染和富营养化造成了海域生态失衡，导致赤潮频繁发生。2006年海南近岸海域发生7次赤潮，累计面积近48.5平方千米，其中赤潮面积最大的约为22平方千米，赤潮持续时间3—8天。

（6）环境污染治理投资低于全国平均水平。2007年，海南环境污染治理投资占GDP的比重仅为0.79%，不仅低于全国1.22%的平均水平，而且大大低于宁夏（3%）、北京（2.1%）、山西（1.33%）等省区市，排全国第11位。

（7）环保机构管理能力有待加强。根据学者的实证分析，地方环保局的实现机构能力与潜在机构能力，海南都位于全国倒数第二。

二 建立环境保护特区的基本内涵

所谓环保特区，是在坚持开发与保护并举的原则下，划定一个特定的区域（一般是指一个水循环流域或者一个岛屿地区），采取严格的环保措施保护自然生态环境，运用世界上先进的治理环境技术和治理机制，治理各种污染，在工农业生产和从事经济运行、城市管理的特定区域采用严格、科学、有效的环境保护标准。在实施严格环境保护的基础上，制定和实施绿色发展战略，充分利用本地区生态优势、资源优势、区位优势，通过政策支持和体制创新，大力发展以新能源和可再生能源开发利用为重点的环保产业，把潜在的资源优势转变为现实的经济竞争优势，使经济和环境协调发展。

环保特区是建设国际旅游岛的前提条件，也是建设国际旅游岛的题中应有之义。

3. 实行最严格的环境保护措施

海南优良的生态环境是持续发展的根本和生命线。失去这一优势，一切无从谈起。海南的建设和发展都要以保护海南的生态环境为前提条件。把保护生态环境放在经济社会发展的首要位置，这一点丝毫不能动摇。环保特区执行较其他地区更严格的环境标准、污染物排放标准和节水、节能标准，以及更多关注于环境的保护、整治。

4. 利用优势，发展优势

建立环保特区的目的不是限制发展，而是适应经济发展方式转变的要求，坚持开发与保护并举的原则，充分发挥海南独特的生态环境、自然资源、区位优势，统筹生态环境保护与经济社会发展。以建设生态省为目标，以新能源和可再生能源等绿色产业开发和利用为重点，促进环境保护，走出一条经济、社会、资源、环境、人口相互协调和相互促进的"绿色发展"道路。

5. 运用世界上先进的治理环境技术和标准

建立环保特区，应采取严格的环保措施，运用世界上先进的治理环境技术，采用严格、科学、有效的环境保护标准进行工农业生产和从事经济运行、城市管理。

6. 建立环保特区的关键是体制机制创新

环境保护既有经济方面的问题，又有社会方面的问题，更重要的是体制机制的安排问题，这涉及环境治理体制、生态补偿机制、财税体制、干部考核机制等。建立环保特区，探索绿色发展之路，关键是通过深化改革，建立有利于保护与发展的体制机制，把海南独特资源的潜在优势转化为现实的经济竞争优势，实现海南的跨越式发展。

7. 建立环保特区重在弘扬绿色文化、生态文化

党的十七大首次提出要"建设生态文明"，并将之与物质文明、精神文明和政治文明相并列，使"生态文明观念在全社会牢固树立"。生态文明的崛起是不可逆转的世界潮流，是人类社会继渔猎文明、农业文明、工业文明后进行的一次新抉择。建立环保特区，重在通过宣传，使每一个岛民树立绿色发展的理念，增强生态保护意识，推进绿色生产，推进绿色消费，建设生态家园。

三 建立环境保护特区的重点任务

8. 制定和实施绿色发展战略

（1）大力推动经济发展方式的转变。建设环保特区，推进绿色发展战略，根本在于生产方式和生活方式的转型。要实现这一转型，迫切要求海南把优先发展低碳经济作为建设环保特区最有力的突破口，探索建立有利于节约能源和保护环境的长效机制和政策措施，实现"低碳化"的发展目标。

（2）促进低碳前沿技术和相关产业的发展。增强自主创新能力，开发低碳技术和低碳产品。海南能否利用后发优势实现低碳经济发展，很大程度上取决于自主创新能力。高度重视研发工作。重点着眼于中长期战略技术的储备；整合市场现有的低碳技术，加以迅速推广和应用。理顺企业风险投融资体制，鼓励企业开发低碳等先进技术。政府应通过税收优惠、融资优惠等激励机制，引导并带动企业增加对低碳技术的研发投入，以推动低碳技术及其产业的发展，促进低碳技术市场的兴起和壮大。

（3）加快转变消费模式和生活方式。提高岛民环保意识、低碳

意识；完善相关法律法规，如《限塑法》。在相关法律法规中明确规定消费者为其消费过的废品承担一定的回收利用义务等。同时应注重运用经济手段，鼓励企业生产环保产品，使相关法律和规定真正得到落实。完善政府绿色采购制度以及绿色消费的经济政策，构建并完善全社会绿色消费体系。

（4）积极运用政策手段，为绿色经济发展保驾护航。开征碳税和推行碳交易，强化产业组织政策的引导作用，发挥经济杠杆的调节作用。要注重运用经济杠杆引导企业采用资源节约和环境友好的装置和技术，改革资源和环境税收、价格体制，提高资源税税负、开征环境税，逐步加大资源开发利用和污染排放的税收负担，强化资源和环境开发利用和污染排放的税收负担，强化资源和环境利用的利益驱动机制，使市场在淘汰落后装置、抑制外延增长方面发挥更大作用。

9. 加大新能源和可再生能源开发与利用

（1）加大对可再生能源利用的金融支持。拓宽融资渠道，实现投融资的多元化。建立投融资支持机制。包括项目前期投入、投资补贴、贷款贴息、折旧优惠、排污权交易、市场配额与自愿协议机制等。

鼓励商业银行投可再生能源建设。加大政策性金融机构的支持力度。在政策性金融方面，国家开发银行、农业发展银行等政策性金融机构，应加大对风能等海洋可再生性能源的贷款支持力度和优惠力度。

（2）加大可再生能源的税收支持。为支持可再生能源开发企业的发展，建议从"开始获利年度起"给海洋能利用企业设置免税期，或适用低税率缴纳企业所得税（如15%）；延长亏损弥补期限，并允许实行加速折旧法，尽快收回固定资产投资。出台投资抵免税政策。

对可再生能源利用企业在城镇土地使用税、土地增值税和房产税方面实行税收优惠。

（3）制定加快可再生能源利用发展和建设的鼓励性政策、法规和制度。重点解决可再生能源发电项目立项、电力收购、企业盈利三大问题。出台电网企业社会普遍服务制度。将风电电价政策由招标定价制度改为固定电价制度。建立财政专项资金制度。增强政府对可再生能源利用项目管理的透明度，改善对企业的引导。完善和简化企业投资项目的核准制度，适当简化目前较为烦琐的审批和核准流程。

10. 加强生态环保领域的国际合作

（1）在多个领域参与国际合作。在发展低碳经济、自然生态、污染防治、城市环境规划、环境科学研究、环境教育、环境能力建设等众多领域开展国际环保合作项目。

（2）建立环境保护国际合作的新机制。成立环境保护国际合作中心，推进国际组织和政府机构参与环保、扶贫等方面的合作。

（3）成立海南国际环保产业园。在产业规划上以新型能源、节能环保材料、环保设备生产、环保技术咨询和研发为重点，吸引不同国家的知名环保企业入驻环保产业园，为海南的环保产业发展提供资金、技术、人才等。

四 相关建议

11. 建议国家在海南成立第一个环保特区

以为海南生态省建设提供制度保障，并为全国建立两型社会的体制机制保障进行积极的探索。

12. 争取海南成为全国首批"低碳经济发展区"

我国目前正在制定"推进低碳经济发展的指导意见"。这个文件的出台将向国际社会发出明确信号，表明我国应对气候变化的积极姿态和坚定立场。2008年1月28日，全球性保护组织——世界自然基金会（WWF）在北京正式启动"中国低碳城市发展项目"，上海和河北保定市入选首批试点城市。并将在建筑节能、可再生能源和节能产品制造与应用等领域，寻求低碳发展的解决方案，以总结出可行模式，向全国推广。

海南的自然资源环境最有条件发展低碳经济，也最有可能取得成效。海南应积极借鉴"低碳城市发展项目"的成功经验，尽快建立碳排放统计监测和管理体系，逐步建立区域温室气体排放标准和考核体系，争取海南成为国家首批低碳经济发展的先行试点省市，为我国经济转型提供经验。

13. 争取在新一轮财税体制改革中成为国家生态补偿试点

（1）争取在新一轮财税体制改革中成为国家生态补偿试点。把环保特区建设目标纳入海南"十二五"规划，进一步争取国家支持，率先建立与生态补偿相适应的财税体制。形成有利于生态补偿的转移支付制度，试行排污权交易制度，试点征收生态补偿税等绿色税种，提高生态补偿水平。

（2）在生态补偿立法上有新突破。为全国和其他地区建立生态补偿机制提供方法和经验。以法律形式将生态补偿范围、对象、方式、标准确立下来，以立法推动生态环境保护及区域生态平衡。

（3）在中部自然保护区生态补偿机制建设上有新突破。在重要生态功能区生态补偿机制、旅游资源开发的生态补偿机制、流域水环境保护的生态补偿机制等方面大胆先行先试。

14. 争取国家对新能源和节能环保产业的支持

在国际金融危机背景下，许多国家推出"绿色新政"，把发展新能源作为应对金融危机的重要举措。新能源和节能环保产业是促进消费、增加投资、稳定出口一个重要的结合点，也是调整结构、提高国际竞争力一个现实的切入点。海南拥有"极为罕见"的多种类的、丰富的太阳能和海洋能源，发展潜力极大。在海南岛发展海洋可再生能源和新能源等环保产业，是抢占未来产业发展制高点、提高国际竞争力的重大举措，也是转变经济发展方式、促进可持续发展的有效途径。海南应充分利用国家大力发展新能源的有利时机，争取中央给予海南发展新能源更多的扶持，力求取得突破，努力实现产业化、规模化。

15. 建立最严格的生态环境规划体系

（1）制定最严格的环保措施。采用国际最高环保标准监管全省经济社会活动，坚决杜绝因追求 GDP 而破坏生态环境的行为。

（2）实行严格的环境容量总量控制制度。做到增产不增污、增产减污。优化产业布局，对环境容量有限、经济相对发达的区域，严格限制和逐步淘汰耗能高、污染重的产业和项目，把排污总量控制在环境容量许可范围内；对环境状况较好、发展潜力较大的区域，重点发展低污染、低排放的新型产业；对于经济相对发展不足的生态保护地区，加强引导和调控，实行保护优先，适度开发，重点研究制定异地开发、搬迁企业税收政策及下山脱贫和生态脱贫等行之有效的生态补偿政策，形成造血机能与自我发展机制，使外部补偿转化为自我能力的积累和提高。

（3）实施最严格的环境监管。建立完善环境监测、环境监察、环境管理的科学执法体系，建立有效的监控平台，加快重点污染源在线监测设施建设和环保部门监控平台建设。

（4）实施最严格的生态环境问责制。建立生态环境评估指标体系，将万元 GDP 能耗、万元 GDP 水耗、万元 GDP 排污强度流域交接断面水质达标率和群众满意度等指标纳入政府的绩效考核指标体系，并加大权重。把生态环境评估纳入领导干部政绩考核体系，与干部的选拔、任用和激励结合起来。

（5）建立生态环境保护的信息公开制。积极鼓励公众参与环境管理，加强社会监督，努力实现生态环境保护制度的公开透明。

建立海南国家级环境保护特区的建议(3条)[*]

（2011年3月）

《国务院关于推进海南国际旅游岛建设发展的若干意见》（以下简称《意见》）明确提出，把海南建成"全国生态文明示范区"，使海南成为全国人民的"四季花园"和"冬季菜篮子基地"。从近年来的情况看，海南省的环境保护和节能减排的压力不断增大。

无论从全国还是从海南的实践看，不实行严格的环境约束和制度安排，试图在现行体制下通过常规的方法来治理环境，不仅难以达到预期效果，而且更容易增大治理难度。我曾在2007年提交了"关于建设海南环境保护特区的建议"。国家环保总局以"海南建设环保特区与建设生态省的内涵是一致的"为由拒绝采纳这一建议。适应全国人民对海南的期望和海南国际旅游岛建设要求，我再次建议国家有关方面支持在海南建立国家环境保护特区。

一　在海南建立国家环保特区具有全局意义

1. 建设"全国人民四季花园"的迫切要求

海南不仅是海南800万人的宝岛，也是全国人民的宝岛。保持

---

[*] 迟福林在全国政协十一届四次会议上的提案，2011年3月。

优良的生态环境不仅是海南可持续发展的生命线，更是全国人民对海南环境保护的中长期需求。失去这一优势，不仅海南的发展优势无从谈起，更是全国人民的重大损失，对此要"倍加珍惜"。运用世界上先进的治理环境技术和标准，采取最严格的环境保护措施和治理机制，是保护好、建设好"全国人民四季花园"的迫切要求。

2. 建立安全放心的"全国冬季菜篮子基地"的基本要求

吃得放心成为当前老百姓的首要要求。海南农业的最大特色应打好"绿色牌"。这既能满足广大人民群众对绿色、无公害农产品的要求，也能提高农产品附加值，提升国际竞争力，促进农民增收。从现实情况看，农业污染正成为威胁海南生态环境的重要因素，由此制约了海南农产品优势的发挥。

3. 发展低碳经济的重要探索

发展低碳经济需要一系列政策和体制、法律的保障。从综合因素看，海南最有条件，也最需要加快推进低碳经济发展的体制机制创新。为此，国家应积极支持海南在低碳经济发展的体制机制创新上先行先试，为我国转变发展方式提供示范。

4. 应对国际压力的战略举措

在海南建立国家环保特区，推进相关的体制建设，是我国履行国际承诺的具体体现，必将产生积极的国际影响。

二 加紧研究制定在海南建立国家环保特区的相关制度

1. 尽快研究制定《国家环保特区发展规划》

建议国家环保总局会同海南省政府尽快研究提出《国家环保特区发展规划》，以确保规划执行的权威性。

2. 建立健全最严格的环境保护法律体系

借鉴国际最先进的环保立法经验，结合海南地方资源环境特色，建立以防为主、可操作性强、处罚面广且严厉的生态环境保护法律法规体系。健全环境保护司法体制，比如，借鉴国际经验，设立环保警察，专司环境执法。

3. 实施最严格的环境治理机制

（1）建立环保投入的法定标准。建议国家支持海南到 2015 年，环境保护投入占 GDP 比重达到 2%，初步达到发达国家平均水平。（2）实施严格的市场准入制度和产业生产、流通以及监管制度。例如，建议国家采用世界先进的农业种植标准，严格限制海南农业的化肥、农药施用水平，切实遏制农业污染源，确保农产品绿色无公害。（3）建立健全环境影响评价制度和先进的环境监测、预警机制。确保环境污染可防、可控、可查、可应对，将环境损失降低到最小。当前，应重点加大对海岸线的监察和保护力度。

4. 加快推进环境行政管理体制改革

建议在海南建立环保的"大部门制"，整合分散在各职能部门的环境行政权，统一集中到环境行政主管部门。实行最严格的干部考核机制，强化生态环境保护在领导干部综合考核中的权重。严格实施环境保护行政首长问责制，实行环境保护一票否决制。

5. 建立广泛的环境保护公众参与和社会监督机制

建立社会公众、非政府组织参与环境保护的支持机制，形成以环境行政主管部门为中心，其他职能部门充分协助、广大社会公众积极参与的环境保护的合力。

三 建议国家给予海南特殊政策支持

1. 支持海南环境保护的相关立法建设

支持和允许海南利用特区立法权，推进地方性环境保护法律法规建设，为建立环保特区提供法律制度保障。

2. 把海南作为"十二五"财税体制改革试点省

在海南先行推行环境资源税改革。尽快制定和落实中央决定的把海南作为"全国生态补偿机制试点省"的实施方案。加大中央财政对海南的生态补偿力度，尽快改变海南地方财政过度依赖土地的局面。

3. 推进现代环境产权制度建设

国家应积极支持海南启动环境产权改革，建立完善的现代环境产权制度、资源能源价格形成制度，有效保护环境投资者的合法利益。加快"碳交易"体制机制建设，支持海南建立碳交易市场体制，成立碳交易所。

4. 加大对海南环保产业的支持

积极支持海南发展风能、太阳能等新能源产业，把国家重大新能源项目优先放在海南，使新能源开发成为海南的重要支柱产业。加大对海南环保投资的政策扶持力度，鼓励支持社会资本进入环保产业。

未来5年左右全岛全面推广使用新能源汽车的建议(12条)[*]

(2018年4月)

总的建议是：未来5年左右，海南要抓住新能源革命的机遇，争取多方支持，在全岛取消燃油车，全面推广使用新能源汽车，加快形成国际一流的生态环境。

一 取消燃油车是提高海南空气质量的首要关键

总的看，全面取消燃油车，将明显提升海南资源环境承载力，从根本上改变海南的交通方式和城市治理机制，由此提升海南生态环境建设的核心竞争力。

1. 数万车辆滞留海口给海南资源环境承载力敲响警钟

2018年春节期间，琼州海峡大雾致使数万车辆滞留海口，引起岛内外的广泛关注。作为岛屿型经济体，如何实现发展与生态环境的兼顾，社会上有两种完全不同的观点：一种观点认为要尽快建设琼州海峡跨海通道，方便岛外游客进出；一种观点认为要采取超常规的举措强化环境治理，在全岛范围内取消燃油车，推广使用新能

---

[*] 中改院课题组：《未来5年左右海南全岛全面推广使用新能源汽车的建议（12条）》，《中改院简报》总第1172期，2018年4月17日。

源汽车。到底如何选择？我们认为，春节车辆滞留事件深层次反映了海南经济发展与资源环境承载力的突出矛盾。大量燃油机动车进岛，不仅给海南环境造成严重影响，而且给城市交通带来巨大压力。如果不采取强有力的环保措施，海南就有可能丢掉生态环境这个"金饭碗"。

2. 抓住导致环境污染的主要因素，精准施策

PM2.5 是衡量空气质量的重要指标。国际知名岛屿旅游目的地 PM2.5 浓度大都保持在 10 微克/立方米以内，海南与之相比，还有一定差距。从实际情况看，影响海南空气质量的主要因素是燃油机动车尾气排放。以海口为例，机动车尾气对 PM2.5 的影响达到 32.4%，其中春季达到 35.0%，夏季达到 29.8%。初步测算，除农用等特殊车辆外，如果全岛取消燃油车，海南 PM2.5 可降低 30% 左右，加强扬尘等其他环境治理，有条件将 PM2.5 降低到 10 微克/立方米以内。

3. 以降低 PM2.5 为目标尽快在全岛取消燃油车

在全国环境治理力度加大、生态环境状况趋好的背景下，面对燃油机动车的快速增长给海南空气质量下降带来的巨大压力，海南要有紧迫感和危机感，积极应对空气质量下降的严峻挑战，力争通过 5 年左右的时间，下决心在全岛取消燃油车，使海南 PM2.5 始终保持在 10 微克/立方米以内。

二 抓住新能源汽车产业变革的新机遇

未来 5 年左右，我国新能源汽车产业将进入快速发展阶段。适应趋势，抢抓先机，全面推广使用新能源汽车，海南就能够在新一轮汽车产业变革中占据领先地位，为全国新能源汽车产业发展提供重要示范。

4. 抓住新能源汽车快速发展的重要机遇

未来几年，在全球新一轮科技革命推动下，物联网、机器人、

人工智能、新材料等一系列颠覆性科技将加快推动汽车产业的转型升级和技术进步。低碳化、电动化、信息化、智能化是未来汽车产业发展的大方向。例如,"互联网+电动汽车"将改变能源结构,支持分布式可再生能源的普及,推动风电、太阳能发电大规模接入电网,降低,直至消除汽车尾气排放。

5. 加快打造新能源汽车全产业链

新一轮科技革命与新能源革命的融合发展,将推动新能源汽车全产业链的快速形成。

——培育完善新能源汽车产业链。围绕电池、电机、电控、整车、关键零部件及材料、装备、配套设施及相关技术服务业等全产业链各个环节,制定产业链建设规划。

——培育新能源汽车企业主体。在纯电动汽车、动力电池、电机、充电设备等领域,支持海马等本土企业做大做强。

6. 全面推广使用新能源汽车

海南要主动抓住新一轮科技革命和能源革命的历史新机遇,尽快取消燃油车,吸引国内外有实力的新能源汽车制造商、服务商进驻海南;扩大新能源汽车使用范围,积极推进物流、环卫、通勤流放等领域推广使用新能源汽车;积极推广使用新能源私家车,制定和完善全方位的鼓励措施,建立完善的售后服务保障体系,不断扩大私人购买使用新能源汽车的规模。

三 进一步提升新能源汽车推广普及的配套设施水平

2017年,全省新能源汽车保有量突破1.5万辆,其中全省新能源公交车数量约占全省公交车总数的49.2%;全省已投放运营的出租车使用新能源、清洁能源车型达90%以上;累计建成分散式充电桩2881个。未来5年左右,在全岛全面推广普及新能源汽车,需要加快完善配套设施建设。

7. 加快完善电力基础设施

海南是我国太阳能、风能等资源最为丰富的省份之一，同时拥有较好的核电站资源和发展基础。未来5年，加快推进昌江核电二期工程，加快构建以核电为重点、太阳能等非化石能源为补充的新能源体系，推动风电、太阳能发电大规模接入电网；加快建设公共充电设施，加快形成以使用者居住地、驻地停车位（基本车位）配建充电设施为主体，以城市公共停车位、路内临时停车位配建充电设施为辅的公共充电设施服务体系。

8. 鼓励企业投资新能源基础设施

一方面，海南新能源汽车市场潜力大。初步测算，如在全岛取消燃油车，未来5年新能源汽车的总保有量将达到112.6万辆，将带来巨大投资需求。另一方面，新能源企业对在海南开展新能源技术研发、推广应用有兴趣。例如，晶科能源等全球知名的太阳能光伏制造商有意愿将光伏充电高速公路的应用率先在海南试验。为此，要进一步扩大新能源领域的市场开放，使外资和社会资本成为海南新能源市场的主体力量。

——鼓励和支持国内外新能源汽车龙头企业、光伏发电龙头企业进驻海南。

——对重大项目采取"一事一议"的办法予以重点支持。

——鼓励支持产品创新研发，成立海南新能源汽车专项资金，给予研发经费补助和一次性新产品开发奖励。

——对充电设施建设运营企业提供的公共领域充电设施给予专项补贴。

——建立以充电量为主要指标的奖励制度，推动充电设施建设运营服务商的发展。

9. 支持发展"新能源车+智能网联汽车"

严格控制进岛车辆，对岛外新能源汽车实行优先放行政策；鼓励新能源汽车生产企业、销售企业和其他民间资本开展新能源汽车分时租赁、车辆共享业务，合理布局覆盖全岛的新能源汽车分时租赁网络；大力发展车联网，构建覆盖全岛的无线网络，引入无人驾驶游览车和智能物流系统，逐步改变居民出行方式和游客旅行模式。

四　关键是形成全社会推广使用新能源汽车的共识

在全岛取消燃油车，宜早不宜迟，宜快不宜慢；既需要得到国家和省里的支持，也需要全社会的共同参与。

10. 尽快出台《全面取消燃油车，加快推广新能源汽车的实施意见》

争取年内尽快制定出台全岛取消燃油车，全面推广新能源汽车的总体规划和实施意见，明确提出未来5年取消燃油车，全面推广普及新能源汽车的发展目标、重点任务、政策突破及行动路线，实质性加快推进步伐。

11. 争取国家支持全岛推广使用新能源汽车

国家对海南的生态保护一直给予大力支持。有专家建议，"十三五"期间我国的车联网、物联网可以在海南率先试验；核电问题解决后，海南是最有条件实现全省无燃油车辆试点的省份。在全岛取消燃油车、推广普及新能源汽车不仅有利于保护海南生态环境，还具有重要示范效应，更易得到中央对海南的各方面支持。为此，建议争取国家支持，成为"新能源汽车示范岛"。

——支持在海南全岛范围内开展新能源汽车试点，允许无人自动驾驶汽车在海南开展试验等。

——对国内新能源汽车进入海南市场享受出口退税政策；对国外新能源汽车进入海南享受进口关税减免政策。

——争取国家给予海南新能源汽车行业专项资金支持。

——研究出台对新能源汽车产业、推广使用多环节的金融和保险创新政策。

12. 鼓励省内居民购买、使用、更换新能源汽车，形成全社会推广使用新能源汽车的共识

全面推广使用新能源汽车，难点在居民个人。建议：

——出台燃油车置换新能源车补贴、车险补助、发放充电卡、优先通行、公共区域免费停车等一系列扶持政策，鼓励个人购买新能源汽车。

——建立完善的售后维修服务保障体系，完善公共充电配套设施，保障新能源汽车停放需求，优化新能源汽车使用环境，不断扩大新能源私家车应用规模。

——加强新能源汽车的宣传，提高全社会对新能源汽车的认知度和接受度，营造有利于新能源汽车推广应用的社会氛围，加快形成全社会共识。

以资源利用效益最大化为目标的行政体制改革

建立三亚旅游经济区的建议(9条)[*]

（2004年3月）

"三亚旅游经济区"主要指的是三亚市、陵水县、保亭县、乐东县4个市县的经济合作关系，即形成以三亚市为中心，以旅游业为重点，以城乡统筹协调发展为目标的特殊经济合作区域，并实行与之相适应的"以市联县"（也可称"有限的以市代管县"）的特殊管理体制，走一条通过区域统筹发展，带动和促进海南南部地区全面、协调、可持续发展的新路，并创造条件，逐步实现建设"大三亚"的发展目标。

党的十六届三中全会提出的"五个统筹"，即统筹城乡发展、统筹区域发展、统筹经济社会发展、统筹人与自然和谐发展、统筹国内发展和对外开放，是实现科学发展观的根本要求。其实质，是在全面建设小康社会和实现现代化的进程中，选择什么样的发展道路和发展模式，如何发展得更好的问题。

以中央提出的"五个统筹"为指导，实施海南省委提出的"南北带动"发展方针，带动海南南部地区经济社会全面、协调、可持续发展，这是海南省实现全面建设小康社会宏伟目标的重要课

---

[*] 节选自中改院课题组《"三亚旅游经济区"发展战略研究》，2004年3月。

题。总结南部地区发展的历史经验，分析南部地区独特现状，借鉴我国区域经济发展的成功实践，我们根据区域布局和区域分工理论，提出建立以三亚市为中心，以旅游为重点，以城乡统筹发展为目标的"三亚旅游经济区"的设想，实行"以市联县"（也可称"有限的以市代管县"）的特殊管理体制，走出一条充分发挥南部地区资源优势，加快南部地区发展的新路子。

一　高标准、高起点做好经济区统筹发展规划，按经济区发展目标要求，制定四市县"十一五"发展规划

1. 统筹城乡基础设施。规划与建设以"路、水、电、气、宽带"五网合一为主要内容的区域内的城乡一体化基础设施，逐步建成区域性的各项基础设施网络。

2. 统筹城乡产业布局。对经济区内旅游业、热带高效农业和海洋业的资源整合、结构提升和布局优化。

3. 统筹城乡重要的公共事业。对经济区内的文化、教育、公共卫生事业进行整体规划与建设，构建区内文化教育网络和公共医疗卫生网络。

4. 统筹制定产业发展政策。如在招商引资、土地批租、外贸出口、人才流动、信息共享等方面制定区域性统一政策。

5. 统筹区域环境保护和生态建设。规划和保护经济区内生态环境，在发展经济的同时，重视区域生态建设，提高生态环境质量和水平，实现经济建设与生态建设的协调发展。

二　整合区域资源，创建区域整体优势和特色

1. 整合区域旅游资源，统筹区域旅游业规划，合理布局和优化旅游产业结构，全面提升旅游业的竞争力。

——进行海洋旅游与山地热带森林旅游的资源整合。对三亚的旅游资源和三个县的吊罗山、尖峰岭、七仙岭旅游资源进行统筹规划和合理布局。

——进行三亚和陵水海湾沙滩型旅游资源整合。对三亚的海棠湾和陵水的土福湾、香水湾组成的黄金海岸统筹规划和合理布局。

——进行三亚的历史文化资源和三县的黎苗民族风情资源整合，统筹规划和合理布局黎苗少数民族文化风情观光旅游。

——建立区域性旅游协会等中介组织，统一区域旅游市场，规范旅游市场管理和行业自律，构建协同统一的旅游服务网络，推动旅游管理国际化水平。

2. 加强对外经济合作，带动和提高经济区域热带高效农业和海洋产业。

——大力推进"三亚旅游经济区"与台湾的农业与渔业合作，共建农副产品加工和水产品加工基地，共建种植业和养殖业的良种生产基地，以应对由"10+1"对海南省农业的新挑战。

——积极推进"三亚旅游经济区"与我国东部沿海地区的渔业合作，争取海洋捕捞业由东海向南海转移，合作发展渔业船队。

——统筹规划经济区域内的农副产品和水产品的批发市场，建立以三亚为中心的统一市场体系，推动以三亚为中心的区域物流业发展。

三 实施经济区基础设施建设整体规划，加快建设全区范围内的路、电、水、气、宽带五大基础设施网络

完善的基础设施是强化经济区功能的前提，是迈向城市的基础。要把基础设施建设放在优先地位做出安排。必须根据地方财力、物力、能力，统筹安排基础设施，避免重复建设，强调统筹安排、统一建设，实现基础设施区域共享和有效利用。要把基础设施的规划、设计与投资计划紧密结合起来，实行分阶段、分项目、分期开发建设，集中财力、重点突破。同时，在基础设施建设中，还要把经济效益、生态效益和社会效益有机结合起来，切实提高经济区的环境质量。

四 坚持合理布局原则，正确引导中小城镇的健康发展

小城镇是中心城市和农村的过渡地带，是"三亚旅游经济区"发展的基础。发达的城镇经济不仅具有推动居住、消费等功能，而且还可以带动城镇就业和环境建设。为防止小城镇"遍地开花"，小城镇建设必须纳入整个区域的总体背景考虑。确定小城镇建设在空间密度上的合理定位，形成金字塔形层次分布。在把三亚市建成省级中心城市的同时，应建设一批中心镇，使其成为10万—15万人的现代化小城市，中心镇可由其附近的两三个集镇归并而成，并加快中心镇的基础设施建设。最后，归并过多的小城镇，使其成为一般集镇，并促使乡镇企业向小城镇集中。此外，对于重点发展的小城镇，也要根据本镇的特点，做好自身的科学规划，是建成工业型的城镇，还是商业型、旅游型或是综合型的城镇，在功能上也要有定位，并由此做出详细的规划。

五 统筹实施生态环境保护措施，实现经济区可持续发展

"三亚旅游经济区"生态系统的良性循环是经济区社会发展、效率提高、环境优化的必然条件，也是经济区可持续发展的必然选择。其实质是合理开发利用自然资源，避免在生产和生活中对资源造成破坏和生态系统的失衡。建设生态的"三亚旅游经济区"，一是按照生态经济学原理，将经济区人口、资源、经济、社会、环境融合到生态系统中去，统一规划和发展；二是实施经济区生态环境工程，提高经济环境质量；三是统一建设污染处理设施；四是统一制定污染物的排放指标；五是统一制定并实施环境保护的规章制度和具体措施，严格控制污染项目。通过统一规划、统一整治和管理，实现"三亚旅游经济区"经济、社会、生态环境的和谐发展。

六 全面引入社区规划思想，逐步实现公共事业一体化建设

社区是城市社会的基层细胞。社区建设是以建设美好生态环境

为目标的。在"三亚旅游经济区"公共事业规划中，要打破按行政区规划的传统惯例，全面引入社区规划思想，对经济区中的文化、信息、教育、医疗、公共卫生、公园、体育运动场所、防灾抗灾系统、社区服务等公共服务设施实行等级分类，逐级地融合到中心城市、中心镇、中心区的建设中，在布局合理的基础上，做到资源共享，防止重复浪费，实现公共事业的一体化消费。只有这样，才能彻底改变农村地区封闭、落后的局面，提高农村人口的素质和技能，使他们也能够享受现代社会丰富的物质生活，从而实现农村的城市化。

七 实行"以市联县"（也可称"有限的以市代管县"）的管理体制

在经济区内各市县保持原有的独立行政建制的基础上，建立以三亚为中心的十分紧密的经济合作关系，对区域范围内的土地资源、基础设施、城乡产业布局、城乡重要的公共事业、产业发展政策的制定（如在招商引资、土地批租、外贸出口、人才流动、信息共享等方面）、区域环境保护和生态建设等，实行联合决策，联手开发，联动发展。

八 强化省委、省政府的领导作用

鉴于"三亚旅游经济区"所具有的经济弱小，民族地区、农村主体的特色，在"以市联县"的管理模式中，离不开省的主导作用，必须强化省委、省政府对经济区的领导和支持。

1. 建议省委、省政府对三亚市委、市政府给予4方面的明确授权。

一是对涉及经济区范围内经济社会和人的全面发展的重大事项，赋予统一规划权；二是对经省批准的规划范围内的土地使用，赋予统一管理权；三是对经省批准规划范围内基础设施网络建设，赋予统一领导权；四是将省管辖的部分干部管理权赋予三亚市委。

2. "三亚旅游经济区"发展规划经省批准后,重大的建设项目应纳入全省中长期发展规划,并给予立项和资金上的大力支持,省政府应实行必要的优惠政策,加快"三亚旅游经济区"的发展。

3. 省委、省政府应给"三亚旅游经济区"更多的关心和支持,特别是省计划、财政、商务、国土资源、教育、卫生、文化等部门应加强与经济区的会商与协调,保持经济区资源的合理配置和政策的一致性,帮助解决遇到的困难和问题。

九 发挥"以市联县"管理模式中的市场协调作用

区域经济的发展,市场力量的协调作用是不可缺少的。在加强和健全政府行政协调作用的同时,必须按照政府改革的要求,充分发挥市场的协调作用。

1. 在"三亚旅游经济区"社会经济发展规划纲要的前提下,加强主要产业和主要领域的全面协调,在企业及行业的微观层面上建立一体化发展协调机制。尽快设立跨行政区的行业协会或联合会,有效地实行横向协调、业内自律与监督,既可以避免恶性竞争,又可以避免政府行政的过度干预。例如,成立三亚旅游经济区旅游发展协会、三亚旅游经济区农业产业化协作委员会、三亚旅游经济区基础设施与社会事业发展联合会等。

2. 建立"三亚旅游经济区"市场一体化机制。包括金融、保险、产权、外贸、物流、电力、电信、信息、航空、航运、商贸、旅游等诸多市场领域,实现一体化的市场机制和统一的市场管理政策,大力消除和避免以邻为壑的运作与管理方式。

3. 发挥企业和其他市场主体在经济区一体化发展中的作用。成立跨行政区域的企业集团或股份合作公司,比如成立三亚旅游经济区旅游发展股份公司、现代农业股份公司等。

4. 创立区域一体化发展的研究咨询机制。建议设立三亚旅游经济区研究咨询机构。例如,设立"三亚旅游经济区发展研究院

(所)",负责研究课题的项目发布招标、组织研究力量、召集研讨会,甚至可以设立定期化、制度化的"三亚旅游经济区发展论坛",汇聚政界、学界、企业界和城市规划设计机构等各方面的人士,研究"三亚旅游经济区"运行中的问题和发展的方向,为科学决策提供有价值的选择方案或参考意见,也为本区域的一体化发展营造良好的舆论氛围。

海南省城乡一体化体制机制与政策的建议(19条)[*]

(2009年6月)

一 体制创新的基本思路

海南城乡一体化的体制创新基本思路是：从全岛城乡独特资源整合优化、统一开发利用的内在要求出发，突破原有市县行政区、农垦分治的格局，通过区域行政一体化带动区域经济一体化、社会一体化，形成一个大城市的行政区建制，最终建立与城乡经济一体化、社会一体化要求相适应的体制框架。

1. 行政一体化与全岛资源优化配置

通过区域行政一体化，将资源互补性强的相邻市县合并，打破资源行政分割、分散开发、低水平开发的常规发展局面，形成区域资源优势互补、组团式发展的新局面，在多方面有利于提高资源配置的整体效率。

● 通过行政一体化拓展资源配置的空间。使行政区划与区域资源优化配置的要求相适应，实现独特资源开发的全省"一盘棋"。相关市县通过行政一体化，为跨区域资源开发创造条件，拓展各自

---

[*] 节选自中改院课题组《海南省城乡一体化体制机制与政策》，2009年6月。

的发展空间。

- 通过行政一体化实现资源优势互补。通过相关市县的行政一体化，使相邻市县资源的互补性、整体性得以体现，克服产业同构、重复竞争、效益不高的弊端。
- 通过行政一体化提升独特资源价值。在更大的行政区范围内统一资源开发利用，形成区域经济一体化的新格局，使落后地区、农村资源价值与发达地区趋同，使全岛资源整体价值得到充分体现。

2. 行政一体化与城乡经济一体化

通过行政一体化统一城乡基础设施规划建设，统一实施城乡产业政策，提高城乡产业互动性和关联度，培育有地方特色的产业集群。

- 行政一体化与城乡基础设施一体化。通过相关市县的行政一体化，在同一个行政区内统一安排城乡基础设施建设，克服基础设施建设既有地区差异，又有城乡差异的状况。城乡基础设施的同质化，一方面为农村三次产业发展开辟新的空间，另一方面为城市产业向农村渗透提供良好的基础条件。
- 行政一体化与城乡产业一体化。通过相关市县的行政一体化，在同一个行政区内统一安排产业政策，扶持城乡优势产业发展，延伸城乡产业链条，培育具有较强区域竞争力、反映地方比较优势的产业集群。
- 行政一体化与城乡产业空间布局优化。通过城乡规划与区域规划高度统一，形成大城市、中等城市、小城镇优势互补、组团式发展的空间格局。

3. 行政一体化与城乡社会一体化

通过行政一体化统一城乡社会事业规划建设，在各区域统一的前提下，实现全岛统一，实现城乡劳动力和人才双向流动，提高全岛的软实力。

● 通过相关市县的行政一体化，在更大的地区范围统一标准、统一安排社会事业，可以更加有效地缩小基本公共服务在城乡、区域、不同社会群体的多维差距，加快基本公共服务均等化的进程。

● 通过相关市县的行政一体化，在更大的地区范围统筹发展教育、医疗卫生事业，提高城乡人力资源开发水平，建设人力资源强省。

● 通过相关市县的行政一体化，可以在更大的地区范围内统一户籍制度，缩小户籍在城乡、地区之间的差别，营造农村劳动力向城镇转移，城市人才到乡镇、农村创业的良好社会氛围。

二 体制创新的方案设计

4. 省与市县格局调整

以海口、三亚、五指山、琼海、儋州为中心，合并相关市县，形成"省下辖五大区域性中心城市"的行政格局，强化省一级政府在战略资源统一开发的控制权、熨平地方基本公共服务差距的实际能力。

● 以海口为中心，合并海口、文昌、定安、澄迈二市二县，形成一个大城市。

● 以三亚为中心，合并三亚、陵水、保亭、乐东一市三县，形成一个大城市。

● 以五指山为中心，合并五指山、琼中、屯昌、白沙一市三县，形成一个大城市。

● 以琼海为中心，合并琼海、万宁二市，形成一个大城市。

● 以儋州为中心，合并儋州、东方、临高、昌江二市二县，形成一个大城市。

5. 市县行政格局调整

在五大城市下，撤销县级市改设市辖区，有两种方案选择：

● 方案一"撤县改区"：在五大城市内，设23个市辖区。主要通过"撤县改区"，把原有县市直接转变为市辖区，同时部分市县做特殊安排。

新海口市共辖 7 个区。保留现海口市的 4 个市辖区，即龙华区、美兰区、琼山区和秀英区；文昌市、定安县与澄迈县"撤县改区"设 3 个市辖区。

新三亚市共辖 5 个区。现三亚市河东管理区（虚拟街道办）与河西管理区改为市辖区建制，现三亚市所辖乡镇和农场按所在地理位置分别划入河东区与河西区；陵水县、保亭县、乐东县均"撤县改区"。

新儋州市共辖 5 个区。考虑到现儋州市所辖土地面积全省最大（3265 平方公里，2007 年），人口 2007 年已达 100 万，从而以那大镇和白马镇两点一线划分出南北两个区域设 2 个市辖区；东方市、昌江县、临高县撤县改区设 3 个市辖区；洋浦保税港区作为国家级开发区单列，直接由省级政府管辖，不做市辖区考虑。

新琼海市共辖 2 个区。琼海市和万宁市转为市辖区建制。

新五指山市共辖 4 个区。五指山市、琼中县、白沙县和屯昌县转为市辖区建制。

• 方案二"按人口规模重组市辖区"：在五大城市下按照人口规模设置市辖区。按照人口经济发展需要，跳出既有市县的行政区划范围，重新组合五大城市的市辖区。

新海口市：2020 年预计人口达到 342.9 万，最多可设置 13 个人口大于 25 万的市辖区，也可以设置 5 个人口不低于 60 万的市辖区，或设置 3 个达 100 万人口的市辖区。

新三亚市：2020 年预计人口达到 181 万，可设置 7 个人口大于 25 万的市辖区，也可设置 1 个人口在 100 万及以上的市辖区，按不低于 60 万的标准则可设置 3 个市辖区。

新琼海市：2020 年预计人口达到 124 万，按照市辖区人口大于

25万、大于等于60万、100万及以上的不同标准，市辖区可分别设置4个、2个、1个。

新儋州市：2020年预计人口达到251万，按照市辖区人口25万、60万、100万的不同标准，最多可设置10个人口大于25万的市辖区，最少可以设置2个人口大于100万的市辖区，按60万人口则可设置4个市辖区。

新五指山市：2020年预计人口达到94.2万，可设置3个人口大于25万的市辖区或1个人口大于60万的市辖区。

• 采取"两收两放"措施。

"两收"。原有市县经济社会发展规划和重要资源开发的管理权上收到区域中心城市，强化中心城市对本地区战略资源统一开发的权力，熨平地区基本公共服务差距的实际能力。区域中心城市统一地区产业政策，统一地区经济社会发展规划。

"两放"。公共服务和社会管理职能适当下放到各市辖区，重点强化市辖区政府的社会职能。

6. 市辖区与乡镇格局安排

第一步：乡镇发展纳入市辖区管辖范围，近郊农村融入市区。

• 近郊乡镇转为街道办，作为市辖区政府的派出机构；

• 远郊乡镇部分保留、部分合并，作为市辖区政府的派出机构；

• 实行"乡财区管乡用"，把社会管理和公共服务作为乡镇机构主要职能。

第二步：全岛按照一个大城市规划发展，最终走向没有农村建制的"城市"，乡镇改街道办，作为市辖区政府的派出机构。

7. 城乡社区发展格局

城乡管理社区化，社区依法自治。

• 在各乡镇统筹规划，实现农村居民居住适当集中，管理社区化。

- 逐步将村委会改为社区居委会，作为依法成立的自治组织，推动居民参与社区管理，维护社区治安稳定，保障居民安居乐业。
- 建立社区决策、执行、议事层等组织，最终形成城乡社区一体化管理的新格局。

8. 行政层级扁平化的安排

- 第一步：先建立"三级政府、四级管理、五级网络"的行政架构，即省、市、市辖区成为三级政府；在乡镇变为市辖区派出机构的条件下，维持省、市、市辖区、乡镇四级管理；在村委会改为社区服务机构的情况下，维持省、市、市辖区、乡镇、社区五级网络。
- 第二步：在区域中心城市统一行使本地区经济社会职能比较有效的情况下，将市辖区转变为市的派出机构，主要承担社会管理和公共服务执行职能，乡镇改为街道办，城乡统一管理，整个行政体制过渡到"二级政府、四级管理、五级网络"。

9. 农垦管理融入地方

打破城市、农村、农垦三元分治的格局。

- 垦区人口纳入属地统筹管理。
- 农垦社会管理和公共服务职能纳入地方统筹管理。
- 场部融入所在街道或乡镇，推行社区化管理。

10. 政府职能转变与大部门体制

以大部门体制改革为重点，加快政府职能转变，建设公共服务型政府。

- 按照本地区主导产业发展要求科学设置经济领域的大部门体制，以资源利用最大化为导向，整合重复管理、交叉管理的职能部门，减少审批环节，简化审批程序，提高部门行政效率。
- 按照本地区社会事业发展的特点设置社会领域的大部门体制，强化政府在基本公共服务上的主体地位和主导作用，推进政事分开、政社分开，在教育、医疗卫生等事业单位改革上取得突破。

● 推行决策、执行、监督三权适度分离，强化省、区域中心城市的决策职能和监督职能，强化市辖区以下政府的执行力。

三 体制创新的基本原则

11. 以全岛资源统一开发利用优化城乡资源配置

体制创新的首要原则是打破资源行政分割、分散开发、低水平开发的常规发展局面，通过行政一体化，实现独特资源开发全省"一盘棋"，使相邻市县资源互补性、整体性得以体现，最终使全岛资源整体价值得到体现。

12. 短期与中长期目标相结合，分步推进

体制创新是一项没有现成经验可以借鉴的系统工程，也是一项难度极大的改革攻坚，需要在保持社会稳定的前提下，统筹设计短期、中期和长期目标任务，循序渐进。

13. 全面推进与重点突破相结合

体制创新涉及省、市、县行政格局调整和管理体制的改革，可以在条件具备的海口、三亚、农垦率先突破，再在其他市县逐步推开，形成一个大城市的行政区建制，最终建立与城乡经济一体化、社会一体化要求相适应的体制框架。

四 体制创新的实施步骤

14. 短期内，城乡重要资源全省统一规划利用

短期内，全省按照一个大城市思路统一规划设计，尽可能地将农业资源、土地资源、旅游资源、生态资源等独特资源统一规划利用。海南的农业资源、土地资源、旅游资源、生态资源等独特资源主要分布在广大农村腹地。在城乡分治的体制格局下，生产要素流向中心城市。在缺乏资金、人才和技术的情况下，农村资源的开发水平远低于城市，同时资源价值也远低于城市。农村资源价值的提升，必须依赖于农村与主要城市的产业联结、基础设施联结、市场联结等多个环节。城乡基础设施、产业融合程度越深，农村热带农

业资源、旅游资源、土地资源等价值就能体现得越充分。但在现有18个市县、外加一个洋浦开发区的行政建制下，难以形成资源的整体优势。统筹全岛旅游资源，客观要求打破资源为18个市县分治的格局，全岛按照一个大城市的思路统一规划设计，通过城乡规划一体化、城乡基础设施一体化、城乡土地开发利用一体化、城乡社会事业一体化，从根本上打破旅游等重要资源的行政分割，实现资源优势最大化，走出一条具有海南特色的城乡一体化之路。

15. 中期内，以五大旅游经济功能区为平台推进城乡一体化

• 组建五大功能经济区。按照空间毗邻、资源互补、容易实现组团式发展的原则，在三亚为中心的南部经济区、海口为中心的北部经济区、儋州为中心的西部经济区、琼海为中心的东部经济区、五指山为中心的中部经济区，作为经济一体化、社会一体化、行政一体化制度建设的平台。

• 在五大功能经济区平行推进城乡一体化。在全省的统一部署下，设置相关协调机制，在五大功能经济区建立城乡一体化的基础制度：建立高规格的全省城乡一体化管委会，负责全省城乡一体化改革试验的总体协调；组建五大功能经济区城乡一体化管委会，负责各自区域内跨市县资源整合、开发相关事宜；在五大功能经济区分别建立城乡规划一体化、土地开发利用一体化、基础设施建设一体化、社会文化事业一体化的新体制。

16. 长期内，实现行政一体化的新突破

在五大功能经济区经济社会一体化程度比较高的情况下，在管委会的基础上组建中心城市政府机构或区级政府机构，突破省管市县格局，形成全岛行政一体化的新格局。

五 体制创新的重点突破

17. 海口、三亚率先突破

在海口为中心的北部功能经济区、三亚为中心的南部功能经济区

率先实现城乡一体化制度创新的突破,建成全省城乡一体化的先导区。

- 发挥海口省会城市、经济相对发达的优势,争取用3—5年的时间,在整合文昌、定安、澄迈,推进行政一体化方面率先突破。
- 发挥三亚国际旅游城市的优势,以市联县,统一三亚与陵水、乐东、保亭四个市县旅游资源开发,在以旅游业国际化带动城乡一体化的体制安排上率先走出一条新路子。

18. 按照城乡一体化要求建立大部门体制

在五大功能经济区行政一体化的进程中,从城乡一体化的实际出发,本着有利于城乡资源整合、实现城乡产业一体化的原则,制定相关方案,通过3—5年的努力,在探索大部门体制,形成小政府、大社会格局上取得突破,形成"大旅游""大农业""大卫生""大社保""大文化"的管理体制。

19. 实现农垦改革的新突破

争取用2—3年的时间,实现社会职能地方化,全面完成企业化改造。

- 基础教育划入全省统筹范围。尽快将海南农垦所属中小学移交地方政府管理。对于职业教育和非义务教育,不可一刀切,鼓励和支持条件成熟的垦区进行民营化的探索。
- 医疗保险和养老保险纳入属地统筹管理。农垦职工的基本医疗保险纳入市县统筹进行属地管理,确保一步到位,与地方市县同步推进,享受与市县职工水平大致相同的基本医疗保险待遇。
- 把垦区公共就业、社会保障、公共安全等社会职能平移地方政府。各类保险全面实行属地管理。基本养老保险纳入省级统筹,逐步拉平农垦与地方的养老金水平。
- 在政企分离、社企分离的基础上,加紧制订资产重组计划。确立和保留优势资源和核心业务,逐步剥离不良资产和边缘业务,争取推动核心业务上市,在建立现代企业制度上取得实质性突破。

加快推进"十二五"海南行政体制改革的建议(8条)[*]

(2010年10月)

"十二五"是我国加快转变经济发展方式的攻坚时期,也是国际旅游岛建设实现重大突破的关键五年。能否初步形成海南国际旅游岛建设的基本格局,关键取决于以政府转型为主线的行政体制改革的实际进展。

"十二五"行政体制改革的基本思路是:以科学发展为主题,以保障和改善民生为根本出发点,以政府转型为主线,加快政府职能转变,逐步调整行政区划,优化资源配置,完善公共服务体系,加强政府自身建设,实现公共服务型政府建设的重大突破,初步建立起与国际旅游岛建设相适应的行政体制。按照这一基本思路,"十二五"行政体制改革主要有8项任务。

一 以农垦改革为重点推进政府职能转变

加快理顺农垦管理体制,推进政府职能转变,在建设公共服务型政府方面取得重要进展。

---

[*] 节选自中改院课题组《加快推进"十二五"海南行政体制改革思路建议》,2010年10月。

1. 理顺农垦管理体制

按照政企分开、社企分开、管理融入地方的改革目标，加快理顺农垦企业化改造后与地方相关体制的衔接。

2. 保障和改善民生

各级政府要重点保障垦区职工的基本住房、就业等突出的民生问题，努力实现广大职工的收入水平有较快增长，初步实现垦区职工的基本公共服务均等化。

二 加快完善省直管县体制

"十二五"时期，以增强市、县经济活力为目标，以发展旅游城镇化为重点，扶持一批小城镇发展，努力形成大中小城市与小城镇协调发展的新格局。

1. 推进以增强市、县经济发展活力为目标的扩权强县（市）改革

在全省统一规划下，最大限度地向县（市）放权，增强市、县经济发展活力。放权的重点在行政审批、行政收费、行政处罚、国有资产管理和社会事业管理等方面，真正把实质性、关键性和涉及具体利益的权限下放给县（市）。

2. 推进以旅游城镇化为主线的行政区划体制改革

全岛按照"一个大城市"的思路统一规划，通过区域行政一体化的体制安排和政策突破，整合城乡旅游资源。要多方面支持五大中心区的发展，使五大中心区成为整个海南国际旅游岛的重点发展区，从而带动相关市县的发展。

3. 加强旅游风情小镇建设

按照"规划引导、企业参与、市场运作、群众受益"的原则，推动海南建设一批特色旅游风情小镇。对具备一定人口规模和经济实力的中心镇和旅游重镇实行"扩权强镇"改革，赋予必要的城市管理权限。

三 加快建立规范的公共职责分工体制

按照基本公共服务均等化的要求,明确各级政府公共职责分工。

1. 省级政府的公共职责

负责全省基本公共服务决策,对基本公共服务进行综合管理和规划。制定全省统一的基本公共服务标准,对基本公共服务的全覆盖和均等化承担总体责任。对基本公共服务的投入责任,在市县财力无法承担基本公共服务支出时,省级政府通过专项转移支付或一般性转移支付确保基本公共服务的供给。

2. 市县政府的基本公共服务职责

市县政府主要负责全省基本公共服务规划执行,并根据实际情况制定本辖区基本公共服务规划,推进公共服务体制改革。市县政府对本辖区内基本公共服务全覆盖和均等化承担总体责任。

3. 镇(乡)政府的基本公共服务职责

镇(乡)政府作为基本公共服务的执行机构,建立完备的农村基本公共服务组织网络、信息平台,履行基本公共服务的执行责任。

四 以事业单位改革为重点,加快建立公共服务体系,着力推进教育、医疗事业发展

1. 在公共服务体系框架下整体设计和全面推进事业单位改革

海南有16万名以上事业单位工作人员。"十二五"对主要承担行政职能的事业单位,应逐步转为行政机构或将行政职能划归行政机构;对从事生产经营活动的事业单位,应逐步转为企业,走向市场;对主要从事公益服务的事业单位,改革目标应当是建立统一、有效的公共服务体系,把事业单位建设成依法独立行使职能、高效运作的公共服务供给主体。

2. 在基本公共服务供给中引入市场机制

重点是通过扩大开放,鼓励国内外社会资本参与教育、医疗等

基本公共服务供给。例如，"十二五"应实现社会资本投资教育的比重高于全国平均水平，争取在 2015 年达到 40%—50%；进一步放开医疗市场，引进境外资本发展医疗卫生事业，形成投资主体多样化的办医体制。

3. 建立基本公共服务的社会参与机制

积极探索政府购买服务的方式，通过税费减免、财政转移支付等多种形式，鼓励和引导社区服务机构、慈善机构、基金会、民办非企业单位等社会组织广泛参与基本公共服务供给，实现公共服务投入和效益最大化。

五 以旅游管理体制改革为重点，加快发展各类社会中介组织

借鉴香港等国际经验，积极探索旅游管理体制机制综合配套改革，使旅游产品、设施和服务等方面同国际惯例和国际标准全面接轨，构建与国际旅游岛建设相适应的大旅游管理体制。

1. 加快旅游行政管理及相关部门职能转变

把应当由企业、行业协会和中介组织承担的职能和机构转移出去。把政府管理的重点放在编制规划、制定标准、对外促销、对内市场监管和协调服务上。

2. 大力发展旅游行业组织，充分发挥行业协会的作用

放宽市场准入，积极引导和鼓励中介组织通过重组、兼并、联合以及引进外资等途径提高整体竞争力。重点建立健全海南省旅行社协会、旅游饭店协会、旅游购物协会、高尔夫协会、游艇协会、文化娱乐协会等行业协会，加强对本行业的自律管理。

六 建立完善以保障和改善民生为重点的政绩考核体系

着力保障和改善民生，完善考核指标体系，健全考核机制，强化"执行力"。

1. 加大民生指标在政绩考核体系中的权重

"十二五"把居民收入增长、生活质量、就业、保障性住房、

基本公共服务供给水平和均等化程度，作为各级政府履行基本职责的刚性约束性指标，使其与干部选拔、任用和内部激励相结合。

2. 完善绩效评估机制

尽快制定出台《海南省政府绩效管理条例》，实现政府自我考核和社会评估相结合，将绩效考核纳入法制化、规范化轨道。

3. 建立严格的行政问责制

在加强基本公共服务统一规划和评价考核的同时，实行严格的行政首长问责制，确保公共政策实现既定目标。

七 加大政务公开的体制机制建设

1. 加强基本公共服务信息公开发布制度建设

省、市、县及相关部门，要按照建设公开、透明政府的要求，对政府公共服务职能、办事程序以及服务效果等公共信息，特别是对旅游突发事件等重大事项，建立信息发布制度，确保公众知情权。

2. 建立和完善重大事项听证制度

对涉及价格调整，征地补偿，住房改革，教育、医疗改革等民生领域的重大事项，以及城市规划、建设、管理的重大项目，一律实行公示、听证。

八 加快推进行政法制化进程

尽快制定《海南省旅游条例》《旅游房地产规划》《文化产业发展规划》等法规规划，争取"十二五"末初步形成适应国际旅游岛要求的规划和法规体系，将行政工作纳入法制化轨道。

把海南作为全国城镇化综合改革试验区的建议(13条)[*]

(2011年3月)

党的十七届三中全会提出:"促进大中小城市和小城镇协调发展,形成城镇化和新农村建设互促共进机制。积极推进统筹城乡综合配套改革试验。"从各地情况看,地区间、城乡间面临的行政体制的束缚和行政区划壁垒的矛盾越来越突出,迫切要求加快推进城镇化的综合配套改革。从综合因素看,海南最有条件成为全国推进城镇化综合配套改革的试点省。为此,建议国务院把海南作为国家推进城镇化综合改革试验区。

一 海南最有条件成为全国城镇化综合改革试验区

1. 国际旅游岛建设作为国家战略,要求海南加快推进城镇化进程

《国务院关于推进海南国际旅游岛建设发展的若干意见》明确提出"用10年左右的时间,即到2020年第三产业增加值占地区生产总值比重达到60%",为全国调整优化经济结构和转变发展方式提供示范。实现这一目标的关键在于整合城乡、区域资源配置,全

---

[*] 迟福林在全国政协十一届四次会议提交的提案,2011年3月。

岛要按照"一个大城市"的思路推进城镇化进程。

2. 海南岛作为一个独立的地理单元，人口少，面积小，易于把全岛作为一个整体，科学规划城镇化建设

3. 海南交通等基础设施明显改善

"十二五"期间海南将形成衔接紧密、快捷的现代综合交通体系，将进一步强化城乡、区域的有机对接。

4. 海南建省之初就实行了行政上省直管县体制

这为进一步打破地区间的行政壁垒，按照经济社会发展的需要加快市县之间的融合，扩大中心城市规模提供了体制保障。

二 加快推进海南城镇化综合改革

5. 全岛按照"一个大城市"统一规划

从国际旅游岛建设的现实需求出发，允许海南全岛按照"一个大城市"的发展思路，统一规划、统一基础设施建设、统一土地开发利用、统一社会事业发展，由此加快推进城镇化进程。

6. 重点推进中心城市建设

国家支持海口、三亚、儋州、琼海、五指山5个中心区的发展，使五大中心区成为海南国际旅游岛的重点发展区，从而带动相关市县以及小城镇的发展。建议的方案是：（1）"撤县改区"。在五大城市内，设20个左右市辖区，主要通过"撤县改区"，把原有县市直接转变为市辖区。（2）"按人口规模重组市辖区"。按照人口经济发展需要，打破既有市县的行政区划范围，重新组合五大城市的市辖区。

7. 城乡一体化，城乡管理社区化

对乡镇发展统筹规划，乡镇融入市辖区管辖范围；实现农村居民管理社区化；逐步将村委会改为社区居委会，作为依法成立的自治组织，推动居民参与社区管理，维护社区治安稳定；建立社区决策、执行、议事等组织，形成城乡社区一体化管理的新格局。

8. 以大部门体制改革为重点，加快政府职能转变

以资源利用最大化为导向，整合重复管理、交叉管理的职能部门，减少审批环节，简化审批程序，提高部门行政效率。推进决策、执行、监督适度分离，强化省、区域中心城市的决策职能和监督职能，强化市辖区以下政府的执行力。

三　争取国家相关部门多方面支持海南城镇化综合改革试验

9. 支持海南按照"一个大城市"思路制定总体规划

突破市县间的地域分割和行政分割，把海南岛作为一个整体科学规划，合理布局。建立城镇总体规划与经济社会发展规划、区域规划、土地利用规划、主体功能区规划等相关规划的衔接和协调机制，形成推进城镇化的合力。

10. 支持海南推进行政区划体制改革

打破18个市县的行政区划体制，通过区域行政一体化的体制安排和政策突破，形成"省下辖五大区域性中心城市"的行政格局。

11. 支持海南城乡一体化体制机制创新

重点在建立城乡一体化户籍管理体制、基本公共服务体制、土地管理体制等方面给予支持。

12. 支持海南行政体制改革

以海南为试点，探索建立以基本公共服务均等化为目标的中央地方关系。明确各级政府公共职责分工，使其法定化、可问责。支持海南在公共服务体系框架下整体设计和全面推进事业单位改革试点，把事业单位建设成依法独立行使职能、高效运作的公共服务供给主体。支持海南制定出台《海南省政府绩效管理条例》，强化"执行力"。

13. 在重大项目建设上给予海南支持

重点在铁路、公路、机场、港口、电力、通信、环保等基础设施建设上给予海南更多的政策和资金支持。

以"多规合一"改革形成海南发展新动力的建议(26条)[*]

(2015 年 7 月)

总的建议是:"十三五",海南要抓住"多规合一"改革试点的重大机遇,以全面建成小康社会为总目标,以创新更具活力的体制机制为核心,形成可持续增长、绿色崛起的新动力。

一 主要目标

基本考虑:"多规合一"改革的主要目标是找到一条激发市场活力的新动力,释放独特的资源价值潜力,实现绿色崛起的新路径,确保 2020 年全面建成小康社会。

1. 把到 2020 年与全国同步实现全面小康作为"多规合一"改革的总目标

(1) 到 2020 年海南实现全面小康面临巨大压力。2014 年,海南人均 GDP、城镇居民人均可支配收入、农村居民人均纯收入分别为 38924 元、24487 元、9913 元,相当于全国平均水平的 83.6%、84.9% 和 94.5%。按照 2020 年全面建成小康目标,未来 5 年三项

---

[*] 中改院课题组:《以"多规合一"改革形成海南发展新动力(26 条建议)》,《中改院简报》总第 1029 期,2015 年 7 月 17 日。

指标必须保持9.4%、12.2%和10.2%的年均增速，绝对值分别达到6万元、4.9万元、1.8万元，才能确保达到并略高于全国平均水平。从2010—2014年三项指标的实际运行情况看，增速整体呈下行趋势，面对的压力相当大。

（2）"多规合一"改革是海南实现全面小康社会的重要动力。根据《中国国土资源统计年鉴2014》，2013年全省直辖县级行政区划土地出让平均价格为882.2万元/公顷，仅为海口（3485万元/公顷）和三亚（3775万元/公顷）的25.3%和23.4%。如果适当调整行政区划，做大海口、三亚等中心城市，与周边市县形成统一的城市圈，统一土地资源利用，综合用地价格的差距会明显缩小，土地的平均价值将会明显升值。若全省土地出让平均价格提高至海口2013年水平的50%，当年将新增88亿元的土地出让收入，相当于2013年全省地方公共财政预算收入的18.3%；若全省土地出让平均价格提高至三亚2013年水平的40%，当年将新增116亿元的土地出让收入，相当于2013年全省地方公共财政预算收入的24%。如果每年把土地出让增值收益的1/3用于增加城乡居民收入；1/3用于增加公共财政收入，改善民生；1/3用于基础设施建设，改善生态环境，将为全面实现小康目标提供重要的财力保障。

2. 以"多规合一"改革构建更具活力的体制机制，形成增长新动力

（1）"多规合一"改革重在创新有利于加快发展的体制机制。"多规合一"改革就是要按照"全岛一个大城市"的思路，加快推进规划管理体制、行政体制与行政区划体制、资源价格体制、生态保护体制、服务业开放等体制机制创新，以体制机制创新激发企业、社会、个人等多方面的活力，发挥市场在资源配置中的决定性作用；破除资源利用的行政分割和地区壁垒，聚集市县协调发展的合力，形成符合海南省情的发展新动力。

（2）以"多规合一"改革破除发展的政策与体制障碍。以产业用地价格为例。2014年，海口工业用地价格为51.2万元/亩，仅相当于商服用地、居住用地价格的18.4%和16.2%，而海口工矿仓储用地产出率为3264.7万元/亩，仅相当于商服用地（22075.9万元/亩）的14.8%。服务业用地价格长期高于工业用地价格，既导致工业转型升级动力不足，又制约了服务业的发展，降低了土地的整体使用价值。"十三五"基本形成以现代服务业为主导的经济结构，需要在全岛范围统一规划产业布局，尽快实行服务业用地与工业用地同价机制。这样，既能降低服务业发展成本，又能提升土地资源的使用价值。

3. 以"多规合一"改革形成全岛"一个大城市"的合理布局，打造经济增长极

（1）以"多规合一"改革打造经济增长极。与国内发达省市相比，海南发展中面临的突出问题是，18个市县总体处于低水平的均衡发展状态，缺少能够带动全省、辐射周边的区域经济增长极。广州、深圳两市的GDP总和占广东全省的比重达到50%左右，成为广东的两大经济增长极，对周边地区产生较强的集聚和辐射带动作用；海口、三亚两市作为海南较为发达的城市，两地GDP总和占海南全省的比重长期维持在40%左右，并且由于两市本身经济总量有限、产业基础薄弱，带动周边市县发展的能力有限。

（2）以"多规合一"改革形成五大经济增长极。"十三五"，"多规合一"改革的重要目标，是按照"全岛一个大城市"的发展思路，根据区域资源分布特点，突破资源利用的地区壁垒，形成产业分工明确、差异化发展的合理布局，优先把海口、三亚、琼海、儋州、五指山5个中心城市发展成为经济强市，形成五大经济增长极，增强对周边市县的集聚和辐射能力，促进全省经济高速增长。

4. 以"多规合一"改革明显提升土地利用效益

(1) 稀缺的土地资源是海南最大的后发优势。国际旅游岛上升为国家战略以来，进一步提升了海南土地等重要资源的价值。但受18个市县分割分治的行政格局制约，相邻市县地价差距很大。例如，2013—2014年，海口市土地出让均价为153.13万元/亩，文昌市为104.43万元/亩，澄迈县为32.33万元/亩，海口市是澄迈县的近5倍，文昌市是澄迈县的3倍多。如果"海口、澄迈、文昌"能形成统一的经济区，差距有可能缩小到2倍以内。

(2) 通过"多规合一"改革优化土地资源配置，实现资源利用效益最大化。以土地资源利用效益为例。2014年海南地均生产总值为0.1亿元/平方公里，仅相当于2014年北京的8%、上海的3%、广东省的26%，如果以"多规合一"改革盘活土地资源，将极大地提高土地资源的利用效益。到2020年如果海南地均生产总值达到广东2014年的水平，海南GDP将达到1.33万亿元，相当于2014年GDP的3.81倍；如果2020年达到上海2014年水平的30%（1.02亿元/平方公里），海南GDP将达到3.89万亿元，相当于2014年GDP的11.1倍。

5. 以"多规合一"改革助推城乡基本公共服务均等化

(1) 到2020年总体实现城乡基本公共服务均等化。十八届三中全会"决定"提出，到2020年实现"城乡基本公共服务均等化"。与全国平均水平相比，海南教育、医疗等基本公共服务发展滞后。2013年，海南城乡万人床位数分别比全国平均水平低12张、7张，与北京、上海相比差距更大；从海南城乡基本公共服务差距看，2013年城镇人均医疗支出、人均教育支出分别是农村的2倍和7倍，高于全国城乡差距的平均水平；从区域基本公共服务差距看，以海口、澄迈、文昌为例，2014年，海口、澄迈、文昌人均公共医疗支出分别为934.6元、513.5元和734.8元，澄迈、文昌仅相当于海口的54.9%和78.6%。

(2)"多规合一"改革为实现城乡基本公共服务均等化提供重要保障。通过"多规合一"改革，将土地增值收益的1/3左右用于改善民生，将显著提升海南公共服务水平，缩小与发达省市差距。同时，通过相关市县的区域社会一体化，在更大地区范围内统一基本公共服务标准、统一安排社会事业，可以更加有效地缩小基本公共服务在城乡、区域、不同社会群体的多维差距，以到2020年总体实现城乡基本公共服务均等化。

6. 以"多规合一"改革走出一条可持续发展的新路子

(1)良好的生态环境是海南发展的最大资本。从近年来的情况看，海南环境保护压力不断增大，土地、岸线、森林、近海海域被过度开发和污染问题突出。根据新华社报道，从南向北，海南东海岸300多公里优质海岸线已基本被开发商圈地完毕。由于市县分割分治的行政体制，不仅造成了资源过度开发，而且加大了相邻市县间、上下游间生态环境治理的难度。

(2)"多规合一"改革的目标之一是统一生态布局和环境治理，创新生态环境保护的体制机制。从海南的基本省情出发，要划定开发区域和禁止开发区域，实现工业企业集中布局，产业集聚发展，实现资源开发与生态环境保护的"双赢"，从而走出一条绿色崛起之路。以单位GDP能耗为例。如果实施全岛统一的环境治理，海南能耗水平达到上海2013年的平均水平，2014年GDP可以达到3700亿元，高于当年实际GDP 200亿元；若海南能耗水平达到北京2013年的平均水平，2014年GDP可以达到4600亿元，高于当年实际GDP 1100亿元。

二 重大任务

基本考虑：实现"多规合一"改革目标，关键在突出"一个总体规划、一张蓝图"的前提下，创新体制机制，形成空间布局合理、功能定位清晰、资源统筹利用、产业分工明确、基础设施互联互通、毗邻市县融合发展的新格局。"十三五","多规合一"改革的重点任务是加快推进"六个统一"。

7. 统一规划体制

（1）明确"全岛一盘棋"的规划发展思路。按照"全岛一个大城市""全省一盘棋"的发展思路，把国民经济社会发展规划以及城乡建设、国土、环保、旅游、海洋、林业、交通、水利、产业、社会事业等部门专项规划纳入"多规合一"管理体系，避免因部门分割、区域分割、行业分割造成的资源浪费以及资源的重复低效利用，进而实现海南空间布局的合理优化、资源利用效率的显著提高。

（2）建立全省统一的规划管理体制。成立高规格海南省规划委员会，集中统一行使规划管理权；健全规划协调机制，加强全省总体规划与市县规划、土地利用规划、产业规划等规划的衔接，做到无缝对接，解决规划之间相互制约、互不统一的问题。在统一规划的前提下，最大程度向市县放权。

（3）不折不扣严格执行规划。实行规划编制、审批、监督三分离，保障覆盖全域的规划工作的开展；强化同级人大和上级政府的规划监督职能；加强对各级政府城乡规划绩效的考核，考核结果纳入地区党委政府年度考核目标；强化法治保障，对规划的制定、实施、修改、监督检查以及公示公开等事项制定明确的规定，保障规划的权威性、严肃性、稳定性，从而保障规划的顺利实施。

8. 统一土地利用

（1）强化省级政府对土地的统筹利用。严格执行土地统一收购储备、统一开发管理、统一公开供应，统一规划岸线资源，严格土地审批，限制最低地价，提高平均地价。

（2）明确规定市县土地利用权力。严格落实已修编的土地利用总体规划，完善本级土地利用管理及市场动态监测监管系统。严格执行辖区内土地用途管制和规划管制，确保区域内耕地总量动态平衡。

（3）严格用地审批。在新的全省土地总体规划尚未出台前，严格控制用地审批；提高存量土地利用效率，把稀缺土地资源配置到产业发展好的重点项目上。

（4）在统一土地规划利用的前提下，充分发挥市县的积极性。

9. 统一产业布局

（1）依托优势，错位发展。坚持"规划衔接、突出特色、发挥优势、集群集聚"的原则，扬长避短，优势互补，优化产业布局，推动形成更为科学、更为明晰、更为紧密的产业分工协作关系，避免因行政壁垒造成的遍地开花、同质化竞争和资源的低效利用。

（2）产业集中布局，重点发展五大经济功能区。北部以海口为中心，包括文昌市、定安县、澄迈县一市二县，重点发展健康、金融、教育、医疗、文化、会展、物流、信息等现代服务业；南部以三亚为中心，包括陵水县、保亭县、乐东县三县，重点发展海洋旅游、酒店住宿业、文体娱乐、疗养休闲、商业餐饮等产业；中部以五指山为中心，包括琼中、屯昌、白沙三县，突出热带雨林、少数民族特色，积极发展热带特色农业、生态旅游、民族风情旅游、民族工艺品制造等；东部以琼海为中心，包括万宁市，发展壮大滨海旅游、会展旅游、医疗旅游、热带特色农业等；西部以儋州为中心，包括东方市、临高县、昌江县一市二县，建设"生态工业集聚区"。

（3）资源共享，融合发展。打破市县间的行政壁垒，促进生产要素自由流动，实现优势互补、资源共享、利益共享、联动发展。加快旅游管理体制改革，推进旅游车跨市县运营管理，实现旅游资源开发与利用一体化。

10. 统一基础设施建设

（1）把实现基础设施互联互通作为重要目标。统筹推进全省交通、供水供电供气、排污、电信等基础设施的互联互通，加快构建快速、便捷、高效、安全、大容量、低成本的互联互通综合基础设施网络。

（2）优先保障公共交通一体化。加强机场、动车站、高速公路、城际公交连接线的互联互通一体化规划建设，打通市县之间各产业园区、重点旅游景区的交通瓶颈，基本形成覆盖全省的四通八达的立体交通网络。

（3）加快推进港口码头一体化。深入研究各港口的功能定位、资源整合、建设规模以及依托港口优势的临港产业布局等问题，形成功能清晰、特色鲜明、进出便利的一体化港口群。建议以海口为主导，整合海口港与洋浦港，统一规划、统一建设、统一管理，实现资源利用效益最大化。到 2020 年，完善以洋浦港、海口港为双核的枢纽港，马村港、八所港、三亚港、清澜港为重要港口的布局，打造面向东南亚的航运中心。

（4）推进通信网络一体化。推进全省范围内的电信网、广播电视网、互联网"三网融合"工程，打造"数字海南"，实现全岛通信网络一体化。

11. 统一社会政策

（1）"十三五"末，基本建立全省统一的基本公共服务制度。重点推进城乡义务教育、公共卫生和基本医疗保险、基本社会保障、公共就业服务、公共文化服务体制一体化。

（2）做好省内、省际社会保障制度的衔接。到 2018 年，提前全国 2 年统一全省基本公共服务标准，使城乡基本公共服务水平大致相当。

12. 统一生态环境保护

（1）建立省级统一的环保体制。各市县环保部门为省级派出机构；建立环保"大部门制"，整合分散在各职能部门的环境行政权，统一集中到环境行政主管部门。

（2）实现城乡环境保护体制一体化。将城市污水处理、垃圾分类处理、清洁能源利用等环境保护设施延伸到农村，统一城乡生态环境布局、统一城乡污染综合治理、统一城乡绿化管理。

（3）建立最严格的生态环境规划体系。制定世界上最严格的环保措施。采用国际最高环保标准监管全省经济社会活动，坚决杜绝因追求 GDP 而破坏生态环境的行为；实施最严格的生态环境问责制，加大生态环境保护在领导干部综合考核中的权重，与干部的选拔、任用和激励结合起来。

三 重大举措

基本考虑："多规合一"事关海南"十三五"改革发展全局，牵动重大利益关系调整，是一场深刻的变革。为此，要建立强有力的决策和推进机构，明确时间表和路线图，确保各项改革目标的实现。

13. 建立精干高效强有力的决策和执行机构

（1）建议将海南省全面深化改革领导小组与"多规合一"工作领导小组职能统一起来。按照"具有较高权威性、利益相对超脱、具有较强专业性"的基本要求，建立精干高效的领导班子，由其总体设计、统筹协调、全面推进、督促落实"多规合一"各项改革。

（2）建议构建一个由省委省政府统筹、多部门参与的协调工作班子。由领导小组办公室定期组织多部门联席会议，协调处理各部门在规划立项、规划编制、规划审查及实施管理中出现的矛盾和问题；根据工作需要，将各部门提出的重大问题，提请领导小组审议、决策。

14. 组建五大功能经济区管委会

（1）组建五大功能经济区一体化管委会。组建东、西南、北、中五大功能经济区一体化管委会，主要负责各自区域内跨市县统筹协调、资源整合及开发相关事宜。

（2）在五大功能区先行推进"六个统一"。在五大功能经济区分别建立区域规划一体化、土地开发利用一体化、产业布局一体化、基础设施建设一体化、社会事业一体化、生态环境保护一体化的新体制。

（3）保持周边各市县的独立建制。在超越行政区划范围，进行统筹规划，推进区域经济一体化的同时，充分发挥各周边市县的积极性和主动性，充分尊重各周边市县的独立性和自主性。

15. 形成"多规合一"总体设计

（1）第一步（2015年），规划编制。按照"多规合一"改革目标，制定改革实施方案，完成相关规划编制。建议年内，按照"六个统一"的总体要求，制定《海南省"多规合一"改革试点实施方案》；在此基础上，建议海南省政府会同国家有关部委编制《海南省总体规划》，并上报国务院批准，作为全省"十三五"发展的统领性、指导性规划；把"多规合一"改革目标、任务作为编制《"十三五"国民经济和社会发展规划》的主线和重要内容；城乡规划、国土规划、产业发展规划、环境保护规划等其他专项规划，应紧紧围绕《海南省总体规划》和《"十三五"国民经济和社会发展规划》编制。

（2）第二步（2016—2018年），全面推进。优先把海口、三亚、琼海、儋州、五指山5个中心城市发展成为经济强市；按照空间毗邻、资源互补、容易实现组团式发展的原则，在三亚为中心的南部经济区、海口为中心的北部经济区、儋州为中心的西部经济区、琼海为中心的东部经济区、五指山为中心的中部经济区，作为推进"六个统一"的平台，到2018年基本实现区域规划一体化、经济一体化、社会一体化、生态环境保护一体化。

（3）第三步（2019—2020年），深入推进。在五大功能经济区经济社会生态一体化程度比较高的情况下，在管委会的基础上组建5大中心城市政府机构，形成"省下辖五大区域性中心城市"的行政格局。到2020年，通过"多规合一"改革，构建更具活力的体制机制，实现新型城镇化与城乡一体化的新突破，与全国同步实现全面小康目标。

16. 海口、三亚率先突破

（1）以海口为中心的北部区域一体化的突破。发挥海口省会城市经济相对发达的优势，争取用3年左右的时间，在推进"海澄定文"（即海口、澄迈、定安、文昌）经济社会生态一体化方面率先突破。

（2）以三亚为中心的南部区域一体化的突破。发挥三亚国际旅游城市的优势，以市联县，统一三亚与陵水、乐东、保亭四个市县旅游资源开发，以旅游国际化带动"三陵乐保"在经济社会生态一体化的体制机制上率先走出一条新路子。

17. 调整优化行政组织机构和运行机制

（1）建议成立省规划委员会，集中决策。为有效推进"多规合一"改革，需要整合部门，优化行政资源配置。建议将由各厅分头负责编制"国民经济和社会发展总体规划""城乡总体规划""土地利用总体规划"等规划的职责整合到省规划委员会，统筹编制；同时赋予其审查各部门的专项规划并监督其实施的职责。

（2）建议按照"多规合一"要求深化大部门体制改革。在省级层面，对发改、住建、国土、环保等部门职能进行适度调整。对分散在各厅的职能相近、职能交叉、需要协调配合的相关职能部门，可以考虑合署办公，作为过渡办法；条件成熟时，在中央批准下，建立大部门体制，推进机构改革，形成高效运行的行政体制。

四　政策需求

基本考虑："十三五"，抓住"多规合一"改革试点的重大机遇，争取国家相关部门多方面的政策支持，争取在现代服务业开放、自由贸易园区建设、行政审批制度改革等方面实现重大突破。

18. 争取成为我国现代服务业市场开放的先行试验区

（1）加快医疗健康服务业市场开放。争取将博鳌乐城国际医疗旅游先行区的优惠政策扩大到海南全省；积极引进境内外知名医疗和保健机构，建成一批区域性的集医疗、科研和康复为一体的医疗健康中心。

（2）率先建立教育市场先行开放区。允许和支持国外和我国港澳台地区知名大学、职业教育机构以控股、独资等方式在海南设立分校；扩大健康服务业职业教育市场开放，争取使海南成为民办教育综合改革试点省。

（3）推进金融市场开放。争取国家支持，将海南列入鼓励、引导、支持各类外资金融机构进入的地区；在 CEPA 框架和海峡两岸经济合作框架下适当降低港澳台金融机构进入海南的条件；尽快开展离岸金融业务试点，探索实行政府主导、大型企业参与的区域性、服务贸易型离岸金融新模式；争取开展外币离岸金融业务和境内企业投资形成的人民币离岸金融业务试点；支持在海南的企业和金融机构在港澳台发行人民币债券试点。到 2020 年，力争金融业增加值占地方生产总值的比重达到 10% 以上。

（4）创新服务业发展的体制机制。在全岛范围内推进服务业的"营改增"改革，争取先行开展消费税试点。

19. 争取成为我国第一个"消费品免税区"

（1）现在提出建立"海南消费品免税区"有很大可能性。第一，海南4年来免税购物积累了经验，有实施基础；第二，有利于缓解香港免税购物的压力；第三，为扩大消费，国家开始减少消费品关税及其相关税收的比例。在这个特定背景下，争取海南成为我国内地第一个"消费品免税区"的可能性很大。

（2）借鉴香港经验，尽快研究编制《海南消费品免税区建设总体规划》。向国务院正式提出在海南全岛范围内建立"消费品免税区"的请求，争取国务院批准。

20. 争取设立以服务贸易为重点的自由贸易园区

（1）争取洋浦成为自由工业港区。把洋浦建成具有国际竞争力的现代化油气加工、储存基地，争取开展油气资源自由贸易，使其在21世纪海上丝绸之路建设、南海油气资源开发中发挥重要作用。

（2）探索建立琼港旅游商品自由贸易区。争取支持，加强琼港在现代服务业领域的合作，合作开展免税消费品保税物流、保税展示，免税消费品制造、加工和维修业务。

（3）在现有临空、临港综合保税港区和经济开发区的基础上，试点自由贸易区政策和管理体制。争取中央支持在三亚探索发展空港自由贸易区；以海口、三亚和洋浦为平台，建设海港、空港与自贸园区一体化的对外自由贸易平台。

21. 争取成为行政审批制度改革的先行区

（1）全面实行企业自主登记制度。实现工商登记由"先证后照"向"先照后证"的根本性转变；全面落实注册资本由实缴登记制改为认缴登记制；全面实施服务企业投资项目备案制，激发"大众创业、万众创新"活力。

（2）全面实行负面清单制度。2015年在海口、三亚和洋浦保税港区、海口综合保税区等特殊监管区域试点"负面清单"管理；在总结试点经验的基础上，力争2016年在全省范围内实行"负面清单"管理。

（3）取消企业一般投资项目备案制。在政府严格管理规划、土地利用、环保等事项的前提下，企业一般投资项目一律由企业依法依规自主决策，对企业一般投资项目不再实行备案制。

（4）最大限度简化审批程序。在全国率先推行以区域规划覆盖项目环评行政审批改革，最大限度地减少行政审批；争取国家简化项目审批程序，将列入《海南省总体规划》的"十三五"重大项目纳入国家盘子给予支持；对纳入《海南省总体规划》的土地、林业、海域、节能等总指标，国家各相关部委一次性审查，对在总量范围内的调整，争取下放省政府审批。

五 相关建议

22. 统一思想、统一行动

"多规合一"不是规划的简单合并，而是涉及经济、社会、行政、生态等多领域的一项综合改革，涉及面广，牵动全局，事关重大利益关系调整。这需要全省上下弘扬特区精神，按照"全省一盘棋"的发展思路，统一思想，克服局部利益，服从大局，形成合力。

23. 处理好相关利益关系

"多规合一"改革不仅涉及相关部门间的规划对接，还涉及市县间在产业、基础设施、公共服务资源方面的布局问题，必须从省级层面建立区域利益协调机制，把利益共享和发展共赢作为一体化的基本原则，避免市县之间的同质化竞争，统筹协调好各自发展，充分调动市县在推进一体化进程中的积极性。

24. 加快"多规合一"的信息数字管理平台建设

在全省"一张图"的基础上，构建统一的空间规划管理协调平台，整合各类空间规划信息，统一"多规"基础数据标准，解决空间数据资源不规范、共享水平低等问题，实现规划信息、建设项目信息、国土资源管理等信息资源共享共用、互联互通，提高一体化管理水平。

25. 加快与"多规合一"改革相关的立法、修法进程

利用海南的特区立法权,对最终编制出台的《海南省总体规划》等重要规划以人大立法的形式确立下来,提高规划的权威性,强化对"多规合一"改革的刚性约束。

26. 加强五大功能区区域一体化的专题研究

尽快组织力量,启动对海口省会经济圈一体化、大三亚经济圈一体化、儋州—洋浦一体化、琼海—万宁一体化、五指山中部经济圈一体化的专题研究,形成推进五大功能区区域经济、社会、生态、行政一体化的实施方案。

支持海南按照"一个大城市"深化"多规合一"改革试点建议(6条)*

（2017 年 3 月）

按照中央要求，海南开展了省域"多规合一"改革试点，一年多来，在多方面积极探索，取得明显成效。当前的突出矛盾是，由于受地区间、城乡间行政体制束缚，"多规合一"改革难以取得重大突破。为此建议，国家支持海南在"多规合一"改革中以"一个大城市"为重点推动全省资源优化配置，并为全国提供城乡、区域经济社会一体化可复制、可推广的经验。

一　支持海南以"一个大城市"为重点深化"多规合一"改革

国际旅游岛上升为国家战略，进一步提升了海南旅游、土地等重要资源的价值。但在现行行政体制格局下，旅游、土地等资源低水平利用、重复开发的状况难以完全改变，城乡资源、区域资源的互补性和整体优势难以充分体现。例如，2013—2014 年，海口市土地出让均价为 153.13 万元/亩，与海口邻近的澄迈县为 32.33 万元/亩，海口市是澄迈县的近 5 倍。统筹全岛资源利用、提高资源配置

---

* 迟福林在全国政协十二届五次会议上提交的提案，2017 年 3 月。

效率，客观上要求全岛按照"一个大城市"的思路统一规划设计，打破行政分割和行政壁垒。

二 海南有条件按照"全岛一个大城市"的思路深化"多规合一"改革

（1）海南作为一个独立的地理单元，人口少，面积小，宜于把全岛作为一个整体，科学规划建设。

（2）海南交通、公共服务等基础设施明显改善，有利于全岛统一规划资源利用、产业发展和空间布局。

（3）海南建省之初就实行了行政上的省直管县体制，相比全国其他地区，海南更有条件按照"一个大城市"的思路加快市县之间的融合发展。

三 重点推进"五个统一"

（1）建立全省统一的规划管理体制。按照"全岛一个大城市"的思路统一规划，集中统一行使规划管理权，健全规划协调机制，加强全省总体规划与市县规划、土地利用规划、产业规划等规划的衔接。

（2）统一土地资源开发利用。强化省级政府对土地的统筹利用，严格执行土地统一收购储备、统一开发管理、统一公开供应、统一规划岸线资源，严格土地审批，限制最低地价，提高平均地价。

（3）统一基础设施建设。重点推进全岛交通一体化，实现各类交通工具换乘无缝对接；推进全省范围内的电信网、广播电视网、互联网"三网融合"工程，实现全岛通信网络一体化；推进全省城乡、区域电、水、气建设一体化。

（4）统一环境保护体制。建立省级统一的环保体制；建立环保"大部门制"，整合分散在各职能部门的环保行政权，统一集中到环保行政主管部门。

（5）统一社会政策。"十三五"末，基本建立全省统一的基本公共服务制度；做好省内、省际社会保障制度的衔接。

四 以建设"大海口""大三亚"为突破口

建议以"五个统一"为重点，加快推进"大海口""大三亚"的行政体制创新，以实现"全岛一个大城市"建设的重大突破。

（1）建设"大海口"。发挥海口省会中心城市经济相对发达的优势，争取用3—5年的时间，在推进海口、文昌、定安、澄迈"两市两县"行政一体化方面率先突破。

（2）建设"大三亚"。发挥三亚国际旅游城市的优势，在与三亚相近的陵水、乐东、保亭三个市县率先实现"五个统一"，并在此基础上，建立行政统一的"大三亚"。

五 推进城乡管理社区化

（1）对乡镇发展统筹规划，乡镇融入市辖区管辖范围。

（2）实现农村居民管理社区化，逐步将村委会改为社区居委会，作为依法成立的自治组织，推动居民参与社区管理，维护社区治安稳定。

（3）建立社区决策、执行、议事等组织，形成城乡社区一体化管理的新格局。

六 支持海南开展行政区划体制综合改革

（1）支持海南推进行政区划体制改革。整合城乡、区域资源配置，提升全岛土地、旅游等重要资源的综合利用效益。

（2）支持海南城乡一体化体制机制创新。重点在全面实行居住证制度、建立城乡统一的基本公共服务制度、建立城乡统一的建设用地市场、落实农民土地财产权等方面给予支持。

第四篇
提出泛南海经济合作圈的战略构想

2013年4月,习近平总书记视察海南时明确要求,"把海南建设好,把祖国的南大门守卫好,政治责任重大,是光荣的使命"。海南授权管辖200万平方公里的南海海域。南海问题一直是中改院的重点研究课题之一。

2000—2012年,聚焦南海资源开发,中改院先后形成《加快海南油气综合开发利用建议》《南海开发计划与海南战略基地建设——对我国"十一五"规划的建议(18条建议)》《建设南海综合开发战略基地——海南省海洋经济发展战略研究》等研究建议报告,提出了"把海南建成南海综合开发战略基地"的主要观点。

2014—2015年,在"一带一路"倡议背景下,中改院研究形成《建设21世纪海上丝绸之路的"南海基地"——海南的地位、目标和任务》,提出把海南建设成为21世纪海上丝绸之路的"南海基地""南海服务合作基地"等建议。

2016年7月,在我国经略南海的战略性、紧迫性明显增强的背景下,中改院研究形成《抓住机遇加快构建"泛南海经济合作圈"——建设21世纪海上丝绸之路的海南国际旅游岛》,正式提出了"泛南海经济合作圈"的战略构想,并相继形成了《服务"一带一路"构建泛南海旅游经济合作圈研究》《加快建设邮轮母港——海南邮轮旅游发展的突出矛盾与行动建议》等研究报告。

2018年后,随着南海局面逐步缓和,推进泛南海经济合作进程是大势所趋。为此,中改院在多个场合呼吁共建泛南海海洋命运共同体,并得到了马来西亚、菲律宾等国的高度认同。

建设南海综合开发战略基地

加快海南油气综合开发利用的建议(22条)[*]

(2001年8月)

海南油气资源十分丰富,海南岛近海天然气储量位居全国第二,是我国海洋天然气产量增长的主要地区。加快海南油气综合开发利用,发展油气产业是海南省实现经济结构战略性调整的重要环节。同时,对于缓解我国能源开发建设中的矛盾,调整能源结构,实现能源优质化有着十分重要的作用。从建设海洋强国的战略目标出发,在实施我国"十五"计划之际,以海南油气的综合开发利用为切入口,把海南岛建成我国天然气综合开发基地,带动海南特区经济的持续快速增长,为我国加快挺进南海,实施南海油气资源开发战略做出贡献。

一 南海油气资源的开发利用是国家海洋发展战略的重中之重

1. 南海油气资源勘探、开发与利用是我国开发海洋,建设海洋强国的重点

随着陆地资源的日趋枯竭和人类海洋开发能力的日益提高,海洋已日益成为世界各国的重点开发领域,各国围绕海洋权益的矛盾

---

[*] 节选自中改院课题组《海南岛天然气基地建设暨南海资源开发战略研究》,2001年8月。

与斗争也越来越突出。21世纪必将成为海洋的世纪，从战略的高度审视海洋，迫切要求我们将"建设海洋强国"列为国家发展战略，并做出相应的战略性部署。南海的油气资源优势和特殊地理优势，使南海油气资源勘探、开发与利用成为我国开发海洋，建设海洋强国的重中之重。

中国管辖300万平方公里的海域，是陆地国土的三分之一，其中南海海域拥有200万平方公里，占我国管辖海域的三分之二。南海蕴藏有巨大的海洋资源，其中油气资源尤其丰富，油气资源潜量高达707亿吨，其中天然气潜量为58万亿立方米，石油为20亿吨，与波斯湾、墨西哥湾、北海齐名为世界四大海洋油气区；南海海底矿产资源丰富，锰结核、钴结壳等储量大；南海生物资源多样性指数高，渔业生物物种占全国的67%—80%，渔场面积占全国的65%；南海蕴藏有巨量清洁的可再生潮汐能、波浪能、海流能、温差能和盐差能等海洋能；最近南海发现有大量的可替代煤和石油天然气的新能源——天然气水合物。

南海扼太平洋和印度洋之要冲，是东亚、东北亚通往西亚、南亚、欧洲和非洲等海上交通的必经之地。近年来，每年通过南海的船舶有8万艘以上；每年有6000亿美元的货物要通过这里，其运输量占世界总量的1/3；我国每年出口贸易额约3/4要在这里通过。21世纪要保持我国可持续发展的战略态势，南海的战略地位与资源开发将日显重要。

党中央、国务院十分重视海洋强国的建设，已将海洋资源的可持续开发与保护列为《中国21世纪议程——中国21世纪人口、环境与发展白皮书》的重要内容，八届全国人大四次会议批准通过的《中华人民共和国国民经济和社会发展"九五"计划和2010年远景目标纲要》已将"加强海洋资源调查，开发海洋产业，保护海洋环境"确立为国民经济全面发展的重要内容。江泽民同志为建设海洋多次发出指示："加强人民海军建设，保卫祖国海洋主权""开发海洋""开发蓝色国土""振兴海洋、繁荣经济"。中央的重视大大推进了我国海洋强国的建设进程。

从战略高度策划，南海应成为我国建设海洋强国的重点。南海油气资源的勘探、开发与利用将成为我国建设海洋强国和21世纪治国兴邦的重大举措。

2. 南海油气资源勘探、开发与利用对我国能源开发战略和可持续发展战略有重要促进作用

由于我国能源结构不合理，能源优化水平低，在未来能源发展建设过程中，面临两个突出矛盾：一是天然气的产需矛盾十分尖锐；二是石油需求的快速增长与后备资源不足的矛盾十分尖锐。

目前世界一次能源结构中，石油占40%、煤炭占27%、天然气占23%、水电与核电占10%。而中国的一次能源结构中，石油占11.64%、煤炭占78.31%、天然气占2.1%、水电与核电占1.95%。根据预测，世界煤炭可采年限230年，中国为90年；世界石油可采年限48年，中国为22年；世界天然气可采年限68年，我国为95年。由于天然气为清洁燃料，具有多方面的优势，在未来发展中，世界一次能源消费结构，天然气的比重将扩大，煤和石油的比重将减少。

我国天然气的勘探、开发与利用还比较落后。我国天然气资源占世界总资源的2%，居世界第10位，但已探明可采储量仅约占世界的0.9%，居世界第20位；1999年世界天然气产量总计2.4万亿立方米，我国仅为228.8亿立方米，居世界第19位，约占世界总产量的1%。

我国石油需求的快速增长与后备资源不足的矛盾也非常尖锐，"十五"期间及以后一个时期内，我国石油产量最多只能保持目前的1.6亿吨或有微小增长，2010年时石油需求中对进口的依赖程度

可能超过50%，新增的石油需求几乎将全部依赖进口。至2020年前后，我国石油进口量很有可能要超过日本，突破3亿吨，成为世界第一大石油进口国。

随着我国石油消费缺口的日益扩大及国际石油市场频频爆发的石油危机，根据经济可持续发展的要求，在未来能源开发战略中，天然气在我国能源结构调整及能源优化过程中的作用日显重要。我国政府制定了天然气行业发展的目标，2010年天然气在能源消费结构中所占的比重将由现在的2%提高到6%，据预测，2010年我国天然气产量为600亿立方米，而需求量将达1000亿立方米，产需缺口为40%，产需矛盾十分突出。

海南油气资源十分丰富，海南省管辖海域油气资源潜量约200亿吨，近年已探明的可采天然气总储量约为4万亿立方米，石油20亿吨，海南岛近海天然气资源储量位居全国第二，仅次于新疆，居全国各大海域之首，是我国海洋天然气产量增长的主要地区。中国海洋石油总公司制定的海洋油气工业发展规划中指出：今后15年海洋天然气增储上产的主要区域是琼东南盆地、莺歌海盆地、东海西湖凹陷，并规划2010年在海南岛近海建成探明储量1万亿立方米以上的南海大气区。因此，加快南海油气资源勘探、开发和利用，对于缓解我国能源开发建设中的矛盾，调整能源结构，实现能源优质化有十分重要的作用。

3. 南海油气资源勘探、开发和利用将带动海南经济的快速发展，使海南岛成为我国挺进南海的重要基地

把海南岛建成我国实施南海开发战略的基地，是海南经济特区发展的重要目标之一。早在1984年邓小平同志就提出"要开发海南岛，如果能把海南岛的经济迅速发展起来，那就是很大的胜利"，他多次提出："海南天然气很有希望"，"我们决定开发海南岛，利用天然气还可带动其他行业"，"海南岛好好发展起来，是很了不起

的"。1988 年 4 月，七届全国人大一次会议批准海南建省和海南岛为经济特区，并明确南海海域归海南省管辖，从而突出了海南在我国南海开发和海洋强国建设战略中的地位。江泽民同志非常重视海洋建设和海南的建设发展，曾挥笔题词："建设海南，卫我海空。"2000 年 3 月 12 日江泽民同志参加九届全国人大三次会议海南代表团的讨论，听取了关于开发海洋的汇报，当天就亲自对有关部委领导部署南海开发事宜。江泽民同志说："海南是我国最大的经济特区，把海南发展起来，是邓小平同志的遗愿。"要"把海南建设成为经济繁荣、人民富裕、社会文明、环境优美的经济特区"。

海南岛要成为我国挺进南海的重要基地，并真正发挥其作用，就必须加快发展成为海洋强省。以海南近海油气资源开发利用为重点的海洋产业的发展，是海南经济特区实现经济结构战略性调整的重要环节，是海南经济特区实现持续快速发展，建设经济强省和海洋强省的希望所在，是海南人民实现邓小平同志和中央建立海南经济特区战略思想和战略目标的关键所在。据初步测算，如果实现气电北送广东 100 亿度，至 2010 年，海南发电量将比 2000 年增加 4.5 倍，电力工业上交的利税将从 2000 年的 4 亿元增加至 18 亿元，电力工业将成为海南工业的支柱产业之一。如果未来 5—10 年，年产 45 万吨合成氨、80 万吨尿素的化肥厂，跨海输电电缆工程，50 万吨甲醇厂，600 万吨炼油厂和东方 1—1 气田投产及海南岛内输气管道工程，乐东 22—1、乐东 15—1 气田的投产，天然气发电厂的建设和石油储备，中转项目 9 个大项目相继投产，总投资可达约 500 亿元人民币，约占海南省未来 10 年固定资产投资的 20% 以上，这必将有力地拉动海南"十五"时期 GDP 的快速增长，海南特区将向经济强省、海洋强省迈出关键的一步。

南海丰富的资源，使世人垂涎三尺，开发南海时不我待。南海周边各国正利用南海地区形势相对缓和的时机，加紧扩大与国际上的合作开发。海洋油气资源属不可再生性资源，这势必进一步加大了对我国南海海洋权益的侵害。因此，加快南海油气资源的勘探、开发和利用，已越来越具有重要的战略意义。

二 把海南岛建成我国南部天然气综合开发基地

4. 海南油气开发利用已有一定发展，为建设天然气综合开发基地奠定了基础

海南是中国海洋油气资源，特别是海洋天然气资源的重点开发区域之一。1996年1月崖13—1气田开始正式供气，年产天然气34亿立方米，凝析油27万吨。海南富岛化学有限公司是海南目前经济效益最好的企业之一。位于三亚的南山电力股份有限公司也是我国最早以使用天然气为燃料的电力企业。特别是2001年1月13日，中国海洋石油化学有限公司在海南又与海南省有关部门、中国银行及其海南省分行，分别签订了海洋石油化肥、天然气开发、输气管道建设、洋浦电厂改造4个项目的合作协议，总投资达100多亿元人民币，将把海南油气工业的建设推向一个新的台阶。

中国海洋石油总公司为了加快对海南天然气资源的开发步伐，根据"油气开发上、下游一体化"的发展思路，"十五"期间将与海南省合作，计划投资50多亿元人民币开发建成东方1—1气田，主要用于海南石油化学工业基地、天然气发电厂和海口市民生活用气。其次，在开发东方1—1气田的同时，还将投资5.4亿元人民币，建设一条从东方，经洋浦，到海口全长254千米的天然气输气管道，以保证天然气的正常运输。海南天然气大化肥项目由中国海洋石油总公司负责筹资，是目前国内生产规模最大的化肥项目，日产合成氨1500吨，配套生产2700吨大颗粒尿素。2000年6月15日，海南化肥项目正式启动。并同时启动东方1—1气田的开发，计划于2003年9月15日正式供气。

5. 按天然气化工，天然气发电，石油储备、中转与加工三个方向，构建海南天然气综合开发基地的基本框架

根据挺进南海的要求和对海南油气资源开发利用的预测，海南岛天然气综合开发基地应由三个重要部分组成：一是以海南省东方市为基点的我国南部化肥生产基地；二是以单管输气管口为基点建设200万—300万千瓦的天然气发电基地；三是以洋浦经济开发区为基点建成石油储备、中转、加工与出口基地。

三　加快海南岛天然气综合开发基地的建设步伐

6. 把海南建成我国南部天然气综合开发基地

曾经列入我国"九五"计划，后因多种原因未能实现。现在各方面条件已初步具备，特别是天然气的开发利用，外有市场，内有基础，海南油气资源又具有储量丰富的优势，地理位置上与华南地区和港澳地区距离较近的优势，以及海南作为经济特区所具有的经济环境上的优势，完全有条件、有可能成为我国南部天然气综合开发基地。因此，建议中央把建设海南岛天然气综合开发基地列入国家"十五"计划和15年发展规划，并采取实际步骤加以启动。

7. 根据天然气开发利用的国内外趋势，鉴于海南经济特区的地位作用和未来的发展目标，建议对海南岛近海天然气的开发与利用实行立足海南、服务华南的基本方针

海南岛开采的天然气，应以留琼利用为主，发展相关产业，拓展产业关联度，"带动其他行业"，"把海南岛的经济迅速发展起来"，剩余部分可以通过管道输往大陆、珠江三角洲地区。近期已开采和可开采的崖13—1、东方1—1、乐东22—1、乐东15—1四个天然气规划年产气共计78.5亿立方米，除已向香港送气29亿立方米外，余下约50亿立方米全部留在海南加工利用。

8. 建议国家支持5个重要项目的立项和建设

继东方1—1气田开采投产后，如果乐东22—1、乐东15—1也

相继投产，未来 10 年供海南加工利用的天然气约 50 亿立方米，可以供给已建和在建的两个化肥厂（用气约 10 亿立方米），150 万—200 万千瓦的天然气发电（用气约 30 亿立方米），年产 50 万吨的甲醇装置（用气约 6.8 亿立方米），未来 10 年上述这些项目建成投产将标志着海南天然气综合开发基地初具规模。

为此，国家有关方面应大力支持以下 5 个项目的立项和建设：(1) 建设琼州海峡海底输电电缆工程，尽快实现海南电网与华南电网联网。(2) 天然气发电工程，把"气电北送"纳入国家向广东送电 1000 万千瓦的计划。(3) 年产 50 万吨天然气甲醇厂。(4) 乐东 22—1、乐东 15—1 气田开采。(5) 采取措施，转换业主，使立项经 8 年之久的 600 万吨炼油厂项目重新启动。这些项目的建设将有力地拉动海南未来 5—10 年经济的快速增长。

四　洋浦经济开发区应成为南海油气产业集中发展的新兴地区

9. 洋浦未来的发展定位——以油气产业为主的新兴工业区

(1) 重申肯定中央设立洋浦经济开发区的战略设想。自 1992 年 3 月中央批准设立洋浦经济开发区已将近 10 年，至今洋浦的发展不尽如人意。在新的发展时期，再次明确洋浦未来发展的定位是至关重要的问题。

《国务院关于海南省吸收外商投资开发洋浦地区的批复》（国函〔1992〕22 号）中明确提出："洋浦经济开发区应建设成为以技术先进工业为主导，第三产业相应发展的外向型工业区。"1992 年朱镕基同志在听取省政府关于洋浦开发区工作汇报时指出："搞好洋浦开发，是贯彻邓小平同志南方谈话的具体行动，要以洋浦开发带动海南特区改革开放事业的发展……海南工作的重点就是要搞好洋浦这块地方，洋浦是重中之重。"1996 年初，江泽民同志和李鹏同志再次强调，以工业项目带动洋浦发展，以洋浦开发带动海南经济。海南省政府在第一届人民代表大会上所做的工作报告中明确指出:"以洋浦为中心的西北经济区,主要利用天然气发展石油化工行业","根据全省经济发展战略部署,我们将首先集中力量搞好洋浦开发区的建设"。

进入21世纪前夕,中央及海南省领导同志对洋浦经济开发区建设的重要设想又得到进一步肯定,省委省政府重申:洋浦在海南改革开放和经济建设重中之重的地位不变;赋予洋浦的各项优惠政策不变;加快推进洋浦开发建设带动全省经济建设和各项事业发展的决心不变。2000年国家计委主任曾培炎同志受朱镕基总理委托考察洋浦时又指出:"洋浦应该发展有区位、资源、地理优势的项目,要以天然气为主,要围绕天然气往下游发展。"

因此,对洋浦经济开发区在新世纪的发展方向,必须从全局出发,明确重申:洋浦是以油气产业发展为主的海南新兴工业区,是享有保税区政策和功能的外向型工业开发区,是海南经济建设全局中重中之重的经济开发区。

(2)洋浦经济开发区已具备油气产业发展的基础条件。中央设立洋浦经济开发区,赋予开发区实行保税区的各项优惠政策。海南省人大制定了《海南省洋浦经济开发区条例》,以法律的形式确认开发区实行比保税区更加开放的政策,在资金、货物、人员出入等方面采取更加灵活的措施。这就为洋浦开发区在对外开放、开展国际合作等方面提供了重要的政策环境和法律保障。

洋浦经济开发区建立以来,已投入50多亿元进行前期基础设施建设。目前已建成31.5万千瓦的电厂,高速公路已与环岛高速公路接通,港口、通信、仓库、生活等基础设施已初具规模,为洋浦开发区的进一步发展奠定了良好的基础。

洋浦位于海南岛西部,有十分优良的港口条件,洋浦湾可提供建港的岸线有6.6公里,可建成20个万吨级泊位,港口年吞吐量可达2800万吨,2万吨级船舶可不受潮汐影响自由进出,洋浦距阿拉伯湾富油区较近，海上交通方便，对共享世界石油资源，为国家进口石油储备中转，具有相对优势。

10. 洋浦经济开发区发展油气产业项目选择构想

（1）项目选择构想的基本思路。1997年2月国家计委召开了主任办公会议，专题听取了海南省关于洋浦工业发展规模的汇报，时任国家计委主任的陈锦华同志深情地强调，搞好洋浦开发区是继承邓小平同志的遗志。他提出要两手抓，一手抓已定的项目，一手抓规划。根据这次会议精神，1997年4月，洋浦土地开发有限公司与洋浦管理局联合委托中国国际工程咨询公司制定了《洋浦开发区工业发展规划》，这个规划由于种种原因未能实施，但其中基本思路至今仍有重要参考价值。

洋浦经济开发区的油气产业项目选择，应体现以下基本思路。

一是以市场为导向，以洋浦经济开发区在资源、区位、政策等方面的优势为基础，面向国内、国外两个市场，选择以天然气为原料的原材料产业具有进一步深加工的特点，有利于开发区加快基础产业的构建，增强发展后劲，为进一步扩展、延伸下游加工业创造条件。

二是鉴于海南岛虽具有沟通、联系东南亚一些具有活力的国家与地区的有利区位，但又远离中国内地，因此，要扬长避短，选准市场目标，能够利用资源优势，尽快起步，应把华南、西南广大地区和东南亚地区作为首选市场目标。

三是在发展主导产业的同时，要促进和带动轻工、电子加工业、新兴材料、生物技术等高科技产业的发展，并相应发展第三产业，逐步实现产业结构合理化和产业升级，形成良好循环的发展态势。

四是与东方市新兴工业区合理分工，统筹安排，各有特色，共同带动海南新兴工业的快速发展，使之成为海南新兴工业的两个主要基地。

（2）带动洋浦油气产业发展的主要项目。

根据以上思路，和海南已有的布局和市场变化情况，可选择3—5个大型项目，以带动洋浦经济开发区未来5—10年的发展，以使洋浦在新的世纪真正进入新的发展时期，开辟洋浦经济发展的新局面。

——把天然气发电建设重点放在洋浦，在现有电厂基础上，建成150万千瓦的天然气发电基地。

——从国家石油安全战略考虑，充分发挥洋浦的区位优势和港口优势，把洋浦作为我国南方石油储备基地，建设500万立方米的石油储备与中转项目，这个项目由两部分构成：一是与600万—800万吨炼油厂项目相配套的250万立方米的商业性石油储备库；另一部分是国家确保石油安全而设立的250万立方米的石油储备库，将储备、加工、中转相结合，把洋浦建成面向本省和大西南的石油中转站基地。

——600万吨炼油项目于1993年经国家计委批准立项在海南临高兴建，至今未能搞成。此项目是发展海南油气综合加工产业的"龙头"项目，应设法加以处置，尽快上马。建议国家计委收回本项目立项，更换业主，并把此项目放在洋浦，不给新业主背上包袱，以便尽快启动，并为与炼油紧密相关的芳烃、乙烯等加工项目提供发展基础，把600万吨炼油项目放在洋浦与500万立方米石油储备中转项目相配置，洋浦作为以油气产业发展为主导的海南新兴工业区将初现规模。

——60万吨甲醇放在洋浦，将有利于洋浦发展天然气化工，此项目发展的有利条件是，建滔化工集团初步决定在洋浦建设60万吨甲醇项目（该集团系内自用甲醇量30多万吨），同时发展年产10万吨醋酸，总投资超过3亿美元，占地面积660亩，年用气8

亿立方米，用电约 0.5 万千瓦，用水 2.4 万吨/天，建设期两年，资金已落实。建议中央有关部门、海南省政府和中海油公司、建滔化工集团进行协调，抓紧解决项目建设的相关问题，尽快把该项目落户洋浦。

（3）洋浦其他工业产业发展的选择。在集中发展油气产业同时，洋浦应利用国家赋予的优惠政策和拥有的良港优势，以市场为导向，根据实际进区项目情况，发展以加工小麦 50 万吨的海发面粉厂和金岛精米加工厂为基础的粮油与食品加工业，以新大岛镶木地板厂为基础的木材加工及家具制造业，以洋浦光纤光缆项目为基础的电子及信息设施材料制造业，以生物医药和保健产品为基础的生物制药业，以金海浆纸厂为基础的纸浆及造纸业，以浮法玻璃和仿花岗岩墙地砖为基础的新型建材业，利用国际贸易自由化优惠政策发展各种出口加工业，以扩大就业面，增加居民收入，发展有特色的劳动密集型行业。

11. 重新构建洋浦的开发主体，带动洋浦新发展

总结洋浦开发区发展的经验，其中一个重要问题是洋浦的开发主体必须具备两个基本条件：一是要有足够的资金确保前期的各项基本建设的投入，以形成良好的投资环境；二是要有项目建设能力，能以自身的大项目带动其他项目的进入，从而实现项目带动的发展策略。1998 年 12 月，由中国光大集团替代香港熊谷组成为洋浦的开发主体，洋浦的开发主体已由外方变成中方，两年半过去了，由于种种原因，光大集团未能起到开发主体的作用。建议中央对洋浦开发主体做适当调整。从南海油气资源开发利用的大局出发，鉴于洋浦经济开发区将发展成为南海油气产业集中发展的新兴地区，可考虑由中国海洋石油总公司作为洋浦的开发主体。

12. 重新修订洋浦发展规划，以新的项目布局带动洋浦新发展

海南油气工业发展，过去曾有过不同的规划设想，其中有的规

划设想没有给予洋浦开发区"重中之重"的地位。进入新世纪，面对新发展，必须坚决落实中央和海南省对洋浦开发区定位的一系列指示，把洋浦油气产业发展列入全省规划的重要组成部分，把一些重要的油气加工规划项目放在洋浦，真正体现洋浦在海南工业发展中"重中之重"的地位。

由于中国海洋石油总公司集油气勘探、生产和综合利用一体化经营，中国海洋石油总公司成为洋浦的开发主体后，按洋浦开发区的定位，并参考新加坡的经验，修订洋浦发展规划。考虑到600万吨炼油厂放在洋浦，同时建立一座500万立方米石油储备中转能力的装置，因此，需要将原来预留的70平方公里土地划归洋浦经济开发区，才能满足项目建设的条件要求，洋浦开发区应按100平方公里的范围做发展规划设计。

13. 实行进出口和进出区"两头放开"的海关监管体制，对洋浦开发区启动封关运作，为外来投资和加强管理创造条件

在实施有效的隔离监管后，全面实行中央赋予的保税区政策；对非开发区货物进入洋浦不视为出口；对非开发区原材料进入洋浦加工增值20%的产品视为洋浦产品；参照国际出口加工区的通用做法，对洋浦的工业产品内销国内适当放宽；境外人员进入洋浦，凭合法证件，免于签证，来去自由；国内人员进入洋浦，应办理入区手续。

14. 加强领导，不失时机地推进洋浦经济开发区的发展

中央建立洋浦经济开发区是我国实行对外开放的重大举措，曾在国内外引起极大的注目，把洋浦建设好是实现邓小平同志的遗愿，是中央对海南工作的期望，洋浦现状必须改变。目前，人们对洋浦未来的发展意见不一，缺乏信心，省委省政府关于洋浦"三个不变"，并没有在实际工作中落实。建议中央对洋浦未来发展的若干重要问题做出新的决策；建议省委省政府切实加强对洋浦开发区

的领导，汇集各方面力量关心洋浦，帮助洋浦，成立一个由权威人士组成的洋浦经济开发区发展咨询委员会（小组），就洋浦发展的重大问题，为中央和省提出决策参考意见。

五　按照行政管理权与开发经营权分开的原则，加快南海油气资源的开发利用

15. 中央明确授权以海南省为主行使南海油气资源开发利用的行政管理权

随着我国加入 WTO 和基础领域改革的不断深化，随着在海洋油气行业推进国际合作实施共同开发方式的不断发展，在对外合作中，如果国有公司继续扮演既是国外投资者的合作伙伴，也是竞争对手，同时又是政策制定的参与者的角色，这对进一步开展对外合作和实行油气开发利用主体企业化将带来诸多不便。经验证明，油气行业的行政管理应当与油气行业的经营管理分开。鉴于全国人大已明确规定海南省对南海海域享有管辖权，建议中央政府明确授权以海南省政府为主行使南海油气资源勘探、开发与利用的行政管理职能。这样做：一是有利于调动多方面积极性和多种力量加快推进南海资源的开发与利用；二是有利于在统一的政策和法律框架下实施有效的监管；三是有利于在复杂的区位较为主动地处理对外合作中的矛盾和问题；四是有利于维护国家主权。为此，建议中央赋予海南省下列自主权：

（1）我国对天然气行业实行的是生产、管输环节由中央政府制定政策并实施管理，而配气环节纳入地方公用服务事业，由地方政府制定政策并实施管理的体制。建议中央对海南省天然气行业试行从生产、管输、配气三大环节统一管理的体制，赋予海南省行使统一管理的自主权，使天然气行业上（生产）、中（管输）、下（配售）游三个密不可分环节的发展及监管在统一政策和法律框架的指导下实现有效监管。

（2）海南省充分运用中央赋予的行政管理权，自主地向国内外投资者实行产业开放，探索对外合作的各种方式。

（3）海南省可以通过民间方式，默许企业在南海一些有争议的海域，开展油气开采招标活动，强化企业行为，实质性地推进南海油气开发的国际合作。

16. 中国海洋石油总公司是南海油气开发与利用的重要力量，应充分发挥其作用

中国海洋石油总公司，在南海油气资源的勘探开发中已经发挥了重要的作用。海南要发展以天然气综合开发利用为重点的海洋产业，使之成为海洋强省和经济强省，加大引进中国海洋石油总公司的资金与技术，并通过它引进国外资金与技术，是海南实行油气产业开放战略的重要步骤。中国海洋石油总公司全面介入和加大投入海南油气行业的上游、中游、下游的开发与利用，促进油气行业的整体发展。建议转换海南600万吨炼油厂项目的业主，把这个长期未能上马的项目加以收回，再交给中国海洋石油总公司负责，使之迅速启动。

17. 对油气行业的企业，构建股份化公司体制，以适应对外开放和国际合作的要求

随着油气资源开发利用的大发展，应为非国有经济和国外投资者进入油气行业提供条件。在勘探生产环节、管输环节、售气环节中新发展的重大项目，应采取合资、合作等方式，组织新的股份制企业，打破垄断经营，实现投资多元化和股权多元化；打破政企合一，实行政企分开。企业建立规范化的公司法人治理结构，政府依法行使监管职能。

六 加快海南油气综合开发利用的几点建议

18. 建议成立南海油气资源开发协调小组

开发南海油气资源，是国家的重要战略举措。由于南海所处的

重要地位和特殊区位，开发南海油气资源会涉及经济、政治、军事、外交等多方面问题，中央有关南海开发的重大决策与政策的贯彻执行，各种矛盾问题的处理，各方面力量的配合与发挥，均需要进行协调，以便积极而又稳妥地推进南海油气资源的开发进程。为此，建议中央成立南海油气资源开发协调小组，并可考虑把协调小组办公室设在海南省，由海南省政府负责同志兼任办公室主任。这样做，一是有利于加强中央对南海油气资源开发工作的领导，二是有利于海南省有效地履行中央赋予的南海油气资源开发利用的行政管理权。

19. 尽快讨论、修订和通过《海南省石油天然气加工利用规划》

海南省政府于1997年9月曾委托中国国际咨询公司，研究编制《海南省石油天然气加工利用规划》，这个规划就海南石油天然气加工利用规划的背景、依据、目标、思路、油气加工利用方案、备选项目及其经济社会效益与环境影响，以及实施过程中需要采取的政策逐一进行了论述。建议中央有关部门组织专家，对这个规划进行讨论并加以修改，在此基础上，通过《海南省石油天然气加工利用规划》。

20. 制定鼓励和促进天然气开发利用的政策

（1）减免油气勘探开发领域的税收，对相关的进口设备免关税。

（2）对油气的开采、输气管道工程、天然气化工、天然气发电、跨海输电电缆工程等全面对外开放。

（3）海南岛内的天然气管网建设和输配系统工程，打破国有独资模式，对非国有资本和外国投资者开放，可组建独立的、股权多元化的公司，作为建设和运营主体。

（4）对油气开发利用的重大项目，政府提供贴息贷款，有的列入国家重点建设工程给予资金上的支持。

（5）鼓励发展天然气发电，把环境成本计入天然气电厂的竞价上网电价。

21. 发挥特区优势，实施共同开发，推进产业开放和国际合作

吸引外资，引进国外实力雄厚、技术管理水平先进的大企业大公司，实施共同开发，是推进南海油气资源勘探、开发与利用的主要方式。应充分发挥海南经济特区改革开放试验区的作用，充分运用中央给予海南经济特区和洋浦经济开发区的政策优势，率先按照WTO的规则，实行相关的贸易投资自由化政策，全面推进共同开发。

对海上勘探与开采实行境内关外政策；积极引进欧美为重点的跨国公司共同开展海上油气勘探与开采；积极寻求与新加坡合作，引进新加坡的资金、技术和管理经验，共同建设洋浦油气储备、中转与综合加工基地，合资建设600万—1000万吨炼油厂；积极开展与台湾等方面的合作，共同开发利用南海油气资源和渔业资源，发展海洋产业。

22. 合理布局，采取有效措施，保护生态环境

（1）对油气开发利用项目，实施更为严格的环境保护强制标准，并加强监督，建设设备先进、自动化水平较高的监测机构。

（2）对防止污染和生态破坏的措施必须与主体工程同时设计、同时施工、同时投产。

（3）引进主体生产装置的同时，引进国外先进的"三废"治理设施。

（4）合理布局。天然气综合开发基地布设在海南岛内部，主要项目集中布设在东方市和洋浦开发区，污染危害较大的设施或装置布设在常年主导风向的下风侧，并远离居住区。

（5）要把环境污染和生态破坏解决在生产建设过程中，使生产建设和环境保护同步发展，做到经济效益、社会效益、环境效益的统一。

把海南建设成为南海综合开发战略基地的建议(62条)[*]

(2010年4月)

进入21世纪以来,南海作为重要能源基地和交通要道,不仅周边国家加大了对南海的争夺,区域外国家也在力图扩大在南海的影响,南海进入了全面开发的时代。海南的优势来自南海,把海南岛建成我国挺进南海的战略基地,既是保障我国经济安全的战略要求,也是维护我国南海蓝色领土主权的必然选择,更是进一步提升海南在我国经济社会发展全局中战略地位的重要途径。未来5—10年,海南应紧紧围绕国家发展战略,抓住海南国际旅游岛建设和中国—东盟自由贸易区成立的战略机遇,加快南海开发,把海南建成南海综合开发战略基地。

一 南海综合开发战略基地与海南的战略作用

(一)南海全面开发时代的到来

1. 21世纪是全面开发海洋的新时代

伴随着经济全球化和区域一体化的加快发展,伴随着人口膨

---

[*] 节选自中改院课题组《建设南海综合开发战略基地——海南省海洋经济发展战略研究》,2010年4月。

胀、陆域资源的枯竭和生态环境的恶化，综合利用和保护海洋资源，日益成为缓解人口、资源与环境压力的主要出路。

2. 南海周边国家和区域外大国加大了南海资源的开发和控制力度

缘于南海的丰富战略资源及其不可替代的战略通道地位，不仅越南、菲律宾、马来西亚、文莱等区域内国家加强了南海资源的开发力度，而且区域外大国也不断对南海施加影响，意在强化其在南海的战略利益。相比这些国家，我国南海开发进程严重滞后。

3. 中国—东盟自由贸易区的建立为南海共同开发提供了重要机遇

中国—东盟部分国家在南海问题上存在争端，但随着区域一体化进程的加快，尤其是在应对国际金融危机中，我国在发挥大国作用，承担大国责任，拉动东亚国家经济复苏中起到了重要作用。未来"10+1""10+3"区域合作将更加紧密，为"搁置争议、共同开发"的落实提供了重要机遇。

（二）南海综合开发在我国经济社会发展全局中的战略地位日益凸显

4. 加快南海开发是保证我国经济安全的战略要求

加快南海油气资源开发是解决我国能源出路的重点之一；南海是我国重要的海上通道，加快南海开发是保护我国海上航道大动脉，维护国家经济安全的最好方式；全球进入低碳经济时代，加快南海新能源开发既是发展低碳经济的战略需求，也为我国扩大与南海周边国际合作提供了重要契机；当前应对国际金融危机，应充分重视南海开发在扩内需、保增长中的重要作用。

5. 加快南海开发是维护国家蓝色领土主权的必然要求

南海周边国家在南海领域开采油气资源的步子快，而我国至今在南海无一口油井，这是一个与国力极不匹配的严峻现实。"搁置争议，共同开发"首先要自己加快参与开发进程。我们提出了共同开发的方针，但唯独自己不参与开发，这种现状必须尽快改变。

（三）海南在南海综合开发战略基地中的重要作用

6. 海南应成为我国挺进南海的战略基地

建省办特区 20 多年，海南经济实力明显提升，基础设施大大改善，加上海南拥有得天独厚的区位优势和丰富的自然资源，奠定了把海南岛建成我国南海综合开发战略基地的基础条件。

7. 建立南海综合开发战略基地有助于海南战略地位的提升

南海综合开发战略基地建设将大大提升海南在我国能源发展战略中的地位；建立南海综合开发战略基地有利于把海南建成面向东南亚的海上"桥头堡"；建立南海综合开发战略基地有助于推动两岸"联合开发"南海资源；建立南海综合开发战略基地是海南构建更具活力的体制机制的重要动力。

二　南海综合开发战略基地的发展目标

（一）确立海南为我国南海综合开发战略基地，将其上升为国家战略

未来 5—10 年，以保障国家经济安全和维护我国南海权益为主要目标，服务于我国新阶段经济结构调整、对外开放战略和区域布局的总体战略要求，围绕"南海资源开发利用""中国—东盟区域合作""南海主权维护"三大战略任务，以海南岛为中心，不断扩大海洋产业开放度，积极开展与南海周边国家和地区的多领域区域合作，增强海洋科技支撑和军事保障力量，把海南岛建成南海综合开发战略基地，进一步提升中国在南海区域的经济、政治战略地位，为最终公平合理地解决南海争端创造条件。到 2020 年，初步把海南建成南海综合开发战略基地。

8. 明显提升南海开发规模，保持海洋生态环境良好

南海海洋产业特别是能源产业发展迅速，结构优化，海洋环境

保护能力增强，海洋科技创新能力大幅提升，实现南海海洋经济可持续发展。

9. 明确发挥海南在中国与东盟海洋区域合作中的战略地位

海南与南海周边国家在海洋产业特别是能源资源领域、海洋科研、环境保护、海洋公益服务、军事等方面的合作不断加强，争取实现南海能源"共同开发"的实质性突破。南海海洋经济领域成为东亚对外开放的重要平台，使海南在国家对外开放战略和区域布局中的战略地位明显增强，成为我国面向南海周边国家对外开放的海上"桥头堡"。

10. 进一步提升南海权益维护能力

深化南海问题研究，为形成南海问题解决机制奠定理论基础；进一步扩大南海各类基础设施、公共服务建设投资，改善南海综合开发软环境，为南海开发提供综合保障。加强地方与军队协调合作，增强南海海军军事力量，为南海综合开发提供安全保障。

（二）到2020年，争取构建南海综合开发的"八大基地"

11. 建立南海油气勘探开发服务和加工基地

充分利用海南丰富的油气资源优势、区位优势以及海南作为经济特区所具有的体制上的优势，按照油气开发、油气中转与加工以及石油储备三个方向，构建南海油气综合开发与加工基地。争取国家给予开发南海油气资源的政策支持，以海洋油气资源为依托，有选择地承接发达国家和国内沿海地区的产业转移，上规模、高水平、高起点建设一批油气化工项目。积极拓展和延伸油气化工产业链，向高、深加工产业演化，促进海南油气化工产业结构优化升级。大力发展油气化工产业集群，形成以洋浦经济开发区为核心的西部工业走廊油气化工产业集中区域布局，大力发展油气化工产业循环经济，实现油气资源合理利用与环境保护协调发展。

12. 建立面向东南亚、背靠华南腹地的航运枢纽、物流中心和出口加工基地

实现与南海周边国家在海运和物流乃至国际贸易方面的深度联合，进一步扩大我国南海海上交通地位和影响，为维护我国南海交通要道提供保障。到2020年，形成布局合理、层次分明、功能完善、便捷高效、环境友好的现代化港口体系，成为立足华南、面向世界的重要海港群，沿海主要港口基本实现现代化，建成安全高效、保障有力的水路运输服务体系。

13. 建立世界一流的热带海岛滨海度假休闲旅游胜地

发展海南旅游业作为南海综合开发战略基地建设的重要组成部分，应从挺进南海，扩大开放的目标来规划海南旅游。以建设海南国际旅游岛为契机，充分利用海洋和滨海区位优势、政策优势，大力发展海洋旅游业，围绕南海旅游，加强与周边国家和地区的旅游合作。积极构建南海旅游合作圈，对南海区域内旅游资源进行优化组合，实现共赢。加快以西沙旅游为重点的海洋旅游业开放，把海南建设成世界一流的热带海岛海滨度假休闲旅游胜地。到2020年，把海南建设成为中国最大的海洋旅游中心，世界一流的海洋运动基地和海洋度假休闲旅游胜地。主要旅游产品达到国际水准，城市建设、公共服务设施、现代服务业等适应世界发展潮流，综合环境能满足中外游客的各种需求。

14. 建立现代渔业生产基地

根据资源和环境容量变化情况，转变渔业发展方式，实现四大转变：从以外延扩大再生产为主，向外延扩大再生产与内涵扩大再生产并举，逐步向以内涵扩大再生产为主转变；从以淡水养殖为主，向淡水养殖与海水养殖并举，逐步向以海水养殖为主转变；从以近海捕捞为主，向近海捕捞与外海、深海捕捞并举，逐步向外海、深海捕捞为主转变；从水产品由初级加工为主，向初级加工与

精深加工并举，逐步向水产品综合利用为主转变。到 2020 年，渔业经济的总量和比重大幅提高，产业结构进一步调整和优化，保持生态环境较好水平，保证海洋渔业的可持续发展。实现渔业现代化，形成包含渔业生产各环节（苗种、养殖、饲料、技术服务）、市场流通和加工等环节在内的完整的产业体系。扩大与南海周边地区的渔货贸易，逐步形成南部中国远洋捕捞的渔业补给和交易中心，成为全国渔业远洋捕捞、养殖加工、区域合作和渔业出口基地。

15. 建立南海新能源与可再生能源开发基地

适应低碳经济发展战略需求，开发南海丰富的新能源，包括海洋风能、波浪能、潮汐能、海洋生物能等。大力发展海洋新能源产业，加强新能源技术发展和产业示范，加强新能源体系化建设。争取 2020 年建成全国海洋新能源开发基地，在海洋新能源的研发和利用上实现规模化、产业化，在海南岛沿岸以及海岛，逐步建设海水利用产业基地，形成工业海水、生活海水、淡化海水三大产业集群。在海岛附近和合适领域，开发利用风能、潮汐能等各种海洋能源。

16. 建立南海生物产业研发、生产和出口基地

依靠南海丰富的海洋生物资源，根据海南海洋科技人才资源、专业知识结构和自然资源特征及相匹配的基础条件，发挥自身生物产业基础好、产业特色突出、创新能力强和科技资源相对集中的优势，充分开发利用海南的海洋生物资源，以研究开发高科技海洋药物为主攻方向，着力开发南海生物医药、农业、能源、环保产业，发展特色产业集群，切实有效地推动海南海洋制药规模产业及其相关产业的形成与发展，实现生物产业规模化、集聚化和国际化发展，努力将海南建设成为我国重要的海洋专业性生物产业研发、生产和出口基地。

17. 建立南海国家海洋科技开发支撑基地

海洋科技是海洋开发的重要支撑，完善海洋科技开发和推广体

系是推动海洋经济发展的重要措施。目前我国南海科技研究还十分落后，对南海物流、生物、化学和地质过程及其相互作用的基本认识还远远不足，对深远海的空间和资源探测，需要高深的海洋开发工程技术和大设备支持，这些科技支撑，需要国家设立各种大科学研究计划，组织国内外科研力量联合研究。因此，为南海综合开发提供足够科技保障，十分有必要建立南海国家海洋科技开发基地。

18. 建立南海问题研究基地

南海问题错综复杂，又极其敏感，既有区域内多国矛盾的交错；又有区域外多国的介入矛盾的交错，既有经济问题，又涉及政治问题、军事问题、法理问题。需要加强海洋国际法的研究，为推动南海开发和稳妥处理南海问题提供法理支持。

三　明确和落实海南建设南海综合开发战略基地的海域管辖权

（一）南海开发与西南中沙海域管辖权

19. 明确和落实"西南中沙海域管辖权"是维护我国南海权益的重要途径

我国维护南海权益面临的突出矛盾是领海外海域管辖权不明确，制度缺失，难以落实，造成南海权益频频遭受部分国家侵犯。提高我国南海执法水平和维护能力，首要的是明晰海南对"西南中沙海域管辖权"。

20. 明确和落实海南"西南中沙海域管辖权"可以构筑我国与东盟部分国家南海争端的外交缓冲墙，避免冲突升级

我国与东盟建立了战略伙伴关系，形成了政治上相互尊重，经济上相互促进的良好态势。随着中国—东盟自由贸易区的成立，双边经贸关系进入了新阶段。但南海主权之争始终是中国与东盟各国十分敏感的问题。建立南海综合开发战略基地，不免会产生各种争端。如果事事都由中央出面处理，未必会产生更好效果。如果能充分发挥海南对西南中沙海域的管辖权，通过一个地方政府加快南海

开发，并赋予海南在南海争端上的部分处置权，由我国一个省去处理与其他国家之间的矛盾，不仅可以在国家和国家之间构筑一道"缓冲墙"，避免事态的进一步升级，给中央留有更大的回旋余地，还可以极大地激发地方开发南海、保护南海的积极性。

21. 赋予海南明晰的"西南中沙海域管辖权"是实施南海开发战略的现实需求

赋予海南明晰的"西南中沙海域管辖权"是建立南海综合开发战略基地的基础；落实"西南中沙海域管辖权"，为南海综合开发战略基地建设提供制度保障；赋予海南明确的"西南中沙海域管辖权"符合相关法律精神。

22. 海南具备行使"西南中沙海域管辖权"的良好基础和实际经验

从自身条件看，海南行使"西南中沙海域管辖权"是历史的延续，也具备立法经验和经济基础，完全有能力把这个权力用好、管好。

(二) 服务于南海开发战略，明确和落实"西南中沙海域管辖权"

23. 允许海南在西南中沙海域设立市县级行政区，行使行政管辖权

根据开发需求，允许海南在西南中沙诸岛及海域设立市县级行政辖区，并配以相应行政机构和编制，加大行政管理力度。

24. 明确授予海南西南中沙海域管理开发相关立法权

根据当地情况，在国家相关法律框架内，授予海南一定权限的西中南沙诸岛管理和开发的立法权。例如，下放西南中沙海域渔业管理相关立法权；下放西南中沙海域使用管理的相关立法权；下放西南中沙海域海洋环境保护的相关立法权。

25. 明确授予海南西南中沙海域执法权

授予海南统一或协调西南中沙海域相关执法的管辖权；授予海

南部分西南中沙海域非军事涉外违法案件的司法权和执行权。

26. 明确海南油气资源开发和管理权

下放部分油气资源开发权力，比如授权海南自主开发中小型盆地构造的油气资源，并配套相应的投融资开放自主权，在一定范围内，引入国外和民间资本投入油气开发。落实海南西南中沙海域油气资源管理权，允许海南参与油气资源勘探开发和管理，并分配相应的开发权益。在油气资源等资源税分配上，实行陆地自然资源一致的分配原则。下放部分油气资源勘探权力，划定一定海域，允许海南采取多种方式自主勘查。

27. 明确海南渔业管理开发管理权

下放部分远洋捕捞审批权；下放西南中沙海域外国渔船和机构的管理和处置权；下放西南中沙海域渔业区域合作外交谈判权。

28. 明确授予海南在西南中沙海域海洋环境保护管辖权

从海洋法公约来看，领海外海域管辖权包括对专属经济区来自陆地的污染、来自海底活动的污染、来自"区域"内活动的污染、有关倾倒造成的污染以及来自船舶的污染拥有立法管辖权和执行管辖权。中国《环境保护法》第16条规定："地方各级人民政府，应当对本辖区的环境质量负责，采取措施改善环境质量。"因此，保护和改善海洋环境，对海洋环境保护实施监督管理也应是海南省的重要权利与责任，是海洋管辖权的重要内容。

29. 明确省政府与海军管辖权之间关系

原则上，军队除了保卫我国南海领土主权外，重要职能是为南海开发保驾护航，为南海综合开发战略基地建设提供军事支持。建议由省人大牵头，省政府有关部门领导及海洋专家、学者，组织一个专门的研究班子，研究贯彻落实全国人大授权海南省管辖西南中沙群岛及其海域的体制、机制及相关政策，明确省政府的管辖权，经海南省与海军相关单位协商后上报国务院、中央军委批准后执行，从而厘清省政府的管辖权与海军军事设施保护、管理的关系。

30. 下放部分外交处置权

从建立南海综合开发战略基地的目标出发，可以把南沙海域、渔业方面的争端的部分处置权下放给地方，由两国间的交涉变两国区域性的协商和合作，由海南省去从事一些不需中央出面的活动会更为主动、更为有效。

四 建立南海综合开发战略基地的政策需求

（一）争取将南海综合开发战略基地建设纳入相应的产业发展规划

31. *南海油气能源开发纳入国家能源发展规划*

对正在研究制定的国家规划，海南应结合南海开发需求，积极争取纳入相关规划；对已经出台的国家规划，海南应出台具体措施，加以落实。

32. *南海新能源开发纳入国家可再生能源发展规划*

把建立海南新能源开发基地列入《可再生能源发展"十二五"规划》和正在研究制定的《新能源产业振兴发展规划》。国际金融危机为推进能源结构调整提供了重要战略机遇，海南应积极争取将发展海洋可再生能源和新能源纳入国家相应能源规划，争取国家更多的技术和资金支持。

33. *南海旅游业发展纳入全国旅游发展规划*

热带海岛海洋旅游是对国内外高端游客最具吸引力的旅游产品，能够有力提升海南旅游产品的整体价值和形象，对于海南建设"国际旅游岛"具有特殊意义。建议国家赋予海南更加开放的海洋旅游政策，在推进实施主体功能区规划时，给予海南特区更为特殊的政策。

34. *南海航运枢纽、物流中心建设纳入全国交通运输发展规划*

按照 2008 年 4 月胡锦涛总书记考察洋浦时提出的"海南要以

洋浦经济开发区为龙头，努力打造面向东南亚的航运枢纽、物流中心和油气加工基地"的重要指示，建议将海南海洋交通运输发展纳入国家海洋运输和港航发展规划，支持海南重要港口建设，大力发展国际远洋运输，强化远洋船舶制造能力建设，夯实航运枢纽发展基础。

35. 加快研究制定《南海生物产业发展规划》

海南应抓住区域合作的大好时机，尽快制定《南海生物产业发展规划》，明确发展重点，积极推进南海生物产业技术国际合作。鼓励外国企业和个人来海南投资生产、设立研发机构和开展委托研究。鼓励和支持具有自主知识产权的生物企业"走出去"，开展产品的国际注册和营销，到境外设立研发机构和投资兴办企业。支持国内机构参与有关国际标准的制（修）订工作，开展生物产业认证认可国际交流。

36. 南海海洋科技发展纳入国家相关科技发展规划

近年来，中央先后出台了《国家中长期科学和技术发展规划纲要》《国家"十一五"海洋科学和技术发展规划纲要》《全国科技兴海规划纲要》用来指导海洋科技发展。南海深海油气资源开发、生物产业发展都需要国家科技支持。海南应积极争取中央相关部委对南海资源开发利用的科技支持，并把加快南海科技发展纳入国家的相关科技规划。

（二）大力推动南海海域联合执法

37. 分步推进南海海上联合执法

近期成立海洋执法联合指挥部。中长期成立南海海岸警备队。分两步走：第一步，合并南海执法的海事、海监、渔监三支队伍，组建南海海事执法局；第二步，在中国海事执法局的基础上，寻找适当时机，合并武警的边防巡逻队伍及海关的缉私警察队伍以及各地的海警队伍，实现我国一元化海洋综合行政执法体制的重新构建,成立"南海海岸警备队",以使之成为具有较强应变能力和一定的执法威慑力的准军事性质执法机构。建设南海综合开发战略基地,特别是构建有序、安全的开发环境,离不开海军力量。鉴于目前我国政府与军队制度安排差异,只能在统一的海上执法队伍与海军之间设立高层协调机制,协调沟通南海相应海域执法的职责范围、处理程序和信息共享等方面的事务。

38. 尽快制定海上综合执法相关法律

加强海上执法立法建设,包括海上执法队伍的地位、权限、职责范围、海上执法程序等方面的立法。建立健全相关海上执法程序,实行执法责任制和执法过错追究制,健全行政执法监督机制。

39. 尽快成立海上执法论证专家组,加大海上执法研究

尽快组织国内有关专家成立论证组,就统一海上执法队伍问题进行系统、深入的研究论证。在时机成熟时,在南海海域实施综合执法。

40. 大力加强海上执法能力建设

海洋行政执法能力建设包括巡航监视能力、监测能力、现场勘查能力,法律文书制作能力等,执法能力建设是提高海洋行政执法质量的基础。如果既有一支素质高、业务精的行政执法队伍,又有一套机动性强、仪器设备先进、能够满足执法需要的执法设备,就如同猛虎添翼,将会极大地提高目前的海洋行政执法水平。海洋执法的设施配备应是具有一定作战能力和较高航速的水面舰艇和巡逻侦察飞机。可装备护卫舰、猎潜艇、护卫艇、水翼快艇、气垫艇等,护卫舰上可搭载小型直升机,也可配备部分岸基巡逻机和直升机,配备必要的武器和先进的通信导航。

(三) 南海油气勘探开发服务和加工基地建设的重大政策需求

41. 落实海南海洋油气资源开发管理权

争取中央明确将南海油气开发权部分下放海南,允许海南"抢

先下海采油";争取中央在海南设立国家税务局海洋油气税收管理分局;争取中央赋予海南省对天然气行业行使统一管理的自主权。

42. 争取在洋浦建立国家战略石油储备和加工基地

在洋浦建立世界级海洋石油加工基地;适时规划国家石油战略储备基地,鼓励发展商业石油储备和成品油储备;加快推进洋浦液化天然气项目。

43. 实施油气开发与环境保护协调机制

合理规划油气及化工产业布局;实施严格环境保护强制标准;财税金融政策向环境友好型油气加工业倾斜;实施集约化、生态化油气工业园区建设。

(四) 世界一流的热带海岛滨海度假休闲旅游胜地建设的重大政策需求

44. 实行更加开放的海洋旅游政策,共建环南海旅游经济圈

大力促进环南海国家和地区的豪华邮轮旅游圈建设;积极建设中国一流游艇业基地;积极开展与越南的海上旅游合作;加大与新加坡的海洋旅游合作;积极利用"岛屿观光政策论坛",拓展与其他国际岛屿旅游地合作;鼓励海南与国内外旅游发达地区开展多领域合作。

45. 加快开发西沙旅游,有序开发其他无居民岛屿旅游

(1) 开发西沙旅游。建设西沙群岛旅游开发基地,将其作为南海前期开发的重要突破口。把开发西沙旅游纳入国际旅游岛建设的总体框架,采取多种更为灵活的开放政策,加快西沙旅游开发,在条件成熟的基础上,整合西沙旅游与本岛旅游。

(2) 加强无居民海岛旅游的开发和保护。争取国家允许将无人海岛旅游的开发和保护纳入海南国际旅游岛建设的整体规划,未来3—5年,借鉴"马尔代夫模式",制订"无人海岛开发计划"。探索在海南成立中国海岛开发总公司,在实行"保护为主,适度整岛

开发"的前提下,允许和鼓励经营南海海洋国土的无人岛,把无人海岛开发成生态旅游岛。

46. 实现旅游及相关服务业的高度开放

设立国际旅游岛产业发展基金;对海洋旅游业予以政策优惠;实行更加开放的投融资政策。

(五) 现代渔业生产基地建设的重大政策需求

47. 加大西中南沙渔场的开发力度

争取中央下放西、中沙渔场专项渔业捕捞许可权给海南;提高渔业远洋捕捞能力;建立海外渔业综合服务基地。

48. 兴建南海渔业综合发展基地

积极转变渔业发展模式,实现单一捕捞养殖生产向产业化转变;积极开拓新兴国际市场,特别是增加南海周边国家的水产交易;加大对渔民专业合作社扶持力度。

49. 逐步推动南海渔业区域合作

近期实现三个过渡,即由共同调查渔业资源起步,逐步向合作管理和共同养护过渡;由民间机构间的合作起步,逐步向政府间的合作过渡;由双边合作起步,逐步向多边或全区域的合作过渡。远期推动建立南海区域性渔业管理组织。

50. 发展环境友好型渔业

增殖和保护渔业资源;完善渔业生态环境安全监控体系,并逐步实现管辖海域的监控全覆盖。

(六) 南海新能源开发基地建设的重大政策需求

51. 争取在海南设立海洋可再生能源示范省区

争取中央支持,利用丰富的海洋可再生能源,在海南设立可再生能源示范省区。充分借鉴国内外发展可再生能源的成功经验,研究和制定海洋可再生能源的政策。在试点的基础上实现海洋可再生能源的规模化、产业化、商业化发展。争取到 2020 年左右,把海南建成生态岛、节能岛、可再生能源岛。

52. 积极争取中央对海洋可再生能源的项目支持

争取将海南可再生能源项目列入国家重点支持项目，争取中央部门更多的技术和资金扶持。

53. 积极完善海南海洋新能源发展配套政策及措施

重点解决海洋能发电项目立项、电力收购、企业盈利三大问题；加大对海洋新能源开发利用的财税政策支持；加大对海洋新能源利用的金融支持。

54. 鼓励海南率先实行强制性市场配额（MMS）政策

建立和完善可再生能源发展的市场机制，促进可再生能源的产业化发展。中央应鼓励在海南率先实行可再生能源强制性市场配额（MMS），以促使大型燃煤发电、大型化石燃料生产企业切实承担起支持可再生能源、参与可再生能源发展的社会责任和社会义务。

（七）南海生物产业研发、生产和出口基地建设的重大政策需求

55. 争取在海南设立国家海洋生物医药研究开发基地

抓住国家设立高新技术产业化、技术创新项目、技术创新基金和农业科技成果转化资金等政策机遇，积极争取中央财政专项资金对海南海洋生物产业的支持，争取在海南设立海洋生物医药国家级研究开发基地。对海洋医药重大高新技术项目，增加专项资金实行国内公开招标，落实列入国家高新技术、重大科技攻关项目的配套资金。

56. 实施生物产业生态化发展策略

在全省范围内优化药业产业结构和产业布局，扩大生态药业园区。在基础条件好、创业环境优良的区域，以海口药谷为基础，逐步建立若干个国家级生物产业基地，着力扩大生态药业园区，建立生态药业行业规则和技术标准，对入园药企进行绿色招商评价，强

制性推行清洁生产，在经济核算中开展绿色经济核算。

57. 积极推进南海生物产业国际合作

鼓励外国企业和个人来华投资生产、设立研发机构和开展委托研究。鼓励和支持具有自主知识产权的生物企业"走出去"，开展产品的国际注册和营销，到境外设立研发机构和投资兴办企业。支持国内机构参与有关国际标准的制（修）订工作，开展生物产业认证认可国际交流。

58. 完善海洋生物产业发展配套措施

设立海洋生物产业发展扶持基金；逐步建立海洋生物产业风险投资的市场运作机制；加快科技支撑体系建设，着力引进国内外优秀技术开发人力资源，重点整合和发展岛内生物技术开发科技力量，建立健全产学研一体化的科技创新体系。

（八）立足华南、面向东南亚的航运枢纽、物流中心和出口加工基地建设的重大政策需求

59. 大力发展航运业

加快海运运力结构调整步伐；放宽市场准入，吸引国内外投资进入海南港航业；鼓励国内外知名航运企业在海南港口开辟航线航班；在洋浦保税港区实施启运港退税政策。

60. 大力发展集约化、规模化的物流产业

积极发展第三方物流，营造现代物流园区；扶持培养重点物流企业发展；逐步将海南建设成为国际购物中心。

61. 着力加大海运基础设施建设

加快港口和航道及基础配套设施建设；建立健全多元化码头建设投资制度；切实降低海运基础设施建设成本。

62. 实行更加灵活开放的海运融资政策

增加海运业信贷支持；积极发展融资租赁业务；建立航运企业融资担保机构；实施更为灵活的航运保险政策。

建设 21 世纪海上丝绸之路"南海基地"

建设 21 世纪海上丝绸之路的"南海基地"的建议(13 条)*

(2014 年 10 月)

一 海上丝绸之路的"南海基地"——海南的地位

(一)"南海基地"的基本内涵

"南海基地"是服务海上丝绸之路倡议,融南海维权、航道维护、资源开发、生态保护、经贸合作、服务保障以及人文交流等内容于一体,兼具海陆战略枢纽、海洋产业集群、区域合作平台、对外开放交流窗口等多重职能属性的综合功能区,具有丰富的内涵和重要意义。

1."南海基地"的内涵和重要意义

"南海基地"是我国维护南海主权和海洋权益的"发展基地";"南海基地"应成为保障能源安全的"资源开发基地";"南海基地"应成为海南从陆地走向海洋,挺进南海的"综合服务基地";"南海基地"应成为我国与东盟国家共建 21 世纪海上丝绸之路的"交流合作基地"。

---

* 节选自中改院课题组《建设 21 世纪海上丝绸之路的"南海基地"——海南的地位、目标和任务》,2014 年 10 月。

2. "南海基地"与"桥头堡"

"南海基地"比"桥头堡"地位更重要，目标更高、任务更重；"南海基地"的本质是合作共赢，更容易被国际社会尤其是东盟国家所接受；"南海基地"突出了海南在"海上丝绸之路"上的比较优势和独特定位，更有利于海南形成岛屿—海洋经济体。

3. "南海基地"与"南海资源开发和服务基地"

"南海基地"比"南海资源开发和服务基地"目标更高；"南海基地"比"南海资源开发和服务基地"要求更高；"南海基地"比"南海资源开发和服务基地"任务更多。

(二) 海南建设"南海基地"的现实条件

1. 建立"南海基地"是国家赋予海南的历史责任

海南被赋予拥有"西南中沙海域管辖权"；三沙市成立的重要目的之一是更好地发挥海南在南海中的战略作用。

2. 海南具备成为海上丝绸之路"南海基地"的最佳区位优势

海南岛背靠华南，面向东南亚，是连接东北亚和东南亚的地理区域中心；未来克拉克运河的开通将进一步增强海南枢纽地位；岛屿特点有利于南海基地开发管理。

3. 海南具备建立"南海基地"政策优势

主要包括：国际旅游岛建设的政策优势；支持三沙市发展的政策优势；国家支持海南海洋产业发展的政策优势。

4. 海南建省办特区 26 年的快速发展为建设海上丝绸之路"南海基地"奠定了重要基础

海南基础设施的不断改善奠定了"南海基地"的基础条件；海南海洋产业的快速发展为建立"南海基地"奠定了产业基础。

(三) 海南建设"南海基地"的历史机遇

1. 海南战略地位的提升

三沙市的设立提升了海南在维护南海主权和海洋权益中的战略

地位；海南在国家公共外交中的区位影响不断扩大。

2. 面临的历史机遇

主要包括：建设海洋强国的历史机遇；中国—东盟自由贸易区升级版建设的历史机遇；我国发展方式转变的历史机遇。

二 建设海上丝绸之路"南海基地"的路径——海南的发展目标

（四）总体思路：岛屿—海洋经济体的绿色崛起之路

1. 实现从"岛屿经济体"向"岛屿—海洋经济体"转型升级

率先实现经济增长以岛屿经济为主导向以海洋经济为主导的转型升级；率先实现以岛屿产业为主向以现代海洋产业为主的经济结构转型升级；率先实现经济发展以陆地资源开发为主向以海洋资源开发为主的转型升级；率先实现从分散型海洋管理体制向"大部制"综合治理体制的转型升级。

2. 海陆统筹的绿色崛起

破解海南发展瓶颈，拓展发展空间的出路在于海陆统筹；海南实现绿色崛起的后发优势来自海陆统筹；以"南海基地"为平台，推动海南海陆一体化的全方位发展。

3. 全面走向南海的海南

海南全面走向南海的时机成熟；海南全面走向南海关键在于实现发展重心由陆地向海洋的战略转移；海南全面走向南海的发展空间极为广阔。

（五）"南海基地"建设目标

1. 建设一大枢纽

加快完善海陆空立体交通枢纽建设，构建面向东盟的国际大通道，形成大港口、大基地、大流通、大发展的海陆空立体互联互通格局，到2020年，将海南打造成为面向东南亚、背靠华南腹地的航运枢纽、物流中心、出口加工基地。

2. 打造两大基地

(1) 全面建设南海发展战略基地。服务于国家南海战略和未来发展需要，突出海南在南海发展战略中的重要地位，将海南本岛打造成南海战略基地；突出南海对海南发展的支撑作用，做好"海洋文章"，实现海南岛屿—海洋一体化发展和转型升级；突出海南在南海维权中的特殊作用，实现南海有效维权执法的常态化。

(2) 全面建设南海综合服务基地。依托海南岛"四方五港"的基础设施条件以及西沙群岛和南沙群岛的重点岛礁支撑，建设南海资源开发与利用、岛际互联互通、海洋防灾减灾、海上救援及生态保护等综合服务基地。

3. 发展三大产业中心

以南海地区旅游合作为抓手，构建南海丝绸之路旅游经济带；以南海油气资源开发为重点，建设南海能源开发、加工、物流和交易中心；以大力发展现代海洋渔业为目标，建设海南现代海洋渔业产业中心。

4. 构建四大战略支点

构建三沙前沿战略支点；构建临空自贸区战略支点；构建以洋浦为重点的油品加工出口和交易战略支点；构建以博鳌为中心、面向东盟的对外交流合作战略支点。

(六) 海南服务于"南海基地"建设的发展目标

1. 以"南海基地"建设实现南海维权常态化，推动南海综合治理规范化

海洋综合管控水平显著提高，海上执法队伍和装备建设取得突破性进展；海洋执法能力和体系建设基本完善，实现南海海域有效管控的常态化、正规化和机制化；实现南海综合治理的有力突破，推动实现海洋治理的规范化和法治化。

2. 明显提升南海开发规模，海洋经济规模实现翻两番

到 2015 年，海洋经济规模大幅提升，海洋生产总值达到 1150

亿元，占全省生产总值的 30%；到 2020 年，海洋经济规模实现翻两番，海洋生产总值达到 3388 亿元，占全省生产总值的 50% 左右；实现海洋经济转型升级，在全国省级行列率先建立岛屿—海洋主导型经济体。

3. 形成具有较强国际竞争力的现代海洋产业集聚区，夯实"南海基地"的产业基础

2015 年基本形成以高端技术、高端产品、高端产业为引领，强化港口、园区带动和联动效应的海洋产业布局，海洋产业结构进一步优化升级；到 2020 年，海陆之间资源互补、产业互动、布局互联的局面基本形成，海洋油气产业、海洋旅游、海洋运输、海洋渔业等优势特色海洋产业实力大幅提升，海洋生物、新能源和可再生能源等新兴产业加速发展。

4. 服务于"南海基地"海陆一体化的基础设施不断完善

大幅提升海上丝绸之路"南海基地"的支撑保障能力；基本完成海陆一体化基础设施和配套项目建设。

5. 科教兴海卓有成效，创新能力大幅释放

建立比较完善的海洋科技创新体系，建立具有较强自主创新能力和国际竞争力的现代海洋产业体系；海洋教育发展水平大幅提升，形成一支规模相当的创新型海洋人才队伍，将海南打造成为南海开发人才高地；科教兴海取得实质性突破，科技带动能力显著增强。充分发挥我国在科技方面领先于周边国家的优势，在南海海域开展广泛的国际科技合作活动，以科技合作带动南海共同开发。

6. 南海生态文明建设取得新突破

推进全省海洋生态文明建设取得阶段性成效，实现把海南岛沿岸及其海域打造成全国海洋生态文明建设示范区；海洋生态环境监管能力明显提升。海洋生态系统得到有效整治和修复，保护海洋生态环境的体制机制基本建立和健全。

三 推进"南海基地"建设进程——海南的重点任务

（七）建设面向东南亚、背靠华南腹地的航运枢纽

1. 加快完善海陆空立体交通枢纽建设，构建面向东南亚的国际大通道

规划和推进公路和铁路大型枢纽、场站、通道建设；积极参与合作，加快推进港口、航空、管道、通信、输电线路等基础设施互联互通。

2. 加强海南港口体系建设，推动建设中国—东盟港口群

加强与南海沿线国家和地区港口体系对接；依托区位、港口资源和保税港区的政策优势，优化港口结构和布局；推动国际客运和大宗货种专业化码头建设。

3. 完善海运支持保障系统，加强海上安全合作

加快港航管理信息化建设，加强水上交通安全监管；加快航道水上服务区建设，增强水运服务保障能力；推动便利化运输；拓展合作领域，注重海上安全合作机制和制度建设，共同打造南海海上交通安全保障体系。

4. 加快航运业发展，提高海运市场国际化水平

大力发展国际远洋运输，积极扶持培育国际海运业发展；加快海运企业转型升级。

（八）全面建设南海发展战略和综合服务两大基地

1. 推进南海发展战略基地建设

加强南海维权保障基地建设；加强南海战略部署和战场设施建设；加强南海维权执法能力建设；加强南海维权法规体系建设。

2. 推进南海综合服务基地建设

建设南海资源开发综合服务基地；建设南海防灾减灾和搜救综合服务基地；建设南海生态环保和科研综合服务基地。

（九）大力发展旅游、油气、渔业三大产业中心

1. 构建南海丝绸之路旅游经济带

加快发展海洋旅游业；建设三沙旅游开发基地；积极发展邮轮游艇产业。

2. 建设南海能源开发、加工、物流与交易中心

加大南海油气资源勘探开发力度；加快发展南海油气资源勘探开发服务业；建设一批规模效益大、现代化水平高的油气化工项目。

3. 建设海南现代海洋渔业产业中心

大力发展现代海洋渔业；严格控制近海捕捞强度；发展水产品精深加工；完善水产品质量安全防控体系。

（十）做实四大战略支点

1. 做大做强三沙前沿战略支点

扩大三沙南海维权队伍；建立渔业资源开发前沿支点；建设南海油气勘探开发、储备、加工战略支点；完善三沙服务保障基础设施建设。

2. 打造空港自贸区战略支点

争取中央支持，在三亚建立海上丝绸之路临空自贸区；加快推进美兰空港综合保税区建设进程。

3. 打造以洋浦为重点的能源贸易自由港区战略支点

规划洋浦港航道和内陆交通建设；做强洋浦陆地能源加工、储备基地和交易平台。

4. 打造博鳌公共外交和人文交流战略支点

依托博鳌亚洲论坛，扩大合作交流渠道；完善博鳌硬件设施。

四 推进海上丝绸之路"南海基地"的路线图、时间表——海南的行动路线

(十一)加强海上丝绸之路"南海基地"建设的规划和顶层设计

1. 争取将海上丝绸之路"南海基地"建设上升为国家战略

积极加强与中央有关部门的沟通与协商,按照"经略南海"的总原则,紧紧抓住未来5—10年能够在南海有所作为的关键时机,尽快争取将海上丝绸之路"南海基地"建设上升为国家战略,强化顶层支持与顶层推动。

2. 从国家战略出发制定海上丝绸之路"南海基地"建设规划

按照国家发改委牵头完成的有关规划和具体部署,组织力量编制海南建设海上丝绸之路"南海基地"中长期战略规划,主要包括:《海南参与21世纪海上丝绸之路建设总体方案规划》《南海资源开发和服务基地中长期战略规划》《海南海洋产业发展"十三五"规划》《三沙市国民经济和社会发展"十三五"规划》等。强化规划先导,以规划带立项。

3. 加强与沿海省区市的沟通与协调,分工协作推进"海上丝绸之路"建设

积极发挥海南的特殊区位优势和比较优势,加强与广东、广西、福建等沿海地区的协调与配合,服从和服务于国家的战略布局,更好地发挥市场作用,合理配置资源,形成与周边省区市合理分工、互利共赢的局面,共同推进"海上丝绸之路"建设。

4. 加强"南海基地"建设的组织和能力保障

在海南省设立建设海上丝绸之路"南海基地"领导小组。统筹协调南海开发开放工作,推动落实重大事项、重大政策和重大项目。同时,尽快建立"南海基地"建设专家咨询委员会,提高决策的民主化和科学化水平。

(十二）按照近、中和远期目标，确立"南海基地"建设时间表

1. 近期（2—3年）：加强以海上互联互通和海洋旅游为重点的双边和多边合作

2. 中期（3—5年）：在利益交集较大或利益冲突较小的领域开展区域合作

3. 远期（5—8年）：采取多种模式对南海油气、可再生能源、矿产资源进行共同开发

（十三）全面推进"南海基地"建设路线图

1. 发挥多种力量在"南海基地"建设中的作用

发挥各方积极性，着力形成军队、政府、企业、渔民、游客多种维护南海主权和海洋权益的合力机制。发挥两岸在维护南海主权和海洋权益中的合力；扶持特殊"央企"，发挥"南海基地"建设先行军的作用；鼓励民间资本参与"南海基地"建设和开发；充分发挥渔民作为维护南海主权第一线的作用。

2. 保障"南海基地"基础设施和重点项目建设

争取多方面资金支持，保障"南海基地"基础设施建设的财力需求；加快基础设施等重大项目建设，以大项目带动"南海基地"全面建设进程。

3. 加大对海上丝绸之路"南海基地"的宣传力度

通过建立南海问题高层次研讨平台，宣传我国南海问题的政策主张，营造南海共同开发的良好环境，促进南海区域合作。建议省政协召开关于"南海基地"的高端研讨会；搭建"南海基地"建设的宣传平台；利用海南学术机构举办高层次的学术论坛。时机成熟时，建立南海问题高峰论坛。

把海南建设成为海上丝绸之路"南海服务合作基地"的建议(6条)[*]

（2015年3月）

"一带一路"是我国新形势下形成全方位对外开放新格局的重大举措。破题海上丝绸之路建设，重在南海，难在南海，突破口亦在南海。海南地处南海前沿，是我国最大的经济特区和唯一热带岛屿省份，特殊的历史、区位、政策、交通、外交及人文优势，使海南在建设"21世纪海上丝绸之路"的进程中，具有不可替代的重要地位和作用。从实施南海综合开发进程、促进南海周边国家和地区多领域互联互通、打造中国—东盟自贸区升级版和"利益共同体"的现实需求出发，建议把海南建设成为海上丝绸之路的南海服务合作基地，助推海南为国家建设海上丝绸之路先行先试，争创海上丝绸之路沿线国家开放合作的"排头兵"和"试验田"。

建设海上丝绸之路的南海服务合作基地，不仅是新形势下海南承担国家赋予的新战略、新使命，也是进一步提升海南在我国经济社会发展全局中的战略地位，促进海南发展转型升级，推进海南国际旅游岛"升级版"建设的重要抓手。综合区位优势、政策优势和

---

[*] 迟福林在全国政协十二届三次会议上提交的提案，2015年3月。

产业发展基础等多方面来看，海南在这方面具有得天独厚的条件和基础。为此，建议国家给予海南多方面支持，推进海上丝绸之路建设取得实质性突破。

一 支持海南建设海上丝绸之路的南海服务合作基地

建议把海上丝绸之路的南海服务合作基地建设上升为国家战略，将海南纳入国家"一带一路"建设总体规划和部署中，在国家总体规划引领下形成推进海上丝绸之路建设的合力。

二 明确授予和落实海南"西南中沙海域管辖权"

作为全国唯一被授予拥有海域管辖权的省份，为使海南更好地发挥和体现地方政府在南海维权、南海开发、南海服务中的行政管辖和有效治理，建议明确授予和落实海南西南中沙海域相关立法权和执法权。支持海南省制定《海域使用管理法》《海岛保护法》《海洋环境保护法》等法律法规的实施细则和执法程序；明确授予和落实海南统一或协调西南中沙海域相关执法的权力等。

三 加大对海南海洋产业的政策扶持力度

为给海上丝绸之路南海服务合作基地建设提供产业支撑，建议国家加大对海南海洋支柱产业和海洋新兴产业的政策支持。例如，支持海南建设环南海地区邮轮旅游航线，争取开辟赴印度洋和太平洋周边国家的邮轮航线；支持海南与海上丝绸之路沿线国家开展远洋捕捞合作，把海南作为我国发展西中南沙渔业生产、维护南海权益的基地，进一步扶持海南加大在西南中沙渔业资源的开发力度，在海洋捕捞渔船控制指标上给予倾斜，在政策和税收上允许并鼓励各类企业到南沙投资养殖基地；进一步支持海南参与南海油气开发，合理调整中央与地方南海油气开发收入分配比例。

四 扩大海南对以东盟国家为重点的区域开放

支持海南打造一批符合海上丝绸之路南海服务合作基地建设需要的支点，打造符合国际贸易自由化要求的开放型经济示范区。例如，建议中央批准在海口、三亚建设海上丝绸之路临空自贸区；建设洋浦自由工业港区，把洋浦建成具有国际竞争力的现代化油气综合开发基地和新型工业基地；在博鳌建立南海区域合作与文化交流基地，大力推动海上丝绸之路人文交流与合作。

五 加强对海南的综合政策支持

建设南海服务合作基地涉及面广，需求多、任务重，建议中央综合财政、金融、用海等多种政策手段，发挥政策的杠杆作用，着力推进项目实施和综合保障。建议国家加大海南在用海、科技和人才、生态补偿方面的支持力度。

六 加强南海服务合作基地建设的组织和能力保障

建议以重点项目为抓手，动员全社会力量，营造良好的舆论环境和氛围，形成多种力量、多种方式建设南海服务合作基地的新格局。总体思路是：（1）发挥多种力量的特殊作用，形成军队、政府、企业、渔民、游客等维护南海主权和海洋权益的合力机制。（2）保障南海服务合作基地基础设施和重点项目建设，以大项目带动南海服务合作全面建设进程。（3）加大对海上丝绸之路南海服务合作基地的宣传力度，通过建立南海问题高层次研讨平台，营造南海共同开发的良好环境，促进南海区域全方位合作。

建设泛南海经济合作先导区

抓住机遇,加快构建"泛南海经济合作圈"的建议(50条)*

(2016年10月)

抓住"一带一路"深入实施的重大机遇,以国际旅游岛为载体,做好对内对外两篇大文章,打好经济、开放两张牌,以海南更大程度的开放实现南海更大力度的开发,把海南建设成为面向21世纪海上丝绸之路的支点、"泛南海经济合作圈"(PSCSEC,Pan-South China Sea Economic Cooperation)的开放前沿、中国和东盟国家互利合作交流的重要平台。

一 "泛南海经济合作圈"的战略构想

总的考虑:在经济全球化大背景下,亚太地区的区域、次区域合作方兴未艾。南海及周边地区作为亚太经济最具活力和发展潜力的地区之一,在全球经济格局中的地位日益提升。特别是其地处两大洋和两大陆的交汇地带,交通区位优势突出、自然资源丰富,加强区域经济一体化建设既是大势所趋,也有利于增进本地区人民的共同福祉。从共建21世纪海上丝绸之路和经略南海的高度出发,

---

* 节选自中改院课题组《抓住机遇,加快构建"泛南海经济合作圈"——服务南海战略和21世纪海上丝绸之路建设的海南》,2016年10月。

构建"泛南海经济合作圈"具有可行性和重大现实意义。

(一)"泛南海经济合作圈"的提出

1. 经略南海事关中国和平崛起

(1)"南海仲裁案"闹剧企图全盘否定我国南海权益。尽管这场披着法律外衣的政治闹剧已经收场,但再一次说明我国南海维权形势的紧迫性,也为我国化危为机、采取更为积极有效的行动提出新要求。

(2)南海问题涉及我国主权、安全和发展利益。不仅成为牵动影响我国对外发展战略全局的突出问题之一,也牵涉我国国内改革、发展、稳定大局。

(3)南海问题日益凸显中美战略博弈。伴随着美国将南海作为实施"亚太再平衡"战略的侧重点之一,不断加大对南海事务的介入力度,中美在南海的政治、外交、法律、舆论以及军事等全方位较量逐步显现,我国经略南海面临的复杂性、风险性和艰巨性进一步增大。

(4)南海问题是中国和平崛起绕不开的一道坎。南海争议各方在领土主权和海域管辖权问题上绝不会轻易退让。我国作为南海最主要的声索国,与菲律宾、越南等国实力对比悬殊,主张分歧严重,究竟是以武力手段还是和平方式解决有关争议问题,已成为外界审视我国是否实现和平崛起的关注点。

2. 经略南海重在打好"经济牌""开放牌"

(1)经略南海重在打好"经济牌"。一方面,着眼于当前和今后南海问题的全方位较量态势,我国的突出优势在经济领域,战略筹码更多集中在经济领域,可施展的更大空间也在经济领域。如何用好用活"经济"这张王牌,实现以经济手段为重点的多策并举,成为经略南海的关键。另一方面,纵观国际上绝大部分领土争端问题的解决案例,政治、外交、军事以及法律等措施并不能完全从根本上解决矛盾分歧,反而有可能使本来有望搁置的问题陷入旷日持久的纷争当中。最终的治本之策仍然是经济与利益融合之道,即通过经济合作手段,对有关争端方的利益诉求做出妥善安排,从而彻底平息争端。

(2)经略南海要打好"开放牌"。实践证明,越是在地区局势复杂严峻的时刻,越要高举开放、合作的旗帜,实现以开放增进交往,以交往带动合作,以合作促进发展,不断扩大人员往来与交流,强化各方利益联结纽带。另外,从夏威夷岛、济州岛、巴厘岛等世界知名岛屿发展经验看,岛屿的开放水平越高,对周边区域的辐射带动能力就越强,在地区政治、经济、文化及国际事务中的作用就越大,在地区交流合作中扮演不可或缺的特殊角色。因此,海南作为南海中的最大岛屿,可以在开放合作方面发挥重要作用。

3. 以构建"泛南海经济合作圈"促进南海和平、合作、发展

(1)构建"泛南海经济合作圈"有利于我国稳定南海及周边地区形势。通过提高泛南海区域经济一体化和相互依存程度,有助于扩大区域内国家的经济利益交汇点,以经济合作为纽带增进有关国家间政治安全互信。反过来,南海地区安全局势缓和也将进一步促进区域经济合作,推进区域发展走上健康、可持续的良性轨道。

(2)构建"泛南海经济合作圈"有利于我国掌握区域经济发展和规则制定主导权。中国作为亚太乃至全球经济发展的重要引擎,参与全球经济治理和主导区域经济秩序的能力日益增强。伴随着"一带一路"的深入推进,中国将逐步推动建立具有开放性、包容性和公平性的国际生产分工体系和经济发展秩序,打造由中国主导的具有经济相互依赖和融合的"利益共同体"。构建"泛南海经济合作圈"有利于深化中国与东盟经贸往来与合作,加快中国与东盟自贸区升级版建设和区域经济一体化进程。

(3)构建"泛南海经济合作圈"有利于为我国经济转型升级

创造新动力。泛南海地区经济互补性强，产业分工程度高，具有加强经贸合作的比较优势和良好基础，有望成为亚太经济发展新的合作热点板块和重要增长极。构建"泛南海经济合作圈"不仅有利于推动国际产能合作，借助本区域国家基础设施建设薄弱、工业化水平不高等特点消化我国的富余产能，同时也可为我国企业提供更便捷的海外投资空间。

（4）构建"泛南海经济合作圈"有利于为21世纪海上丝绸之路建设寻求突破口。构建"泛南海经济合作圈"有利于以海洋合作网络与项目建设为突破口，淡化南海争议与有关主张分歧，为共建21世纪海上丝绸之路创造更好的合作环境与基础。

（二）"泛南海经济合作圈"的框架设计

4. 区域范围

"泛南海经济合作圈"地域上涵盖南海、东南亚周边及太平洋、印度洋等局部地区，包含中国、中国台湾、越南、马来西亚、印度尼西亚、菲律宾、新加坡、文莱、泰国、柬埔寨、老挝、缅甸、东帝汶、澳大利亚、印度、斯里兰卡、孟加拉国等十多个国家与地区。

在"泛南海经济合作圈"（1+15）框架下，中国南海沿海地区的海南、广东、广西、福建，以及台湾、香港、澳门7个地区（4+3）将成为落实合作的核心区域；同时以泛珠三角区域合作（9+2）、海峡西岸经济区、北部湾经济区等为依托，更好地参与、拓展和融入区域经济合作的大网络。

在"泛南海经济合作圈"（1+15）框架下，南海沿岸国家的越南、菲律宾、马来西亚、新加坡、文莱、印度尼西亚、柬埔寨、泰国将成为与中国加强合作的核心圈层（1+8），非南海沿岸国家的澳大利亚、印度、孟加拉国、缅甸、柬埔寨、东帝汶将成为与中国加强合作的广泛圈层（1+6）；同时与中国—东盟"10+1"、区域全面经济伙伴关系（RCEP）、大湄公河次区域合作、孟中印缅经济走廊、泛北部湾经济合作区等区域、次区域合作机制形成互补与协调协作。

5. 基本内涵

以服务"一带一路"建设为总目标，以海上基础设施互联互通为依托，以海洋经济和产业合作为主题，构建开放性的次区域经济合作网络，促进区域内生产要素和商品服务的自由流动。

（1）以服务"一带一路"建设为总目标。构建"泛南海经济合作圈"旨在更好地融入21世纪海上丝绸之路建设，充实和拓展21世纪海上丝绸之路南海区域的合作内容、领域和机制等，打造海上丝绸之路沿线地区海洋经济合作的新机制、新平台和新典范。

（2）以海上基础设施互联互通为依托。加强区域内国家和地区在港口、国际中转、运输航线、物流配送、邮轮客运等方面的密切合作，打通区域内海上的贸易流、物流、人流、信息流通道，形成放射性、网络化、便捷化的交通网络布局，构建联结中国与区域内贸易伙伴的海洋经济大走廊，形成海洋基础设施互联互通和岛屿—海洋一体化发展格局，提升区域贸易物流便利化水平。

（3）以海洋经济和产业合作为主题。着力集聚高端海洋生产要素和创新发展要素，推动共建具有自贸区性质的海洋产业园区、海洋高端装备保税港区、海洋经济合作示范区、以海洋产业为重点的工业港区等，对海洋产业贸易和投资自由化、便利化的体制机制安排进行先行先试，着力打造海洋高端产业孵化基地、热带海洋经济产业示范园、中国与东盟海洋产业合作基地、泛南海地区创新合作中心等，带动区域内海洋产业合作和海洋经济创新发展水平。

（4）构建开放性的次区域经济合作网络。借助21世纪海上丝绸之路互联互通建设，把区域内彼此分割的岛屿、群岛等地理单元更好地连接起来，将众多岛屿从互联互通的盲点变为重要节点，从全球自由贸易和开放发展的末梢变为前沿，进一步释放区域内海洋经济自身发展潜力，构建形式多样的双边、多边海洋区域、次区域经济合作圈，最终目标是构建区域海洋自由贸易合作大网络。在更大程度上、更广范围内参与共建21世纪海上丝绸之路。

6. 指导原则

（1）立足广泛性，强调协调性。实现区域内国家和地区的共同参与，在中国与东盟（10＋1）、孟中印缅经济走廊、泛北部湾经济合作区、大湄公河次区域合作等区域、次区域合作机制基础上，争取涵盖更大、更广泛的区域；在推动合作进程中，要加强各经济体和合作机制间的协调协作，本着由易到难，循序渐进的原则，形成多层次、宽领域合作架构。

（2）保持开放性，兼顾创新性。岛屿经济和海洋经济发展具有开放性与包容性。泛南海经济合作要放眼本区域外的广阔空间，加强与区域外国家和地区的开放合作，特别是积极争取美、日、韩等国跨国企业的投资，争取相关国际和地区机构如亚洲开发银行、联合国开发计划署等资金、技术支持，实现互利共赢。考虑到推动泛南海经济合作的复杂性和艰巨性，应加强智力支撑和创新引领，建立跨地区研究网络，深入研究如何落实合作构想，尽快设计出能互利共赢的创新性方案，确保泛南海经济合作的动力和活力。

（3）实现互补性，加强联动性。泛南海合作既要充分发挥区域内国家在产业、资金、技术、市场等各方面的互补性，实现差异化、错位化发展，同时也要加强与域外地区，特别是与欧美发达国家与地区的优势互补，提升在全球产业链和价值链中的地位。鉴于推动泛南海经济合作是一项综合性的系统工程，要建立政府引导、市场驱动、企业参与的有效联动机制，保障泛南海经济合作能顺利运转。

7. 组织形式

（1）设立高层次组织协调机构。当前国际区域经济合作组织的运作形式有三类：一是组织机构和法律框架比较严密完善的政治、经济联盟组织形式，如欧盟和东盟等；二是通过建立协商机制、签署协议，在最惠国待遇基础上，进一步相互开放市场的自贸区组织形式，如中国—东盟自贸区和北美自贸区；三是仅有组织协调机构，以重点领域合作项目为导向的次区域合作组织形式。"泛南海经济合作圈"应以重点领域合作项目的推进作为组织形式。根据需要组织合作各方联合制定统一规则，以协议方式推进合作项目实施。

（2）由中国为主导推进合作进程。当今国际区域合作组织的主导模式有四类：一是区域内国家共同主导，如欧盟；二是由区域内一个或几个实力较强的国家主导，如东盟；三是由一个大国和一个国家联盟共同主导，如中国—东盟自贸区；四是由某个国际组织主导，如大湄公河次区域合作是由亚洲开发银行主导，经与湄公河沿岸六国进行一系列磋商构建的。中国作为泛南海地区政治、经济影响力最大的国家，依托中国自身的陆海兼备优势以及日益增强的项目设置与实施能力，构建以中国为中心的互联互通网络、产业链和价值链，有利于实质性推进泛南海经济合作进程。

（3）采取多点并举的切入模式。一般而言，不同经济基础、历史背景、社会发展阶段的区域经济一体化合作进程切入点有所不同。如欧盟的前身"欧共体"是由煤钢等产业合作切入的，海湾合作委员会重点是以石油产业合作切入的，北美自贸区和中国—东盟自贸区是在经济全球化背景下从推进贸易投资自由化切入的，大湄公河次区域合作是从基础设施建设等相关具体领域的合作项目切入的。

"泛南海经济合作圈"由人均 GDP 相差较大、经济发展水平不一的国家和地区构成，这其中既有新加坡、澳大利亚等经济发展水平很高的发达资本主义国家，也有老挝等亚洲最不发达国家，还有中国、印度等人口众多的发展中国家，多种区域合作的特征突出，经济发达国家和地区需要扩大对外投资、拓展发展空间；经济落后国家和地区既需要加强基础设施建设，也需要外部贸易投资的拉动；各方优势特色和战略性产业发展需要在资源、产能和市场的分配上加强联合等，其合作需求是多层次、多方面的，宜于采取基础设施建设、贸易投资和产业合作等均涵盖的多点切入模式。

8. 现实基础

（1）构建"泛南海经济合作圈"具有良好的地缘经济基础。泛南海地区依托海洋天然联结纽带，兼具江海联通、陆路接壤的独特地理区位优势，特别是拥有内陆国家和地区所不具备的海洋优势。区域内港口、公路、铁路、内河、口岸等交通基础设施逐步完善，中国与东盟相互对接、海陆联动的国际大通道建设已初具规模。从世界区域贸易安排的经验看，泛南海区域宜于开展区域经济合作，将促进各成员国改善基础设施，缩短运输距离，降低贸易成本。同时，推动项目产业跨国、跨区域合作的机会更大。

（2）泛南海区域内国家和地区人文历史相通，具有建设经济合作圈的良好人文基础。南海沿岸国家长期以来通过海上丝绸之路已建立了密切的经济圈和人文圈，特别是东南亚国家吸纳了大量中国移民群体，且各国的华侨、华人在当地拥有较强的经济实力。如印度尼西亚占总人口 3.5% 的华人掌握着 73% 的资本，马来西亚占总人口 30% 的华人掌握着全国半数以上的资本，新加坡华人占总人口的 74% 以上，泰国占总人口 10% 的华人掌握着 70% 的上市公司资本。这些华人资本已与当地民族资本融为一体，对所在国的经济运行产生广泛影响。华人华侨从多方面看都有加强本地区经济合作的意愿。

（3）中国—东盟的战略伙伴关系不断深化为经济合作奠定政治互信基础。中国—东盟自 1991 年开始对话进程，25 年来取得了卓有成效的合作成果。表现在合作领域广泛，合作内容不断深入，合作机制逐步健全。特别是中国全面参与了东盟主导构建的各类地区机制。双方形成了以"10+1"领导人年度峰会为核心，包括各部长会议等十余个对话合作机制。在亚太经合组织、"东盟+3"领导人会议、东盟地区论坛、亚欧会议以及联合国等多边场合和国际机构中双方积极协调立场、相互支持。此外，双方还签署和发表了一系列协议、协定、条约、联合声明，商签"中国—东盟国家睦邻友好合作条约"，为双边关系的健康和快速发展提供了法律和制度保障。

（4）中国经济稳定增长，推动亚洲乃至世界经济复苏，成为构建"泛南海经济合作圈"的重要经济因素。2008年下半年国际金融危机爆发以来，我国成为带动世界经济复苏的重要引擎，2008—2015年对世界经济增长年均贡献率超过20%。未来随着中国经济持续增长以及经济结构的转型升级，中国自身的市场需求规模将进一步扩大，对国外产品的进口会大幅度增加；同时中国自身在全球价值链中的定位会逐步向产品链中上游转移，可向泛南海周边国家转移下游产业环节。特别是中国拥有巨额外汇储备、投资能力强，对贸易采取自由化开放态度，决定了中国能够成为"泛南海经济合作圈"经济相互依赖网络和分工秩序的核心。

（5）中国与南海周边国家经济合作基础相互依存性日益加深，成为构建"泛南海经济合作圈"的共同发展基础。自冷战结束、我国与东盟关系正常化以来，双方在贸易、旅游、投资等经贸领域的合作稳步发展。2010年1月，中国—东盟自贸区全面建成。2014年8月，双方同意开始中国—东盟自贸区升级版谈判。2010—2015年中国已连续5年保持东盟最大贸易伙伴国地位；目前，东盟是我国第三大贸易伙伴、第四大出口市场和第二大进口来源地。2015年中国—东盟双边贸易额达到4720亿美元，2020年有望达1万亿美元，双向投资额2020年有望达1500亿美元的目标。中国与南海周边国家经济合作尤为活跃，中国已是印度尼西亚、马来西亚、新加坡、越南、泰国、柬埔寨等国的最大贸易伙伴。

（6）中国南部沿海省区经济实力雄厚，海洋经济潜力巨大，开展对外合作的愿望强烈。以珠三角为核心的华南经济圈一向是中国经济最具活力的区域之一，尤其是该区域多年来海洋经济发展良好。2015年，广东省实现海洋生产总值达1.52万亿元，同比增长10.5%，占全省地区生产总值的20.9%；福建省海洋生产总值为7000亿元，同比增长10%；广西海洋生产总值达1010亿元，同比增速约为9%，占全区地区生产总值比重约为6%；海南海洋生产总值1050亿元、增长11.0%，占全省生产总值比重达28.4%。海洋经济已成为中国南部沿海省区经济增长的新引擎。当前各地方政府已与泛南海国家地区建立了一定的合作关系，构建了由海南、广西、广东地方政府分别承办的博鳌亚洲论坛、中国—东盟博览会、广东21世纪海上丝绸之路国际博览会等高层次合作平台。在建设21世纪海上丝绸之路合作框架下，各地方政府纷纷出台相关政策及项目规划，将为未来"泛南海经济合作圈"的项目规划、人才培养、招商引资、基础设施和政策制度建设等提供重要经验。

（7）区域各方在经济领域的互补性为进一步挖掘双方经济合作潜力提供新契机。泛南海周边国家和地区在自然资源、资金、技术、人才、市场、产业、产品等方面具有很强的互补性，有利于区域内资金和产业转移，拓展合作空间和成效。本区域既有服务业发达的新加坡，制造业比较成熟的马来西亚、泰国，也有人力资源充沛、劳动密集型产业发展空间广阔的越南、菲律宾等国。对比来看，中国产业体系较为完善，有条件凭借市场优势、技术优势，逐步明确与沿线重点国家的纵向分工和横向合作，增强资源配置能力，推动各方在某些产业方面形成联合发展优势。

(8) 区域内的各项不同层次的经济合作机制为构建"泛南海经济合作圈"提供了规则制度依托和成功实践。当前亚太区域内建立了多个层次、不同主题的区域合作机制，尽管一定程度上存在碎片化、零散化的缺陷，但其实施进程保障了区域内主要经济体具备较高程度的开放性，为打造"泛南海经济合作圈"提供了制度基础和成功经验。"泛南海经济合作圈"将依托中国—东盟自贸区以及自贸区升级版建设对关税、投资、服务贸易等实行的制度性安排，进一步加强区域内贸易投资自由化、便利化。此外，"区域全面经济伙伴关系协定"（RCEP）谈判以东盟10国为主体，加上中国、日本、韩国、印度、澳大利亚等共计16个国家，重点聚焦于服务贸易和投资贸易等领域。2014年开始启动的亚太自贸区（FTAAP）联合战略研究，深入探讨如何在现存的50多个自由贸易区间实现良好互动，提升区域一体化水平。不仅如此，中国—东盟地区存在多个次区域经济合作机制，如大湄公河次区域合作、泛北部湾经济合作、东盟东部增长区、东盟西部增长三角、两廊一圈等。继续支持和深化这些次区域经济合作，对于"泛南海经济合作圈"建设具有重要的促进作用。尤其是泛北部湾经济合作，涵盖区域及合作领域与"泛南海经济合作圈"存在相似性。随着"泛南海经济合作圈"深入发展，将统一相关规则，实现对各种机制的整合。

9. 主要挑战

（1）南海争议已经成为中国深化与南海周边一些国家经济合作的阻碍因素。由于近年来我国与菲律宾、越南等国围绕南海问题存在争议，对双边关系发展和经济合作产生了负面影响。

（2）周边部分国家对我国建设"海洋强国"、推进21世纪海上丝绸之路建设抱有疑虑。例如，担心我国通过海洋纽带推行经济合作倡议，将加大各方对我国经济依赖，以致在更广泛议题上受制于人；忧虑我国影响力在本地区的快速增长，将挤压其他国家的战略空间，冲击东盟的主导作用等。

（3）区域内各方经济发展水平不均，制约经济合作进程。由于各方经济发展水平、需求的不同，导致各自的利益侧重存在差异，使得推进经济合作协调难度较大。

（4）泛南海国家和地区政治体制、宗教文化存在较大差异，影响合作进程。区域内各国政治体制迥异，如中国和越南是社会主义国家，新加坡是议会制国家，泰国、马来西亚、柬埔寨均是君主立宪制国家，文莱是君主制国家，而印度尼西亚和菲律宾则是总统共和制国家。其次，各国民族众多，宗教信仰不一，文化差异较大。上述差异对各方开展经济合作造成一定障碍。

（5）美国、日本等区域外大国加大与我国战略竞争，对区域经济合作进程带来较大干扰。例如，美国实施"亚太再平衡"战略，希望借此阻止东亚地区经济一体化，削弱中国在本地区迅速扩大的影响力；日本既有与东盟国家"雁行模式"的合作基础，又有在中日关系恶化、对中国经济增长速度放缓的预期下，经济界"逃离中国"转向东盟国家的现实需要，将有可能损害东盟国家与中国的经济依赖关系。

10. 行动路线

（1）充分发挥博鳌亚洲论坛等对外交流合作平台机制作用。充分利用国际传媒、博鳌亚洲论坛平台等，推动成立泛南海经济合作圈建设专家论坛，吸引南海周边各方的政府和企业代表、学者参加。

（2）有效构建和利用智库学界和半官方交流机制。可向南海周边各方推介构建泛南海经济合作圈的初步构想，充分阐释建设"泛南海经济合作圈"的必要性、可行性和未来蓝图展望，提升各方的参与意愿；通过非官方的对话交流，了解参与方对地区经济合作在各个层面的利益诉求，掌握参与方社会各界对"泛南海经济合作圈"建设的意见和建议。

（3）推动同有关各方建立"泛南海经济合作圈"政府间磋商机制和咨询机制，形成对话讨论机制化平台。以南海为纽带的地区经济合作机制，不仅涉及各方发展利益，也事关相关方在南海的海洋权益等重大利益。考虑到各方缺乏互信基础，内部的职能部门和利益集团也存在诸多差异，可考虑推动建立相关方参与的泛南海经济合作组织协商讨论平台，逐步推动落实"泛南海经济合作圈"政府间的实体磋商程序，并加强智库间合作研究与政策咨询，促进构想早日落实。

二 发挥海南在构建"泛南海经济合作圈"中的特殊作用

总的考虑：海南的优势来自南海，海南的战略地位也来自南海。从加快构建"泛南海经济合作圈"出发，海南应充分发挥核心区位优势、海洋资源优势、开放政策优势，加大国际旅游岛开放开发力度，以陆海一体化实现海洋强省，把海南建设成为开放程度最高的开放之岛、合作之岛、交流之岛，更好地服务国家南海战略。

（一）发挥海南在"泛南海经济合作圈"的区位优势

11. 海南地处"泛南海经济合作圈"的中心位置

海南岛背靠我国华南，面向东南亚，是连接东北亚和东南亚的区域中心。海南岛位于中国最南端，北以琼州海峡与广东省划界，西临北部湾与越南、老挝、柬埔寨、泰国和缅甸相对，东濒南海与台湾省相望，东南两侧与菲律宾、文莱、新加坡、印度尼西亚、东帝汶、澳大利亚和马来西亚为邻。独特的地理位置决定海南岛将在"泛南海经济合作圈"的政治经济文化交流中发挥不可替代的作用。

12. 海南是南海中的最大岛屿，岛屿特点有利于海南开发管理

海南省以岛屿形式存在，在这样一个相对封闭的地理条件下，有利于实行自由贸易政策，有利于实行海关特殊监管，有能力承担起"泛南海经济合作圈"核心功能区的角色。

(二) 海南在"泛南海经济合作圈"的六大角色

13. 21 世纪海上丝绸之路建设的支点

南海是建设 21 世纪海上丝绸之路的重要载体，各方在经济合作尤其是在海洋产业合作方面有共同利益。海南作为南海最大的岛屿，依托其所处的重要战略位置，以项目为抓手，以建设 21 世纪海上丝绸之路支点为目标，扩大以东盟为重点的国家经济合作和人文交流，加快同泛南海国家和地区基础设施互联互通建设，为建设"更为紧密的中国—东盟命运共同体"、务实解决南海争端问题奠定基础。

14. 面向泛南海区域合作的重要门户

做好对内对外开放两篇大文章，对内，主动融入泛珠三角区域合作、泛北部湾经济合作，承接好泛珠三角地区产业转移，加强与琼港澳（台）的深度合作；对外，抓住中国—东盟自由贸易区升级版建设机遇，推动服务贸易和海洋产业合作，使海南成为连接两个市场、两种资源的重要门户。

15. 连接泛珠与泛南海的区域国际物流航运枢纽

进一步和泛南海国家和地区航空港、海港加强合作，构建区域物流体系。以海口、三亚、洋浦为平台整合全省港口港航港务资源，打造泛南海的空港、海港贸易物流枢纽，实现优进优出；开通至东盟的海上"穿梭巴士"，建设中国—东盟港口城市合作网络，构建通畅安全的中国—东盟海上通道；用好用足用活国家赋予海南的海关特殊监管区域、离岛免税、落地免签、邮轮游艇、离岸金融、启运港退税等各项开放政策；推动跨境光缆等通信干线网络建设，提高国际通信互联互通的水平，打造信息丝绸之路。

16. 以海洋产业和现代服务业为重点的产业开放合作基地

以国家推进国际产能和服务贸易合作作为契机，面向泛南海国家和地区，积极参与国际产业对接和产能合作。推动海洋油气业、海洋渔业、海洋旅游业、海洋运输业和海洋服务业等海洋产业开放政策的出台，以产业开放带动泛南海的经济合作；开放和发展健康医疗、教育、文化娱乐等生活性服务业和金融保险、航运物流、跨境电商等生产性服务业，创新服务贸易发展，使海南成为海洋产业和现代服务业合作发展基地。

17. 南海综合服务保障基地

在战略上，南海地处太平洋和印度洋之间，扼守两洋海运的要冲，是太平洋通往印度洋的海上走廊，多条国际海运线和航空运输线必经此地，是连接亚太地区与世界最主要的海上运输通道之一。受多种因素的影响，南海也成为国际上航运安全问题比较突出的海域之一。从现实情况看，我国在维护南海航运安全，提供海洋公共服务上还处于"配角"，作用远未发挥。从国家综合实力和现实需求看，我国到了从被动接受"海洋公共服务"到主动提供的转折点。打造南海综合服务保障基地，加强南海航道安全维护、后勤补给、防灾减灾、气象预警、海上救助以及生态保护等海洋公共服务，既是保护海上丝绸之路航道大动脉、维护国家经济安全的最好方式，更是体现我国南海战略存在，履行国际责任的重要途径。

18. 泛南海区域开放合作交流平台

博鳌亚洲论坛如今已成为亚洲以及其他大洲有关国家政府、工商界和学术界领袖就亚洲以及全球重要事务进行对话的高层次平台。充分发挥博鳌亚洲论坛的带动力、影响力，全方位开展与泛南海国家和地区文化交流活动，构建官民并举、多方参与的人文交流机制，拓展与沿线国家文化体育、教育培训、旅游会展、技术转移、人才培养、医疗健康、信息传播、海洋资源、扶贫减灾，以及历史文化遗产、生态环境保护、应对气候变化等多领域的交流合作，深化青年、妇女、智库、科协、民间组织等友好合作，建设国际人文交流基地，为建设"泛南海经济合作圈"夯实民意基础。

（三）海南在"泛南海经济合作圈"的新使命

19. 突出南海大开发的新使命，以海南更大程度的开放实现南海更大力度的开发

未来10年，在南海形势日趋复杂严峻的大背景下，海南作为南海最大的岛屿，依托其所处的重要战略位置，在服务国家南海战略中责任重大。面向泛南海，以海南为主体，打好经济牌、开放牌，把海南建设成为开放程度最高的开放之岛、合作之岛、交流之岛，以实际的开放开发行动来更好地维护我国南海领土主权和海洋权益。

20. 突出服务国家经略南海的新使命，提升国际旅游岛的新内涵

与2010年不同，国际旅游岛的内外部环境已发生深刻变化。"一带一路"倡议以及南海战略对海南国际旅游岛的定位、目标和作用提出新的要求，国际旅游岛的内涵需要丰富和提升。尤其是在南海安全局势日益复杂的情况下，国际旅游岛在维护南海岛礁主权和海洋权益、促进泛南海国家和地区交流合作中的目标更高、要求更高、责任更大、任务更多。未来5—10年，要以国际旅游岛为载体，加快推动海南经济发展重心从陆地向海洋转移，推进岛屿—海洋一体化发展进程，实现由海洋大省向海洋强省的转型升级，以海洋强省更好地服务南海战略。

21. 突出开放合作的新使命，打造面向泛南海的开放新高地

从现实情况看，海南在产业特别是现代服务业、基础设施、贸易投资自由化、人员进出及相关的政策制度等方面的国际化水平不高，这是海南的"最大短板""最大软肋"。着眼中长期发展，借鉴新加坡、夏威夷、香港、济州岛、巴厘岛等世界岛屿经济体发展经验，应把提升海南的国际化水平作为服务国家南海战略的重大任务，使海南在经略南海中发挥更大作用。

三 以开放、开发为主题的重大任务

总的考虑：以服务21世纪海上丝绸之路建设和南海战略为总目标，以海南国际旅游岛为载体，实行全面开放政策，以开放带动开发，以开发彰显主权，以开放开发带动合作，构建海南全方位开放的新格局，发挥海南在"泛南海经济合作圈"中的核心作用，打造我国向南开放的新高地，形成海南大开放的新优势、实现南海大开发的新局面。

（一）提升以航空为重点的国际化基础设施水平

22. 巩固和加密已有国际航线，开辟新航线

重点构建支撑海南与"泛南海经济合作圈"各国家间通达通畅的航线网络，将海南打造为"泛南海经济合作圈"区域国际航运枢纽。

23. 加强港口基础设施建设，与"泛南海经济合作圈"国家和地区形成陆海空互联互通大格局

建设面向东南亚、背靠华南腹地的航运枢纽，构建面向东盟的经济大走廊和国际大通道，形成大港口、大基地、大流通、大发展的海陆空立体互联互通格局，用10年左右的时间，将海南打造成为面向泛南海、背靠华南腹地的航运枢纽、物流中心、出口加工基地。

24. 增强海上科研、救援服务保障设施建设

进一步完善南海气象观测、海洋环境监测和保护、海啸预警等科研服务保障设施，构建空中指挥平台、水面快速反应、水下潜水打捞三位一体的救捞网络，加快推进南海油气资源开发和服务保障基地、海上应急救援基地建设。

（二）以服务贸易自由化为重点推进服务业市场全面开放

25. 推进医疗健康服务业市场开放

尽快将博鳌乐城国际医疗旅游先行区的优惠政策扩大到全省。

加大对内外资企业开放，推动具备条件的境外资本在琼设立合资、独资医疗及健康服务机构；支持社会资本以多种形式举办医疗健康机构。加快推进健康服务类职业教育开放。建设"琼台健康服务业合作示范基地"。

26. 建立消费品免税区

实行全岛免税购物政策；争取国家支持在海南建立"琼港服务业合作试验区"。

27. 发展具有国际竞争力的文化娱乐业

以项目为支撑，打造国际知名文化品牌；用足用好用活竞猜型体育彩票和大型国际赛事即开彩票政策；建立琼澳产业合作园区；建立中国—东盟文化合作先行试验区。

28. 扩大金融市场开放

放宽限制，积极引进国内外金融租赁、担保、信托、基金、证券、消费金融、科技银行、财富管理等金融机构进驻；加快推进离岸金融业务试点政策落地，争取海南成为跨境金融产品和服务的试验区域，扩大个人本外币兑换机构的数量；支持在海南的企业和金融机构在港澳台发行人民币债券试点，在海南开展多币种信托基金试点，使外资和港澳台资金更便捷地流入海南；积极推动人民币与东盟和南亚国家货币银行间市场区域交易，扩大人民币在跨境贸易和投资中的使用。

（三）以建立"泛南海旅游经济圈"为重点推进海洋产业开放

29. 建立"泛南海旅游经济圈"

以游轮游艇旅游为重点，开辟新的航线，推进新的旅游组合产品，务实推进海南与泛南海国家和地区的旅游合作。实现西沙旅游及相关服务业的高度开放，吸引港澳（台）及国际资本参与西沙旅游投资建设。引进国内社会资本，有序开发三沙无居民岛屿。协调军地关系，开放更多旅游活动区域。

30. 扩大海洋渔业产业开放

支持把海南省作为我国发展西中南沙渔业生产、维护南海权益的基地。进一步加大海南在西中南沙渔业资源的开发力度，进一步新增海南省发展西中南沙渔业的生产渔船指标，放宽海南省渔船"双限"指标的限制。

31. 支持海南参与南海油气开发

国家层面尽快研究制定南海油气开发总体规划，合理调整中央与地方南海油气开发收入分配比例，将南海油气开发管理权部分下放给海南省。支持把洋浦作为面向东南亚的油品加工出口基地和储备基地，建设国际油品交易所。在建立石油储备基金的基础上，设立专项账户支持洋浦石油储备基地建设。

（四）以提高人员往来便利化为重点扩大区域开放

32. 积极向公安部争取"全球免签"和"琼港澳自由行"政策

允许外国游客从国内实行72小时过境免签政策的城市免签证入境再中转国内航班到海南，在琼停留60天。

33. 条件成熟时，研究西沙永乐群岛对国际游客采取落地签政策

参照机场签证政策，在72小时内乘坐邮轮出境和入境的旅客实现免签证。

（五）以博鳌亚洲论坛为平台扩大人文交流

34. 借助博鳌亚洲论坛打造南海高端交流对话平台

全方位开展涉南海高层次的外交外事活动及区域性、国际性海洋经贸文化交流活动。加强博鳌公共外交示范基地建设，在博鳌论坛南海分论坛的基础上，创建"泛南海经济合作圈"高峰论坛。

35. 以国家南海博物馆为载体建设泛南海文化交流合作基地

打造集收藏、保护、研究、展示、教育和服务为一体的南海物质和非物质文化遗产中心及交流合作平台。加强与南海周边国家和

地区在经贸往来、文化交流、民族迁移、航海文化等方面的合作交流。以南海《更路簿》研究为重点，围绕南海航运史、南海捕捞史、南海文化史研究等创建国际性的学科——更路簿学，加强海洋文化国际学术交流与互鉴。

36. 构建泛南海地区国际科技合作交流平台

以海南为合作基地，充分发挥我国科技综合实力和明显领先于周边国家的科研优势，在泛南海区域组织开展广泛的国际科技合作活动，加强海洋观测、深海采矿、海洋生物与药物、海水综合利用等新技术的合作研究和海上勘探、调查等科研交流活动，以国际科技开发作为先导，强化我国与泛南海国家和地区的交流合作。

37. 利用侨乡资源开展广泛的人文交流

依托海南华侨纪念馆、南洋文化节、南海佛学院等交流载体和平台，发挥海外侨胞和名人在泛南海地区交流合作中的作用，定期组织琼籍侨胞回乡探访，邀请海外侨胞参加在海南举办的文化交流活动，进一步加强海南本土文化与华侨文化的交融，为中国与泛南海国家合作奠定思想基础、感情基础和社会基础，为构建和谐友善的周边国际环境奠定坚实基础。

38. 依托海南高校和智库资源推进人才合作培养、学术交流

充分利用海南地处我国南海前沿的地理优势，借助海南热带海洋学院、海南大学国际旅游学院、健康管理职业学院等高校和中国（海南）改革发展研究院、中国南海研究院等智库的国际学术网络和资源，构建多种形式的国际交流合作机制与平台，以高校和智库间学术互访、课题研究、互派学者和留学生等多方面的合作项目为载体，将海南打造为泛南海地区人才培养高地和国际学术交流重镇。

四 构建"泛南海经济合作圈"的相关建议

总的考虑：以服务国家南海战略为目标，以开放开发为主题，

以海南为中心构建"泛南海经济合作圈",是一项战略性系统工程,牵涉各方面关系。内部,需要理顺央地、地地、地民、军地关系;外部,需要在中央统一领导下,协调配合、充分发挥地方积极性。

（一）加强顶层设计和战略规划

39. 加强顶层设计

"泛南海经济合作圈"事关21世纪海上丝绸之路建设进程,事关我国维护南海领土主权和海洋权益大局,事关大国博弈的成败。建议把推进泛南海经济合作纳入国家战略层面,从国家层面对"泛南海经济合作圈"进行顶层设计,设立高层次协调机制,确定行动路线图。

40. 发挥智库作用

近期,以我国国内智库为主,对建立"泛南海经济合作圈"的可行性、面临的机遇与挑战、目标与任务、合作机制、推进步骤等问题开展研究,为国家政策决策提供智力服务;在此基础上,联合泛南海相关国家和地区的智库,就建立"泛南海经济合作圈"涉及的重大问题开展联合研究。

41. 建立广泛的合作交流机制

泛南海相关国家和地区需要在政府、企业、智库、社会、舆论等多个层面加强交流对话,早日就建立"泛南海经济合作圈"达成共识。

（二）加强国内的统筹协调

42. 在中央层面成立协调小组

在中央统一领导协调下,建议由国家发改委牵头,由外交部、财政部、交通运输部、海洋局、海关等有关部门,以及海南、广东、广西、福建等相关地方政府,建立协商工作机制,统筹协调各方需要,在此基础上形成各方推动"泛南海经济合作圈"的合力机制。

43. 促进我国南部沿海省区协调发展

从建立"泛南海经济合作圈"的战略构想和南部沿海省区的综合特点看，建议以海南为前沿，以广东、广西、福建为腹地，发挥港澳台辐射带动作用，依托泛珠三角经济区、泛北部湾经济合作区，推动我国泛南海地区融合发展、协调发展。

44. 建议将"泛南海经济合作圈"机构总部设在海南

利用博鳌亚洲论坛影响，打造泛南海高端交流对话平台；成立相关组织，确定具体合作领域和工作机制。

（三）提升海南的战略地位

45. 提升南海资源开发和服务基地的战略地位

建议将加快"南海资源开发和服务基地"建设上升为国家重要战略，从国家层面加强顶层设计，在中央统一领导下协调各方面力量，充分调动地方积极性，加大政策支持，加大投入，以加快"南海资源开发和服务基地"建设进程。

46. 提升海南开放前沿的战略地位

海南作为我国距东盟各国最近的省份之一，自然条件与东盟有很多相似之处，在东盟各国分布着数百万的海南侨胞，地缘和人缘上的相亲，使海南有条件成为连接东盟与中国内地市场的一个重要桥梁。充分利用我国与东盟贸易联系日益密切这一契机，赋予海南更大的开放政策。

（四）支持海南开放开发

47. 南海的重大开放开发项目优先布局在海南

国家重大项目布局要和南海战略实施相结合，争取国家优先将产业开放项目、区域开放项目、基础设施建设项目、重大科技国际合作项目、海洋生态环保项目、人文交流合作项目布局到海南，以重大项目为支撑，使海南具备发挥服务南海战略的基础设施、经济与技术条件。例如，把一些军民两用的重大建设项目，特别是一些涉海高科技项目布局在海南。

48. 赋予海南省开放开发的管理权限

为使海南省有效地行使全国人大赋予其对南海海域的管辖权，充分发挥海南省的行政管理职能和开发南海的积极作用，在产业开放、资源开发、区域合作等经济活动领域，中央要赋予海南省更大的自主权和管理权。例如，中央赋予海南省开发海域油气资源的自营开发和对外合作勘探开发权，加大对海南参与南海油气勘探开发的支持力度等。

49. 尽快搭建由国家主导，国有资本为主体，国内民营资本及海外资本力量参与，多种经济成分并存的南海开发投融资平台

加快推进海洋产业资本和人力资源等跨区域、跨领域、跨所有制合作，集中在海南设立一批不同规模的南海开发专项投融资基金，加快引导国内社会资本和力量参与南海开发建设。争取亚洲基础设施投资银行、丝路基金支持。加强与国际金融机构合作，推动亚洲基础设施投资银行、丝路基金等在海南设立分支机构。发起设立"泛南海经济合作圈"基金。

50. 支持海南建立全岛自由贸易港

（1）按照自由贸易港要求建设国际旅游岛。按照国家提出的建立开放型新体制的要求，重点在服务业市场双向开放、高标准国际化投资管理体制和营商环境、深化物流和航运的对外开放、创新监管模式等方面先行先试，推进海南投资贸易、服务自由化进程，探索实行自由贸易港政策。

（2）以服务贸易为重点推进服务业市场开放。支持海南以教育、健康、医疗、金融、免税购物、会展为重点的服务业市场全面开放。参照发达国家和国际上高水平自贸区的服务开放模式和标准，以"负面清单"的管理模式推进服务业市场开放。

（3）在现有临空、临港综合保税港区和经济开发区的基础上，

试点自由贸易区政策和管理体制。争取中央支持在三亚探索发展空港自由贸易区;以海口、三亚和洋浦为平台,建设海港、空港与自贸园区一体化的对外自由贸易平台。

(4) 条件成熟时,争取在海南全岛建立自由贸易港。

支持以海南为中心构建泛南海旅游经济圈的建议(5条)

（2017 年 3 月）

未来几年，我国推进 21 世纪海上丝绸之路建设进程，重在南海，难在南海，突破也在南海。当前，我国加强与南海周边国家和地区的产业合作、共建 21 世纪海上丝绸之路，面临着某些难得的历史机遇。

（1）我国与南海周边国家和地区共建 21 世纪海上丝绸之路，首要的选项是构建"泛南海旅游经济圈"。即以海上基础设施互联互通为依托，以旅游等现代服务业为重点，构建开放性的次区域经济合作网络，促进区域内生产要素和商品服务的自由流动。

（2）以海南为中心构建"泛南海旅游经济圈"。发挥海南岛的区位优势，以国际旅游岛为载体，打好经济牌、开放牌，以开放带动开发，以开发彰显主权，以开放、开发带动合作，发挥海南在"泛南海旅游经济圈"中的重要作用，有利于为建立"泛南海经济合作圈"寻求突破口。

（3）以海南为中心构建"泛南海旅游经济圈"条件成熟。尤

---

* 迟福林在全国政协十二届五次会议上提交的提案，2017 年 3 月。

其是《国务院关于推进海南国际旅游岛建设发展的若干意见》赋予海南诸多含金量很高的旅游及相关服务业开放政策，能为海南与泛南海岛屿经济国家和地区开展旅游合作创造良好的政策环境。

为此，建议：

一 支持海南与泛南海岛屿经济国家和地区实现互联互通

例如，开辟泛南海重点岛屿地区至海南的中转、直达空中航线；进一步密切与泛南海沿线岛屿地区在港口、码头建设，邮轮客运等方面的合作，在扩建、新建港口的同时，组建港口联盟，提升海上互联互通水平；借鉴 APEC 商务旅行卡的成熟模式，探索发起岛屿旅游卡发展计划，努力实现岛屿经济体成员之间旅游互通免签；搭建"泛南海旅游经济圈"国家和地区的旅游信息和电子商务平台，实现信息互联互通。

二 支持海南与泛南海岛屿经济国家和地区发展海上旅游

支持海南开辟面向泛南海的邮轮航线，开拓赴三沙邮轮航线，开发"中国—东盟"邮轮旅游产品；简化邮轮旅游通行证办理，允许境外旅游公司在海南注册设立经营性机构，开展国际航线邮轮服务业务；支持海南开展国际邮轮"多港停靠"政策试点，为在海南注册的邮轮公司提供财税和金融政策支持；支持在邮轮口岸设立入境和出境双向便利的免税购物商店；以海南岛、巴厘岛作为试点，推动建立中国—印度尼西亚海上旅游经济合作体。

三 建立泛南海岛屿经济国家和地区健康养生休闲旅游业联盟

充分发挥沿线岛屿在健康服务业方面的特色和优势，探索建立海南与其他岛屿经济体的休闲养生互换互助计划；培育一批具有海南本土特色的国际村或健康养生社区，实现岛际间健康服务业资源优势互补、错位竞争、协同发展；在海南建立岛际间健康服务业合作示范基地，以多种形式开展健康管理、健康职业教育、健康技术研发等领域的互利合作。

四 支持海南实行旅游业项下的自由贸易政策

支持海南实行更加开放的免税购物政策,放宽免税区域、免税运营主体、免税适用人群、免税品种和金额的限制,在全岛范围内建立类似香港的"消费品免税区";支持建立琼港旅游商品自由贸易区,合作开展免税消费品保税物流、保税展示,免税消费品制造、加工和维修业务,发展旅游商品贸易,发展旅游装备制造业;通过实行以免税购物为重点的旅游开放,提高海南旅游的国际竞争力和吸引力。

五 将推进"泛南海旅游经济圈"纳入国家战略

建议从国家层面对"泛南海旅游经济圈"进行顶层设计,设立高层次协调机制,确定行动路线图,在中央层面成立协调小组;推动有关各方建立"泛南海旅游经济合作圈"政府间磋商机制和智库间合作研究与政策咨询机制,形成合力。

加快建设邮轮母港，实现泛南海旅游经济合作圈的重要突破的建议（38条）[*]

（2017年6月）

服务国家经略南海和"21世纪海上丝绸之路"，服务构建泛南海旅游经济合作圈，以政策体制的突破带动泛南海邮轮旅游资源和产品开发，形成具有区域特色、国际竞争优势的邮轮旅游产品，建设具有国际水准的邮轮母港，在打造国际旅游岛升级版中发挥重要作用。

一 发展定位

（一）建设邮轮母港的现实需求

1. 我国进入中高收入阶段后，邮轮旅游需求呈现爆发式增长

从国际经验看，通常当人均GDP达到6000美元时，邮轮旅游消费需求将迅速增加。当前，我国人均GDP超过8000美元，正处于邮轮旅游消费需求爆发式增长时期，邮轮出游逐步成为中高收入群体家庭度假清单的选项之一。据统计，我国邮轮乘客在过去5年内增长了9倍，成为全球增长最强劲、潜力最大的新兴市场。预计

---

[*] 节选自中改院课题组《加快建设邮轮母港——海南邮轮旅游发展的突出矛盾与行动建议》，2017年6月。

到2020年我国邮轮出境旅客将达500万人次；2030年有望超过1000万人次，超越美国成为全球最大的邮轮旅游市场。国内邮轮旅游市场的快速发展，还表现在游客对南海地区、环南海诸国邮轮旅游需求的快速增长方面。目前国内游客从三亚到西沙的邮轮旅游"一票难求"，东南亚邮轮旅游航线对国内游客吸引力日益提升的趋势明显。

2. 泛南海地区邮轮旅游市场成长快、发展前景广阔

泛南海地区涵盖南海、东南亚周边及太平洋、印度洋等局部地区，包含中国、中国台湾、越南、马来西亚、印度尼西亚、菲律宾、新加坡、文莱、泰国、柬埔寨、缅甸、东帝汶、澳大利亚、印度、斯里兰卡、孟加拉国等十多个国家和地区，区域总面积2565万平方公里，涵盖人口9.5亿人，2015年人均GDP为13172美元，约为世界平均水平的1.3倍。未来5—10年，在多重因素影响下，泛南海地区有望成为亚太地区邮轮旅游市场成长最快的区域。

(二) 邮轮母港要在破题泛南海旅游经济合作圈中扮演重要角色

3. 服务构建泛南海旅游经济合作圈

未来5—10年，国家经略南海、建设"21世纪海上丝绸之路"重在构建泛南海旅游经济合作圈。中共海南省第七次代表大会明确提出"积极争取泛南海旅游经济合作圈成为国家战略"。

4. 在促进泛南海邮轮旅游互联互通中扩大客源市场

积极开辟南海邮轮旅游航线，开辟由南海通往南太平洋和印度洋的邮轮旅游航线，扩大邮轮母港的市场辐射范围。使海南邮轮旅游产业成为构建泛南海旅游经济合作圈的先导产业，扮演"水上高铁"的角色，发挥在基础设施互联互通、人文交流、民心相通等方面的特殊作用。

5. 打造泛南海具有国际水准的邮轮母港

依托凤凰岛国际邮轮港的发展基础，加快推进二期22.5万吨

邮轮泊位建设，完善国际邮轮港联检大厅、联检办公大楼、国际邮轮会所、国际邮轮俱乐部以及铂金五星级酒店等配套服务设施，为全世界邮轮公司和国际豪华邮轮进驻三亚敞开大门，提供一流的硬件保障和服务。到 2020 年，初步建成具有国际水准的邮轮母港。到 2025 年，成为国际知名的邮轮旅游目的地。到 2030 年，成为环南海邮轮旅游经济合作圈的核心枢纽。

（三）邮轮母港要立足于满足国内居民邮轮旅游需求

6. 以满足国内居民邮轮旅游需求为主

背靠 13 亿人的邮轮旅游大市场，是海南打造邮轮母港最重要的基础。将加快开发对内地游客具有吸引力的邮轮旅游线路和服务作为打造母港的重点。

7. 加强南海邮轮旅游资源开发

通过开辟南海邮轮旅游航线，让国人深入南海，了解南海，认识南海，热爱南海，把南海变成国内游客的旅游度假之海、和平欢乐之海，既满足国内游客需求，又有效宣示主权。

8. 尽快成为南海邮轮旅游区域中心

当前，我国沿海地区以大连为中心的东北地区、以上海为中心的华东地区、以深圳为中心的华南地区邮轮旅游区域发展格局初步形成，但南海地区邮轮旅游发展明显滞后。这就需要通过母港建设，带动南海地区邮轮旅游全产业链的发展，通过 3—5 年的努力，搭建南海邮轮旅游的区域发展框架。

二 重点任务

（一）按照国际邮轮母港标准加快基础设施建设

9. 加快邮轮港码头建设。落实习近平总书记 2013 年视察三亚凤凰岛时的指示精神，加快邮轮母港基础设施建设

例如，加快三亚凤凰岛二期 3#、4# 泊位（15 万吨级）的竣工验收工作；争取 5#、6# 泊位（22.5 万吨级）尽快获得交通部批准，

并加快完善相关设施，尽快达到大型邮轮停靠条件，以吸引更多的国际邮轮来三亚停靠。

10. 高规格建设联检大厅

从美国迈阿密国际邮轮港的经验看，高规格的联检设施是保障游客通关便利化的重要基础。目前，迈阿密客运大楼2万平方米的建造面积和候船大厅6800个座位可以保证登轮游客有足够的空间休息。建议重新高规格设计、建设三亚凤凰岛国际邮轮港联检楼，至少要保障同时为7000名以上的游客登轮/下轮提供服务，达到国际一流水平。

11. 完善邮轮母港功能

目前，海南在邮轮保障与供应方面几乎是空白，跟邮轮母港的定位存在较大差距。这就需要加快邮轮港配套设施建设，使邮轮港能够满足外国邮轮公司母港航线邮轮关于岸电供应、油料补给、食品及淡水补充的基本需求。此外，港口本身需要完善相关的产业配套，包括货币兑换店、旅游商店、餐厅、船员休闲厅、邮轮体验店、票务销售中心和精品展示店等。

12. 加快邮轮港交通基础设施建设

建议：尽快研究提出凤凰岛国际邮轮港游客进出的立体式交通方案，争取1—2年内建立邮轮港立体式交通疏散通道，使城市配套交通服务达到国际邮轮母港的基本要求。

（二）加快开辟以海南为中心的泛南海邮轮旅游航线

13. 第一阶段（2017—2020年）：近期以开辟国内航线为重点

加大"三亚—西沙"航线密度；争取开通"海口/三亚—三沙"航线；争取开通以海口、三亚为起点的环海南岛航线。

14. 第二阶段（2021—2025年）：中期以开辟泛南海航线为重点

争取开辟海口/三亚到港澳台航线；争取开辟海口/三亚到马来

西亚、文莱、泰国、柬埔寨等泛南海国家航线；争取开辟以三亚、海口为起点的南海无目的地航线。

15. 第三阶段（2026—2030 年）：远期以全球航线为重点

力争开通从海口/三亚始发的海上丝绸之路航线；力争开通从海口/三亚始发的环球航线。打通南太平洋航线、印度洋航线，到 2030 年，以海南为中心的"21 世纪海上丝绸之路"航线网络基本形成。

（三）打造邮轮母港城市，形成具有国际水准的综合配套服务能力

16. 完善母港城市交通基础设施

根据邮轮母港城市的要求，三亚、海口要加快构建以邮轮港口为中心的立体交通体系，建立面向国际国内的更加发达的航线系统。

17. 提升母港城市综合服务能力

建议在三亚、海口重点发展可容纳大流量旅客的大型购物、餐饮与宾馆设施，建成一批附属商业、餐饮、旅游、休闲、娱乐以及航运文化等综合服务配套设施。

18. 推动港城融合发展

借鉴上海、天津等邮轮港发展的经验，以三亚、海口为重点，推动邮轮港与城市的融合发展，不断延伸邮轮旅游产业链，增加岸上消费。

（四）培育邮轮旅游总部基地，培育、延伸邮轮旅游产业链

19. 吸引国际邮轮公司到三亚设立地区总部

在加强基础设施和旅游航线扩展的基础上，吸引国际知名的邮轮公司以三亚为母港运营，并在三亚设立地区总部。

20. 立足实际，加快构建海南邮轮经济体系

在提升完善三亚、海口邮轮母港城市功能的基础上，加快培育

邮轮相关产业，延伸产业链条，大力促进邮轮旅游业与其他产业融合发展，形成大产业发展的格局。

21. 积极发展邮轮维修保养行业

尽管海南缺乏建造邮轮的基础，但可以发展邮轮维修和保养产业。建议积极引进国内外邮轮维修保养企业，支持邮轮维修、保养、配套企业发展，逐步形成邮轮维修、养护产业链，全面提升母港功能。

22. 推动邮轮母港向邮轮城延伸

高标准建设邮轮港辅助设施，完善满足游客需求的休闲、娱乐、购物、住宿、银行等诸多商业配套设施，重点发展邮轮产品及相关游线开发、邮轮港口服务、岸上游客服务及消费和邮轮人才培训等环节。

（五）培育民族品牌的邮轮旅游公司

本土邮轮公司是做大做强邮轮经济的基础，但由于组建邮轮船队投资大、回报周期长，需要选择实力雄厚的企业才能保证持续运营。建议：省政府积极协调省内有实力的大企业进入邮轮产业，组建邮轮运营公司；充分发挥航运央企的综合优势，加强省政府与央企合作，加快组建品牌邮轮公司；省政府通过税收优惠、政策奖励等方式扶持本土邮轮公司发展。

三 政策需求

（一）着眼打造泛南海旅游经济合作圈，加快邮轮旅游产业开放

23. 放宽进口邮轮的年限限制

针对国家规定的"超过10年的进口船舶不能入中国籍"的政策限制，建议将在泛南海海域航行的邮轮进口年限延长至15年，或是针对特选船型采取"一事一议"的方法给予一次性政策突破。

24. 放宽邮轮旅游航线的审批

（1）明确南海可开放岛礁，开发更多三亚—三沙航线。建议凡

不涉及军事用途的三沙岛屿，均可用于旅游开发，尽快明确其他对外开放或可供开发的岛礁，以方便邮轮旅游目的地的打造。如增加三亚—永乐群岛航线（包括：鸭公岛、全富岛、银屿岛、晋卿岛、甘泉岛、北礁）、三亚—宣德群岛航线（包括：赵述岛、北岛、中岛、西沙洲、北沙洲、中沙洲、南沙洲）。

（2）允许环海南岛旅游航线。争取以凤凰岛国际邮轮港为航线起点和终点，环海南岛航行，途中经过海棠湾—清水湾—分界洲岛—海口市—棋子湾，最后回到凤凰岛国际邮轮港，形成"凤凰岛国际邮轮港—海口市—凤凰岛国际邮轮港"的环线。条件成熟时，考虑特批海南邮轮边境游政策，对东南亚国家全部开放边境游。

（3）支持开通东南亚国家航线。加强与泛南海区域国家港口城市的联系，推动国内外邮轮公司以三亚凤凰岛邮轮母港为始发港，开通东南亚国家的邮轮航线。例如，开通起点、终点均为三亚，以国际知名的海岛为主线，经停越南的下龙湾、泰国的曼谷与苏梅岛、新加坡、马来西亚的吉隆坡、印度尼西亚的龙目岛，形成"三亚—越南下龙湾—文莱斯里巴加湾市—马来西亚槟城—泰国曼谷—新加坡—普吉岛—三亚"的邮轮出境游精品航线，增加到达港口城市数量，丰富现有线路选择。

（4）争取南海无目的地海上游航线许可政策。根据我国参加签署的《南海各方行为宣言》和几任总理在东盟会议上多次宣布的"南海航行自由"，协调外交部、国防、海洋局、交通运输部、海关、公安部、旅游局等有关部门，争取有关部委支持，批准外籍邮轮（含挂方便旗的中资邮轮）、邮轮公司运营三亚/海口—南海无目的地邮轮旅游航线。

（5）打通能够保持常态化运营的"21世纪海上丝绸之路"邮轮旅游航线。将海南邮轮旅游产业纳入"21世纪海上丝绸之路"建设，加强与沿线国家和地区的邮轮旅游合作，支持以三亚为母港,开辟"一程多站"的国际邮轮新航线,并争取放开包船及每年审批的限制条件,试点三亚至泛南海邮轮航线常态化运营。

(6)争取邮轮旅游航线特殊审批政策。一是以三亚凤凰岛为母港,多点挂靠的外籍邮轮经营国际航线实行备案制,代替审批制;二是试点中资外籍邮轮开展以三亚为母港的国内航线。

25. 放宽外籍邮轮多点挂靠审批条件

建议放宽国外大型邮轮公司挂靠海南的审批条件,积极争取交通部、公安部等中央部门支持,简化外籍邮轮"多点挂靠"审批手续、缩短审批时间、下放审批权力,可采取一次申报、二次备案的方式。

26. 争取放宽涉外旅行社准入门槛

对邮轮码头运营管理公司或外资邮轮公司参股的旅行社允许经营出境游业务,取消其获得经营许可满2年后才可经营出境游的限制。

(二)尽快实现与台湾、济州岛邮轮旅游合作的重要突破

27. 开辟琼台邮轮、海南岛—济州岛旅游航线

目前海南与台湾、济州岛邮轮旅游合作条件具备。积极争取国家相关部门的支持,加快开辟从三亚、海口始发的,前往台湾、济州岛的邮轮旅游航线。

28. 推动海南与台湾、济州岛邮轮旅游游客互换、资源共享

例如,吸引邮轮运营企业开辟以三亚、海口为访问港的入境航线,加强与台湾、济州岛等港口旅游目的地的合作,积极促成互为母港航线,实现游客互换和资源共享。

29. 简化到台湾、济州岛地区航线审批流程

争取有关部门对以三亚、海口为邮轮母港新开辟的航线给予特批政策,对于同一家邮轮公司从三亚或海口邮轮母港出发前往台湾、济州岛地区一个或数个港口的航线审批,实行在一个航季中多

航次运营可一次申请的政策。

30. 争取公安部给予海南省有利于三亚/海口—台湾邮轮旅游的出入境政策

允许非海南省户籍居民经海南赴台湾本岛团队旅游可经有资质旅行社向当地公安机关出入境管理部门申请办理往来台湾通行证及团队旅游签注。授权海南省公安机关出入境管理部门为临时到琼的非户籍居民赴台团队旅游办理"一次有效往来台湾通行证"。授权海南省公安机关出入境管理部门为经海南乘坐邮轮赴台团队旅游的非户籍居民办理往来台湾通行证及团队旅游签注。

（三）实施与国际接轨的邮轮旅游通关政策

31. 实施更为便利的签证政策

争取国家给予"144小时过境免签政策"，在三亚凤凰岛邮轮母港、海口秀英港邮轮码头实行对部分国家公民144小时过境免签政策。搞好邮轮码头与空港口岸政策的衔接，争取三亚、海口海空联动144小时过境免签政策，即三亚凤凰岛邮轮母港、海口秀英港邮轮码头、三亚凤凰国际机场、海口美兰国际机场在两市范围实行对部分国家公民144小时过境免签政策。对经停三亚、海口两港国际航线邮轮上的中国内地公民，可以在护照留置邮轮的前提下，凭船方发放的证件上下船。

32. 创新口岸通关模式，提升口岸便利化水平

借鉴上海邮轮港做法，建议在三亚凤凰岛建设邮轮旅客出入境自助查验通道，使用自助通关系统，简化边检通关查验手续，实现"不排队、不盖章、刷护照、按手指"就能轻松过关。

33. 简化国际邮轮人员进出境联检手续

对从邮轮入境短期逗留的游客，依照国家政策实行短期免签或落地签。对国内来船，在边检预检正常、没有游客离船的前提下，船方不需集中交验游客护照。简化母港邮轮外籍船员临时入境手

续。国际邮轮在中国境内移泊时，不再向边检机关提供游客名单、船员名单。

34. 加强国际邮轮通关保障

实行邮轮靠泊后，在预申报正常的情况下，游客和船员即可下船办理入境、入港手续的政策，缩短在港停留时间。

（四）完善泛南海邮轮旅游产业扶持政策

35. 成立南海邮轮旅游产业基金

建议由海南港航控股公司牵头，按照"同股同权、利益共享、风险共担"的原则，联合相关金融机构以及三亚凤凰岛国际邮轮港有限公司共同组建南海邮轮旅游产业基金，服务于邮轮港建设、港口后方邮轮配套商业开发、旅游产品开发等。基金首期规模100亿元人民币，注册地为三亚，存续期7年，延长期3年。其中，70亿元用于邮轮运营，30亿元用于邮轮旅游相关产业。

36. 完善邮轮产业税费减免补贴政策

（1）对国内企业进口邮轮给予税收减免政策。进口邮轮税负过重成为制约本土邮轮公司发展的重要因素之一。建议争取国家税收减免政策支持：一是在规定时间内，例如5年，对进口邮轮免征关税；二是邮轮船供采购减免增值税（目前为17%）。

（2）争取给予邮轮吨税优惠。积极争取财政部、海关总署等部委支持，对运营海口、三亚国际邮轮港航线且在三亚、海口注册的邮轮企业给予吨税减半政策支持；对于访问港邮轮实行免征船舶吨税的政策。

（3）对转港和单边航次进行补贴，支持包船旅行社引进大型豪华邮轮以三亚为母港运营，提高游客的邮轮体验和满意度。

37. 争取亚投行、丝路基金支持泛南海邮轮旅游基础设施建设

鼓励国内有实力的企业"走出去"，参与东南亚、印度洋沿线国家邮轮港口、码头建设，加快泛南海邮轮旅游基础设施互联

互通。

38. 探索建设邮轮金融服务平台，创新邮轮金融服务与产品

鼓励邮轮产业链中的相关企业与银行、保险机构、证券公司等结对合作，探索设立邮轮金融服务平台，坚持资源共享、互惠互利原则，推进邮轮金融服务与产品创新，为邮轮旅游产业发展提供邮轮融资、保险、证券等相关金融服务。例如，与保险公司合作研发和推广针对邮轮旅游延期、航线变更、人身意外等方面的保险产品，探索开发邮轮经营险，分摊旅行社的包船风险。

各方携手共建泛南海
海洋命运共同体

各方携手共建泛南海海洋命运共同体的建议(6条)[*]

(2019年5月)

不同的文明是在相互开放、相互交流、相互包容和相互借鉴中共同发展的。作为新型开放大国,中国把打造人类命运共同体作为全球观,推进不同文明之间的开放、交流、包容和互鉴,与各国携手推进新型经济全球化与全球治理变革。

一 抓住机遇,携手共建泛南海海洋命运共同体

南海是所谓的"文明冲突"焦点,还是和平、合作的交汇点?随着南海局面逐步缓和,推进泛南海经济合作进程是大势所趋。抓住这一难得的历史性机遇,以海洋经济产业合作为主题,打造21世纪海上丝绸之路沿线国家和地区海洋经济合作的新机制、新平台,将成为区域内国家和地区的经济利益交汇点。为此,各方有责任顺应趋势,并通过开放、包容、互补、普惠、平衡、共赢的区域经济合作,增强互信,促进协调,合理排除外部干扰,努力将南海打造成海洋命运共同体的新典范。

---

[*]《各方携手共建泛南海海洋命运共同体》,《中改院简报》总第1244期,2019年5月18日。

二 携手推进泛南海海上基础设施互联互通进程

依托海上基础设施互联互通，打通区域内海上畅通的贸易流、物流、人流、信息流通道，形成放射性、网络化、便捷化的交通网络布局，构建联通区域内贸易伙伴的海洋经济大走廊，这将为建设泛南海海洋命运共同体创造重要的经济基础和物质条件。

三 加快构建"泛南海旅游经济合作圈"

泛南海周边国家和地区海洋旅游资源丰富，以旅游合作为纽带，携手推进旅游及相关的健康、医疗、文化等现代服务业项下的自由贸易，将带动更大范围、更广领域、更深层次的经贸合作。特别是依托中国巨大的消费市场，泛南海周边国家和地区具有得天独厚的条件率先携手开展滨海度假、邮轮游艇、海洋公园、海岛娱乐等形式的旅游合作。为此，需要各方共建泛南海国家和地区旅游联盟，在通关签证、商品退税免税、货币使用和兑换等领域实施便利化政策，以加快推进泛南海旅游合作进程。

四 务实推进泛南海自由贸易区网络建设

建议各方抓住机遇，积极推动海洋能源、服务贸易、基础设施项下的自由贸易进程，构建形式多样的双边、多边海洋区域和次区域经济合作圈；打造旅游、健康医疗、职业教育等服务业项下的自由贸易发展平台；以旅游、健康医疗、免税购物、文化娱乐等服务贸易领域为重点，加快推进泛南海合作产业园区、自由贸易合作区和跨境服务业合作园区建设，以形成泛南海多种模式、多种层次和多种产业的自由贸易合作网络。

五 加强泛南海人文交流合作

构建以博鳌亚洲论坛为引领的多种形式的人文交流合作平台，推动泛南海合作交流机制建设，增进泛南海区域政府间、企业间、智库间的交流对话，增强了解，增进互信。

六 适时建立泛南海合作的协调机制

借鉴现有区域合作机制的成功经验，在泛南海区域相关国家和地区间，建立政府、企业、智库、社会、媒体等多个层面的交流对话机制，尽快就加快泛南海经济合作进程达成共识；支持泛南海相关国家和地区的智库就加快泛南海经济合作进程涉及的重大问题开展联合研究和对话交流。

海南省位于中国最南部，与东南亚各国联系最紧密，与越南、菲律宾、文莱、马来西亚、新加坡和印度尼西亚隔海相望，有条件成为各方共建泛南海海洋命运共同体的重要枢纽。中央政府支持海南省依托其独特的区位与地理优势探索建设自由贸易港，努力将其打造成为泛南海区域经济合作的枢纽，打造成中国面向太平洋和印度洋的重要开放门户。在这个特定背景下，海南省要通过更大程度的开放，尽快成为泛南海地区能源开发、资源配置、要素流通、人文交流、服务保障的重要基地，为推动泛南海经济合作圈进程做出重要贡献。

中马率先携手共建"泛南海经济合作圈"的建议(5条)*

(2019年8月)

泛南海经济合作圈,在地域上涵盖南海周边的16个国家及中国的7个地区。泛南海经济合作圈,是以海上基础设施互联互通为依托,以自由贸易和区域开放合作为主题,以海洋经济和产业合作为重点,构建开放型区域经济合作网络,促进区域内生产要素和商品服务的自由流动,共同打造泛南海地区命运共同体。

在国际经济形势面临更多不确定性和风险的新背景下,中马率先携手共建"泛南海经济合作圈"具有重要性和现实性。把推动共建"泛南海经济合作圈"作为中马深化合作的重点之一,不仅有利于巩固发展中马双边睦邻友好关系,有利于各自的经济发展和民生福祉,而且对促进区域经济一体化、推动互利共赢的自由贸易进程等共同目标具有重要作用。为此,简要提出5点建议。

一 以共建泛南海旅游经济合作圈为突破口

泛南海地区是全球海洋旅游资源最为丰富的地区之一。"泛南

---

* 《中马率先携手共建泛南海经济合作圈(5点建议)》,《中改院简报》总第1254期,2019年8月6日。

海旅游经济合作圈"是泛南海经济合作圈的重要组成部分,是务实推进泛南海海洋经济合作的突破口。依托中国庞大的消费大市场,中马以旅游及相关服务业合作为先导,积极推动泛南海地区旅游产业项下的自由贸易进程。例如:

1. 加快中马沿海地区旅游合作,特别是在双方最邻近的岛屿间率先开展滨海度假、邮轮游艇、海洋公园、海岛娱乐等形式的旅游合作,打造泛南海国家和地区旅游联盟。

2. 率先推进旅游产业园区建设,共建具有自贸区性质的泛南海旅游产业园。在通关签证、商品退税免税、货币使用和兑换等领域实施便利化政策,实现游客进出自由便利、旅游商品物美价廉、旅游服务国际化。

3. 适应服务贸易快速发展的大趋势,扩大中马旅游服务贸易规模,推动中国—马来西亚旅游市场直接融合,实施两国游客互换、资源共享计划与国际旅游市场共同营销计划等。

二 率先推进海上基础设施互联互通

扩大中马港口相互开放,进一步加强中国和马来西亚在国际中转、运输航线、物流配送、邮轮客运等方面的合作,搭建泛南海经济合作圈旅游信息和电子商务平台,实现信息互联互通,加快实现海上基础设施互联互通,为中马携手构建连接中国与区域内贸易伙伴的海洋经济大走廊、形成海洋基础设施互联互通和岛屿—海洋一体化发展格局、提升区域贸易物流便利化水平创造基础条件。

三 率先推进海洋、数字经济、健康医疗、职业教育等产业项下的自由贸易进程

在中国消费结构升级的大趋势下,双方在服务贸易领域的合作空间巨大。为此建议:

1. 在旅游合作基础上,以海洋经济和产业合作为主题,集聚高端海洋生产要素和创新发展要素,对海洋产业贸易和投资自由化

便利化的体制机制安排进行先行先试，提高区域内海洋产业合作和海洋经济创新发展水平。

2. 共建各类产业园区、境外合作区与自贸园区，积极开展旅游、健康、文化、会展等产业项下的自由贸易，将其打造成为泛南海区域资源配置的重要园区平台。

3. 合作共建泛南海数字自贸区。2017年阿里巴巴在马来西亚建立了中国以外的第一个数字自贸区。马哈蒂尔总理表示，通过阿里巴巴引入信息科技，马来西亚可以重回他提出的"多媒体超级走廊"。

四 在海南自由贸易港合作共建泛南海合作产业园区、中马自贸合作区

海南是南海中最大的岛屿经济体，其独特的地理位置和区位优势、丰富的旅游资源及海南加快建设自由贸易港的蓝图前景，将提升海南在泛南海经济合作圈建设中的重要枢纽作用。为此建议：

1. 中马在海南共建以海洋产业和现代服务业为重点的产业开放合作基地，例如具有自贸区性质的海洋产业园区、海洋高端装备保税港区、海洋经济合作示范区、以海洋产业为重点的工业港区等，面向泛南海国家和地区，积极参与国际产业对接和产能合作，发展健康医疗、教育、文化娱乐等生活性服务业和金融保险、航运物流、跨境电商等服务贸易。

2. 率先建立海南岛—兰卡威岛、海南岛—纳闽岛自由旅游经济合作体，共同打造国际化旅游产品，开辟岛屿间的邮轮航线和邮轮旅游产品，简化邮轮旅游通行证办理。

3. 加强海南和马来西亚航空港、海港方面的合作，率先开通海上"穿梭巴士"，构建畅通安全的海上通道，构建区域物流体系。

4. 结合博鳌亚洲论坛等平台，定期举办海南与马来西亚岛屿间的旅游、文化、艺术、饮食、服饰等交流活动。

五 深化中马合作，智库先行

在政府的支持下，建议中马智库以泛南海经济合作圈为重点之一，加强合作研究与政策咨询，在条件成熟时，中马智库率先发起"泛南海经济合作圈论坛"，并联合开展相关研究，为深化中马合作、共同推动泛南海经济合作与21世纪海上丝绸之路建设提供智力支持。

中菲携手推进南海共同家园建设的建议(4条)*

（2020年10月）

南海是共同家园，求和平、促发展是中国与东盟诸国的共同心愿；把南海打造成为和平之海、友谊之海、合作之海，符合泛南海地区各方的共同利益。中菲共同维护南海和平稳定，要着眼于南海长期和平发展，要着眼于双方的共同利益，要着眼于双方共同的社会需求。

建设南海共同家园，中国、菲律宾合作要发挥独特作用，可以而且应当发挥重要作用。这里，简要提出以下4点建议。

一　加快形成以抗击新冠肺炎疫情为重点的中菲公共卫生合作机制

1. 进一步加大中菲联合抗击新冠肺炎疫情的合作力度

建议双方在总结评估抗疫交流合作与相互支持经验的基础上，尽快形成下一步的行动计划，并以抗疫为重点加强公共卫生合作，形成中长期合作方案。建议双方的外交学会促成此事尽快落地。

---

* 《中菲携手推进南海共同家园建设（4点建议）》，《中改院简报》总第1366期，2020年10月13日。

2. 加强公共卫生专业人才的合作培养

有两点具体建议：一是中菲联合在马尼拉建设一所高水平的公共卫生学院；二是在中国大学的公共卫生专业增加东盟学生的招生比例，为包括菲律宾在内的东盟国家培养公共卫生专业人才。

3. 加大中菲热带传染病防控合作

建议在中国海南尽快启动生物安全四级实验室（P4）建设，打造辐射泛南海地区的热带病预防控制的高等级实验室。以热带和亚热带地区烈性传染病和热带地方病的联防联控为重点，全面加强中国与菲律宾之间的流行病监控和公共卫生应急合作。

二 中菲合作推进泛南海旅游合作进程

在条件基本具备的情况下，中菲共同推进泛南海旅游合作，是双方共同推进泛南海经济合作圈的务实行动。

1. 加快推进中菲沿海地区旅游合作进程

例如，在双方最邻近的岛屿间率先开展滨海度假、邮轮游艇、海洋公园、海岛娱乐等多种形式的旅游合作。依托中国海南自由贸易港的相关政策，推进中菲旅游项下自由贸易进程。

2. 推进海上邮轮旅游合作

在疫情基本结束后，加快开发海南至菲律宾等东盟国家和地区的"飞机+邮轮""母港+访问港"等邮轮航线。支持海南与菲律宾合作建立岛屿旅游经济共同体，推动实现客源共享和互送、邮轮航线的联合营销、邮轮旅游危机管理合作、人员入境相互免签等。

3. 共同加大海上基础设施建设

扩大中菲港口的相互开放，进一步加强中国和菲律宾在国际中转、运输航线、物流配送、邮轮客运等方面的合作。

三 务实推进中菲社会交流合作的某些突破

依托海南自由贸易港的政策优势，中菲社会交流合作有以下4件事，可着手准备，争取尽早取得突破：

1. 在海南率先引入菲佣

海南在条件具备时有序引入菲佣等技能型外籍劳工，为国际化人才和海南中高收入家庭提供良好的家政服务。建议双方外交学会积极促进此事，以在条件成熟时使之落地。

2. 促进中菲渔民直接交流

可考虑率先实现海南琼海潭门镇同菲律宾相关渔民的交流机制，共同成立渔业合作促进协会。

3. 为促进劳务合作与交流，建议菲方尽快在海南设立劳工服务处，并在条件成熟时设立领事馆

4. 充分利用博鳌亚洲论坛开展中菲合作交流、中国东盟合作交流，并建议在条件成熟时共同发起设立泛南海经济合作论坛

四 尽快启动并达成中菲自贸协定

建议借鉴中国—柬埔寨自贸协定的做法，加快启动中菲自由贸易协定谈判。10月12日，中国与柬埔寨达成了自贸协定。这个协定从启动到谈成，仅用了9个月时间，速度快，开放水平高。建议借鉴中柬自贸协议谈判模式（包括相关文本），启动并加快推进中菲自贸谈判，并争取在菲方本届政府任内基本达成协定。

第 五 篇
建言加快探索建设海南自由贸易港进程

自 2018 年 4 月 13 日习近平总书记正式宣布在海南建设中国特色自由贸易港到 2020 年 6 月 1 日《海南自由贸易港建设总体方案》正式出台这 2 年多的时间，中改院的研究重点主要集中在两个方面：

2018 年，积极建言《海南自由贸易港建设总体方案》。当时，面对多方对海南建设自由贸易港的疑虑和不同声音，中改院于 6 月 22 日向省委、省政府提交了《尽快形成海南自由贸易港总体方案的建议（20 条）》。呼吁尽快形成海南自由贸易港的总体方案，并争取年内由中央批准，有利于统一认识、稳定预期、形成合力。12 月 31 日，也就是 2018 年最后一天，正式形成了《海南自由贸易港初步设想（60 条）》，这是国内率先系统提出海南自由贸易港战略目标、政策与制度安排及从"区"到"港"过渡路线的建议报告，也得到了中央领导和省委省政府主要领导的批示。

2019 年到《海南自由贸易港建设总体方案》公布前这段时期，建议尽快以"早期安排"取得海南自由贸易港的"早期收获"。自习近平总书记"4·13"重要讲话以来，又多次在公开场合强调"加快"进程。在这种背景下，以"早期安排"取得"早期收获"，尽快从"区"走向"港"，对于落实习总书记的"加快"要求，对于稳定各方预期都具有重大意义。为此，中改院相继提出了以海南自由贸易港为目标高标准高质量建设自由贸易试验区、加快推进服务业项下的自由贸易进程、以打好"健康海南"王牌形成疫后自由贸易港开局新亮点等政策建议。

建言《海南自由贸易港建设总体方案》

尽快形成海南自由贸易港总体方案的建议(20条)[*]

(2018年6月)

当前,对在海南建设自由贸易试验区、中国特色自由贸易港,多方面高度关注又疑虑较多。在这种情况下,尽快形成海南自由贸易港的总体方案,并争取年内由中央批准,有利于统一认识、稳定预期、形成合力。

一 以服务国家重大战略为目标

1. 以服务国家重大战略为目标研究确定海南自贸港的战略定位

(1) 海南自贸港在加快形成我国全面开放新格局中的重大作用。建设海南自贸港,是我国在经济全球化深刻复杂变化背景下推动形成全面开放新格局、打造对外开放新高地的重大举措。

(2) 海南自贸港在我国全面深化改革中的重大作用。建设海南自贸港,站在更高起点谋划和推进改革,下大气力破除体制机制弊端,为全国深化改革开放先行先试。

(3) 海南在推动以泛南海为重点的区域一体化中的特殊作用。

---

[*] 中改院课题组:《尽快形成海南自由贸易港总体方案的建议(20条)》,《中改院简报》总第1178期,2018年6月22日。

建设海南自贸港，就是要发挥海南的区位优势和特殊作用，打好"经济牌""开放牌"，加快泛南海经济合作圈建设。

2. 以服务国家重大战略为目标研究确定海南自贸港的战略任务

（1）利用建设海南自贸港的契机，建设21世纪海上丝绸之路支点。加强同"一带一路"沿线国家和地区开展多层次、多领域的务实合作，在建设21世纪海上丝绸之路重要支点上迈出更加坚实的步伐。

（2）把海南打造成为我国面向太平洋和印度洋的重要对外开放门户。这是海南贯彻落实习总书记"海南要坚持开放为先，实行更加积极主动的开放战略"重要指示精神的战略行动，是推动南海和平稳定发展的战略行动。

（3）以开放合作守好祖国南大门。通过海南自贸港建设，加快包括南海油气资源在内的开发，加强南海维权和南海资源开发服务保障基地建设，坚决守好祖国南大门。

3. 以服务国家重大战略为目标研究确定海南自贸港的行动路线

（1）到2020年，以自由贸易港为目标，高标准、高质量建设自由贸易试验区取得重要进展，海南国际化水平显著提高。

（2）到2025年，初步建立自由贸易港的制度体系和运作模式，以吸引企业为重点的营商环境达到国内一流水平。

（3）到2035年，自由贸易港的制度体系和运作模式更加成熟，营商环境跻身全球前列，打造开放层次更高、辐射作用更强的开放新高地。

二 以建设中国特色自由贸易港为主题

4. 探索建设第一个中国特色社会主义自由贸易港

（1）中国特色自由贸易港的鲜明特征。海南自贸港是第一个中国特色社会主义自由贸易港，是党领导下高度开放市场经济的重要探索，是一个欠发达地区通过自贸港实现跨越式发展的生动范例。

（2）海南自贸港建设的核心。核心是经济社会管理体制与管理方式变革，是实行与全球最高水平开放形态相适应的制度、体制、机制和政策。

（3）海南自贸港建设的重点。以吸引国际要素资源、推进要素配置国际化为重点，打造全球最开放、最具特色的特殊经济区域。

5. 以建设海南自贸港为目标高标准、高质量建设自贸试验区

（1）未来1—2年，努力以自贸试验区的重要突破为全面推动海南自贸港建设奠定坚实基础。

（2）以改善营商环境为重点，以负面清单为突破，实现海南自贸试验区的重要起步。

（3）在海南自贸试验区建设阶段，凡是与自由贸易港建设不相适应的举措，坚决不能出台。

6. 充分借鉴国际先进经验，建立开放水平最高、范围最广、全球最大自由贸易港

（1）海南自贸港的基本内涵。基本特点是"境内关外"；基本要素是"货物资金人员进出自由，绝大多数商品免征关税"；基本目标是打造成为以国际化营商环境为突出优势的对外开放新高地。

（2）充分借鉴国际自贸港的先进经验。凡是自贸港中不可或缺的要素，积极在海南探索实施；凡是自贸港不可或缺的制度，如财税制度、事中事后监管制度、法律法规，在海南加快建立。

（3）结合海南实际探索更丰富、更有效的经济社会管理方式。比如，探索最高开放水平下的社会治理机制。

7. 建设海南自贸港，要全岛布局，重点突破

（1）海南自贸港建设，在全岛实行"一线放开、二线管住、区内自由"。要向海内外公开明确全岛自贸港建设目标，稳定各方预期。

（2）在全岛建设自贸港，需要结合区域特点，在全岛划分不同

功能区域，布局不同产业。

（3）加快推动重点领域、重点产业的重大突破。比如，海南南北两极率先突破，形成带动效应；旅游业、现代服务业率先突破。

三　以服务贸易创新发展为主导

8. 把握服务贸易创新发展的大趋势

（1）以服务贸易为主导符合经济全球化大趋势。全球服务贸易快速增长，不仅成为全球贸易发展的重要动力，也成为双边、多边贸易投资协定关注的焦点。

（2）以服务贸易为抓手引导经济全球化朝着更加开放的方向发展。以服务贸易为主导建设海南自贸港，积极参与双边、多边和区域服务贸易投资协议谈判和规则制定，主动推进全球贸易投资规则重构。

（3）海南以服务贸易为主导，适应经济全球化的大趋势，是我国引领经济全球化的一个重要抓手。

9. 以服务贸易创新发展为主导建设海南自贸港

（1）加快服务贸易与服务业市场开放的融合。海南建设自贸港，要把打破服务业市场开放的政策体制掣肘、推进服务贸易创新发展作为重大任务。

（2）以扩大服务业市场开放为重点推进服务贸易强国进程。加快海南自贸港建设，要为我国补上服务贸易这块"短板"发挥特殊作用。

10. 以服务贸易创新发展为主导，形成海南自贸港的鲜明特点和突出优势

（1）服务贸易创新发展是海南的鲜明特点。这既是符合国家战略需求的方向，也是海南这个岛屿经济体实现跨越式发展的现实选择。

（2）海南完全有条件在服务业市场开放和服务贸易创新上推出

重大举措，形成独特优势。2017 年，海南服务业占比为 55.7%，高出全国 4.1 个百分点；海南服务业对经济增长的贡献率为 79.5%，高出全国 20.7 个百分点。海南发展服务贸易潜力巨大。

（3）海南要加快在服务贸易发展上大胆突破。学习借鉴国际自由贸易港的成熟做法，只要符合海南发展趋势就可以大胆探索。

11. **加快服务业市场全面开放的重大突破**

（1）实现国际旅游消费中心建设的重大突破。建设"具有世界影响力的国际旅游消费中心"，关键是通过加快服务业市场全面开放，提供国际化产品和国际标准的服务。建议与香港联手建设免税购物链，提升国际旅游消费中心的服务水平和管理能力。

（2）全面放开健康医疗市场的相关政策。在加快把博鳌乐城打造成为国际化高端医疗合作中心的同时，尽快把国家赋予博鳌乐城医疗旅游先行区的某些政策向全岛推开。

（3）以邮轮旅游为重点构建泛南海旅游经济合作圈。全力推进三亚邮轮母港建设；开辟泛南海邮轮旅游航线，使海南邮轮旅游产业成为"泛南海旅游经济合作圈"的先导产业。

（4）以全岛推广新能源汽车为重点推动新的服务业态发展。率先在海南取消燃油车，全面推广新能源汽车，不仅使海南环境质量达到世界一流，也能够在新一轮能源变革中占据领先地位，从而带动物联网、机器人、人工智能、新材料等一系列科技创新和产业变革。

12. **按照服务贸易创新发展的要求研究海南负面清单的总体框架**

（1）海南自贸试验区负面清单不只是数量的减少，而是要突出服务贸易特色。服务贸易既是自贸试验区的突破，也是自贸港的重大任务。海南有条件、有需求，也有必要实行区别于国内 11 个自贸试验区的、以服务贸易创新发展为重点的"海南版负面清单"。

（2）对标国际标准，按照服务贸易创新发展的要求研究设计负面清单的总体框架和实施细则。对标香港、新加坡自贸港以及TPP、美韩自贸协定等负面清单管理模式，以服务业市场全面开放和服务贸易创新为重点，按照"极简版、扩架构、高透明、可操作"的改革方向，探索构建"准入前国民待遇+极简负面清单+准入后国民待遇"的外商投资管理模式，打造以服务贸易为重点的对外开放新高地。

（3）加大"管得住"的制度安排。海南是一个独立的地理单元，风险管控比较容易；即便出现某些风险，也很难对全国经济形成大的风险溢出效应，不会影响全局。在加快开放的同时，海南需要率先采用先进信息技术和信息平台等现代化监管手段和风险防控体系，建立严格有效的监管体系。

四 以全面制度创新为核心

13. 加快研究设计海南自贸港的制度框架

（1）以简税制、低税率、零关税为突出特点构建自贸港的财税制度。一是推进税制转型，加快形成以直接税为主体的简税制；二是实行法定低税率，大幅降低企业所得税率和个人所得税率；三是全面实行"绝大多数商品免征关税"制度。

（2）以实现资本自由流动为目标构建自贸港金融体制。资金进出自由是实现投资贸易自由化便利化的重要保障。建设海南自贸港，需要在金融市场开放、跨境投融资、货币兑换、国际结算、外汇交易、金融监管等金融制度安排上有重大突破。

（3）构建"一线彻底放开、二线高效管住、区内高度自由"海关监管体制。按照"境内关外"的通行规则，改革海关管理体制，大幅提高投资贸易通关便利化水平。

（4）构建适应自贸港建设的法律法规制度。加快推进海南自贸港的立法工作，以特别法的形式明确海南自贸港的法律定位；尽快出台海南自贸港的配套法律规范。

14. 以全面实施企业自主登记制度为重点打造国际化营商环境

（1）全面实施企业自主登记制度。参照香港、新加坡的经验，尽快全面实施企业自主登记制度，全面推广法人承诺制，全面实施企业简易注销制度，扩大企业自主权。

（2）引进国际水准的服务机构。对标国际自贸港，引进全球著名的会计师事务所、律师事务所、咨询公司等机构进驻海南，更好地为国内外企业提供高标准、高质量、国际化服务。

（3）完善产权保护制度要走在全国前列。加快构建包括知识产权法院、金融法院等在内的各种专业法院，依法保护企业家人身权、财产权、创新权益和自主经营权，探索知识产权证券化，激发和保护企业家精神。

15. 以提高资源配置效率为重点深化"多规合一"改革

（1）把破解区域、城乡体制壁垒，提高资源配置效率作为深化"多规合一"改革的重大任务。海南在这方面还有相当大的潜力。

（2）加快形成"六个统一"的整体布局。在全省规划统一的基础上，加快推进土地利用统一、基础设施统一、产业布局统一、城乡发展统一、环境保护统一、社会政策统一，由此显著提升全省资源利用效率，形成海南发展的整体优势。

（3）按照"全岛一个大城市"的思路加快行政区划调整。在全岛形成东西南北中区域性中心城市，提升全岛土地、旅游等重要资源的综合利用效益。这件事宜快不宜慢。

（4）创新城乡融合发展的体制机制。海南有条件在城乡融合发展、乡村振兴上走在全国前列。海南有条件率先取消城乡二元户籍制度，实施全省统一的居住证管理制度；率先建立城乡统一的建设用地市场，赋予农民更多财产权利。

16. 以"小政府、大市场"为导向深化行政体制改革

（1）以"放、统、合"为重点加快党政机构改革。按照"小政府"的要求，统筹考虑全省党和政府机构设置，科学配置党政部门及内设机构权力、明确职责，在财贸、文教、政法、农业、外事、纪检监察等党政机关率先探索合并设立或合署办公。探索建设精简高效的自贸港行政体制。

（2）以提高行政效能为重点优化营商环境。取消企业一般投资项目备案制；推进"不见面审批""最多跑一次""一次办好"，在海南率先建立"多管合一"的大市场监管体制；探索推进与自贸港建设相适应的司法体制改革。

17. 构建更加开放灵活的人才管理体制机制

（1）开展国际人才管理改革试点。允许外籍和港澳台地区技术技能人员在海南就业、永久居留；实行更加宽松、便捷的工作签证制度。

（2）推动法定机构改革，保障用人主体更大自主权。采用法定机构的方式吸引人才，在法律上赋予法定机构内设机构设定权、人才聘用权、薪酬制定权等权限，通过法定机构的形式赋予用人主体更大用人自主权。

（3）但求所在、所用，不求所有，加快吸引国际高端教育科研机构进驻海南。所有国际国内重点科研、教育机构进驻海南，均享受与本地同类机构相同的政策待遇；把海南某些高校的新校区交给海内外名牌大学来办。

五　以顶层设计、顶层协调为保障

18. 加快建立中央层面的海南自贸港领导协调机制

（1）在中央层面尽快建立统筹协调机制。按照"中央统筹、部门支持、省抓落实"的要求，推动海南自贸港建设进程，尽快取得突破。

（2）在中央统筹协调下，海南尽快成立自贸港建设协调机构及其办公室，主抓落实。并通过这个协调机构来有效理顺海南党政机构内部关系，加强与中央部委的联系与沟通。

19. 成立直属于中央的海南自贸港研讨小组

（1）中央层面成立"中国特色自贸港研讨小组"。组织国内外自贸港领域的理论研究、政策和制度设计和实际操作者等专家，共同研讨海南自贸港建设的总体方案、总体规划和实施方案。

（2）组织国内外专家对重大问题开展基础研究。加强对中国特色自由贸易港的内涵、政策、管理、专项制度、实施路径等问题开展深入研究，为决策提供参考。

20. 尽快研究制定《海南自由贸易港基本条例》

（1）研究赋予海南"自由贸易港立法权"。建议国家赋予海南更大的立法权，这是推进海南自贸港建设等全面深化改革开放举措的客观需要。

（2）以"大负面清单"的形式支持海南大胆试、大胆闯、自主改。除党务、人大、国防、外交外，赋予海南最广泛的经济社会管理权，赋予海南最充分的改革自主权。

海南自由贸易港总体设想的研究建议（60条）*

（2018年12月）

2018年4月13日，习近平总书记在庆祝海南建省办经济特区30周年大会上的讲话宣布，"支持海南逐步探索、稳步推进中国特色自由贸易港建设，分步骤、分阶段建立自由贸易港政策和制度体系"。

当前，在经济全球化新形势与我国扩大开放新阶段的大背景下，各方对海南自由贸易港建设高度关注。抓紧研究提出建设海南自由贸易港的政策与制度体系，不仅对加快探索建设海南自由贸易港进程具有重要意义，也对推动形成我国对外开放新格局具有重要影响。

一 探索建设中国特色自由贸易港的总体思路

探索建设中国特色自由贸易港，是党中央着眼于国际国内发展大局，深入研究、统筹考虑、科学谋划做出的重大决策，是新时代中央赋予海南的重大战略使命。海南探索建设中国特色自由贸易港，要在加强和改善党的领导下，在社会主义制度范围内，通过全

---

* 节选自中改院课题组《海南自由贸易港初步设想（研究建议60条）》，2018年12月。

面深化改革开放，建设全球开放水平最高、最具国际竞争力、最有特点的开放平台，使"全世界投资者到海南投资兴业，积极参与海南自由贸易港建设，共享中国发展机遇、共享中国改革成果"，为探索打造人类命运共同体提供示范。

（一）战略目标

1. 打造最高水平的开放平台

自由贸易港是当今世界最高水平的开放形态。探索建设中国特色自由贸易港，就要对标国际最高开放标准，打造全球最高水平的开放凭条，实现自由贸易港内"高度自由、高度便利、高度法治"。即实现港内服务、货物、资金、人员、信息等要素流动的高度自由，实现"零关税、零壁垒、零补贴"，提升全球资源配置能力和全球服务能力；建立全球最便捷、高效的贸易投资便利化环境，为全世界投资者到海南投资兴业提供最大便利；尽快启动立法进程，及时将探索成果法制化，逐步形成完善的法律制度体系，为海南开放政策与体制调整提供法治保障。

2. 打造我国面向太平洋和印度洋的重要对外开放门户

海南授权管辖南海，区位地理优势突出。要充分发挥海南岛扼守太平洋和印度洋海上要冲的区位和地理优势，以自由贸易港为平台，以服务贸易和海洋产业合作为主题，以建立泛南海自由贸易区网络为重点，构建"泛南海经济合作圈"，打造泛南海区域经济合作平台；以海上基础设施互联互通为依托，打造国际陆海贸易新通道的重要枢纽及 21 世纪海上丝绸之路信息枢纽，以贸易投资自由化便利化带动通道经济和枢纽经济发展；积极参与国际产业对接和产能合作，加大海洋国际公共产品供给，打造泛南海综合开发和服务保障基地；全方位开展与泛南海国家和地区人文交流活动，打造泛南海区域人文交流平台；按照"打造国家军民融合创新示范区"的要求，打造军民融合发展示范基地，"坚决守好祖国南大门"。

3. 打造面向全球的国际服务贸易中心

背靠近 14 亿人的消费大市场，面向东南亚 6 亿人的新兴消费市场，把海南建设成为具有世界影响力的国际旅游消费中心；适应国际国内服务贸易发展大趋势，以发展旅游业、现代服务业、高新技术产业为主导，打造现代服务业全面开放和集聚发展中心；抓住新一轮科技革命与产业变革的历史机遇，以促进国内外人才自由流动为目标，打造高新技术研发和服务贸易创新人才集聚中心；抓住数字经济时代的新机遇，依托大数据、物联网等现代信息技术，打造数字服务贸易中心；打造服务贸易的国际中转、交易和促进中心。

（二）重大任务

4. 打造具有国际竞争力的营商环境

一流的营商环境作为国际自由贸易港建设的要素之一，也是海南从自由贸易试验区走向自由贸易港的重中之重。要对标全球最高标准贸易投资规则，在海南探索"零关税、零壁垒、零补贴"，打造全球最高标准的贸易和投资环境；实施不亚于香港、新加坡等全球知名自由贸易港的税收优惠，打造具有国际竞争力的税收环境；充分利用好海南自由贸易港建设给海内外人才带来的良好预期，采取市场化办法，打造具有高度吸引力的人才发展环境。

5. 构建"泛南海经济合作圈"

依托海南丰富的海洋旅游资源、海洋油气资源、港口资源等优势，在泛南海区域海洋产业合作、海洋公共服务供给等方面取得重大突破。例如，以邮轮旅游为重点，加快推进"泛南海旅游经济合作圈"的建设进程；以旅游、航运及相关服务业为先导，加快推动泛南海区域、次区域双边、多边自由贸易进程；把洋浦打造成为南海油气资源勘探开发、加工、储备、交易为主要业务的自由工业港区；以西沙旅游开发开放、南海环保体制创新、南海公共安全综合服务平台为重点,加快三沙前沿基地建设;以博鳌亚洲论坛为平台扩大人文交流。

6. 形成服务贸易主导的突出特色

一方面,服务贸易创新发展不仅符合经济全球化新趋势,也是国际自由贸易港发展的新趋势,也符合我国扩大开放的新趋势;另一方面,加快服务贸易创新发展符合国家赋予海南的发展定位,海南也完全有条件在服务贸易创新上推出重大举措,以服务贸易为重点成为建设海南自由贸易港的突出特色。为此,要瞄准国际标准提高发展水平,形成以旅游为龙头、现代服务业为主导的产业结构;形成符合国际标准、具有海南特色的服务贸易新体系;制定并实施极简服务贸易负面清单,建立服务贸易负面清单管理模式下开放领域事后监管与风险防范制度;加快形成琼粤港澳台服务贸易一体化新格局。

(三) 总体要求

7. 形成现代化基础设施体系

按照适度超前、互联互通、安全高效、智能绿色的原则,充分利用亚投行、丝路基金等,加快国际港口、国际航运、国际航线等基础设施建设;加强互联网、物联网、移动通信等信息基础设施建设;按照建设具有世界影响力的国际旅游消费中心的要求,加强旅游及相关服务的软硬件设施建设;加强海底光缆、新能源利用等海洋基础设施建设。

8. 形成市场决定资源配置的格局

结合我国国情及海南省情,按照"竞争中性""所有制中立"的原则,尽快研究出台《海南自由贸易港企业促进条例》,着力构建外来企业、民营企业公平竞争的市场环境;更好发挥政府公共服务、市场监管和社会治理职能,让本岛居民充分享受到自由贸易港红利,为大众创业、万众创新创造公平竞争的市场环境。

9. 形成绿色发展的新模式

良好生态环境是海南发展的最强优势和最大本钱。探索建设中国特色自由贸易港，要对优良的生态环境倍加珍惜、精心呵护。建议突出海南热带农业优势，强制执行与国际接轨的热带农产品种植标准，把海南打造成为"无毒农业岛"；抓住能源革命新机遇，发挥海南太阳能、风能、潮汐能等能源丰富的优势，推进形成以核电为重点，非化石能源为补充的新能源体系，建设新能源岛；发挥海南海洋生态环境资源优势，在加强海洋生态环境司法保护的同时，建设蓝色海洋；探索开展低碳农业、低碳交通、低碳旅游和近零碳排放建筑或区域试点，打造田园城镇；加快发展绿色金融，争取国家相关部委支持，在海南组建专业化、区域性的"绿色银行"。

10. 建立高效的行政管理体制

以完善各级政府权责清单、加快党政机构改革、提高政府信息化建设水平为重点，着力提高政府行政效能；以打造"小政府、大市场、大社会"为重点降低制度性交易成本，全面清理事前审批事项，全面清理政府承担的技术性、非公共服务性职能，将其交给社会和市场承担，大力培育发展社会组织；严格保护各类企业家财产权。

11. 建立"放得开、管得住"的监管体制

自由贸易港的本质是"境内关外"。探索建设中国特色自由贸易港，要在"放得开"的同时，构建"管得住"的监管体制，防范各类风险。例如，在充分保障企业经济自由的同时，制定完备的法律法规并严格执法，实现"宽松的准入+事后监管+最严格法治"；采用最先进的监管技术对港口进行全方位的管理，提高货物、人员的通关便利化和智慧化；以强化统一性、独立性、专业性为目标，调整优化市场监管机构，建立大监管体制。

二　探索建设中国特色自由贸易港的政策需求

作为全国最高水平的开放平台，海南自由贸易港建设，要以服

务业市场全面开放、服务贸易创新发展为主导,实施全球最高开放标准的市场准入政策与贸易自由化便利化政策,并及时将政策用法律法规形式固定下来。

(一)服务业市场全面开放的产业政策需求

当前,服务贸易发展与服务业市场开放高度融合,海南自由贸易港要形成服务贸易主导的突出特色和独特优势,重点、难点和焦点在于服务业市场对内对外的全面开放。建议按照"分类推进、重点突破"的思路,赋予海南在医疗健康、会展、文化体育娱乐、电信、信息、教育、商业服务、金融等产业开放上的特殊政策,为全国服务业市场开放提供实践案例和压力测试。

12. 进一步拓展医疗健康等具有发展基础的服务业市场开放政策

(1)实现海南医疗健康产业的全面开放。2017年海南健康产业增加值仅为北京的7.4%、上海的7.7%、浙江的4.7%。实现海南医疗健康产业的全面开放,首先要处理好局部发展与全岛发展的关系。一方面,加快把博鳌乐城打造成为国际化高端医疗合作中心。这就要求在博鳌乐城国际医疗旅游先行区实行更加开放的医疗健康产业政策。例如,允许国内外有专利技术、有研发资源的企业与个人通过独资、合资、合作等多种方式在先行区开展基因诊断治疗、干细胞、新药及仿制药等研发活动,将先行区打造成为高端医疗研发基地。另一方面,要尽快把国家赋予博鳌乐城医疗旅游先行区的某些政策向全岛推开,不仅能够保持海南医疗健康产业在全国的优势,也能满足本岛居民多元化的健康医疗需求,使人民共享开放红利。

(2)放开会展企业业务经营限制。海南会强展弱,展览业是会展业的突出短板,2017年,海南的展览面积在全国的占比仅为0.34%,在31个省区市中排名第26位。展览业发展滞后的重要原因之一是开放度不够。建议实行国际会展与国内会展、境内机构与境外机构同等的准入条件与审批程序，以此吸引境外参展商赴琼参展，扩大展出面积；简化在海南举办国际会展的审批程序，条件成熟时取消审批制度，改为备案制；对会展活动所需的陈列或使用的物品，提供暂准进口证，实现不报关、不检验，推动会展商品通关便利化。

（3）取消文化体育娱乐等产业的准入限制与经营范围限制。2017年，海南文化产业增加值占GDP比重仅为3.18%，比上海低9个百分点。提高海南文化体育娱乐产业的国际竞争，关键在于加快推进文化体育娱乐产业市场的全面开放。为此建议在严禁"黄赌毒"的前提下，取消外商投资文化、体育、娱乐企业的股比限制或中方控股要求；在《彩票管理条例》框架下制定海南公益性博彩条例，合法开展公益性赛马博彩等项目，并明确将收益主要用于海南的教育、医疗、社保等公益事业。

13. 争取电信等特定服务业市场开放的政策突破

（1）放宽电信市场准入，实现电信领域充分竞争。稳步放宽基础电信业务牌照管理限制，允许国际电信运营商投资建设基站；全面放开增值电信业务市场准入。例如，取消除跨区域服务外的增值电信业务牌照管理，实行注册制；取消增值电信业务外资股比限制，将基础电信业务外资股比上限提高至70%。

（2）实现跨境互联网数据自由流动。信息流动高度自由是自由贸易港的基本要素，没有数据的跨境自由流动就难以实现数字贸易、远程服务等新兴业态发展。建议在条件成熟时放松互联网访问限制，实现海南互联网无屏蔽访问，实现跨境互联网数据自由流动。

（3）推动以职业教育为重点的教育市场开放。从现实看，海南的教育质量成为制约海南招商引才的突出短板。建议全面放开职业教育，允许境内外具备条件的研发机构、教育组织、高水平企业在海南独立举办职业院校；支持社会资本与外资投资教育领域。例如，取消非义务教育领域对外资的股比限制；允许外资以独资、合资形式开设基础教育学校。

（4）进一步放宽商务服务业的市场准入与经营范围。允许外资以独资、合资、合作多种形式设立会计、法律、仲裁等商务服务企业，提升海南商务服务国际竞争力。例如，允许具备国际执业资格的会计师，经主管部门备案后，直接为海南居民和企业提供记账报税、审计验资、资产评估等会计服务。

14. 有序推进金融业市场开放的政策创新

金融自由流动是自由贸易港的突出特征之一。2018年，海南金融业占GDP比重仅为6.4%，低于全国平均水平1.3个百分点，与上海、北京、香港相比差距更大。探索建设中国特色自由贸易港，要加快形成以外资、社会资本为主体的金融体系，尽快补齐海南金融短板。为此，建议全面取消外资金融机构与内资不同的资格条件限制；进一步放宽外资金融机构业务范围，允许外资银行在海南自由经营人民币存贷款业务；主动探索，分阶段推进人民币资本项下自由可兑换；在海南自由贸易港内实行相对独立的、与国际规则相衔接的离岸金融制度，鼓励与支持内外资金融机构在海南自由贸易港开展离岸业务。

（二）服务业市场全面开放的财税政策需求

15. 全面实行零关税

第一，对国外已经上市但国内尚未注册的抗癌药品、与癌症治疗相关的医疗器械的进口实施零关税，进一步扩大适用零关税药品范围；第二，在用途和使用范围严格管制的前提下，尽快对健康、旅游、文化娱乐、研发设计等服务贸易项下生产要素实行零关税；第三，除酒类、烟草制品、石油类商品外，对其他所有在海南本地消费的商品、本地自用的生产设备、基础设施原材料等实行零关税。

16. 在现代服务业领域实行低税率

第一,在现代服务业领域实行15%的企业所得税。对于旅游业、现代服务业、高新技术产业的企业,符合一定条件的跨国公司海南总部等适用10%甚至更低的企业所得税税率;对符合产业发展方向的中小企业给予适当税收减免。

第二,大幅免除增值税。例如,对海南自由贸易港内企业之间的交易适用增值税税率为零的政策;海南自由贸易港内企业进口自用国外设备和商品免征进口环节增值税。

第三,创新服务贸易企业税收支持政策。在海南实行"全球服务贸易商计划",对符合条件的服务贸易企业给予一定额度的税收减免待遇;向创新型或高科技中小企业的投资,允许按投资额的一定比例加计享受税前抵扣。

第四,实施鼓励企业投融资的税收优惠政策。例如,因非货币性资产对外投资等资产重组行为而产生的资产评估增值部分,可在不超过5年期限内,分期均匀计入相应年度的应税所得额。

第五,实行鼓励离岸业务发展的税收支持政策。实行属地征收原则,对自由贸易港内企业与个人不是发生在海南境内的交易收入免征所得税;对自由贸易港内企业离岸业务所得征收不超过10%的所得税等。

17. 大幅降低个人所得税

第一,将个人所得税税率区间设置为0—20%。例如,对居民个人在海南取得的劳动性所得,适用个人所得税税率最高不超过20%;对在境外取得的收入免征个人所得税。第二,加大对中高端人才的法定税收减免。例如,对在海南自由贸易港注册的公司连任2年以上的高级人才减半征收个人所得税;对符合海南省规定引进的紧缺人才,取得的劳动性收入在5—10年内免征个人所得税。

18. 实行高新技术企业发展的财税优惠政策

一是加大对高新技术企业的税收减免力度。例如对海南自由贸易港内注册的高新技术企业实行"五免两减半"的优惠。二是对创新创业企业实行税收优惠政策。例如，对自由贸易港内高科技中小企业的人才引进、市场开拓、员工培训等支出进行200%的加计扣除。三是加大对高新技术企业的研发环节补贴。对企业研发费用、认可的设计费用、购买知识产权费用、购买/租赁研发设备费用等免税或给予等额补贴。

（三）服务贸易自由化便利化的政策需求

19. 全面实施服务贸易投资自由化政策

一是实现服务贸易投资自由化。争取到2025年，全面取消现有投资准入负面清单与跨境服务贸易负面清单中禁止性与限制性措施，实现投资自由化；制定《外国企业登记管理条例》，同时赋予外国企业更大的经营自主权，实现外国（地区）企业进入、企业经营自由化。二是推动数字服务贸易自由化。建议允许境外服务提供者通过互联网等信息技术为海南本地居民提供远程教育、远程医疗、远程娱乐、远程专业服务等跨境服务，并享受免关税与进口环节增值税政策。

20. 对标国际性管理标准降低服务贸易边境内壁垒

全面引进欧美日医疗药品管理标准，对已在日本、美国和欧盟通过标准评估的药品与医疗器械，可自动获得认证；建立与国际接轨的服务业管理标准体系，允许符合美国、欧盟、日本、新加坡等发达国家在旅游、会计、法律、教育、金融等行业管理标准的服务业企业和具备相关职业资格的人员，在海南开展相关经营与业务活动；对在海南注册并取得官方或国际协会认证的企业给予优先推介、税收减免等；提升政府采购的国际化水平与透明度，在海南全面实施WTO《政府采购协定》的相关政策。

21. 实行服务贸易项下货物进出口自由化便利化政策

制定豁免查验商品目录，对旅游、健康、文化娱乐、研发设计等服务贸易项下的自用商品与相关设备采取豁免查验政策；实施服务贸易"认可经济营运商计划"，对符合条件的境内外服务贸易企业所需的货物给予包括减少或优先接受海关查验等优惠；借鉴新加坡 TradeXchange 商贸通计划，将涉及贸易监管的海关、检验、检疫、海事、口岸、边检、外汇、税收、支付等监管部门纳入"单一窗口"作业平台。

22. 实行人员自由流动政策

第一，全面放开人员自由进出。在严控风险的前提下逐步放宽旅游入境免签政策，降低"绿卡"申请门槛。例如，取消对专业技能人才申请永久居留的最短居住时间限制。第二，借鉴英国、加拿大、日本等国家的做法，探索"双重国籍"的制度试点。第三，整合现有公安出入境管理、边防查验管理、外事侨务事务及涉外执法等相关职能，成立海南移民管理局，统一管理协调外国人签证、居留、就业、保险、福利待遇、案事件处理、入籍等事务。第四，借鉴新加坡严格的工作准证制度，实行严格的工作签证分类管理政策。第五，取消对获得工作签证的外籍人员就业限制。例如，取消外籍人员来琼工作须办理就业证的相关规定，实行备案制管理；在有效管理前提下，允许外籍人才在签证有效期自由选择兼职与创新创业。

三 探索建设中国特色自由贸易港的制度创新

加快形成与高度开放形态相适应的体制机制安排是建设海南自由贸易港的关键所在。这就要求在赋予海南高度经济自主权的同时，建立与自由贸易港相适应的体制机制，以此破除一切束缚发展的现行体制机制障碍，为实现国家重大战略目标、加快海南自由贸易港建设进程提供重要保障。

（一）设立国家海关特殊监管区

23. 建立海南自由贸易港的特殊海关监管制度

以服务贸易为主导的海南自由贸易港，难以严格划定"境内关外"的物理边界，必须通过制度安排实行"分线管理、分类监管"。建议以实现"双自由、双便利"为目标，在海南设立拥有类似于香港、澳门"单独关税区"海关监管职能的，由国家海关总署垂直管理的国家海关特殊监管区，并探索实行"一线放开、二线管理、人货分离、分类监管"的海关监管模式，由此保障海南自由贸易港的开放政策得以全面贯彻实施，并有效防范各类风险。

24. 国家层面制定《海南自由贸易港海关特殊监管条例》

参考《香港海关条例》《澳门海关行政法例》的相关条文，建议由国务院或国务院授权海关总署研究制定《海南自由贸易港海关特殊监管条例》，明确海南特殊监管区的法律地位、性质、职能、管理体制、运作模式等，为海南实行"分线管理、分类监管"提供法律保障。

25. 实行国家海关特殊监管的新体制

对不进入海南境内消费市场的转口和过境货物实行"不申报、不征税、不统计、不检验"制度；除法律法规明确规定禁止、限制的少数货品外，对绝大多数进出口岛的货物实行"企业自主申明＋规定期限备案＋抽检"的管理模式；对少数禁止、限制的货物实行进出口管制制度；在海南自由贸易港内"自由中转、自由存放、自由加工、自由转让"，实施最低程度的干预和管理；尽快建设全岛一体化、智能化、信息化管控体系。

（二）实行与海南自由贸易港建设相适应的财税体制

26. 调整中央与地方的税收关系

争取将部分中央税收入留给海南。例如，适应海南国际旅游消费中心建设的需要，将国内消费税由中央税调整为地方税。将部分中央与地方共享税收入留给海南。例如，将海南省所辖海域油气田的资源税划归海南；将个人所得税、企业所得税的中央分成部分全部留给海南。赋予海南更大的税收自主权，明确将地方税收的税种开征权、税收减免权、税率调整权下放给海南。

27. 构建以直接税为主的地方税制

按照"该取消的取消、该减少的减少、该合并的合并"的原则，形成简税制，将海南省税种减少到 8 个，只保留关税、企业所得税、个人所得税、资源税、环保税、印花税、消费税、房地产税。

28. 调整部分税种的税率

所有企业减按 15% 的税率征收企业所得税；个人所得税税率最高不超过 20%；提高房地产税、环保税、资源税的税率，体现海南土地、环境、资源的实际价值；提高房地产交易的印花税率，通过税收手段调控房地产市场。

29. 创新税收征管制度

改革税务部门领导管理体制，由海南省对干部、机构编制、业务和收入等实行统一管理；创新税收监管制度，建立以纳税人自主申报为前提的，由申报纳税、税额确认、税款追征、违法调查、争议处理等为主要构成环节的，与税收风险管理相适应的税收征管基本程序，防止成为"逃税港"。

（三）实行与海南自由贸易港建设相适应的金融体制

30. 建立离岸在岸分离型金融体系

制定《海南自由贸易港离岸金融管理条例》，实行在岸离岸分离模式；尽快取消外汇管制；建立以人民币为本位币、本外币合一、可自由兑换，基于自由贸易港离岸金融规则的账户体系。

31. 构建独立高效的金融监管体制

强化海南自由贸易港的宏观审慎管理和系统性风险防范，在海南设立国家金融稳定发展委员会特派机构；适应金融资本跨领域、跨机构、跨境联动，金融机构混业经营的大趋势，在海南建立混业金融监管体制；建立以账户体系为依托的资金"两线"流动留痕管理制度，完善跨境资金流动宏观审慎监管框架。

32. 创新金融监管方式

打通部门间经济金融数据壁垒，实现银行证券保险数据全覆盖，建立跨部门、跨行业、跨市场的全口径金融信息监测体系；适应金融科技发展的趋势，运用大数据、人工智能、区块链等技术手段发展监管科技，强化创新监管与功能监管，提高海南自由贸易港的金融风险识别能力和系统性风险防范能力。

（四）推进行政区划调整

33. 形成省下辖五大区域中心城市的行政格局

按照"全岛一个大城市"的思路，合并区域中心城市周边相关市县，构建省下辖东、西、南、北、中的五大区域中心城市的行政格局，强化省级政府在资源统一开发方面的控制权；在岛内五大区域中心城市内，"撤县改区"，建立统一的市辖区格局；少数民族地区的扶持优惠政策保持不变；撤销乡镇一级行政设置，改为街道办事处。

34. 加快推进城乡一体化进程

取消城乡二元户籍制度，建立以身份证号为唯一标识、全省统一的居住证管理制度；按"全岛一个大城市"来规划、部署、推进城乡基本公共服务体系一体化进程，将释放的土地等资源增值收益主要用于建立城乡统一的基本公共服务体系；将社区打造成基层公共服务和社会治理的主要平台，推进城乡治理一体化进程；统筹全省土地资源管理，建立城乡统一的土地交易市场，深化农村"三权分置"改革，加快形成城乡统一的建设用地市场，提高土地资源利用效率。

（五）建立高效精简的行政体制

建设海南自由贸易港，需要加快调整行政组织机构和运行机制，优化行政权力结构，深入推进政府职能转变，打造与自由贸易港相适应的高效、精简的行政体制。有两种方案。

35. 方案一：在现有行政架构下大幅精简整合各类机构

按照"小政府"的要求，以"放、统、合"为重点统筹考虑全省党政机构设置，科学配置党政部门及内设机构权力，明确职责。

36. 方案二：实行双重开发管理体制

在省级层面成立海南自由贸易港开发管理委员会，承担全省经济发展职能；经济管理部门采用法定机构运作模式，实行专业化、市场化、法治化运作；深化政府职能转变，将海南各级政府的工作重点转到创造良好营商环境、提供优质公共服务、加强社会治理上来。

（六）推进司法体制改革

37. 以审判为中心推进刑事诉讼制度改革

坚持以审判为中心，推进审判权和执行权分开，在全岛范围内合理配置司法资源；适应海南自由贸易港建设实际需求，对《刑法》中的部分罪名进行调整，例如非法经营罪等罪名提请全国人大删除或者暂停适用；加快建立海南自由贸易港"数字法庭"、知识产权法庭等专业法庭。

38. 建立多元化纠纷解决机制

建立以调解、仲裁等为主要手段的替代性纠纷解决机制；鼓励和支持按自愿原则选择调解、仲裁等非诉讼方式解决纠纷，完善国际商事纠纷多元化解机制；加强与银行、证券、保险等行业协会、社会组织合作，建立和解、调解、仲裁、公证、诉讼有机衔接、互相协调的诉调对接平台，降低纠纷解决成本。

39. 建立与国际接轨的仲裁制度

鼓励国际商事仲裁机构以独资、合资和合作等形式进入海南，引进域外先进的仲裁理念和仲裁模式；支持海南自由贸易港仲裁机构创建两大法系仲裁模式裁决民商事案件，组建由来自不同法系、不同国家和不同地区的法律专家组成的海南国际商事法律专家咨询委员会；建立临时仲裁制度；引入国际专业替代性纠纷解决机构。

40. 培育多元化法律服务市场

允许境外律师事务所在海南自由贸易港内设立分支机构并从事各类涉外民商事法律服务；组建海南自由贸易港国际律师学院；支持省内智库、高校与相关机构联合成立海南自由贸易港外国法查明中心，为市场主体提供法律服务。

（七）中央政府充分授权

在中央的统一领导下，将经济类与社会类事权尽可能下放给海南，使海南充分自主地享有相应的管理权限；探索实施权力"大负面清单"制度，以支持海南大胆试、大胆闯、自主改。

41. 全国人大出台专项立法

方案一：由全国人大出台《中国特色自由贸易港基本法》。在国家层面专门立法明确中国特色自由贸易港的法定性质、法律地位、战略目标、特殊功能等；明确中国特色自由贸易港包括政策体系、法规体系、管理体制、运行模式等在内的制度框架。方案二：全国人大批准实施《海南自由贸易港基本条例》。全国人大授权海南省人大起草《海南自由贸易港基本条例》，提交全国人大审议通过后正式实施。

42. 实行中央地方双层级管理模式

在中央层面专设"海南自由贸易港中央管理委员会"，对海南自由贸易港进行综合、垂直管理，提升决策效率；在海南省层面，成立海南自由贸易港管理委员会，并直接接受"海南自由贸易港中央管理委员会"的领导。

四 加快推进海南自由贸易试验区走向自由贸易港进程

未来几年是海南从自由贸易试验区走向自由贸易港的关键时期。要以中国特色自由贸易港为目标，高标准高质量建设自由贸易试验区，分步骤、分阶段尽快实现从自由贸易试验区向自由贸易港的过渡。

（一）尽快制定未来几年从区到港的行动方案

43. 出台《海南自由贸易港总体方案》

在全面复制推广其他自由贸易试验区探索的经验的基础上，尽快研究制定《海南自由贸易港总体方案》，明确海南自由贸易港的法律地位、战略功能、管理体制、运行机制以及政策体系等；同步制定并公布 2025 年、2035 年分阶段的建设目标、行动步骤、重大任务等。

44. 明确全岛建设自由贸易港，不搞"港中港、区中区"

海南建省办经济特区 31 年的实践经验表明，实行"港中港、区中区"的建设路径，总体上不成功。建议在总体方案中明确海南自由贸易港建设范围为海南全岛，岛内不再划区和划港；在此前提下，根据海南不同区域特点形成合理的产业和空间布局。能在全岛推开的任务、政策和体制机制创新，尽量在全岛推行，防止改革的碎片化，降低重复建设带来的巨大成本。

（二）尽快在改善营商环境上取得重大突破

45. 用市场化的办法解决各方高度关注的问题

以房地产为例，建立海南房地产市场平稳健康发展的长效机制，核心是政府在保障基本住房需求的前提下，有效发挥市场在房地产资源配置中的决定性作用，实现"市场的归市场，保障的归保障"。建议以市场化为导向，以保障中低收入群体住房需求为重点，加快建立多主体供给、多渠道保障、租购并举的新型住房制度；尽快放开高端住房交易限制,更多利用印花税等措施调节市场;鼓励、引导房地产企业加快服务化转型,大力发展旅游、健康、养老服务型地产,完善医疗保健、生活配套服务,提升房地产品质。

46. 赋予市场主体更大的自主权,有效激发市场活力

全面实施企业自主登记制度、简易注销制度,实现企业"自由生""自由死";全面推广企业法人承诺制;除涉及国家安全等敏感项目外,取消企业一般投资项目备案制,赋予并保障企业投资自主权;坚持竞争政策基础性地位,强化竞争中性原则,着力消除政府部门扭曲公平竞争的行为,营造公开透明、公平竞争的市场环境。

47. 加快推进交易场所等市场基础设施建设

依托海南旅游、健康、热带农产品、大宗商品、航运等优势,加快建立现代化、国际化的交易场所。建议尽可能增加人民币计价的交易种类,逐步增强我国对某些产品的国际定价权;吸引纽交所、伦交所、港交所等国际知名交易所投资海南交易场所;引入国际化技术与管理人才,采取国际化标准,实行国际化管理。

(三)加快实行服务业项下的自由贸易政策

48. 尽快制定实施极简版服务贸易负面清单

对接国际通行的产业分类方法,加快研究制定包括投资准入与跨境服务在内的综合版、内外资统一的极简服务贸易负面清单;除涉及国家安全、社会公共秩序的领域实行负面清单管理外,其他服务贸易对内外资全面开放。完善负面清单配套管理措施,减少禁止类,更多采取比例限制、岗位限制、差别待遇等方式,降低行业限制强度。通过地方立法明确规定,凡是与负面清单的开放承诺相冲突的部门现行规章,一律按照负面清单执行;明确负面清单限制措施"只减不增"。

49. 尽快在全省推开博鳌乐城国际医疗旅游先行区相关政策

允许在先行区内注册的医疗健康类企业在全岛设立分支机构,

享受先行区同等优惠政策；取消对"少量、急需"药品的限制，将国外已批准上市但国内尚未批准的药品在海南境内使用的审批权限全面下放海南；将我国无相同品种产品获准注册的医疗器械使用范围由博鳌超级医院扩大至全省。

50. 与香港联手打造具有世界影响力的国际旅游消费中心

建议发挥香港在旅游购物方面的经验和优势，尽快与香港达成国际旅游消费中心合作建设一揽子协议，提升海南旅游消费的国际化、标准化、信息化水平；以委托经营、独资经营等多种形式，加强与香港的合作；与香港共建免税购物供应链，提升海南免税购物产业的国际化水平。

（四）在提高资源利用效益上取得明显成效

51. 重点提高土地资源利用效益

受制于区域、城乡体制壁垒，海南省土地资源潜力远未释放。2018年海南每平方公里土地产出的GDP为0.137亿元，仅相当于广东的25.4%、台湾的12.7%、香港的0.63%、新加坡的0.41%。如果尽快统一全省土地资源利用，严格执行全省土地统一收购储备、统一开发管理、统一公开供应，统一规划岸线资源，限制最低地价，提高平均地价，将大大提高全省土地资源利用效益。新增的土地出让收益将为实现自由贸易港目标提供重要的财力保障。

52. 着力提高海洋资源利用效益

海南管辖的海洋面积占全国的2/3，但2017年海南的海洋经济产值仅为浙江的16.6%、山东的8.5%、广东的7%，资源潜力巨大。海南建立自由贸易港要在推进泛南海区域经济合作和海洋领域的投资贸易自由化便利化上发挥作用，在提高海洋经济效益方面取得重大突破，推动海洋经济向质量效益型转变。

53. 以推进"六个统一"为重点深化"多规合一"改革

按照"全岛一个大城市"思路，在调整行政区划的同时，深化

"多规合一"改革。在全省规划统一的基础上，加快推进土地利用统一、基础设施统一、产业布局统一、城乡发展统一、环境保护统一、社会政策统一，显著提升全省资源利用效益，形成海南发展整体优势。

（五）加大海南自由贸易港建设起步阶段的财税金融支持

从海南目前的经济与财政状况看，单靠海南本身难以实现中央赋予的重大战略目标。加快推进自由贸易试验区走向自由贸易港的进程，需要在未来几年加大对海南重大事项的财税金融政策支持力度。例如：

54. 加大对海南公共财政的支持力度

如在起步阶段，加大中央对海南的一般性和专项转移支付力度，适当提高海南基本运转支出占标准收入的比重。

55. 加大对海南基础设施建设的财税支持

建议中央财政设立海南自由贸易港基础设施专项转移支付项目，支持海南进一步改善岛内高速公路、国际港口、国际航线、信息与旅游基础设施等。

56. 支持海南在国际资本市场发行人民币债券

有两个方案：一是由中央政府发行海南自由贸易港专项建设长期债券；二是支持海南以国家信用担保，在国际市场发行以人民币计价的长期债券，利用国际资本加快海南自身软硬件建设，可在香港先行试点发行海南自由贸易港建设债券。

（六）加快形成引才用才的独特优势

"吸引人才、留住人才、用好人才，最好的环境是良好体制机制。"建省之初的"十万人才下海南"，主要原因在于打破了引、用人才的体制束缚。今天，能不能以非常之举尽快形成吸引人才、留住人才、用好人才的体制机制和独特优势，是海南加快从自由贸易试验区走向自由贸易港的决定性因素。

57. 以法定机构为主要平台吸引国际化人才

以实行法定机构运作模式为重点吸引各类高端人才；以设立海南移民管理局为重点搭建并不断完善吸引全球高层次人才的平台；鼓励支持国际人才评估、认定的第三方组织和机构在海南发展，其对国际人才的评估结果可以为海南政府部门和用人单位直接采用；制定《海南自由贸易港人才促进条例》。

58. 加快建立高效灵活的用人机制

全面打破体制内外人才流动的壁垒，实行体制内外各类人才同岗位、同报酬、同社保、同评价的政策；建立并完善人才工作室制度，赋予科研人才高度自主权，对科研人员科技创新收益和成果转化收益不设上限；鼓励支持具备研发能力、拥有专利技术的体制内人才创新创业。

59. 实行开放灵活的人才管理体制

全面取消编制管理，以专业性、开放性为重点重构人才管理体制；对公务员加快实行选任制和委任制分类管理，建设以专业技术类和执法类作为主体的公务员队伍，把行政综合类占比压到最低，实行以职务聘任为主的"岗位管理"。

60. 建立并完善国际化人才服务体系

划定区域为来琼创新创业的国外企业家、高层管理人才、专家学者打造国际人才社区；营造"类海外"居住和文化环境；支持海南设立外国人永久居留服务机构，探索租售同权等房地产政策；在建立制度、管住风险、优化服务的前提下，有序引入菲佣等高技能外籍劳工，为国际化人才和海南中高收入家庭提供优质家政服务。

以自由贸易港为目标高标准高质量
建设海南自由贸易试验区

高标准高质量建设自由贸易试验区的建议(10条)*

（2018年6月）

海南全岛建设自由贸易试验区和中国特色自由贸易港，是习总书记亲自谋划、亲自部署、亲自推动的重大国家战略。按照总书记的要求，起好步、开好头，极为重要。总的建议是：按照中央要求，以中国特色自由贸易港为目标高标准高质量建设自由贸易试验区；以2—3年时间取得自由贸易试验区的重要突破，为自由贸易港建设打下重要基础。

一　把高标准高质量作为建设海南自由贸易试验区的基本要求

1. 高标准高质量是党中央对海南自贸试验区建设提出的明确要求

这就要求海南自贸试验区要高起点谋划、高标准定位、高效能推进。

2. 到2020年自贸试验区建设取得重要进展是党中央对海南提出的阶段要求

这就要求海南自贸试验区在未来2—3年内实现重要突破，国

---

* 中改院课题组：《高标准高质量建设自由贸易试验区——建设海南自由贸易港的基本要求和重要基础（10条建议）》，2018年6月。

际开放度显著提高。

3. 海南要在充分借鉴国内 11 个自贸试验区成功经验的基础上，实现新的突破

海南自贸试验区建设时间紧、要求高、任务重，这就要求海南一方面要尽快学习 11 个自贸试验区的成功经验，例如外商投资管理、商事制度改革、国际贸易"单一窗口"、自由贸易 FT 账户等；另一方面，海南要结合自身优势和特点，尽快在国内自贸试验区无法突破的领域取得新突破。

二 以自由贸易港为目标高标准高质量建设自由贸易试验区

1. 明确中国特色自由贸易港的总体目标

海南自贸试验区与国内 11 个自贸试验区的根本区别，是明确了建设中国特色自由贸易港的发展目标。海南自贸试验区是海南自贸港的起步和过渡阶段。

2. 在海南自贸试验区建设阶段，凡是与自贸港建设不相适应的举措和政策，坚决不能出台

海南自贸试验区所有的行动规划与具体政策都要按着自贸港的目标来谋划。

3. 做好从"区"到"港"的有效衔接

未来 2—3 年，海南要努力以自贸试验区的重要突破为全面推动自贸港建设打下重要基础。

三 按照"以开放为先"的要求，率先在服务贸易创新发展上取得重要突破

1. 以服务贸易创新发展服务于新时期我国对外开放战略

服务贸易发展既适应了经济全球化的新趋势，也是我国推进开放转型的新要求。加快海南自贸试验区建设，要为我国补上服务贸易这块"短板"发挥特殊作用。

2. 以服务贸易创新发展形成海南的突出优势和鲜明特色

海南完全有条件、有潜力在服务业市场开放和服务贸易创新上走在全国前列，形成独特优势。

3. 按照服务贸易创新发展的要求尽快形成海南负面清单的总体框架

考虑海南的负面清单，不只是数量的减少，而是要突出服务贸易创新发展的需要，并由此设计自贸试验区的负面清单，尽快把海南打造成以服务贸易为重点的对外开放新高地。

四 破题国际旅游消费中心

1. 实现免税购物政策的更大突破

实现全岛免税政策的突破，所有符合条件的企业都可以经营免税业务；大幅提升免税购物限额，实行离岛免税商品负面清单管理；岛内居民分享免税政策红利，营造良好社会环境。

2. 全面放开健康医疗旅游市场

在加快把博鳌乐城打造成为国际化高端医疗合作中心的同时，尽快把国家赋予博鳌乐城国际医疗旅游先行区的某些政策向全岛推开。

3. 以邮轮旅游为重点构建泛南海旅游经济合作圈

全力推进三亚邮轮母港建设；开辟泛南海邮轮旅游航线，使海南邮轮旅游产业成为"泛南海旅游经济合作圈"的先导产业。

4. 加强与香港、澳门合作，尽快实现国际旅游消费中心建设的突破

以委托经营、独资经营等多种形式，引进港澳资本及先进的经营、管理和人才，尽快实现国际旅游消费中心建设的实质性突破。例如，与香港联手建设免税购物链，与香港或澳门合作经营海南的赛马博彩，提升国际旅游消费中心的服务水平和管理能力。

五 以全面实施企业自主登记制度为重点打造国际化营商环境

1. 全面实施企业自主登记制度

参照香港、新加坡的经验,尽快全面实施企业自主登记制度,全面推广法人承诺制,全面实施企业简易注销制度,扩大企业自主权。

2. 引进国际水准的服务机构

对标国际自贸港,引进全球著名的会计师事务所、律师事务所、咨询公司等机构进驻海南,更好地为国内外企业提供高标准、高质量、国际化服务。

3. 完善产权保护制度

加快构建包括知识产权法院、金融法院等在内的各种专业法院,依法保护企业家人身权、财产权、创新权益和自主经营权,探索知识产权证券化,激发和保护企业家精神。

六 以提高资源配置效率为重点深化"多规合一"改革

1. 把提高资源配置效率作为深化"多规合一"改革的重大任务

受制于区域、城乡体制壁垒,全省资源潜力远未释放。2017年海南地均生产总值为0.13亿元/平方公里,仅相当于广东全省的26%。海南如果把统筹全省土地资源利用这篇大文章做好了,由此会产生重大的改革红利。

2. 加快形成"六个统一"的整体布局

在全省规划统一的基础上,加快推进土地利用统一、基础设施统一、产业布局统一、城乡发展统一、环境保护统一、社会政策统一,由此显著提升全省资源利用效率,形成海南发展的整体优势。

3. 按照"全岛一个大城市"思路加快行政区划调整

在全岛形成东西南北中区域性中心城区,提升全岛土地、旅游等重要资源的综合利用效益。

4. 创新城乡融合发展的体制机制

率先取消城乡二元户籍制度，实施全省统一的居住证管理制度；率先建立城乡统一的建设用地市场，赋予农民更多财产权利。

七 以"小政府、大市场"为导向深化行政体制改革

1. 充分发挥市场在资源配置中的决定性作用

凡是市场能做的，都交给市场去做；凡是能运用市场机制的，都要引入市场机制，最大限度地激发市场活力。

2. 以提高行政效能为重点优化营商环境

按照"大市场"的要求，取消企业一般投资项目备案制；推进"不见面审批""最多跑一次""一次办好"，在海南率先建立"多管合一"的大市场监管体制。

3. 以"放、统、合"为重点加快党政机构改革

按照"小政府"的要求，统筹考虑全省党和政府机构设置，科学配置党政部门及内设机构权力、明确职责，在财贸、文教、政法、农业、外事、纪检监察等党政机关率先探索合并设立或合署办公。

八 建设海南自由贸易试验区要全岛推进，重点突破

1. 明确全岛建设自贸试验区的功能区划和产业重点

结合区域特点，在全岛划分不同功能区域，布局不同产业。

2. 率先在海口、三亚、琼海等重点地区取得重大突破

例如，支持海口大力发展总部经济，大力发展现代服务业；以"大旅游"布局"大三亚"，实现大旅游产业的重大突破；发挥博鳌亚洲论坛的品牌效应和博鳌乐城国际医疗旅游先行区的示范效应，形成琼海在健康医疗产业和会展产业的独特优势。

九 建设海南自由贸易试验区要以中国特色自由贸易港总体方案为指导

1. 尽快出台《中国特色自由贸易港总体方案》

加快研究设计海南自贸港的制度框架，尽快形成海南自贸港的

总体方案，并争取年内由中央批准，有利于稳定预期、统一认识、形成合力。

2. 以中国特色自贸港总体方案为指导高标准高质量建设海南自贸试验区

要在海南自贸港的总体制度框架下来统筹考虑海南自贸试验区的财税、金融、人才、管理、法律等政策措施和相关制度，确保起好步，开好头。

3. 海南自贸试验区的措施成熟一项推进一项

先谋后动，建议成熟一个推出一个，实现单项突破，以此实现高标准高质量建设目标，进而增强岛内外预期。

十　加强顶层设计、统筹协调

1. 成立直属于中央的海南自贸试验区和自贸港研讨小组

组织国内外自贸港领域的理论研究、政策和制度设计以及实际操作者等专家，共同研讨海南自贸试验区和自贸港建设的总体方案、总体规划和实施方案。

2. 在中央统筹协调下，海南需要尽快成立自贸试验区和自贸港建设协调机构及其办公室

高标准高质量建设海南自由贸易试验区的建议(4条)*

(2018年11月)

未来2—3年,高标准高质量建设自由贸易试验区,是中央对海南的基本要求。这个"高标准高质量":第一,要以服务国家重大战略为目标。把认识与行动统一到服务国家重大战略上来。第二,要以自由贸易港为主题。凡是从自贸试验区走向自贸港不可或缺的要素,应当主动探索实施。第三,要以2020年为时间窗口期,开好头、起好步,为探索实行符合海南发展定位的自由贸易港政策和制度体系打下坚实基础。第四,坚持以开放为先、以制度创新为核心,努力建设新时代改革开放新高地。

一 改善营商环境要有重大突破

从现实情况看,改善营商环境成为海南高标准高质量建设自贸试验区的首要问题:一是营商环境不优是内外投资者诟病海南的集中点;二是从自贸试验区走向自贸港,优化营商环境成为首要关键。

---

* 《高标准高质量建设海南自由贸易试验区(4点建议)》,《中改院简报》总第1195期,2018年11月1日。

1. 改善营商环境的突出矛盾是市场活力不足与政府效率低下

当前，如何激发市场活力、形成市场决定资源配置的大格局是海南改善营商环境的首要任务。以房地产市场为例。建立海南房地产市场平稳健康发展的长效机制，核心是政府在保障基本住房需求的前提下，有效发挥市场在房地产资源配置中的决定性作用，实现"市场的归市场，保障的归保障"。

如何充分激发市场活力，关键之举在于服务业市场开放的实质性破题。应当说，海南既有条件，又有可能在现代服务业市场开放方面走在全国前列。例如，率先实行旅游、购物、健康医疗、文化娱乐、教育、航运等产业项下的自由贸易政策，海南要努力在这方面寻出路、谋突破。这不仅符合海南的实际，而且会产生多方面的效应。其一，实质性促进自贸试验区与自贸港的有机融合；其二，会产生比重点区域开发更快、更明显的拉动效益；其三，在现代服务业发展方面发挥示范引领作用。海南尽快在服务业市场开放、服务贸易创新发展上推出相关的重要行动方案，就会由此激发市场活力、形成市场环境的突出优势。

2. 改善营商环境的当务之急是明显提高政府办事效率

有报告指出，2011—2016年，在全国31个省份政府效率排名中，海南由29位下降至31位；2017年海南省政府效率排名上升至14位。高标准高质量建设自贸试验区，提高政府效率成为改善营商环境的重中之重，要在这方面尽快出实招、下猛药。例如，争取年内以全面实行企业自主登记制度为突破口深入推进商事制度改革，在严守法律法规和有效市场监管的前提下，赋予企业自由生、自由死、自主经营的基本权利。

3. 改善营商环境的主要目标是法治化、国际化、便利化

例如，尽快研究出台《海南经济特区促进民营经济发展条例》，在创新民营经济发展方面走出一条制度化、法治化之路。再如，可

否创建海南自贸试验区"数字法庭"？由此为海南发展以数字经济为重点的高新技术产业提供法律保障。

二 提高资源利用效益要有明显成效

海南拥有区位、资源、生态环境等独特优势，具备"更好发展起来"的诸多条件。从现实看，把潜在的巨大资源优势转化为现实的竞争优势是高标准高质量建设自贸试验区的重中之重。在这方面，海南需要付出巨大努力。

1. 把提高资源利用效益作为全面深化改革开放的重要目标之一

海南土地、热带农业、海洋、生态环境是独特的宝贵资源。但总的看，海南的资源利用效益还相当低。从岛屿比较看，海南与台湾的土地面积差不多，海南约2/3是平原，台湾约2/3是丘陵和山地，海南地质条件比台湾要好得多；但2017年，海南每平方公里土地产出的GDP只等于台湾的11.7%。从海洋资源利用效益看，海南管辖的海洋面积占全国的2/3，但2017年海南的海洋经济产值仅为浙江的16.6%、山东的8.5%、广东的7%。从热带农业资源利用效益看，热带农业是海南的一大优势，但热带农业的附加值很低。为什么？重要原因是农产品加工水平低。目前，海南农产品加工转化率仅为32%，与发达国家90%、国内平均水平40%—50%相比还有明显差距；海南水产品加工转化率仅为47%，而国内发达地区已达70%以上。

2. 提高土地资源利用效益是重点

从目前看，受制于区域、城乡体制壁垒，全省土地资源潜力远未释放。2017年海南地均生产总值为0.13亿元/平方公里，仅相当于广东全省的26%、香港的0.6%、新加坡的0.43%。如果到2020年海南土地资源利用效益达到广东省2017年的50%左右，估计将会有7000亿—8000亿元的资本需求；如果到2025年达到香港2017年的5%，估计将会有3万亿元以上的资本需求；如果到2025年达到新加坡2017年的5%，估计将会有5万亿元以上的资本需求。

3. 关键是创新体制机制

要按照"全岛一个大城市"的思路推进行政区划和行政体制改革，深化"多规合一"改革，在全省规划统一的基础上，加快推进土地利用统一、基础设施统一、产业布局统一、城乡发展统一、环境保护统一、社会政策统一，由此显著提升全省资源利用效益和政府行政效率。海南发展的最大潜力和后劲在农村。海南有条件在城乡融合发展、乡村振兴方面走在全国前列。例如，率先取消城乡二元户籍制度，实施全省统一的居住证管理制度，实现城乡、区域人才的自由流动；率先建立城乡统一的建设用地市场，赋予农民更多财产权利，使农民获得稳定的财产性收入，率先探索走出一条城乡融合发展、建设美丽乡村的新路子。

三 建设具有世界影响力的国际旅游消费中心要有实质进展

落实习近平总书记提出的"推动海南建设具有世界影响力的国际旅游消费中心"，是未来几年高标准高质量建设自贸试验区的重大任务。

1. 国际化产品与服务供给不足成为突出问题

当前，海南建设国际旅游消费中心面临的突出矛盾在于国内不断上涨的服务型消费需求与海南国际化产品和服务供给严重不足。建设具有世界影响力的国际旅游消费中心的着力点要放在扩大国际化旅游产品及相关服务供给上。根据海南旅游部门抽样调查，2018年第三季度，海南国内过夜游客人均天花费是814.85元人民币，其中交通、住宿、餐饮三项基本性消费占比为69.27%，购物、娱乐、专项服务、租赁服务支出仅占21.68%。这个数字，反映出海南可选择的旅游产品很少，游客的消费需求难以满足。

2. 培育旅游消费新热点

一是加快海南免税购物政策的重大调整。例如，争取中央将免税特许经营权下放给海南,所有符合条件的企业都可以经营免税业务;全面放开日用消费品的品种限制,实行离岛免税商品负面清单管理;在确保自用的前提下,放开对本岛居民购买免税产品的限制。二是以健康医疗市场全面开放为重点培育旅游消费新热点。努力争取进口药品、医疗器械市场开放的重要突破,率先在海南免征进口药品增值税;争取支持海南引进美国、欧盟的药品质量安全标准,将在欧盟、美国、日本已批准上市但在国内尚未获准注册的药品审批权下放给海南;争取在以癌症治疗为主的医疗器械进口方面实行零关税;争取将博鳌乐城国际医疗旅游先行区的某些开放优惠政策扩大到全省;鼓励发展与国际接轨的各类商业医疗健康保险,探索建立长期护理保险制度。

3. 关键之举是与香港合作建设国际旅游消费中心

例如,和香港联手打造免税购物的产业链、消费链;推动琼港服务管理标准、规范及市场监管执法标准的全面对接。

四 人才引进要形成独特优势

习近平总书记指出:"吸引人才、留住人才、用好人才,最好的环境是良好体制机制。"建省之初的"十万人才下海南",主要原因在于打破了引、用人才的体制束缚,使海南在经济社会发展水平还相当落后的情况下,成为青年人创业的热土。今天,海南吸引各类人才,仍是要以体制机制创新为重点,形成具有吸引力的独特优势。

1. 从自贸试验区走向自贸港是吸引人才的最大优势

中央支持海南建设自贸试验区和自贸港,给各类人才发展带来良好预期。在这个独特优势下,务实可行的方式是建立多种类型的平台,为人才创造创新创业的重要机会。

2. 体制创新是关键

例如,建立创新工作室制度,赋予科研人才更大的自主权;对科研人员科技创新收益和成果转化收益不设上限，鼓励高校、科研院所、企业通过股权、期权、分红等方式激励科技创新，营造创新创业的良好环境。解放思想，"只求所在，不求所有"，把海南某些高校的新校区交给海内外名牌大学来办，在开放中提升海南整体教育水平。

按照中央的要求，在各方面的大力支持下，海南发扬"敢闯敢试、敢为人先、埋头苦干"的特区精神，就一定会担负起高标准高质量建设自贸试验区和稳步推进中国特色自由贸易港建设的历史重任。

加快推进服务业项下的自由贸易进程

以服务贸易创新发展为主导研究设计海南负面清单的建议(10条)*

(2018年6月)

总的建议是：以建设中国特色自由贸易港为目标，以服务贸易创新发展为主导，研究形成既符合国际自由贸易港通行做法，又具有海南特色的负面清单总体框架，由此实现海南从"区"到"港"的重要突破。

一 总体考虑

海南负面清单框架设计，要抓住服务贸易创新发展的大趋势。这符合经济全球化的大趋势，符合我国开放转型的大趋势，符合海南自身特点和突出优势，是把海南打造成为新时代全面深化改革开放的新标杆，形成更高层次改革开放新格局的重要举措。

1. 以服务贸易创新发展为主导

（1）服务贸易创新发展是中央对海南提出的明确要求。习近平总书记在海南"4·13"讲话中明确提出"深化现代农业、高新技术产业、现代服务业对外开放，推动服务贸易加快发展"。海南服

---

* 节选自中改院课题组《以服务贸易创新发展为主导研究设计海南负面清单的框架建议(10条)》，2018年6月。

务业基础薄弱，需要以服务贸易创新发展为主导，推进海南服务业领域内的产业体系、市场体系、服务体系与全球其他国家尤其是发达国家的对接与融合。

（2）服务贸易创新发展符合经济全球化大趋势。服务贸易快速增长已成为新一轮经济全球化的突出特征。2010—2017年，全球服务贸易年均增速是全球货物贸易的2倍。随着服务贸易在全球贸易进程中的地位和作用不断提升，服务贸易已成为影响全球自由贸易进程的重点，也成为全球双边、多边自由贸易的焦点。

（3）服务贸易创新发展符合我国开放转型大趋势。目前，我国制造业领域已基本开放。但服务业领域仍面临着不同程度的市场垄断与准入限制。无论是消费结构升级还是产业结构升级，都蕴藏着对服务贸易的巨大需求。这就需要我国加快推进由货物贸易为主向服务贸易为重点的开放转型。

（4）海南有条件在服务贸易创新发展上走在全国前列。海南岛作为一个独立地理单元，且经济总量小。加快服务贸易创新发展，全面放开服务业市场，风险可控、影响较小，海南有基础、有条件、有潜力在以服务贸易为重点的开放转型方面走在全国前列。同时，为建设海南自由贸易港奠定重要基础。

2. 以负面清单推动形成海南服务业市场开放新局面

（1）以负面清单打破服务业领域的行政垄断与市场垄断。负面清单的本质特征是法无禁止皆可为，同时推动从事前审批向事中事后监管的转变。加快形成以服务贸易为主导的负面清单，有利于使社会资本成为服务业发展的主导力量，有利于充分发挥市场在服务业领域资源配置中的决定性作用。

（2）以负面清单扩大海南服务业对外开放。扩大服务业对外开放是党的十九大报告提出的重大任务，也是海南推动服务贸易创新发展的重要途径。在海南构建对标国际的负面清单，执行统一的市场准入制度，将降低外商投资企业的准入门槛，有力推动海南服务业对外开放进程。

（3）以负面清单优化服务业企业发展环境。习近平主席在博鳌亚洲论坛 2018 年年会开幕式上的主旨演讲中提出，"过去，中国吸引外资主要靠优惠政策，现在要更多靠改善投资环境"。在服务业与服务贸易领域实行负面清单管理模式，大幅收缩政府审批范围与权限，提高投资准入条款的规范化和透明化水平，有助于海南加快打造一个便利化、法治化、国际化的营商环境。

3. 借鉴先进经验、突出海南特色

（1）学习借鉴国内 11 个自贸试验区的经验。在外商投资管理、商事制度改革、国际贸易"单一窗口"、事中事后监管、自由贸易 FT 账户等方面尽快复制推广。

（2）学习借鉴国际自由贸易港的先进经验。不同经济体的负面清单内容不同，但其共同点是"极简、透明、非歧视、可预见"。

（3）突出海南特色。目前 11 个自由贸易试验区在金融、电信等服务业开放方面还面临比较大的挑战，海南在这方面可以加大突破力度，形成海南优势。

4. 分阶段、分步骤调整与完善海南负面清单

（1）到 2020 年，以服务贸易为主导的负面清单框架基本建立，国际开放度显著提高，达到国内最高开放水平。

（2）到 2025 年，海南负面清单达到香港、新加坡的水平。营商环境达到国际先进水平。

（3）到 2035 年，以服务贸易为主导的负面清单管理制度模式更加成熟，营商环境达到全球领先水平。

二 基本框架

以服务贸易创新发展为主导构建海南负面清单框架，基本要求是大幅放宽服务业市场准入，提高负面清单可操作性、透明度和可

预期性，由此形成海南的鲜明特点和突出优势。

5. 大幅放宽服务业市场准入

除了以下几类投资项目外，海南其他服务业领域均对内外资全面开放：

（1）有可能影响国家安全的投资。例如：

——公共安全类。比如，在邮政领域禁止外资从事平信、公文等特定的寄递业务。

——基础数据类。这类主要包括禁止投资大地测量、海洋测绘、测绘航空摄影、行政区域界线测绘、水文地质、环境地质、地质灾害、遥感地质等调查。

——生物安全类。例如，原产于我国的野生动植物资源开发；我国重点保护野生动植物和微生物资源采集与收购等。

——意识形态类。例如，通讯社、报刊社、出版社以及新闻机构等机构的设立等。

（2）公共利益和公共事业领域的投资。对提供公共健康、公共福利的企业，可以考虑用限制外资总体持股比例、单一股份份额、保留优先股权利，明确高管和董事会任职资格等。比如，禁止在海南投资和经营文物拍卖的拍卖企业、文物购销企业；金融领域的投资在一定期限内有股比限制；电影院线投资在一定期限内有股比限制。

（3）有可能影响海南生态环境的投资。生态环境是海南的独特优势，保护生态环境需要改变投资结构。这对所有的资本都一视同仁。比如，禁止在海南投资燃油家用小汽车生产、组装、销售；禁止投资露天矿石开采。

（4）社会组织等投资。当前我国负面清单没有将公共管理、社会保障和社会组织及国际组织纳入其中。建议借鉴韩国等发达国家经验，考虑将宗教团体、政治团体、产业团体等列入负面清单，并明确限制措施。

6. 逐步完善负面清单管理体系

（1）拓宽负面清单管理方式，降低负面清单的行业限制强度。当前的负面清单中对列出的行业大都采用准入性限制，包括禁止进入、有条件进入和股权比例限制等。国际上仅对少数行业采用了准入性限制，更多采取了其他方式。海南负面清单管理需要借鉴这一做法，采取多种形式的负面清单管理。除了绝对禁止和比例限制外，还包括：

——岗位限制。在某些特殊的岗位，对任职人员提出特定的要求。比如，对金融等领域的董事会、高管等组成人员，明确其相应的任职条件。

——差别待遇。比如，在财政支持的教育、医疗等公共服务行业，可以不给予本国投资者以外的投资者以国民待遇。

（2）明确准入后国民待遇。只有准入前和准入后的要求都十分明确，才能提高企业对政策的预期。逐步降低准入后的要求，保障外资准入后的国民待遇，努力营造统一开放、竞争有序的市场环境，由此形成海南独特优势。

（3）对新业态或关键领域预留空间，保留制定负面清单权力。除了考虑现有的投资领域外，还需要考虑到未来可能出现的新业态。海南负面清单需要为一些关键的领域或未来可能出现的新兴行业与业态预留空间，保留制定负面清单的权力。特别是对于服务业的新业务、新业态，要用谨慎的方法制定特别管理措施。

7. 强化负面清单的可操作性

（1）同步推出相关附件，提高负面清单的可操作性。从国际经验看，负面清单附件分别列出现有的不符措施、未来的不符措施以及金融部门的具体措施。借鉴国际经验，海南负面清单需要同步推出相关附件，提高负面清单的可操作性。比如，附件1列出当前的负面清单，附件 2 列出未来可能出现的负面清单，附件 3 专门列出金融领域负面清单。

（2）规范表述，避免歧义。

——完整表述负面清单管理要素。海南负面清单需要明确包括部门、相关义务、政府级别、措施和描述五项基本要素，使得负面清单可执行。

——对负面清单的特别管理措施要有充分的描述，需要细化到具体业务。海南负面清单可以采用我国的产业分类方法，未必需要与国际通行的分类方法完全一致，但是分类要以准确、可操作为标准，可以细化到具体业务，并明确与国际通行分类间的转换关系。

——列明具体管理措施的基本要素。具体要包括部门或事项、国内或国际产业分类编码、保留类型、政府级别、法律依据、措施的简要描述及逐步自由化的承诺。

（3）特别管理措施的描述要清晰、可操作。对具体管理措施要进一步细化，使投资者一目了然，在实践中可落地、可操作。

8. 强化负面清单的透明度与可预期性

（1）提高负面清单的透明度。海南负面清单的措施与描述应当分别列明，措施是相关法律法规依据，描述是对措施的详细说明。对于无法明确限制条件的管理措施，可以取消的予以取消，尽可能减少模糊空间。

（2）明确只减不增的机制。建立"棘轮机制"，明确负面清单只减不增，以稳定投资者预期。

（3）加大企业与社会参与。负面清单制定过程中应当允许各种不同利益主体参与，并提供充分发表意见的时间和途径。

三 保障条件

为保证以服务贸易创新发展为主导的负面清单顺利实施，需要在加强顶层设计的条件下，推动相关法律法规的系统性调整，更需要加强与负面清单相适应的事中事后监管。

9. 加快负面清单立法进程

（1）将负面清单相关立法工作提上日程。例如，由全国人大或由全国人大授权常委会尽快制定形成负面清单相关的原则性条款，并明确其与现行其他法律相冲突时的使用情况。在此框架下，授权海南立法机关制定符合自身功能定位和发展需要的地方法规、规章，为海南自由贸易试验区和自由贸易港实施更大的开放、推进更大程度的改革扫除制度障碍。

（2）短期内加强相关法律法规的顶层协调。以服务贸易创新发展为主导的负面清单，不可避免地会涉及全国人大及其常委会制定的相关法律的调整，也涉及国务院及各部委相关条例的调整。为此，需要统筹解决海南扩大开放涉及的相关法律法规问题。例如，短期内，在医疗健康、免税购物、邮轮旅游等服务业领域，采取暂停相关法律实施等方式，为海南尽快实现重点服务业突破提供法律支持。

10. 尽快建立适应负面清单管理的事中事后监管体制

海南实行负面清单，既要"放得开"，也要"管得住"。目前，我国货物贸易管理体制比较健全，但服务贸易的监管体制相对滞后。为此建议：要以创新严格而有效的金融监管为重点，在海南周密做好包括金融监管、资金监管、物资监管、安全监管等重要事项的准备工作。

实行服务业项下的自由贸易的建议
(9条)*

(2019年3月)

加快探索建设中国特色自由贸易港进程,是新时代中央赋予海南的战略使命,也是海南发展的重大历史机遇。从近一年的实践看,海南要抓住今后2—3年的时间窗口期,实现从自由贸易试验区向自由贸易港的实质性破题,关键在于加快推进服务业项下的自由贸易进程。

一 加快推进服务业项下的自由贸易进程,既适应我国扩大开放的大趋势,又符合海南的发展定位

1. 以服务贸易为主导是海南建设自由贸易港的独特优势和突出特色

(1) 服务贸易成为经济全球化的焦点和重点。例如,2010—2017年,全球累计服务贸易总额占贸易总额的比重为21.7%,服务贸易年均增长(4.5%)比货物贸易(2.2%)高2.3个百分点。

(2) 服务贸易成为我国扩大开放的重中之重。例如,2010—

---

* 《实行服务业项下的自由贸易——加快探索建设海南自由贸易港进程的建议(9条建议)》,《中改院简报》总第1226期,2019年3月28日。

2018年，我国服务贸易年均增速快于货物贸易近1倍。

（3）服务贸易已成为全球自由贸易港转型的基本方向。例如，2005—2017年，新加坡服务贸易占贸易总额的比重由19.2%提高至32.4%。

（4）海南有条件在服务贸易创新发展方面形成独特优势。2018年，海南服务贸易占比18.1%，高于全国平均水平3.4个百分点。在服务贸易与服务业市场开放直接融合的背景下，海南自由贸易港要形成以服务贸易为主导的独特优势和突出特色，重点、难点、焦点大都集中在服务业市场开放的广度和深度。

2. 加快推进服务业项下的自由贸易进程是海南服务贸易创新发展的务实举措

习近平总书记指出："现代服务业是产业发展的趋势，符合海南发展实际，海南在这方面要发挥示范引领作用。"按照习近平总书记的要求，海南要加快推进旅游、互联网、医疗健康、金融、会展等现代服务业项下的自由贸易进程，实现现代服务业项下的人员、资本、信息、技术、货物等要素的自由高效流动，不仅能加快形成服务型经济为主的产业结构，而且能走出一条以服务贸易创新发展为主导的中国特色自由贸易港建设的新路子。

3. 海南有条件实现服务业项下自由贸易的重要突破

（1）与香港联手共建具有世界影响力的国际旅游消费中心。解决海南国际化产品与服务供给不足的突出问题，切实可行的办法是全面引入香港旅游消费的产业链、供应链，尽快推动琼港旅游购物服务管理和市场监管标准规范的全面对接，并由此带动文化娱乐、金融保险、物流等相关服务业转型升级。

（2）尽快将博鳌乐城国际医疗旅游先行区部分政策的实施范围扩大到全岛，并进一步拓展政策深度。在全国对海南健康服务消费的刚性需求不断增强和国家加快推进医疗健康产业开放的大背景下，医疗健康产业要成为海南发展的一张"王牌"，关键是抓住有利时机，在博鳌乐城作为国际化高端医疗合作中心的前提下，尽快在全岛范围内实行医疗健康产业项下的资金、人员、技术等要素的自由流动，把海南建成全国医疗健康消费的重要承接地，由此使全岛居民与广大旅游消费者受益。

（3）加快推动教育市场开放。教育发展滞后严重制约海南经济社会发展。要允许和支持社会资本与外资投资教育领域。允许境内外具备条件的研发机构、教育组织、高水平企业在海南独资举办医疗健康、旅游、文化创意等职业院校，为自贸港建设培养中高端实用性、技能型、服务型人才。

二 加快推进服务业项下的自由贸易进程，既能尽快形成海南扩大开放的新优势，又能明显提升海南的产业发展基础

4. 没有产业大开放就没有产业大发展

海南30年的经验表明，产业基础薄弱是制约海南发展的突出问题。以会展业为例，2017年海南的展览面积在全国占比仅为0.34%，在31个省区市（不含港澳台）中排第26位，为什么？重要原因是会展产业开放程度严重滞后。再以农业为例。推进农业现代化是农业工业化及农业产业服务化的过程。海南热带农业高度依赖于保鲜、加工、运输，但由于开放度不够，虽然初步实现了农业品种的革命，但生产方式、组织方式、服务体系建设严重滞后，使热带农业资源价值潜力远未释放。目前，海南农产品加工转化率仅为32%，与发达国家90%、国内40%—50%相比还有明显差距。发展海南热带高效农业，出路在于通过加快推进物流、加工、包装等生产性服务业及其产业项下的自由贸易进程，补上农业工业化程度低这个短板。

5. 以实行服务业项下的自由贸易加快形成以服务性消费为主的产业格局

（1）以旅游文化产业项下的自由贸易加快提升海南旅游文化国

际竞争力。以文化为例,2017年,海南文化产业增加值占GDP比重仅为3.18%,低于全国平均水平1个百分点,比上海2016年水平(12.1%)低了近9个百分点。提高海南旅游文化的竞争力,关键在于加快推进旅游及文化体育娱乐产业市场的全面开放。

(2)以进一步扩大金融市场开放加快形成以外资、社会资本为主体的金融体系。2018年,海南金融业占GDP比重仅为6.4%,不仅低于全国平均水平(7.7%),与上海(17.7%)、北京(16.6%)等国内发达地区相比差距更大。推动金融业市场开放,加快形成以外资、社会资本为主体的金融体系,放宽外资金融机构的业务范围,允许支持内外资金融机构在海南开展离岸业务,由此明显改善海南的投融资环境。

(3)以扩大电信、互联网等特定服务业市场开放为重点推动新兴服务业发展。在数字经济引领产业变革的大趋势下,高新技术产业发展很大程度依赖于电信、互联网等产业开放,自由贸易港建设也高度依赖信息流动的自由、高效。例如,没有数据的跨境自由流动就难以实现数字贸易、远程服务等新兴业态发展,也难以将海南打造成为全球数字技术、数字人才、数字企业集聚中心。

6. 以服务业项下的自由贸易带动海南特色产业发展

海南的海洋、生态环境是独特的宝贵资源。但总的看,海南的资源利用效益、产业附加值还相当低。以海洋经济为例,海南的海洋面积占全国的三分之二,但由于航运产业发展滞后等原因,2017年海南省海洋生产总值仅为浙江的16.6%、山东的8.5%、广东的7.0%;海南单位海岸线海洋经济密度仅为浙江的18.3%、广东和山东的14.5%。这就需要通过扩大开放,引进外来资本与技术,加快港口、航道等基础设施建设。例如,与香港合作,发展多样化的船舶租赁、航运保险、航运衍生品等航运金融业务;加快建立以海南为基地的泛南海区域航运枢纽,进一步深化与泛南海沿线岛屿地区在港口、码头建设、邮轮客运等方面的合作，提升海上基础设施互联互通和航运服务水平。到 2020 年，若海南单位海岸线海洋经济密度达到浙江的 50%，则海南海洋生产总值将超过 3000 亿元；若达到广东或山东的 50%，则海南海洋生产总值将超过 4000 亿元。海南海洋经济有相当大的发展空间。

三　加快推进服务业项下的自由贸易进程，既是政策需求的基点，也是体制机制创新的重点

7. 突出服务业市场全面开放与服务贸易自由化便利化的政策需求

海南探索建设自由贸易港，要围绕以服务贸易为主导的突出特色，实施全球最高开放标准的市场准入政策与贸易投资自由化便利化政策。

（1）实施全球最高开放标准的服务业市场准入政策。要尽快制定实施海南版服务贸易负面清单，除出版印刷、广播电视等特殊领域外，全面取消现有投资准入负面清单与跨境服务贸易负面清单中的禁止性与限制性措施，实现内外投资者准入前后的同等待遇，加快服务业市场全面开放进程，由此打造服务贸易创新发展的新高地。

（2）适应服务业市场全面开放的需求，实施不亚于香港、新加坡等国际知名自由贸易港的税收政策。建议在现代服务业领域率先实行 15% 的企业所得税；尽快对健康、旅游、文化娱乐、研发设计等服务业项下的生产要素实行零关税；对海南岛内的现代服务业企业之间的交易适用增值税税率为零的政策。

（3）实施服务贸易自由化、便利化政策。例如，实行人员自由流动政策，在现有 59 国免签政策基础上，在严控风险的前提下，逐步放宽免签政策；降低"绿卡"申请门槛，取消对专业技能人才申请永久居留的最短居住时间限制；取消对获得工作签证的外籍人员就业限制等；对标国际性管理标准降低服务贸易边境内壁垒，全面实行服务业管理的国际标准。

8. 按照加快推进服务业项下自由贸易进程的要求，争取中央给予海南充分授权

例如，设立国家海关特殊监管区。以服务贸易为主导探索建设海南自由贸易港，既要面向国际市场又要服务国内近14亿人的内需大市场，这就需要海南探索建立一套全新的海关监管制度，在保障海南自由贸易港的开放政策得以全面贯彻实施的同时，有效防范各类风险。建议研究制定《海南自由贸易港海关特殊监管条例》，明确海南特殊监管区的法律地位、性质、职能、管理体制。再如，适应海南国际旅游消费中心建设的需要，将国内消费税由中央税调整为地方税；提高海南在共享税上的收入分成比例，包括企业所得税、个人所得税的分成比例；扩大海南省级税收管辖权。通过赋予海南更大的税收自主权，加快构建以直接税为主，以"简税制、低税率、零关税"为突出特点，有别于内地，具有国际竞争力的财税体制。

9. 以全面推进服务业项下自由贸易带动全面深化改革的重要突破

（1）要以深化市场化改革尽快改善营商环境。按照竞争中性的原则，公开市场、公平竞争，赋予各类市场主体更大的自主权，在创新民营经济发展方面走出一条制度化、法治化之路，有效激发市场活力。要把提高政府效率作为改善营商环境的重中之重，尽快解决经济生活中市场活力不足与行政效率低下的突出矛盾。

（2）要坚持以制度创新为核心。在深化行政体制、区划体制、司法体制改革等方面有重大突破，为加快探索建设中国特色自由贸易港提供重要保障。

（3）深化人才发展体制机制改革。服务贸易创新发展关键靠人才。"吸引人才、留住人才、用好人才，最好的环境是良好体制机

制。"海南既要以服务业市场全面开放吸引各类人才，也要在深化人才发展体制机制改革上有突破，以留住人才、用好人才。例如，以法定机构为主要平台吸引国际化人才，建立各级政府外籍高级顾问制度；赋予法定机构法定自主权，包括内设机构设定权、人才聘用权、薪酬制定权等。

习近平总书记强调"没有思想大解放，就不会有改革大突破"。未来2—3年是自由贸易试验区向自由贸易港过渡的关键阶段。要以加快探索建设中国特色自由贸易港为目标，学习借鉴国际自由贸易港的先进经营方式、管理方法，对一切有利于实现既定目标的改革举措、开放政策、制度创新，大胆闯、大胆试、大胆用，努力使海南站在改革开放最前沿，这对推动形成我国对外开放新格局会产生重要影响。

以"早期安排"尽快取得自由贸易港的"早期收获"

以"早期安排"取得"早期收获"的建议(3条)[*]

(2019年10月)

当前,内外对海南自由贸易港建设高度关注,期望值很高。同时,也存在某些担忧、观望,甚至抱怨。在这种情况下,各方既期盼《海南自由贸易港总体方案》早些出台以稳定预期,更期盼尽快以"早期安排"获得自由贸易港建设的"早期收获",以坚定信心、形成合力。

一 以扩大服务业市场开放的"早期安排"取得产业发展的"早期收获"

习近平总书记指出:"现代服务业是产业发展的趋势,符合海南发展实际,海南在这方面要发挥示范引领作用。"长期以来,产业基础薄弱是制约海南发展的突出问题。海南多年的实践证明,没有产业的大开放就没有产业的大发展,推进自由贸易港建设,迫切任务是产业的更大开放。从现实情况看,在服务贸易发展与服务业市场开放直接融合的背景下,海南有条件在扩大服务业市场开放和

---

[*] 《以"早期安排"取得"早期收获"——加快探索建设海南自由贸易港进程的建议(3条建议)》,《中改院简报》总第1267期,2019年10月29日。

服务贸易创新发展方面做"早期安排"，以尽快取得自由贸易港建设的"早期收获"。

1. 以文化产业市场开放的"早期安排"取得旅游国际化水平提升的"早期收获"

长期以来，海南面临着内外不断增长的国际化、服务型、个性化消费需求与国际化产品供给严重不足、国际化服务不优的突出矛盾。其中，文化娱乐产业发展滞后是一个突出问题。2018年，海南文化产业增加值占GDP比重仅为3.3%，低于全国平均水平1个百分点，比北京（12.9%）低了9.6个百分点。提高海南旅游的国际化水平，增强竞争力，关键在于文化、体育、娱乐、创意等市场的高度开放。建议争取2019年底2020年初出台行动方案，明确提出从2020年开始，取消外商投资文化、体育、娱乐企业的股比限制，率先在这些领域实行"零关税"的"早期安排"，以取得文化娱乐与旅游融合发展的"早期收获"，并由此促进海南现代服务业的较快发展。

2. 以教育市场开放的"早期安排"取得"教育开放创新岛"的"早期收获"

教育发展滞后是海南的"软肋"。作为一个开放岛屿，海南有条件在扩大教育市场开放上做出"早期安排"。例如，在符合条件和标准，在严格监管的前提下，允许境外资本在高等教育、普通高中、学前教育等领域独立办学。此外，建议对从事教育的人才尽快实行不高于10%的个人所得税。由此，取得海南"教育开放创新岛"建设的"早期收获"。

3. 以医疗健康市场开放的"早期安排"取得"医疗健康岛"的"早期收获"

海南在医疗健康方面的突出矛盾是：全国及本省居民对海南医疗健康服务消费的刚性需求日益增大，但由于基础差、底子薄，海南医疗健康服务水平同发达省相比有明显差距。尽管近几年有明显改善，但矛盾问题依然比较突出。当前，医疗健康服务业的高度开放既有极大需求，又有现实可行性。海南加快探索建设自由贸易港进程，最有可能在医疗健康方面实现重大突破，以切实把这张"王牌"用好。建议把博鳌乐城国际医疗旅游先行区建设成为"国际性医疗硅谷"的同时，尽快把其某些政策逐步在全省实施，以努力在医疗健康产业的高度开放方面取得"早期收获"。

4. 以高新技术产业开放的"早期安排"取得"智慧海南"建设的"早期收获"

推进高新技术产业开放，促进大数据、区块链、云平台等新兴技术与传统产业融合，不仅对提升海南产业发展水平有重要作用，也有利于促进更高水平开放。从现实看，海南高新技术产业发展较为滞后。2017年，海南高新技术产业增加值仅为212.3亿元，不足同期深圳的3%。抓住新一轮产业变革和科技革命的新机遇，海南要以高新技术产业全面开放的"早期安排"取得"智慧海南"建设的早期收获。例如，为支持在海南生态软件园引入国际知名互联网企业，开展区块链技术研发和创新应用，设立区块链技术国家级实验室，建议从2020年开始对园区内的高科技企业从获利年度起5年内免征企业所得税，对科技人员实行不超过10%的个人所得税。

二 以实施"零关税"的"早期安排"取得制度创新的"早期收获"

尽快在海南全面实施"零关税"，符合全球自由贸易大趋势，符合我国开放战略实施的新要求，符合海南自由贸易港建设的基本需求。建议把某些领域的"零关税"作为海南自由贸易港制度建设"早期安排"的重点，由此取得相关制度创新和产业开放的"早期收获"。

1. 从2020年开始在相关服务贸易领域取得"零关税"的"早期收获"

其重点：一是对医疗健康、文化娱乐、旅游、教育、科技研发、会展等服务业行业发展所需原材料、基础设施配套的用品设备的进口实施"零关税"，并免除进口环节增值税。二是对事关民生的重点行业实施"零关税"。例如，对国外已经上市但国内尚未注册的抗癌药品以及与癌症治疗相关的医疗器械进口实施"零关税"，进一步扩大适用"零关税"的药品范围。

2. 把日用消费品"零关税"作为"早期安排"的重中之重

争取中央支持，尽快在日用消费品领域实行"零关税"的"早期安排"，有利于解决本岛居民收入不高但生活成本却高企的突出问题。在这方面，使海南广大城乡居民取得"早期收获"，其需求更为迫切，条件也比较成熟。同时，这也是加快建设具有世界影响力的国际旅游消费中心的重大举措。

3. 作为一个相对独立的岛屿，加上现代科技监管手段的应用，海南有能力"防止走私"

由于多方面情况的变化，海关监管的主要任务是如何有效防范因产业开放，尤其是金融等服务业市场全面开放带来的外部输入性风险。同时，利用现代科技监管手段对实施"零关税"的用途和范围实行严格监管，就有条件把"零关税"的风险降至最低。

三 以人才制度创新的"早期安排"取得广揽人才的"早期收获"

习近平总书记指出："吸引人才、留住人才、用好人才，最好的环境是良好体制机制。"海南自由贸易港建设，关键靠人才。未来1—2年，能不能以非常之举尽快形成吸引人才、留住人才、用好人才的体制机制和独特优势，是海南加快探索建设自由贸易港进程的决定性因素之一。

1. 创新人才发展制度的"早期安排"

总结实践经验，要使各类人才真正发挥其才能，关键靠人才发展的制度创新。例如，探索实行政务官和事务官分类管理制度，事务官参照国际标准实行市场化薪酬待遇；除党政部门外，事业单位、社会组织等从业人员全部取消编制管理，全面实行聘用制。由此，打破人才管理行政化、封闭化的传统格局，建立以专业性、开放性为重点的人才管理体制。

2. 出台吸引人才的特殊政策的"早期安排"

比如，尽快改变海南教育、医疗、高新技术产业相对落后的现状，要力争在税收政策上率先实现突破。建议从2020年开始对医疗、教育、高新技术等行业的人才来源于海南的综合所得，个人所得税按照最高不超过10%的税率征收；对新引进的和本地的医疗、教育、高新技术等行业高层次人才，在海南取得的劳动所得，在一定时期内可以实行更低的个人所得税。

3. 取得人才发展的"早期收获"

海南建省之初在什么都短缺的情况下，吸引"十万人才下海南"，靠的就是鼓励创新、创业的大环境。今天建设海南自由贸易港，更需要一个能让各类人才充分施展才能的大环境。一是以建立多种类型的平台为主体吸引海内外人才。例如，以法定机构为重要平台吸引各类人才，赋予法定机构自主权，包括内设机构设定权、人才聘用权、薪酬制定权等。二是营造创新创业的良好环境。创新工作室制度，赋予科研人才充分的自主权，并鼓励高校、科研院所、企业通过股权、期权、分红等方式激励科技创新。三是建立并完善国际化人才服务及用工环境。例如，建立海南移民事务管理机构，为国外人才提供住房、医疗、子女教育等服务；有序放开菲佣等外籍劳工入琼，为海内外的中高层次人才提供良好的家政服务。

以"健康海南"的特别之举形成疫情后自贸港开局的新亮点的建议(8条)[*]

(2020年2月)

在新冠肺炎疫情对旅游等服务业产生严重冲击、加大经济下行风险的背景下,海南自贸港建设如何开好头,以增强各方预期,我们认为,关键是打好"健康海南"这张王牌,以特别之举形成"健康海南"的独特优势。主要判断是:

(1)疫情在对旅游及相关服务业产生严重冲击的同时,也对"健康海南"提出迫切需求。2003年,海南成为全国"无疫区"之一,"健康岛"品牌初步树立。从目前情况看,海南仍有可能成为率先战胜新冠肺炎疫情的省份之一。疫情后,海南将会成为健康旅游的热点区域。

(2)以特别之举打好"健康海南"王牌,将形成疫情后海南自贸港开局的新亮点。这就需要依托海南资源环境优势和自贸港政策制度优势,尽快在公共卫生领域推出某些"特别之举",以加快提升海南医疗与公共卫生服务的专业化、标准化、国际化水平。

---

[*] 中改院课题组《以"健康海南"的特别之举形成疫情后自贸港开局的新亮点(8条建议)》,《中改院简报》总第1307期,2020年2月21日。

（3）"特别之举"的重中之重是开放。加快医疗与公共卫生的全面、高度开放，既是补齐海南公共卫生与基本医疗服务这一突出短板的关键之举，也是在冲击、压力下形成海南自贸港良好开局的关键之举。

为此建议：

一 抓住机遇，尽快把博鳌乐城国际医疗旅游先行区部分政策在全省范围内实施

1. 将博鳌乐城国际医疗旅游先行区部分政策实施范围扩大到全岛是加快海南自贸港建设的关键一招

第一，有利于推动疫情后海南旅游业的振兴，并加快形成海南健康旅游的突出优势。第二，时机选择至关重要。疫情后宣布此举，有利于增强各方对海南自贸港的良好预期，发挥"牵一发动全身"的关键作用。第三，机遇难得，不宜再拖。疫情后出台这一政策，既有可批性，又会对海南自贸港建设产生多方面重要影响。

2. 把全省范围实施的政策具体化，并进一步拓展

例如，尽快将医疗机构市场准入、药品器械进口、境外医师执业、方便境内外患者诊疗等政策扩大到全省；取消境外资本设立医疗机构的股比限制；放宽对进口药品"急需、少量""三级甲等医疗机构"等限制，允许医疗机构在安全评估与适用范围限定的前提下，经备案自主确定进口药品和医疗器械的数量与种类，并免除关税及进口环节增值税等。

3. 对标国际医疗与公共卫生的高精尖，把博鳌乐城国际医疗旅游先行区定位为"国际性医疗硅谷"

例如，就癌症免疫疗法、基因疗法、疫苗疗法等技术，尽快与日本等国家的医疗机构开展合作研究和合作治疗；鼓励国内外有专利技术、有研发资源的企业和个人通过独资、合资、合作等多种方式在先行区开展基因诊断治疗与干细胞、新药及仿制药研发等

活动。

二 主动争取在海南建立中日医疗健康合作区

1. 将海南打造成为中日医疗健康合作区，既能服务于中日合作大局，又有现实可行性

根据世界卫生组织最新报告，日本医疗服务水平再次蝉联世界第一（见表1）。在此次抗击疫情中，中日两国相互协助产生广泛影响。2020年上半年，习近平主席将访问日本，相关方面可能会签署关于医疗养老方面的合作协议。建议海南抓住这个重要时机，近期向中央提出申请，将海南作为中日医疗健康合作区，与日方开展医疗健康产业项下的自由贸易，实现海南与日本药品、器械、设备、人员等要素的自由流动。

表1　　部分国家（地区）医疗卫生服务水平排名

国家和地区	医疗卫生服务水平排名	医疗服务质量指数	人均预期寿命	接受安全卫生服务人口占比
日本	1	94	84.6	99%
安道尔	2	95	84.2	100%
新加坡	3	91	84	100%
中国香港	4	—	83.8	92%
圣马力诺	5	—	83.5	77%
中国	64	78	76	72%

数据来源：*World Health Report* 根据世界卫生组织网站数据。

2. 在海南采用日本医药标准

例如，对已在日本通过标准评估的药品与医疗器械，在海南可自动获得认证；采用日本的医药使用标准，对已在日本上市的药品无须开展临床试验直接在海南使用；允许海南健康医疗机构与日本相关机构合作，同步开展国外药品与医疗技术的临床试验，打造国

际新药、新医疗技术试验和应用基地。

3. 与日本联手共建医药与器械设备制造产业链

例如，建立海南与日本医疗健康合作园区，园区内药企根据日方标准开展药品、器械、设备等生产；鼓励园区内企业与日方开展设备保税租赁、外包服务等多种形式的合作，全面引进日本先进医疗技术、设备和人才等。

三 自贸港"早期安排"政策向医疗健康领域倾斜

1. 对医疗健康等相关产业项下的生产要素实行"零关税"

在用途和使用范围严格管制的前提下，对医疗健康领域所需的诊疗试验设备及材料进口实行零关税；对公共卫生领域的大型基础设施、检测设备、研发设备、生产制造设备等进口在核定总量前提下免征关税。

2. 率先在医疗健康领域实行"低税率"

按照提升对内外资本、技术和人才吸引力的需求，争取从2020年6月1日起，在医疗健康、公共卫生等领域实行10%左右的个人所得税和企业所得税，加快引进一批公共卫生、医疗健康领域的重大投资项目和高层次人才。

3. 把公共卫生与医疗建设项目作为自贸港招商引资的重点之一

尽快提出"十四五"海南公共卫生与医疗建设的项目清单，鼓励支持内外投资者开展医疗技术研发、医药研发、医药制造、医疗器械研发和制造等方面的投资合作。

四 加快公共卫生与医疗教育开放进程

1. 支持海南大学、海南医学院等与国内外一流教育机构合作建设具有国际先进水平的公共卫生学科

支持国内外一流公共卫生大学或研发机构，同海南大学、海南医学院等联合设立以预防医学及应急防疫为重点的公共卫生学院，并在外籍科研人才引进、学科建设、科研技术装备投入等方面给予

大力度支持。

2. 争取支持设立"海南疫病防治研究所"

依托中国热科院、农科院、海南大学、海南医学院等科研机构和院校，与国内外相关机构合作设立"海南疫病防治研究所"，就热带地区病毒性疾病监测、新发和烈性传染病病原传播、病毒基因组测序等重点领域展开综合性、基础性研究。

3. 强化公共卫生科研与人才培养的国际合作

发挥海南地处南海前沿的区位优势，推动公共卫生和医疗机构与泛南海国家和地区的研究机构、高校等，实现疫情预测、评估、防治等领域的信息共享。

五 加快建立具有国际一流水准的公共卫生大数据平台

1. 加快海南公共卫生信息化建设具有现实性、迫切性

加强与国际、国内相关机构合作，加快打造适应自贸港建设需求的公共卫生大数据平台，强化大数据在公共卫生现状评估、态势研判、风险防控部署等领域的应用，尽快改变海南公共卫生与医疗信息化滞后的现状。

2. 打造公共卫生安全监测、评估及预警系统

例如，打造全省公共卫生物联网平台，通过接入医疗检测设备、智能穿戴设备等方式实现公共卫生数据采集；破除公立医院与其他公共卫生机构的信息壁垒，建立全省统一的公共卫生数据库；充分利用人工智能、大数据分析等信息技术，开展传染病长期流行趋势分析，短期爆发和流行风险预测预警，重点传染病与常见病预防建议，旅行卫生提示，外来有害生物、外来物种生态安全及基因评估预警等。

3. 打造全省公共卫生人力资源数据库

强化对公共卫生人力资源总量、结构、技术、趋势等内容的分析研判，为引进、培养、调配公共卫生人才提供决策支持。

六　把加强公共卫生服务体系建设作为海南"十四五"规划的重大任务

1. 按照"2025 年医疗服务水平达到国内一流"的目标强化公共卫生基础设施建设

第一，争取到 2025 年，财政卫生健康支出占地方一般公共预算支出的比重由目前的 5.6% 提升至 10% 以上。第二，争取到 2025 年，医疗检测与治疗设备等达到北京、上海、浙江等发达地区同期水平，基层公共卫生机构在设备配备、人员配置等方面与国内大中城市大致相当。第三，争取到 2025 年，每千人口执业（助理）医师、床位数等重要指标达到国内前列。

2. 对标国际先进标准制定自贸港公共卫生标准体系

一是加快制定医疗服务标准体系，如公立医院与基层医疗机构医疗服务质量评估标准、医疗资源配置标准、医疗安全管理及医疗技术使用标准等；二是对标日本等发达国家水平，尽快制定旅游、文化娱乐、住宿餐饮、养老健康等行业的卫生标准；三是在研究梳理美国、欧盟、日本等国家和地区的动植物检验检疫、卫生检疫相关标准基础上，研究制定海南自由贸易港相关领域检验检疫标准，并推动海南检验检疫标准与发达国家标准的对接与互认。

3. 尽快制定以预防为导向的省公共卫生体系建设中长期规划

研究制定海南"十四五"公共卫生体系建设规划，就未来 5 年公共卫生体系基础设施建设等重大问题做出安排和部署。

七　以强化居民公共卫生行为习惯为重点形成社会文明大环境

1. 尽快研究出台《海南省全面禁止销售食用野生动物条例》

建议海南省人大尽快立法，严厉、严格依法禁止制售食用野生动物及其制成品，依法加强对野生动物驯养繁殖企业监管，依法全面取消供食用的各类野生动物养殖机构等。

2. 把强化公共卫生行为习惯作为 2020 年社会文明大行动的主题

以疫情防控为契机，全面开展居民公共卫生意识普查、社区（乡村）清洁大行动、公共卫生科普大行动、疫情疫病应急演练、卫生家庭、卫生社区（乡村）创建等实践活动，尽快提升居民公共卫生意识，改变随地吐痰、乱扔杂物等陋习。

3. 从 2020 年起实现海南城乡、企业公共卫生安全检查、评估、监测的常态化、永久化，并定期向社会各界发布

以此形成全民重视、全民动员、全民支持、全民参与的良好氛围，并充分利用新媒体等民众喜闻乐见的形式加强公共卫生与健康生活方式的宣传普及。

4. 尽快出台《海南省文明行为促进条例》

对标新加坡等标准，尽快出台《海南省文明行为促进条例》，建立全社会举报、监督不文明社会行为的相关规定，以形成全社会文明行为的刚性约束。

八 率先建立直属省长领导的公共卫生风险防控体系

1. 设立直属省长领导的公共卫生风险防控指挥委员会，作为省政府的直属特设机构

在省级层面设立直属省长领导的公共卫生风险防控指挥委员会，统一指挥协调全省公共卫生监测、预警、评估及资源调配等。

2. 建立自上而下、专业高效的公共卫生风险防控执行体系

建议将省内现有各级疾控中心作为省指挥委员会的派出机构。

3. 修改完善《海南省实施〈突发公共卫生事件应急条例〉办法》《海南省突发公共卫生事件应急预案》

建议尽快着手修订《海南省突发公共卫生事件应急预案》，并形成《办法》与《预案》的定期修订机制。

尽快形成"一线放开"的"早期安排"的建议(30条)[*]

(2020年9月)

在亚太区域政治格局深刻复杂变化的背景下,在疫情严重冲击经济全球化并对海南经济社会发展带来重大挑战的情况下,加快形成海南自由贸易港建设的"早期收获",既具有严峻性,又具有战略性。在今后1—2年时间内,加快形成"一线放开"的"早期安排",努力使海南自由贸易港成为我国国内国际双循环的重要枢纽和国内市场与国际市场的重要连接点,并为实现以推进东南亚交流合作为重点打造"重要开放门户"的战略目标奠定重要基础。

一 "一线放开"是实现海南自贸港良好开局的首要关键

1. 将"搞活市场"作为海南自由贸易港开局的首要任务

总的看,产业基础薄弱、市场活力不足成为海南自由贸易港建设的突出掣肘。例如,从市场主体数量看,截至2019年底,海南拥有各类市场主体94万家,仅相当于北京的45%、上海的34%、浙江的13%、江苏的9%、广东的8%;从实际利用外资看,2019

---

[*] 节选自中改院课题组《尽快形成"一线放开"的"早期安排"——加快落实〈海南自由贸易港建设总体方案〉的重大任务》,2020年9月。

年海南全省实际利用外资仅15亿美元,仅相当于北京的10.6%、上海的7.9%、广东的6.8%;从产业基础看,2019年海南旅游业增加值为448.92亿元,仅相当于上海2018年的21.6%;高新技术产业增加值不足北京2018年的1/30;金融业增加值392.23亿元,仅相当于上海的5.9%。在此背景下,如何按照《海南自由贸易港建设总体方案》提出的"市场主体大幅增长,产业竞争力显著提升"的目标要求,尽快把市场搞活、把经济搞活,成为实现海南自由贸易港良好开局的首要关键。

2. 把率先实现"一线"放开作为"搞活市场"的关键之举

一方面,推进产业大开放是促进产业大发展的根本之举。以金融业为例。2013—2019年,随着金融领域一系列开放政策的逐步落实,上海市金融业增加值占GDP的比重由13.1%上升到17.3%。与香港、上海相比,海南金融业开放度较低,金融业发展也与两地差距甚远。2019年,海南金融业占GDP比重仅为7.4%。另一方面,在"一线"放开中尽快吸引资金、人才、技术、信息等要素集聚,以激发市场活力汇总打造区域价值链的核心枢纽,提高自身区域影响力与辐射力。

3. 充分估计尽快实现"一线"放开的迫切性与战略性

一方面,在疫情严重冲击经济全球化、贸易保护主义更为盛行的背景下,以"一线"放开吸引境外投资者(尤其是欧美有实力的企业)存在很大的不确定性及困难;另一方面,在中美关系深刻复杂变化以及由此引发的亚太区域政治经济格局某些重要变化、泛南海区域形势日益严峻的特定背景下,以实施全面深化改革和最高水平开放政策和制度实现"一线"彻底放开,充分释放海南独特的地理优势、区位优势与资源价值潜力,推动海南尽快深度融入经济全球化、吸引集聚全球优质生产要素、开展更高层次区域经贸合作竞争,由此明显提升海南自由贸易港的区域影响力、辐射力与某些方面的控制力。

4. 在"一线"放开中逐步形成"二线"管住的制度安排

从海南自由贸易港建设实际看，2025年前的"二线"管住制度设计，要在有效防范风险的前提下，既要面向国际市场，又要服务国内近14亿人的内需大市场；既要保证海南与境外市场在各要素流动上的自由和便利，也要保证海南与内地市场在各要素流动上的自由和便利。无论是监管内容，还是监管举措，都有着特殊性与复杂性。为此，要适应"一线"放开的实际风险管控需求，逐步形成"二线"高效管住的制度安排。并借助大数据、云计算、物联网、电子关锁等，在海南全岛设立环岛电子围网，建立自由贸易综合信息化监管服务平台，实现人流、物流、资金流、信息流的交换共享，提高政府监管的效率和水平。

二 以投资贸易自由化便利化制度集成创新形成"一线"放开的制度安排

5. 以尽快制定出台"零关税""一正三负"清单为重点推进货物贸易自由便利

一是尽快制定实施"零关税""一正三负"四张清单。建议清单突出两个重点：一方面，在用途管制和明确仅限海南全岛使用的前提下，对旅游、医疗健康、职业教育、文化体育娱乐、研发、数字经济等领域的大型设施设备，在核定总量及自用前提下进口实行"零关税"政策，并免除进口环节的增值税。另一方面，不断扩大交通工具、原辅料、日用消费品"零关税"正面清单，争取到2025年，全面实行"零关税"负面清单管理。与此相适应，对清单内货物进出口实行"企业自主申明+规定期限备案+抽检"的管理模式。

6. 以加快制定完善跨境服务贸易负面清单政策体系为重点推进服务贸易自由便利

统一列明跨境交付、境外消费、自然人移动等模式相关的限制性措施，率先放宽跨境教育、医疗、健康、金融、专业服务等限制措施。限制措施描述尽可能细化到具体业务，以提高负面清单可操作性；逐步减少资格限制、股比限制等刚性限制措施，更多采取标准限制等方式，降低负面清单的行业限制强度。同时，探索对清单内部分行业实行"认可经济营运商计划""职业资格单向认可制度"等，即制定海南服务贸易"认可经济营运商""职业资格单向认可制度"认证标准，对符合条件的境内外服务贸易企业、境外服务贸易人才等，在海南备案后可直接开展相关经营活动。

7. 以率先对投资负面清单外行业实施市场准入承诺即入制为重点推进投资自由便利

在尽快制定出台海南自由贸易港放宽市场准入特别清单、外商投资准入负面清单基础上，全面取消负面清单外的市场准入前、后置审批事项。政府在明确相关行业标准前提下，市场主体承诺符合相关要求并签署承诺书后，即可开展投资经营活动。并且市场主体可根据自身状况和市场行情自行变更经营范围，如变更后的经营范围仍属清单外的，无须审批；变更后的经营范围涉及清单内投资领域的，依法取得许可。在此基础上，逐步探索市场准入特别清单与外商投资准入负面清单"二合一"，真正实现内外资"一视同仁、平等对待"。

8. 以争取发行法定数字货币为重点奠定跨境资金自由便利流动的重要基础

争取支持率先探索发行以国家信用为支撑、加密的法定数字货币。以数字货币为基础，构建"进岛加密、出岛解密"的金融监管体系，进出海南的国内外资金实现"进出自由、区内有痕流动"，做到"可识别、可追溯、可监管"。在此基础上，大幅提高在海南注册的金融机构QDII的资金上限，取消QDII单家机构额度限制，允许符合条件的区内机构按其资产规模的一定比例自主开展境外投资；率先开展 QDII2 试点；扩大自由贸易账户适用范围与功能；逐步放宽个人跨境交易限制。同时，率先于全国全面取消对外资金融机构经营范围单独设限的一系列规定，构建以民营与外资金融机构为主体的金融体系，并鼓励各类金融机构参与建设国际能源、航运、大宗商品、产权、股权、碳排放权等交易场所，加快发展结算中心业务等。

9. 以实施更加便利的免签入境措施为重点推进人员进出自由便利

在现有 59 国免签政策基础上，适时并在严控风险的前提下，逐步放宽免签政策实施范围，并逐步延长免签停留时间。放宽外籍人才出入境、停居留、就业限制，建立海南自由贸易港中高端人才认定标准，对符合条件的外籍人才投资创业、经贸活动方面提供出入境便利；整合现有公安出入境管理、边防查验管理、外事侨务事务及涉外执法等相关职能，成立海南移民管理局，对外国人签证、居留、就业、保险、福利待遇、案事件处理、入籍等事务实行"一条龙"服务。

10. 以建立更加自由开放的航运制度为重点推进运输往来自由便利

制定豁免查验商品目录。对旅游、健康、文化娱乐、研发设计等服务贸易项下的自用商品与相关设备采取豁免查验政策，将审核环节后退至市场监管领域。实施服务贸易"认可经济营运商计划"。例如，制定海南服务贸易"认可经济营运商"认证标准，对符合条件的境内外服务贸易企业所需的货物给予包括减少或优先接受海关查验等优惠；积极与其他海关当局达成检验、检疫相互认可协议，降低贸易企业通关成本。

三 率先以医疗、教育市场全面开放为重点提升海南自由贸易港产业发展基础

11. 率先以放宽博鳌乐城优惠政策为重点扩大医疗领域的市场开放

把博鳌乐城国际医疗旅游先行区打造成"国际性医疗硅谷"的同时，尽快把除干细胞研发政策外的其他开放政策在全省范围内实施。争取中央支持，在海南设立中日医疗健康合作区，与日本联手共建医药与器械设备制造产业链。在海南率先对常用药物全面采用日本医药标准，提升海南医药标准化、国际化水平。在 CEPA 框架下合作设立"健康服务业合作示范基地"，探索以独资、合资、合作等形式与台湾在健康服务产业、健康管理、健康职业教育、健康技术研发等领域开展合作。鼓励社会资本以独资、合资、合作、参股、租赁、连锁化运营等方式，投资养老服务、中医药保健、康复疗养、健康体检与管理、健康旅游与文化等健康服务业。

12. 以全面放开职业教育市场为重点扩大教育市场开放

鼓励境内外具备条件的研发机构、教育组织、高水平企业在海南独立举办健康、旅游、文化创意等职业院校；鼓励职业院校开设服务贸易相关专业。取消学前、普通高中、本科及以上院校的股比限制，支持各类投资者以独资、合资、合作等多种形式办学。在政府主导基础教育供给的前提下，满足社会多元化、个性化教育需求，允许外资以独资、合资形式开设基础教育学校，在严格课程、教材审查前提下赋予其更大办学自主权。发挥"支持海南拓展与国际组织和国际教育机构的交流合作"政策优势，支持海南大学、海南师范大学等高等院校开展"2+2"中外联合培养项目；加大教育领域新基建建设，支持从事教育咨询规划、评估认证、产品研发、技术推广等教育服务相关领域的机构落户海南，加快培育一批具有影响力的互联网教育企业和教育服务供应商。

13. 以逐步放开免税购物市场为重点建立国际旅游消费中心

在严格监管的情况下，逐步改变免税商店特许经营制度，在明确标准规则的前提下允许更多有实力的企业进入海南免税市场，通过充分市场竞争，降低免税品成本，提高产品和服务质量；尽快出台允许岛内居民免税购买消费的进境商品正面清单，率先将常用药品、医疗器械等事关民生的重点行业纳入正面清单。划定特定区域打造免税购物示范区，探索与香港、澳门、新加坡等建立委托经营、独资经营、整体项目进入、外包服务等多种形式的合作机制，全面引进优质资本以及先进的经营、管理和人才，提升海南免税购物产业的国际化水平。

14. 以放宽跨境数据流动为重点形成数字经济等高新技术产业发展的重要基础

将数据区分为不同类型，如政府数据、技术数据、商业数据和个人数据，采取绝对禁止流动、一定限制流动和无限制流动等不同的规制措施。借鉴国外数据分类经验，按照重要行业和信息主题分类标准，合理确定海南自由贸易港"重要数据""敏感数据"内涵和范围，开展风险评估和梯度管理。加强针对未成年人的信息利用要严于对成年人的信息利用，对公共消费信息的检查要严于对个人消费信息的检查。

15. 以推进农产品保鲜、加工、储藏的农业产业化进程为重点提升海南农业竞争力

支持南繁科技城、陵水国家现代农业产业园、海口市桂林洋（罗牛山）农产品加工物流园区、水产养殖综合体示范园、休闲农业园等，集成政策、集聚要素，率先建立一批集加工、包装、保鲜、物流、研发、示范、服务等相互融合和全产业链的农业产业化集群。围绕"最初一公里"的问题，加快农产品产地预选分级、加工配送、包装仓储等基础设施建设，强化农产品产地集配中心和田

头市场的仓储、物流、冷链设施建设；推进农产品批发市场改造升级。抓住全国加大新基建力度的契机，围绕智能种养、智能保鲜、智慧物流、生物种植等布局建设一批重大新兴基础设施工程，并争取纳入全国新基建项目清单。依托自贸港建设良好预期，发行海南自贸港农业产业化专项债券，以此为基础，建立农业产业化母基金，通过PPP、ABS、政府引导基金等多种方式与金融资本、社会资本合作，发起设立若干子基金，形成支持重大项目建设的农业产业化基金群。

四 以制度集成创新明显优化海南自由贸易港营商环境

16. 以建立海南自由贸易港经济委员会为重点明显提升政府行政效率

采取增量带动存量的策略，在省级层面，其性质为法定机构，其主要负责内外贸易、国际经济合作、招商引资、总部经济、产业促进和口岸运营等。在此基础上，整合多个部门的社会发展职能，实行社会发展的"大部门制"。同时，尽快出台《海南自由贸易港法定机构管理条例》，在法律上明确法定机构的法律定位、管理制度、与政府部门的关系等，切实防止法定机构行政化。

17. 以实行政府政策承诺诚信制度为重点强化信用政府建设

建立全省统一的政策发布平台，通过统一发布、精准匹配、自动推送、线上线下培训、宏观解读与微观诊断咨询等多种方式，实现海南自由贸易港政策"一站式、无障碍"直通企业。在进一步简化办事环节的基础上，编制详尽的办事指南，明确政策实施流程与办理方式、部门间协调机制、办理环节数量与时限，解决政策执行不规范、不透明等问题，实现政策执行标准化、便利化。实行政策承诺兑现全过程动态监测评估，加强对企业诉求与反馈的收集与分析，对政策落实中的共性问题集中解决，个性问题"点对点"服务，最大限度避免政策空转，提升政策落实质量。同时，建立政府政策承诺守信激励与失信惩戒制度。

18. 以建立与国际接轨的仲裁制度为重点建立多元化纠纷解决机制

推进海南国际仲裁院（海南仲裁委员会）法定机构化改造。建立以理事会为核心的法人治理机制。按照因需设立的原则，对部分仲裁需求较大的市县设立派出机构；派出机构仲裁结果的法律效力与海南国际仲裁院一致。参考联合国国际贸易法委员会仲裁规则，建立海南自由贸易港的仲裁规则；对国际仲裁案件，允许当事人自主选择两大法系仲裁模式裁决。明确商事仲裁的法律效力，限制法院干预仲裁程序、推翻仲裁裁决等行为，确保仲裁结果的权威性。积极吸引国际商事仲裁机构以独资、合资和合作等形式进入海南，引入临时仲裁等国际通行机制，支持、鼓励当事人根据纠纷的实际情况选择相适应的纠纷解决方式；着力引入高素质外籍专业解纷专家和国际专业替代性纠纷解决机构。

19. 在省人大组建专业高效的海南自由贸易港立法机构提升地方立法的专业性与高效性

可考虑两种方案。方案一：将海南省人大法制工作委员会改为海南自由贸易港立法工作委员会，并按照因需立法的原则，招录聘任知名法律专家组建专业性立法团队，以提升省人大常委会的立法质量与效率。方案二：海南省人大授予海南自由贸易港立法工作委员会一定的经济立法权，并向省人大报告。例如，凡涉及投资、贸易、金融、仲裁、海关等领域的专业性法律法规，授权该机构制定。

五　以实行产业项下的自由贸易实现与东南亚合作交流的重要突破

20. 争取将海南自由贸易港纳入 RCEP 协议

抓住 RCEP 协议尚未签署的时间窗口期，尽快向 RCEP 协议文本谈判各方提出将海南自由贸易港作为我国与 RCEP 其他成员国之间的经济合作示范区写入 RCEP 协议，将对海南自由贸易港建设融入区域合作机制产生重大影响。2020年1月，新加坡外长杨荣文在东盟高级研讨会上建议："一旦《南海行为准则》谈成后，东盟各国可考虑在部分或整个海南岛成立一个南海经济合作区。"具有可行性的建议是，在 RCEP 正式签署的政治性声明中增加"我们关注到海南自由贸易港对促进区域合作的重要作用"表述，为海南自由贸易港建设融入以东南亚国家为重点的区域交流合作机制创造条件。

21. 在海南自由贸易港建设"中国—东盟公共卫生风险联防联控合作示范区"

积极吸引整合全国疾病预防控制和公共卫生风险防控高端资源，加快建设面向东南亚国家的区域公共卫生风险防控信息中心、区域公共卫生应急联络中心、区域疾病预防控制高等级实验室（P4），作为面向东南亚的区域性公共产品。以博鳌乐城医疗旅游先行区为平台，利用海南自由贸易港医疗健康开放政策建设区域性抗疫物资生产、储备、研发的合作基地，强化与东盟在高端医疗技术及药品器械研发、试验、技术交流、抗疫物资、应急响应、出入境检验、大数据等方面的协调合作。

22. 加快创设中国—东盟数字经济自由贸易区

依托我国数字经济发展的比较优势和海南自由贸易港贸易投资自由化便利化的政策制度优势，创建与东盟国家合作的数字经济自由贸易区，以此明显增强海南自由贸易港建设对东南亚国家的吸引力，提升我国数字经济优势对东南亚国家的影响力。支持目前已落户海南的阿里、腾讯、京东、字节跳动等以及其他数字经济企业在海南设立面向东盟市场的区域性总部。推动落户海南的数字经济企业与东南亚国家数字经济企业打造数字产业发展联盟，率先在通信产业、计算机基础技术产业、软件产业、互联网产业和电子商务产业项下实行零关税、零补贴、零壁垒的自由贸易政策。

23. 加快推进三亚国际邮轮母港建设，为条件成熟时推进双边、多边邮轮旅游合作创造条件

加快三亚国际邮轮母港建设，对标国际一流标准完善基础设施与服务体系，为疫后吸引国际邮轮停靠创造条件。支持海南与粤港澳大湾区联手开发南海邮轮旅游航线，协调推动三亚、香港、广州、深圳国际邮轮港之间的良性互动。加大对三亚邮轮母港参与中资方便旗邮轮公海游试点的支持力度，鼓励加快开发三亚至新加坡等东盟国家和地区的"飞机+邮轮""母港+访问港"等邮轮航线。支持海南与东南亚国家合作建立泛南海岛屿旅游合作体，推动实现客源共享和互送、邮轮航线的联合营销、邮轮旅游危机管理、人员入境免签等。

24. 以洋浦为重点打造区域性能源运输、加工、战略储备、贸易交割及保障服务中心

尽快细化船籍港及相关配套政策。支持洋浦在现有综合保税港区和经济开发区的基础上实现转型升级、功能扩展，建成泛南海地区最大的油气资源勘探、开发、加工、储备、交易、服务基地。支持洋浦开展国际航运运价备案受理、信息服务、运价交易、资信评估及金融保险等全流程交易业务；支持开展船舶维修保养、国际采购、保税仓储、保税油供应等相关业务。

25. 加快推进面向东南亚的产权交易所建设，形成市场体系的重要基础

研究确定热带农产品现货期货交易品种，建设涵盖热带农产品信息、交易、定价、价格指数发布、金融保险等功能在内的，以人民币计价的国际化、数字化国际热带农产品现货期货交易所。加快建设洋浦国际航运交易所和国际油品期货现货交易所，打造以人民币计价、以国际交易者为参与主体的交易平台。以海南生态软件园

为载体，加快建立数据交易所，利用区块链等技术开展数据确权、数据认证、数据定价、数据监管、数据交易、数据安全等标准规则制定，打造面向东南亚的数据定价交易服务中心。推进知识产权证券化探索，加强区块链技术在知识产权交易、存证等方面应用打造集交易、融资、资本市场服务为一体的国际化平台。

26. 加快推进与东南亚多层次人文交流

支持海南有序引入菲佣等技能型外籍劳工，为国际化人才和海南中高收入家庭提供优质家政服务。开设面向东南亚国家来华留学生学习、实习、就业绿色通道，吸引东南亚国家在琼的留学生在海南居留就业。争取中央支持，增加博鳌亚洲论坛年会研讨东南亚区域合作的活动安排，设立以"海南自由贸易港与东南亚区域合作""海南自由贸易港建设与RCEP"等为主题的分论坛。建立多层次的民间交流机制，率先实现海南琼海潭门镇同马尼拉等的渔民交流沟通机制；逐步形成地方政府间沟通交流与协调合作机制。

六　关键是以思想大解放实现制度创新大突破

27. 客观认识"一线放开"与"二线管住"的关系

自由贸易港的"二线高效管理"，是要通过一定的政策与制度设计，带动促进其他区域发展。在疫情严重冲击经济全球化和国际政治经济格局深刻复杂变化的特定背景下，以及海南产业基础薄弱、市场流量不大、营商环境有待改善的现状下，加快"一线放开"步伐，放缓"二线管住"速度，成为极大增强海南自由贸易港的吸引力，从而使人流、物流、资金流各类经济要素流动起来、活起来，进而取得海南自由贸易港良好开局的重大举措。

28. 争取在《海南自由贸易港法》中赋予海南更大改革开放自主权

争取中央支持，在《海南自由贸易港法》中明确赋予海南自由贸易港充分的改革开放自主权。过渡阶段，建议由全国人大及国务院采取授权暂停相关法律法规或直接授权等多种方式，尽快对海南实行一揽子授权，形成具体授权清单，把相关权限下放给海南，以使《海南自由贸易港建设总体方案》中涉及的海关、财税、金融、行政体制改革等重要制度集成创新尽快取得重大突破。

29. 充分利用特区立法权和地方立法权，形成"早期安排"的法律保障

按照探索建设与立法准备同步的原则，根据基本框架和原则推进更大力度的探索，并及时将探索成果法制化，逐步形成完善的法律制度体系。主要包括：一方面，加大对特区立法权的本质属性、地位和权限的深入研究和探索，明确特区立法权是国家立法权的逻辑衍生；另一方面，争取获得全国人大及其常委会进一步的明确授权，重点开展财税、海关、金融外贸、诉讼和仲裁制度及行政管理制度等具体操作性法规。

30. 推进重点园区发展的同时统筹全省自由贸易早期政策安排

海南建省30多年的实践表明，自由贸易港政策的"早期安排"向园区倾斜固然十分重要，但是，由于海南工业体系和现代服务业发展严重滞后，园区对全省产业发展的拉动作用很有限。因此，从海南的省情出发，自由贸易港政策"早期安排"设计，要立足于现代服务业、高新技术产业基础十分薄弱的现实情况，把园区和产业发展结合起来，在注重园区发展的同时，尽可能将开放政策与"零关税、低税率、简税制"等特殊政策的"早期安排"向全省重点产业倾斜，以此加快实现产业大发展，同时进一步调动全岛各方尤其是市县参与海南自由贸易港建设的积极性。

第六篇
建言对标世界最高水平开放形态的海南自由贸易港

习近平总书记"4·13"重要讲话已三周年,《海南自由贸易港建设总体方案》已发布一周年,如何按照总书记的要求加快推进海南自由贸易港建设,如何加快落实《海南自由贸易港建设总体方案》中提出的重大任务,是摆在海南面前的重大问题。为此,中改院就海南自由贸易港建设进程中涉及的重大问题开展专题研究,积极建言。

2020年6月1日公布的《海南自由贸易港建设总体方案》提出,"加强与东南亚国家交流合作"。中改院围绕这一主题,开展专题研究,召开多次学术研讨会,先后形成了《推进海南自由贸易港与东南亚区域合作进程——打造"重要开放门户"的重大任务(15条建议)》《加强海南自由贸易港与东南亚国家的交流合作——打造"重要开放门户"的重大任务(8条建议)》《关于在海南建立面向东盟的区域性市场的建议(18条)》《RCEP框架下深化海南自由贸易港与东南亚区域合作研究报告》等研究成果。

2020年6月1日,习近平总书记对海南自由贸易港建设做出重要指示强调,"要把制度集成创新摆在突出位置,解放思想、大胆创新"。中改院聚焦建立与最高水平开放的海南自由贸易港相适应的行政体制、行政区划体制、立法司法体制等开展专题研究,形成了一系列研究建议。

服务海南自由贸易港法立法是近两年中改院研究重点之一。2019年以来,中改院先后形成《推进海南自由贸易港立法总体思路研究(30条建议)》《赋予海南充分的经济自主权——推进海南自由贸易港立法是总体思路(研究建议16条)》《〈海南自由贸易港法〉立法的思路性建议》《关于〈海南自由贸易港法〉的若干建议》《关于〈中华人民共和国海南自由贸易港法(草案)〉的建议(18条)》等研究成果,主动服务《海南自由贸易港法》立法,有些成果得到了全国人大和海南省主要领导的批示。

营商环境不优是内外投资者诟病海南的集中点。如何尽快提高行政效能、激发市场活力是海南改善营商环境的重要任务。为此，2018年以来，中改院先后提出了全面实施企业自主登记制度、全面实行企业法人承诺制、实行政府政策承诺诚信制度、以企业需求为导向加快政策落地等政策建议。

加强海南自由贸易港与东南亚国家的交流合作

推进海南自由贸易港与东南亚区域合作进程的建议（15条）[*]

（2020年9月）

面对国际经济政治格局深刻复杂变化，充分发挥海南的地缘优势，"将海南自由贸易港打造成为引领我国新时代对外开放的鲜明旗帜和重要开放门户"，是海南建设自由贸易港的重大战略目标。采取务实举措，加快推进海南自由贸易港与东南亚国家交流合作进程，是实现这个战略目标的重大任务。

一 提升海南自由贸易港在区域合作中的战略地位

1. 争取将海南自由贸易港纳入RCEP协议

从实现国家战略目标出发，建议中央政府在近期正式提出将海南自由贸易港作为我国与RCEP其他成员国的地方经济合作示范区，并对合作框架与重点做出原则性安排，写入RCEP协定文本。或者，可在RCEP正式签署后的政治性声明中增加"我们关注到海南自由贸易港对促进区域合作的重要作用"等表述。由此，推动海

---

[*] 中改院课题组：《推进海南自由贸易港与东南亚区域合作进程——打造"重要开放门户"的重大任务（15条建议）》，2020年9月。

南自由贸易港成为中国与东盟各国经贸合作的重点区域。

2. 争取将海南自由贸易港金融开放纳入清迈倡议多边化协议安排，并服务人民币区域性国际化进程

支持海南率先发行法定数字货币。依托"海南自由贸易港非金融企业外债项下完全可兑换"等政策与制度安排，积极吸引东南亚国家政府或企业在海南发行人民币债券。条件成熟时，将海南建设成为我国面向东盟的区域性金融总部。

3. 支持海南建立同东南亚地方间公共卫生应急联络机制，打造区域内公共卫生共同体

（1）加大对海南的资金投入与技术支持，打造面向东南亚的集公共卫生安全监测、态势研判、短期爆发和流行风险评估预警、传染病长期流行趋势分析等功能在内的区域性公共卫生大数据平台。

（2）支持海南与国内外相关机构合作设立"热带疫病防治研究所"与区域性公共卫生应急物资与药品储备库。

（3）充分利用"中国—东盟省市长对话"等机制，建立地区政府首长或公共卫生领域首长组成的区域协调与合作机制，强化在物资医护调配、技术交流、出入境检验检疫等方面的合作协调。

4. 支持海南建立与国际接轨的知识产权交易规则，探索形成东南亚知识产权多边合作机制

（1）在RCEP框架下率先建立与东盟间的知识产权特别审查机制，通过定期审议，推动我国与东盟知识产权保护标准统一与规则一致。

（2）主动借鉴参考CPTPP、USMCA等最新经贸协定中的知识产权保护规则，出台《海南自由贸易港知识产权保护条例》。

（3）在现有海口知识产权法庭基础上，设立海南自由贸易港知识产权法院，审级与省高级人民法院相当，实行知识产权案件"三审合一"模式。

（4）支持海南推进知识产权证券化探索，加强区块链技术在知识产权交易、存证等方面的应用，打造集交易、融资、资本市场服务为一体的国际化平台。

二　把海南自由贸易港打造成为国际国内双循环的重要枢纽

5. 以建立数字自由贸易区为重点开展数字经济领域合作，提升对东南亚高新技术产业发展的影响力、控制力

（1）引导国内互联网企业在海南同东南亚国家共同建立跨境"数字自由贸易园区""数字经济合作园区""智能制造合作园区"等，积极开展数字技术、数字基础设施、数字服务等项下的自由贸易。

（2）以海南生态软件园为载体，利用区块链等技术开展数据确权、数据认证、数据定价、数据监管、数据交易、数据安全等标准规则制定，打造面向东南亚的数据定价交易服务中心，并赋予海南更大数据领域开放自主权。

6. 以推进海南农业工业化为重点开展热带农业项下的全面合作，打造面向东南亚的热带农产品保鲜、加工、储藏基地

（1）按着2025年海南农业产业化水平达到国内先进水平的目标，支持海南建立一批集加工、包装、保鲜、物流、研发、示范、服务等相互融合和全产业链的农业产业化项目。

（2）研究确定热带农产品现货期货交易品种，建设涵盖热带农产品信息、交易、定价、价格指数发布、金融保险等功能在内的，以人民币计价的国际化、数字化国际热带农产品现货期货交易所。

（3）将南繁育种、深海科技等领域新基建纳入国家重大建设项目库，给予优先支持。

7. 以发展邮轮旅游为重点开展旅游市场对接，形成对东南亚旅游业发展的辐射力、影响力

（1）支持三亚等邮轮港口参与中资方便旗邮轮公海游试点，开

辟"一程多站"国际邮轮新航线。

（2）促成海南与东南亚岛屿地区互为母港航线；优化对邮轮和邮轮旅客的检疫监管模式，简化国际邮轮人员进出境联检手续。

（3）借鉴APEC商务旅行卡的成熟模式，探索发起岛屿旅游卡发展计划，推进岛屿间人员进出自由便利。

（4）支持海南与泛南海区域内岛屿邮轮旅游合作，推动实现客源共享和互送、邮轮航线的联合营销、邮轮旅游的危机管理等。

8. 以洋浦港为重点开展航运合作，打造能源运输、储藏、加工、交易、服务制高点

（1）将洋浦经济开发区建设纳入国家南海油气资源开发战略，支持洋浦在现有综合保税港区和经济开发区的基础上实现转型升级、功能扩展，建成泛南海地区最大的油气资源勘探、开发、加工、储备、交易、服务基地。

（2）加快建设洋浦国际航运交易所与国际油品期货、现货交易所，打造以人民币计价、以国际交易者为主体的交易链。

9. 以研发设计为重点开展制造业领域合作，提升海南对区域内价值链管理与服务能力

（1）综合利用投资抵免、加速折旧、特别折旧、准备金提取、盈亏相抵等间接优惠方式最大限度降低企业税费成本，将研发、设计等领域的企业加计扣除比例提高至200%以上；对其他企业投资于研发、设计领域内中小企业的，允许将投资额的一定比例加计享受税前抵扣。

（2）赋予海南自由贸易港更加特殊的原产地规则。例如，建议对在海南研发设计、在东南亚国家生产的制造业产品，经海南进入内地减免进口关税。

（3）推进与新加坡全面实施研发、设计产业项下的自由贸易政策，实现标准互认、技术对接。

三　支持海南自由贸易港成为区域性国际人文交流中心

10. 充分发挥博鳌亚洲论坛的带动力、影响力，加强博鳌公共外交示范基地建设

（1）服务新时代大国外交战略，积极争取联合国及相关国际组织、机构落户海南或在海南设立分支机构，邀请"一带一路"沿线国家在华新设使领馆落户海南，集中建设博鳌使领馆"一条街"。

（2）借鉴达沃斯论坛经验，适当拓宽自身的宗旨与功能，秘书处以正式代表或顾问等身份尝试有选择地参与区域性和全球性事务。

11. 争取支持在海南举办以海洋经济区域合作为主题的高层次国际论坛

以扩大我国在南海事务方面的话语权和国际影响力为目标，支持在海南设立国家层面的区域性海洋论坛，邀请东盟各国专家学者就南海区域海洋科技、海洋环境保护、海洋能源利用、海洋旅游等区域合作议题开展系统研讨，推动海南自由贸易港成为南海经贸合作交流研讨重镇。

12. 推动建立海南自由贸易港与东南亚国家智库交流机制

（1）率先开展海南与新加坡两地智库间交流，合作举办海南自由贸易港与区域合作论坛，就区域合作的必要性、可行性和未来蓝图展望等开展交流研讨。

（2）推动与新加坡开展高校和智库间学术互访、联合研究、互派学者和留学生共同培养等多方面合作项目。逐步将交流参与方扩大到东南亚各国。

（3）在国家层面建立与东南亚智库交流机制，推动实现民间交流长期化、机制化。

（4）支持国内智库联合泛南海相关国家和地区的智库，就建立"泛南海经济合作圈"的可行性、面临的机遇与挑战、目标与任务、合作机制、推进步骤等开展联合研究，促进构想早日落地。

13. 尽快在教育、医疗等方面全面实行自由贸易政策，形成对东南亚优质要素的吸引力

（1）取消学前、普通高中、本科及以上院校的股比限制，积极吸引国际优质教育机构落户海南。

（2）把博鳌乐城国际医疗旅游先行区打造成"国际性医疗硅谷"的同时，尽快把除干细胞研发政策外的其他开放政策在全省范围内实施。

（3）支持在海南设立中日医疗健康合作区，与日本联手共建医药与器械设备制造产业链。

（4）建议在海南全面采用日本医药标准，提升海南医药标准化、国际化水平。

14. 有序放开用工市场，形成区域性人才与用工新高地

（1）参照新加坡的职业资格制度，制定合理的职业资格互认制度。

（2）支持海南率先探索开展职业技术移民积分制，取消现有"聘用外国人从事的岗位应是有特殊需要、国内暂缺适当人选"等规定。

（3）开设面向东南亚国家的来华留学生学习、实习、就业绿色通道，吸引留学生落户海南。

（4）支持海南率先针对新加坡华人探索"双重国籍"的制度试点，吸引华裔人才回流。

（5）在建立制度、管住风险、优化服务及配额限制的前提下，有序引入菲佣等技能型外籍劳工，为国际化人才和海南中高收入家庭提供优质家政服务。

15. 建立渔民应急沟通交流机制，为稳定周边环境奠定社会基础

借鉴中美"海空相遇安全行为准则谅解备忘录"的做法，支持

海南就渔业捕捞、船舶停靠条件及船舶相撞后的应急管理等方面同东南亚国家签署地区间的双边、多边谅解备忘录，明确相关规则，最大限度避免民事冲突升级为军事冲突的风险。同时，支持将重大军民两用基础设施建设项目优先布局在海南。

在海南建立面向东盟的区域性市场的建议(18条)[*]

（2021年4月）

一　把建立面向东盟的区域性市场作为推进海南自由贸易港建设的重要抓手

1. 服务于打造"重要开放门户"的战略目标加快建立面向东盟的区域性市场

"将海南自由贸易港打造成为引领我国新时代对外开放的鲜明旗帜和重要开放门户"，是中央建立海南自由贸易港的战略目标与重大任务，抓手与突破口是建立面向东盟的区域性市场。一方面，建立面向东盟的区域性市场，使海南自由贸易港成为区域内商品要素配置、整合的大平台，以此明显提升海南自由贸易港的区域影响力辐射力；另一方面，在亚太区域不稳定性、不确定性上升的情况下，充分发挥海南自由贸易港在促进经济交往中的独特作用，加强与东南亚深层次、多领域的区域合作，为构建"泛南海经济合作圈"的长远战略目标奠定重要基础。

---

* 中改院课题组：《关于在海南建立面向东盟的区域性市场的建议（18条）》，《中改院简报》总第1404期，2021年4月16日。

2. 以建设面向东盟的区域性市场将海南自由贸易港打造成为国内国际双循环的重要枢纽

东盟在我国开放发展格局中的重要性日益提升。2020年,东盟首次成为我国第一大贸易伙伴;2021年第一季度,我国对东盟进出口增长26.1%,占我国外贸进出口总值的14.7%。从趋势看,东盟成为承接我国产业转移的重点区域,也是最具活力、最具潜力的市场之一。预计到2030年,东盟GDP总量将达到6.6万亿美元,成为全球第四大经济体。在海南建立面向东盟的区域性市场,就是要充分发挥海南自由贸易港在连接两个市场、两种资源中的重要枢纽、重要交汇点的独特作用,并服务于国内大循环的效率和水平的提升。

3. 在建立面向东盟的区域性市场中形成做大经济流量与产业发展的良性互动

2020年,海南外贸依存度为16.9%,与全国31.6%、新加坡207.4%、中国香港301.7%的水平差距较大;货物贸易和服务贸易额仅占全国的0.29%、0.41%。建立面向东盟的区域性市场,将明显做大海南自由贸易港经济流量、做活市场,着力破解海南作为岛屿经济体市场空间小、物流成本高、产业体系不完善的先天短板,并加快形成产业发展和区域合作的良性互动。

二 在海南建立面向东盟的区域性市场既有需求,又有条件

面对全球性、区域性政治经济格局的深刻复杂变化,面对各方促进疫后经济复苏、联动发展的共同需求,依托海南自由贸易港独特的地缘、区位与开放政策优势,加快建立面向东盟的区域性市场。

4. 东盟国家关注海南自由贸易港建设

从东盟国家的意愿看,马来西亚、菲律宾均表示愿意与海南率先携手共建"泛南海经济合作圈"。2020年1月,新加坡前外长杨荣文在东盟高级研讨会上建议:"一旦《南海行为准则》谈成后,

东盟各国可考虑在部分或整个海南岛成立一个南海经济合作区。"特别是在疫情冲击下,以外向型经济为主导的东盟国家对借助中国市场实现自身经济复苏的需求有所增强。

5. 我国企业加大以东盟为重点的产业链供应链布局

在大国博弈加剧、我国经济进一步转型升级等内外因素共同影响下,东盟成为承接我国对外投资与产业转移的主要区域。2019年,我国对外直接投资前20位国家中,有7个是东盟国家。特别是RCEP签署后,以东盟为重点的对外投资合作趋势更加明显。2021年1—2月,我国企业对"一带一路"沿线国家非金融类直接投资197.3亿元人民币,同比增长4.3%,且主要投向新加坡、马来西亚、越南、印度尼西亚等东盟国家。

6. 海南自由贸易港具有建立面向东盟的区域性市场的独特优势

(1) 地缘与区位优势。海南地处"泛南海经济合作圈"中心位置,具有自然资源丰富、地理区位独特以及背靠超大规模国内市场和腹地经济等优势,有条件成为连接中国市场与东盟市场的重要枢纽。

(2) 政策与制度优势。2018年以来,推进海南全面深化改革开放领导小组办公室会同海南省和有关部门已发布110多份政策文件支持海南自由贸易港建设,为建立面向东盟的区域性市场提供重要条件。

(3) 经贸合作与人文交流基础良好。2018年4月到2020年3月,海南对东盟进出口额达到512.6亿元,与上个两年相比增长60.2%,是外贸整体增速(31.8%)的近2倍。同时,海南同乡会、海南会馆等海南元素社会团体遍布东盟地区,200多个东南亚华人华侨组织与海南保持着经常性友好往来。

7. 抓住RCEP的时间窗口期,以建立面向东盟的区域性市场尽快形成自身优势

RCEP实施将为企业"走出去"利用东盟国家劳动力与资源要

素提供更加稳定透明的制度环境。建议抓住 RCEP 全面落实前的时间窗口期，率先实现面向东盟的旅游、农产品、金融等区域性市场的重要突破，形成海南自由贸易港在中国与东盟经贸合作中的先发优势，并为中长期构建"泛南海经济合作圈"奠定重要基础。

三 以务实举措尽快实现建立面向东盟的区域性旅游、商品和要素市场的重大进展

8. 率先实现区域性旅游市场建设的重要突破

（1）加快三亚国际邮轮母港建设，支持三亚邮轮母港建设主体通过在境外发行人民币债券方式筹集建设资金，为疫后构建国际邮轮旅游大网络创造条件。

（2）在疫情稳定的情况下，争取中央支持海南率先与马来西亚、菲律宾、新加坡、越南、泰国等国家的岛屿地区开展邮轮旅游合作，推动实现客源共享和互送、邮轮航线联合营销、邮轮旅游危机管理合作、人员入境相互免签、旅游人才联合培养等，构建双边多边旅游合作网络。

（3）争取中央支持并协调与香港共建免税购物消费产业链，使海南成为面向国内及东盟的中高端免税购物消费中心。

（4）用好发改体改〔2021〕479 号文件相关政策，培育海南旅游消费新的吸引力和增长点，建成区域性医美、健康、教育、文化娱乐等服务型消费市场。

9. 建立以农产品为重点的区域性商品市场

（1）抓住 RCEP 时间窗口期，吸引国内外龙头企业在海南投资一批集加工、包装、保鲜、物流、研发、示范、服务等相互融合和全产业链的农业产业化项目，通过零关税和原产地政策进口东南亚国家的农产品在海南进行精深加工，使产品增值 30% 以上再免关税进入内地。

（2）落实发改体改〔2021〕479 号文件，尽快出台建立海南国际文物艺术品交易中心的行动规划，引入艺术品行业的展览、交易、拍卖等国际规则，吸引国内外知名拍卖机构及投资者在交易中心开展业务，在通关便利、保税货物监管、仓储物流等方面给予政策支持。

（3）争取将燕窝纳入国人离岛免税购物清单和岛内居民日用消费品免税清单，培育旅游消费新增长点；鼓励国内和东盟有实力的燕窝企业在海南发展销售和深加工等高增值环节，并逐步建立海南版燕窝品质标准、交易规则。

10. 建立以各类交易场所为重点的区域性金融市场

（1）争取中国证监会支持，在海南建立以天然橡胶为重点的热带农产品交易所，为东盟国家提供交易、交割、定价、结算、风控等一站式服务，使海南成为区域性天然橡胶的交易与定价中心。以此为基础，带动形成覆盖热带农产品种类的期货现货交易所，服务全球热带农业中心建设。

（2）利用"支持符合条件的海南企业首发上市"政策，尽快出台行动方案，支持在海南设立证券经纪、投资银行、证券投资咨询等证券服务机构与融资性金融机构，建立面向"一带一路"的国际债券市场与资本市场。

（3）利用"探索开展跨境资产管理业务试点"政策，尽快开展个人跨境财富管理试点，允许欧美知名理财公司在海南以独资、合资、合作等形式开办私人银行等财富管理机构，建立面向国内市场与东盟市场的财富管理中心。

11. 建立面向东盟的区域性创新要素市场

（1）争取中央支持率先在海南对民事主体、商事主体适用《新加坡公约》等国际高标准知识产权保护规则，建立区域性知识产权交易所，积极吸引东盟国家的知识产权在海南开展定价、交易、融资等服务，并推动知识产权在海南或内地成果转化，以此吸引更多创新要素在海南集聚。

（2）依托中央赋予海南跨境数据安全有序流动的政策优势，研究建立面向东盟的数据交易所，开展数字版权确权、估价、交易、结算交付、安全保障、数据资产管理等服务。

（3）依托海南碳汇资源，研究建立海南国际碳汇交易所，在全国率先实现碳达峰、碳中和。

12. 适时放开面向东盟的劳动力市场

（1）适时放开面向东盟的家政服务市场，通过配额管理、完善社会治安管理制度等方式，在海南率先引入菲佣等技能型外籍劳工，为国际化人才和海南中高收入家庭提供优质家政服务。

（2）在海南率先探索开展职业技术移民积分制，取消现有"聘用外国人从事的岗位应是有特殊需要、国内暂缺适当人选"等规定，开设面向东南亚国家的来华留学生学习、实习、就业绿色通道，吸引留学生落户海南。

四 以《海南自由贸易港建设总体方案》（以下简称《总体方案》）政策具体化为重点形成建立面向东盟的区域性市场的大环境

13. 将《总体方案》相关政策具体化，形成建立面向东盟区域性市场的政策支持体系

《总体方案》形成了海南自由贸易港政策制度体系的基本框架，并为建立面向东盟的区域性市场提供重要条件。但部分政策具体化进程滞后掣肘区域性市场建设。例如，《总体方案》提出"支持建设邮轮旅游试验区"。从实际情况看，海南邮轮产业支持政策主要以补贴为主，既缺乏产业发展规划指导，也在邮轮购置、航线开辟、邮轮船供、产业基金设置等方面缺乏针对性具体政策，与上海、天津、广州等发达地区相比，政策竞争力明显不足。再例如，《总体方案》赋予海南自由贸易港加工增值超过30%（含）的货物免征关税政策，但由于计算规则、工序标准等不明确，政策红利尚

未释放。

14. 推动支持企业"走出去"政策具体化

（1）尽快形成海南自由贸易港原产地政策实施细则，明确适用累积规则，适时引入加工工序标准，并探索对在海南研发设计，在东盟国家生产、加工的产品，经海南进入内地免征进口关税。

（2）适应建立面向东盟的热带农产品保鲜、加工、储藏、出口基地需要，将农业等纳入"新增境外直接投资取得的所得，免征企业所得税"政策适用范围。

（3）对总部设在海南，主要业务在东盟国家的相关企业人才，将其在东盟国家开展商务活动的时间视为在海南居住时间，享受最高不超过15%的个人所得税政策。进一步拓展"零关税"产品范围，对由国内企业到境外投资设厂的商品，进入海南给予零关税政策。

（4）加大对开展境外投资的海南企业的政策支持力度，设立海南自由贸易港对外投资基金，对到东盟开展农业种植、资源加工等投资成本高、建设周期长、风险大的企业，给予一定的财政贴息或一次性财政资金支持。

15. 以推进跨境资金自由便利流动政策具体化为重点吸引总部企业集聚海南

（1）按照银发〔2021〕84号文件要求尽快出台海南自由贸易港跨境人民币兑换细则标准。明确在海南的外国投资者的出资、利润以及资本收益、资产处置等合法所得，可以依法以人民币或者外汇自由汇入、汇出。

（2）加快开展本外币和跨境资金池业务试点，率先支持旅游、数字经济、商贸物流、医疗健康等领域企业跨境人民币余缺调剂和归集业务，建立重点行业境外投资及资金出入境审批绿色通道。

（3）尽快出台吸引区域性总部企业的专项政策。对注册在海南的区域性总部企业，通过加速折旧和摊销等多种方式使其企业所得税下降至10%左右；尽快明确海南区域性总部企业在境外发行人民币债券的基本条件与相关程序规则。

（4）强化市场管理标准规则对接，制定面向东盟的企业差异化责任豁免目录，积极引进优质的旅游、医疗健康、教育、文化娱乐等企业在海南设立区域性总部，并尽快形成与跨境服务贸易配套的资金支付与转移制度。

16. 对标CPTPP推进更大力度的政策与制度集成创新

（1）加快在海南自由贸易港全面确立竞争中性原则，进一步研究改进补贴政策框架。明确提出海南自由贸易港在政府资金安排、土地供应、税费减免、资质许可、标准制定、项目申报、人力资源政策及政府采购、法律保护等方面，依法保障各类主体在非歧视环境下公平竞争；政府不得对国有企业与指定垄断企业进行差异化、选择性产业补贴。

（2）争取中央支持赋予海南更加开放的跨境数据流动政策，在跨境数据流动、电子商务规则、消费者隐私权保护等方面先行先试，带动数字内容产业、数字服务业、数字金融业发展。

（3）支持海南自由贸易港对标CPTPP环境保护规则，建立涉及濒危野生动植物贸易、臭氧层保护等的相关机制。强化与泛南海区域在海洋环保规则标准上的协调，争取率先同有条件的地区签订地方层面且具有强制力的海洋环保公约。

17. 以专业、高效、便利为目标构建区域性市场的服务体系

（1）支持在海南成立法定机构性质的区域性市场开发管理局，专门负责区域性市场建设与区域性总部企业的服务管理，并实行企业化管理、市场化运作、目标绩效考核。

（2）积极争取中央支持，在海南设立融资性金融机构，为"走出去"企业开展"信保+担保"融资，助力企业"走出去"参与区

域产业链调整。

（3）支持以社会组织为平台建立企业"走出去"服务联盟，吸引专业的担保机构、会计与律师事务所、投资咨询公司、资产评估公司等企业入驻，对走向东盟的企业提供一揽子专业服务。

（4）强化"走出去"企业的规范管理，鼓励企业按照环境、社会和公司治理（ESG）行为准则"走出去"与东盟开展投资合作。

18. 力争实现海南自由贸易港与新加坡经贸合作突破

（1）推动海南自由贸易港与新加坡自由贸易园区签订涵盖货物、服务、投资、海洋、电子商务、竞争政策等在内的高水平自由贸易安排。

（2）引入新加坡运营团队及管理标准。例如，在城市规划、港口运营、人才培养等领域尽快形成具体合作项目清单；支持海南11个重点园区同新加坡相关自由贸易园区通过委托经营、合作管理等方式开展战略合作。

（3）加强海南与新加坡智库交流合作，开展学术互访、合作研究、互派学者等合作。

（4）尽快制定针对新加坡的"单向标准认可清单"，允许新加坡服务业企业、具备相关职业资格的人员，在海南备案审核后直接开展相关经营与业务活动，吸引新加坡华裔人才回流。

RCEP框架下深化海南自由贸易港与东南亚区域合作的建议（16条）[*]

（2021年5月）

依托海南自由贸易港独特的区位优势，做好自由贸易港政策制度与RCEP协定的叠加集成，使海南自由贸易港尽快成为连接两个市场、两种资源的重要开放门户，促进东南亚国家与中国双循环发展的有效对接，这不仅有利于双方，也有利于世界。

一 加强海南自由贸易港与东南亚区域合作的重大影响

1. 促进区域内经济复苏与增长的共同需求

（1）疫情严重冲击区域内经济增长。突如其来的新冠肺炎疫情对以外向型经济为主的东南亚国家经济造成了严重冲击。2020年，东南亚GDP增速为-3.3%，其中东盟五国为-3.4%，是自1998年以来经济首次负增长。

（2）区域内经济复苏与增长仍面临较大不确定性。对于东南亚经济复苏而言，稳定的外部环境与外部市场需求至关重要。对2020年，东盟国家商品出口额占GDP的比重为45.4%，远高于同期

---

[*] 节选自中国日报社、中改院课题组《RCEP框架下深化海南自由贸易港与东南亚区域合作研究报告》，2021年5月。

20.8%的世界平均水平。根据 IMF 2021 年 4 月《世界经济展望》数据显示，2021 年东南亚国家 GDP 将实现 4.5% 的增速，其中东盟 5 国为 4.9%。从实际情况看，近期印度疫情再次暴发且不断向周边地区扩散，有可能为日渐恢复的区域性产业链供应链带来新一轮冲击，并加剧收入差距扩大、低通胀、高债务等问题。

（3）海南自由贸易港与东南亚区域合作的现实意义。一方面，未来5—10 年，中国 14 亿人巨大内需市场潜力释放将为全球经济注入重要动力。预计"十四五"期间，中国将成为全球第一大商品消费市场。另一方面，海南自由贸易港建设，既为中国企业拓展国际市场创造重要机遇，也为东盟国家借助海南自由贸易港分享中国大市场提供重要平台。

2. 服务于国内国际双循环新发展格局的重要举措

（1）东盟在中国开放发展格局中的地位作用日益提升。2010年以来，中国—东盟双边货物贸易额由 2928.4 亿美元增长至 2019 年的 6415 亿美元，实现翻番；占中国货物贸易额的比重由 9.8% 提升至 14.4%。2020 年，中国—东盟双边货物贸易额实现 6.7% 的增长，占中国货物贸易总额的比重进一步提升至 14.7%。东盟首次成为中国最大贸易伙伴。

（2）双循环新发展格局蕴藏着中国—东盟经贸合作的巨大潜力。当前，东盟已成为承接我国对外投资与产业转移的重点区域。2020 年，中国对东盟全行业直接投资 143.6 亿美元，同比增长52.1%。预计未来 10 年，东盟地区将成长为世界第四大经济体。到2030 年，东盟 GDP 将达到 4.5 万亿美元。

（3）发挥海南自由贸易港在连接两个市场、两种资源中的独特作用。海南与东盟地缘相近，不仅具有自然资源丰富、地理区位独特以及背靠超大规模国内市场和腹地经济等优势，也具有全面深化改革和试验最高水平开放政策的优势。2018 年 4 月—2020 年 3 月，海南与东盟进出口额达到512.6亿元，与上个两年相比增长60.2%，是外贸整体增速的近2倍。未来，海南自由贸易港将在连接中国—东盟两个市场、两种资源中扮演重要枢纽、重要交汇点的独特角色。

3. 实现海南自由贸易港做大经济流量与产业发展的良性互动

适应东盟市场在我国开放发展中的地位日益提升的大趋势，以推动自由贸易港政策高效落地为重点积极吸引人流、物流、资金流，做大经济流量，成为海南自由贸易港建设的务实选择。到2025年，若我国与东盟双边贸易与直接投资有20%左右在海南实现，将带来1400亿美元的货物流与近50亿美元的资金流，在明显提升海南经济流量的同时，吸引国内外各类总部型企业集聚海南并开展相关业务，由此形成海南自由贸易港现代产业体系。

二 RCEP签署有利于加强海南自由贸易港与东南亚区域合作

4. RCEP生效将为海南自由贸易港与东南亚区域合作提供"窗口机遇期"

（1）RCEP生效将为海南自由贸易港构建面向东盟的产业链供应链提供重要契机。近年来，海南与RCEP国家间贸易占比稳定在40%以上，其中与东盟国家间的贸易占比稳定在四分之一左右。RCEP生效后，海南将成为我国唯一一个三元供应链[①]都可以实现"零关税"的地区，对丰富海南产业结构、促进产业升级、稳定供应链区域布局具有重要意义。

（2）RCEP生效将为构建区域内统一大市场提供更高水平制度保障。将重点产业发展和RCEP贸易和自由化便利化规则结合，形成构建区域内统一大市场的重要动力。例如，海南可利用政策优势吸引国内高水平企业"走出去"，也可以积极吸引包括东盟及日本、

---

① 三元供应链，即国内供应链、RCEP区域内供应链、区域外供应链。

韩国、澳大利亚等国先进企业"引进来",促进国内产业转型升级。

(3) RCEP生效将强化海南区位优势。从RCEP成员国地理分布看,海南位于成员国中心,向北通过海陆空与中国内地紧密相连;向东、向南与东亚两国、东盟10国、澳大利亚和新西兰通过航空与海运便捷地连接。作为中国的重要开放门户,东亚、东南亚各国都在海南4小时飞行圈内,澳大利亚也在海南8小时飞行圈内。

(4) RCEP生效将为海南自由贸易港高水平开放带来倒逼压力。例如,在服务贸易领域,中国在RCEP中承诺6年内将实现服务贸易开放由正面清单向负面清单的过渡,这就需要海南自由贸易港在6年内更大力度开展服务贸易开放探索,为我国全面实行跨境服务贸易负面清单提供标杆。

5. 用好时间窗口尽快将海南自由贸易港打造成为中国与东南亚区域合作的重要枢纽

(1) 把海南自由贸易港打造成为中国与东南亚区域市场的连接点。充分利用"两个市场""两种资源",吸引国际资本,在农业、旅游、健康医疗、金融保险、文化娱乐、航运物流、免税购物、高新技术等领域市场开放上先走一步,尽快形成海南区域合作中的突出优势。

(2) 把海南自由贸易港打造成为我国与东盟企业"引进来""走出去"的重要平台。充分利用RCEP生效将为企业"走出去"利用东盟国家资源要素提供更加稳定透明制度环境的有利契机,用足用好自由贸易港特殊政策,大力发展高技术、高附加值的高端制造业;吸引更多的东盟区域内高质量企业来琼投资,将岛内具有突出比较优势的产能转移至区域内其他国家,联手打造分工合理、稳定安全的区域性产业链与供应链。

(3) 把海南自由贸易港打造成为中国与东盟商品与要素双向流动的大通道。一方面,依托海南地处中国面向东盟的最前沿以及背靠超大规模国内市场和腹地经济等优势，用好运输来往自由便利政策及"零关税"、原产地政策等，强化物流体系建设及与东盟国家口岸间的协调合作，提升海南自由贸易港在中国—东盟跨境供应链的促进、服务作用；另一方面，积极吸引国内外跨境要素在海南自由贸易港内中转、交易、配置、集聚，提升海南自由贸易港在中国—东盟产业链、价值链、创新链方面的服务管理功能。

（4）把海南自由贸易港打造成为我国与东盟区域性国际人文交流中心。实行更加开放的人才和停居留政策，全方位开展与泛南海国家和地区人文交流活动，构建官民并举、多方参与的人文交流机制，拓展与沿线国家文化体育、教育培训、旅游会展、技术转移、人才培养、医疗健康、信息传播，以及历史文化遗产、生态环境保护、应对气候变化等领域的交流合作，建设区域性人文交流中心。

6. 关键是实现自由贸易港政策与 RCEP 规则的对接协调

海南自由贸易港应充分发挥单向开放的灵活性，并在参考 RCEP 协定中进一步形成自身开放优势。此外，海南自由贸易港建设，需要对标世界最高水平开放形态，这意味着不仅要实现与 RCEP 规则的对接，也要对标 CPTPP 等自由贸易协定及新加坡、中国香港等国际成功自由贸易港的开放标准。

三 推进 RCEP 框架下海南自由贸易港与东南亚区域合作进程

7. 率先在海南自由贸易港全面落实 RCEP 协定

（1）争取支持将海南自由贸易港作为我国与 RCEP 成员国间的先行合作区。这不仅能更加体现我国向世界单边开放的决心，也有利于强化各方对建设海南自由贸易港的信心，并形成海南自由贸易港高水平开放与制度集成创新的硬约束。

（2）率先在海南自由贸易港全面落实中国在 RCEP 协定中的承诺内容。例如，结合海南自由贸易港服务贸易开放政策，对照我国在 RCEP 协定中的服务贸易开放承诺表，形成与国际接轨的更加开放透明的跨境服务贸易负面清单；结合我国在 RCEP 协定中投资准入的相关承诺，强化海南自由贸易港与投资准入的行政程序、行政措施、行政决定及产权保护、市场监管等规则对接，为内外投资者提供更加稳定透明的市场环境。

（3）在参照 RCEP 规则基础上形成海南自由贸易港开放新优势。例如，对标 RCEP 灵活、便利的原产地规则，进一步细化海南自由贸易港加工增值免关税政策；优化海南自由贸易港"零关税"清单，加快征税商品目录制定工作，并及时调整升级，对标 RCEP 成员国最高承诺标准，逐步扩大"零关税"覆盖范围，保持自由贸易港"零关税"政策优势。

8. 在 RCEP 框架下推进与东盟国家的双边合作进程

（1）东盟国家高度关注海南自由贸易港建设。从东盟国家的意愿看，马来西亚、菲律宾均表示愿意与海南率先携手合作。2020 年 1 月，新加坡前外长杨荣文在东盟高级研讨会上建议："一旦《南海行为准则》谈成后，东盟各国可考虑在部分或整个海南岛成立一个南海经济合作区。"中国日报社媒体大数据分析显示，对涉海南东盟区域合作关注度最高的地区分别为美国、中国香港、新加坡、印度和印度尼西亚。

（2）以服务贸易为重点推进海南自由贸易港与新加坡全面合作。

——建立与新加坡接轨的服务业管理标准体系；制定面向新加坡的"单向标准资格认可清单"，在明确底线标准的前提下，在医疗、健康、教育、金融、旅游等领域实现与新加坡管理标准、资格认定的全面对接。

——在城市规划、港口运营、人才培养等领域尽快形成具体合作项目清单；支持海南 11 个重点园区同新加坡相关自由贸易园区通过委托经营、合作管理等方式开展战略合作。

——积极吸引新加坡海事仲裁、海事金融、航运科技等企业在海南设立分支机构；以洋浦港为重点，积极同新加坡联合打造海洋船舶制造和维修产业链；积极争取与新加坡海关当局达成检验、检疫相互认可协议，在通关数据互联互通上实现一次检验、两地放行。

（3）务实推动与东盟国家双边海洋旅游合作。开发海南至菲律宾的"飞机＋邮轮""母港＋访问港"等邮轮航线；建立海南岛—兰卡威岛、海南岛—纳闽岛旅游经济合作体，共同打造国际化旅游产品，开辟岛屿间的邮轮航线和邮轮旅游产品，简化邮轮旅游通行证办理；加强海南和马来西亚空港、海港方面的合作，构建区域物流体系。

（4）务实推动与东盟国家间双边海洋经济合作。共建具有自贸区性质的海洋产业园区、海洋高端装备保税港区、海洋经济合作示范区、以海洋产业为重点的工业港区等；发展健康医疗、教育、文化娱乐等生活性服务业和金融保险、航运物流、跨境电商等服务贸易。

9. 加强 RCEP 框架下海南自由贸易港与东盟次区域合作

（1）务实推进数字经济领域合作。

——数字经济合作既有需求又有潜力。一方面，东南亚已成为全球数字经济增长最快的区域之一，预计到2025年，东南亚数字经济规模有望突破3000亿美元。另一方面，中国已成为全球第二大数字经济体，2020年中国数字经济规模同比名义增长9.5%，占GDP的比重达到38.6%。未来，推动海南自由贸易港与东南亚国家次区域间的数字经济合作有较大空间。

——加快同有条件的东盟国家或地区共建数字自由贸易园区。在 RCEP 电子商务框架下，引导国内互联网企业在海南同东盟国家共同建立跨境"数字自由贸易园区""数字经济合作园区"等，开展数字技术、数字基础设施、数字服务等项下的自由贸易。同时，加大在无纸化贸易、消费者保护、网络安全等领域的探索。

——参考 RCEP，强化数字贸易规则内外衔接。探索同东盟国家或地区签署数字领域的信任协定、认可服务经营商、争端解决机制协定等；在《电子商务法》《网络安全法》等上位法的框架下，利用特区立法权，制定与 RCEP 电子商务规则兼容的数字贸易条例。

（2）共建岛屿旅游发展联盟。

——中国旅游消费大市场成为东盟国家关注的重点。2020 年东盟国际游客数量同比下降 82%。建议在疫情稳定后，率先与马来西亚、菲律宾、新加坡、越南、泰国等国家的岛屿地区开展邮轮旅游合作，实施游客互换、资源共享计划与国际旅游市场联合营销计划，加快推进旅游服务标准对接、一体化旅游线路设计、人员跨境流动便利化等，构建区域性旅游合作网络。

——与香港共建免税购物消费产业链，全面引入香港免税购物消费管理标准，建立以消费者保护为核心的法治环境，使海南成为面向国内及东盟的中高端免税购物消费中心。

——加快三亚国际邮轮母港建设，支持三亚邮轮母港建设主体通过在境外发行人民币债券方式筹集建设资金，为疫后构建国际邮轮旅游大网络创造条件。

（3）积极与东盟有条件的国家或地区打造跨境渔业产业链。在 RCEP 框架下，利用 RCEP 通关便利化规则及海南自由贸易港"零关税"、原产地规则等政策，吸引东盟企业在海南投资渔业产业化项目；采用"早期收获计划"、地方政府框架协议、产业项下自由贸易政策等多种形式，推动建立远洋渔业基地，探索大型拖网联合加工作业、联合捕捞作业。

（4）积极开展"海南+新加坡+第三方市场"合作。探索同新加坡有关部门共同制定"第三方市场合作框架协议"，对第三方市场合作的原则、程序、标准、合作机制、利益分配等做出明确安排，共同开展第三方市场内的产能合作与服务贸易。联合打造第三方合作数字平台，建立第三方重点国别信息库和企业信息库，促进第三方市场合作供需有效对接。

10. 以公共服务为重点强化海南自由贸易港与东盟多边合作

（1）强化公共卫生多边合作。着眼于疫情防控常态化的现实需求，吸引整合全国疾病预防控制和公共卫生风险防控高端资源，加快建设面向东盟国家的区域公共卫生风险防控信息中心、区域公共卫生应急联络中心、区域疾病预防控制高等级实验室；建设区域性抗疫物资生产、储备、研发的合作基地，强化与东盟在高端医疗技术及药品器械研发、试验、技术交流、抗疫物资、应急响应等方面的协调合作。

（2）强化海洋安全领域的多边合作。共同发布海上安全合作倡议；建设岛屿港口、避风码头及避风锚地，打造海上安全信息发布平台，向周边国家和过往船只提供公共服务；探索在海南本岛同东盟国家联合建立应急救援装备示范园；探索建立海南同东盟国家地方政府间海事应急联络机制。

（3）强化海洋生态环境保护的多边合作。在海南建立中国—东盟海洋生态环境管理办公室，承担南海海域跨区域海洋生态监测、提示、修复方案指导等职能，并在联合国海洋法公约框架下积极同东盟签署海洋环境保护框架性议定书；积极开展海洋环境监测、入海污染物处理技术、海洋生态灾害防治、海洋生态恢复等领域合作。

（4）积极打造多边对话机制平台。争取支持，增加博鳌亚洲论坛年会东南亚区域合作活动安排。加强海南自由贸易港智库与东盟国家智库的交流合作，围绕"海南自由贸易港与东南亚区域合作"等课题开展合作研究、学术互访、访问研究等。在海南打造面向东盟的渔民教育培训基地，对东南亚各国渔民开展渔业养殖捕捞、生态环境保护、应急救援等领域的公益性培训。

四　在海南自由贸易港加快建立面向东盟的区域性市场

11. 建立以农产品为重点的区域性商品市场

（1）有效应对RCEP生效后农产品"零关税"冲击。联合国粮农组织数据显示，2019 年 RCEP 成员国农产品总产量占世界的 20.1%。中国、新西兰、日本等都是传统的农产品贸易大国，东盟国家大多数都是农业资源丰富的国家，是大米、水果、棕榈油、咖啡、水产品等的主产地。RCEP 生效后，东南亚国家的产品尤其是农产品的成本将低于海南。这就需要尽快形成海南农业差异化发展新突破。

（2）在海南建立面向东盟的热带农产品保鲜、加工、储藏、出口基地。吸引国内外龙头企业在海南投资一批集加工、包装、保鲜、物流、研发、示范、服务等相互融合和全产业链的农业产业化项目，通过"零关税"和原产地政策进口东南亚国家的农产品在海南进行精深加工，使产品增值 30% 以上再免关税进入内地。

12. 建立面向东盟的各类交易市场

（1）建立以天然橡胶为重点的热带农产品交易所。2019 年，泰国、印度尼西亚、越南三国天然橡胶产量合计约占全球的 70%。2019 年，我国橡胶消费量占全球的 40%。[①] 目前，天然橡胶期货交易在上海期货交易所，其年成交金额 13.10 万亿元。[②] 建议争取证监会支持在海南建立天然橡胶交易所，为东盟国家提供交易、交割、定价、结算、风控等一站式服务。

（2）建立海南国际文物艺术品交易中心。抓住建设海南国际文物艺术品交易中心的重大机遇，依托海南自由贸易港低税率政策，引入艺术品行业的展览、交易、拍卖等国际规则，尽快出台行动规划，加快建立国际文物艺术品交易中心。

（3）建立区域性知识产权交易市场。参照 RCEP 知识产权规则，加快出台涵盖著作权、商标、地理标志、专利、外观设计、遗

---

① 数据来自国际橡胶研究组织（IRSG）数据。
② 《2020 年上海期货交易所天然橡胶衍生品市场运行情况》，《期货与金融衍生品》2020 年第 115 期。

传资源、传统知识和民间文艺、反不正当竞争、知识产权执法、合作、透明度、技术援助等的《海南自由贸易港知识产权保护条例》。争取支持在海南适用《新加坡公约》等国际高标准知识产权保护规则，建立区域性知识产权交易所，吸引东盟国家知识产权在海南开展定价、交易、融资等服务，并推动知识产权在海南或内地成果转化。

（4）研究在海南创建国际数据交易市场。依托中央赋予海南跨境数据安全有序流动的政策优势，研究建立面向东盟的数据交易所，开展数字版权确权、估价、交易、结算交付、安全保障、数据资产管理等服务，并争取中央支持赋予海南更加开放的跨境数据流动政策等。

（5）建立区域性碳交易市场。预计 2021 年，我国碳交易市场成交量或达到 2.5 亿吨，为 2020 年各个试点交易所交易总量的 3 倍。建议建立海南碳汇交易市场，加强与国际碳汇交易市场的合作，完善信息共享与沟通机制，助力区域内绿色发展。

（6）建立区域性航运交易市场。对标新加坡管理服务标准，在洋浦筹建集航运资讯、航运交易、航运金融等功能于一体的泛南海航运交易所；打造航运服务要素集聚平台，重点发展航运金融、航运信息服务、船舶交易、海事诉讼与仲裁等高附加值环节，构建高效的现代航运服务体系。

13. **筹建区域性金融市场**

（1）建立国际资本市场。利用"支持符合条件的海南企业首发上市"政策，尽快出台行动方案。吸引有关国家尤其是东盟国家高成长性的企业进岛挂牌，打造对外投资便捷通道，服务包括东盟在内的企业投融资需求。

（2）建立区域性的离岸财富管理中心。一方面，中国个人财富管理需求全面快速增长，预计 2025 年中国个人金融资产有望达到

332万亿元；另一方面，东南亚正成为全球新中产阶层的聚集地之一，财富管理潜在需求较大。建议利用"探索开展跨境资产管理业务试点"等政策，尽快在海南开展个人跨境财富管理试点。

14. 适时放开面向东盟的劳务市场

菲律宾、印度尼西亚、柬埔寨等是全球劳务派遣服务大国。受疫情影响，菲律宾马尼拉有40万—60万名菲佣失业。适应各方需求，适时放开面向东盟的劳务市场。例如，通过配额管理、完善社会治安管理制度等方式，在海南率先引入菲佣等技能型外籍劳工，为国际化人才和海南中高收入家庭提供优质家政服务；争取支持，在海南率先探索开展职业技术移民积分制；开设面向东南亚国家的来华留学生学习、实习、就业绿色通道。

15. 参照RCEP尽快将《海南自由贸易港建设总体方案》政策具体化

（1）推进支持企业"走出去"政策具体化。适应建立面向东盟的热带农产品保鲜、加工、储藏、出口基地需要，将农业等纳入"新增境外直接投资取得的所得，免征企业所得税"政策适用范围；对总部设在海南，主要业务在东盟国家的相关企业人才，将其在东盟国家开展商务活动的时间视为在海南居住时间，享受最高不超过15%的个人所得税政策；设立海南自由贸易港对外投资基金，对到东盟开展投资成本高、建设周期长、风险大的业务的企业，给予一定的财政贴息或一次性财政资金支持；鼓励企业按照ESG行为准则"走出去"与东盟开展投资合作。

（2）参照RCEP推进投资政策具体化。

——参照RCEP规则，围绕投资保护、自由化、促进和便利化四个方面进一步丰富外商投资准入负面清单，引入棘轮机制，探索建立与自由贸易港相适应的争端预防和外商投诉的协调机制。

——借鉴RCEP金融服务附件内容，结合《海南自由贸易港建设总体方案》、银发〔2021〕84号文件等，制定海南自贸港跨境资本流动规则；明确在海南的外国投资者的出资、利润以及资本收益、资产处置等合法所得，可以依法以人民币或者外汇自由汇入、汇出。

——尽快出台吸引区域性总部企业的专项政策，对注册在海南的区域性总部企业，通过加速折旧和摊销等多种方式使其企业税负下降至10%左右；尽快明确海南区域性总部企业在境外发行人民币债券的基本条件与相关程序规则。

——参考RCEP专业服务附件，强化专业服务业管理标准规则对接，制定面向东盟的企业差异化责任豁免目录；积极引进优质的旅游、医疗健康、教育、文化娱乐等企业在海南设立区域性总部，并尽快形成与跨境服务贸易配套的资金支付与转移制度。

(3) 参照RCEP推进贸易政策具体化。

——对标RCEP关税减让清单，及时根据时代发展和海南实际，升级"一负三正"零关税清单，扩大"零关税"覆盖范围，释放政策红利。对标日本、新加坡等RCEP成员国承诺标准，制定与之标准相当的跨境服务贸易负面清单。

——借鉴RCEP海关程序与贸易便利化条款，制定海南自由贸易港海关查验程序与快速通关制度；与成员国港口和营运商达成报关、通关以及手续程序互认安排，便捷区域贸易合作，加快落实国际贸易"单一窗口"、国际投资"单一窗口"建设。

——参照RCEP规则，发布"增值30%"的计算公式及相关定义，进一步研究明确是否适用累积规则，适时引入必要的工序标准。

16. 对标CPTPP高水平经贸协定开展更高层次区域合作

在全面落实RCEP协定基础上，支持海南在服务贸易、竞争中性、环境保护、社会治理等领域率先适用CPTPP的部分条款，推进更高水平的双边、区域经贸合作。

以制度集成创新为核心

以深化"多规合一"改革为主线推进海南行政区划体制改革的建议(10条)[*]

(2019年6月)

与国内11个自由贸易试验区不同,海南是在全岛3.54万平方公里范围内探索建设中国特色自由贸易港;与其他自由贸易港不同,海南是在农村占相当大的比重情况下建设自由贸易港。海南的资源要素配置、城乡关系、行政区划结构等要与全岛建设自由贸易港相适应。

一 以深化"多规合一"改革为主线

1. 在现有行政区划不做大调整的前提下尽快形成"六个统一"的整体格局

(1) 统一土地资源利用。强化海南省级政府对全省土地的统筹利用,将分散在不同部门管理的耕地、林地、国有农场等土地资源统一到一个部门管理;严格执行土地统一收购储备、统一开发管理、统一公开供应、统一规划岸线资源;严格土地审批,把稀缺土地资源配置到产业发展好的重点项目上,限制最低地价,提高平均

---

[*] 中改院课题组:《以深化"多规合一"改革为主线推进海南行政区划体制改革(10条建议)》,《中改院简报》总第1250期,2019年6月14日。

地价，提高土地资源综合利用效益。

（2）统一基础设施建设。统筹推进海南全省公路、机场、码头等交通、供水供电供气、排污、电信等基础设施的互联互通，加快构建快速、便捷、高效、安全、大容量、低成本的互联互通综合基础设施网络。

（3）统一产业布局。坚持"规划衔接、突出特色、发挥优势、集群集聚"的原则，扬长避短，优势互补，优化产业布局，推动形成海南全省统一、合理的产业分工协作关系，避免因行政壁垒造成遍地开花、同质竞争和资源的低效利用。

（4）统一城乡发展。强化海南省级政府在推进城乡融合发展中的作用，在城乡空间规划、市场要素资源配置、公共服务资源配置、社区管理等方面打破城乡分治局面，实现城乡经济、社会发展制度上的统一。例如，率先取消城乡二元户籍制度，建立以身份证号为唯一标识、全省统一的居住证管理制度，促进人口自由流动；推进城乡社区管理体制一体化，加大对社区的放权，加快推进社区自治。

（5）统一环境保护。建立海南省环保"大部门制"，整合分散在各职能部门的环境行政权，统一集中到环境保护行政主管部门；实现城乡环境保护体制一体化；与国际接轨，建立最严格的生态环境保护指标评价体系；实施最严格的生态环境问责制。

（6）统一社会政策。在全省重点推进城乡义务教育、公共卫生和基本医疗保险、基本社会保障、公共就业服务、公共文化服务体制一体化；做好省内与省际社会保障制度的衔接。

2. 强化省级统筹，市县配合

通过以"六个统一"为重点的行政体制改革，建立以省级统筹为主、市县具体落实的行政管理新体制。明确"六个统一"由省级统筹，具体执行责任在市县。强化省级统筹推动、协调区域利益的同时，调动和发挥市县的积极性，形成合力。

3. 服务于打造全省经济增长极的目标做局部行政区划调整

服务于"海澄文"一体化综合经济圈建设，在不改变市县行政建制的前提下，为加快省会中心城市发展，建议将与海口市直接相连的部分乡镇划入海口市；服务于大三亚旅游经济圈建设，建议将三亚邻近市县的部分乡镇划入三亚市。

二　以实现全岛资源利用效益最大化为目标

4. 以"六个统一"明显提高土地资源利用效益

（1）稀缺的土地资源是海南最大的后发优势。海南自由贸易港作为国家重大战略，土地等重要资源的价值进一步提升。但受19个市县分割分治的行政格局等因素制约，全省土地资源利用效益较低。2018年海南每平方公里土地产出的GDP为0.137亿元，仅相当于广东全省的25.4%、台湾的12.7%、香港的0.63%、新加坡的0.41%。

（2）通过加快全省土地利用统一，盘活存量土地资源，优化土地资源配置，由此显著提高土地等重要资源利用效益。优化海南行政区划结构，对抑制部分市县最高地价、提高全省平均地价，进而提高全岛土地及相关资源综合利用效益将产生重要作用。如果到2020年海南土地资源利用效益达到广东省2018年的50%左右，估计将会有9000亿元左右的资本需求；如果到2025年达到香港2018年的5%，估计将会有3万亿元以上的资本需求；如果到2025年达到新加坡2018年的5%，估计将会有5万亿元以上的资本需求。

5. 以"六个统一"明显提高海洋资源利用效益

（1）提升海洋资源利用效益空间巨大。尽管海南管辖的海洋面积占全国的2/3，但从海洋资源利用效益看，2018年海南海洋经济产值仅为山东的8.75%、广东的7.24%；海南单位海岸线海洋经济密度仅为广东的15.5%、山东的15.1%。到2020年，若海南单位海岸线海洋经济密度达到广东或山东的50%，则全省海洋生产总值将超过 4500 亿元。海洋资源利用潜力巨大。

（2）通过加快全省基础设施统一，整合全省港航资源，由此大幅提升海洋资源利用效益。海南海洋资源利用效益不高，很大程度上缘于省内港航资源和毗邻省际港航资源没有形成合力机制，甚至存在相互掣肘的现象。整合海口港、洋浦港等港航资源，彻底改变"散、乱、弱、小、低"状况，以整体港航资源优势融入国际陆海贸易新通道和粤港澳大湾区建设，不仅将为建设海南自由贸易港的经济腹地提供重要基础，也将使海南成为"联通陆海、贯通南北、连接带路"的重要枢纽，并在提高海洋资源利用效益方面取得重大突破，推动全省海洋经济向质量效益型转变。

6. 以"六个统一"打造区域经济增长极

（1）缺少经济增长极是海南自由贸易港建设面临着的突出矛盾。广州、深圳两市的 GDP 总和占广东全省的比重达到 50% 左右，成为广东的两大经济增长极，对周边地区产生较强的集聚和辐射带动作用。目前，海口、三亚两市作为海南较为发达的城市，两地 GDP 总和占海南全省的比重长期维持在 40% 左右。由此看来，需要尽快打造 1—2 个能够带动全省、辐射周边的经济增长极。

（2）通过加快全省产业布局统一，提高生产效率，由此打造区域经济增长极。根据区域资源分布特点，突破资源利用的地区壁垒，形成产业分工明确、差异化发展的合理布局，优先把海口、三亚等中心城市发展成为经济强市，增强对周边市县的集聚和辐射能力，促进全省经济较快增长。

7. 以"六个统一"明显提高公共资源配置效率

（1）通过统筹全省公共服务资源，实现城乡基本公共服务均等化目标。与发达地区相比，海南教育、医疗等基本公共服务发展滞后。例如，2017 年海南每千人口执业（助理）医师为 2.24 人，低于全国（2.44 人）平均水平，与江苏（2.70 人）、浙江（3.16 人）等发达地区差距更大。通过行政区划调整，将土地增值收益的1/3左右用于改善民生，将显著提升海南公共服务水平，缩小与发达省市差距。与此同时，通过统一城乡发展、统一社会政策，能够有效地缩小基本公共服务在城乡、区域、不同社会群体之间的差距。

（2）通过统筹全省环境保护，走出一条绿色发展的新路子。良好的生态环境是海南发展的最大资本。从近年来的情况看，市县分割分治的行政体制不仅造成了一定程度上的资源过度开发，而且加大了相邻市县间、上下游间生态环境治理的难度。加快推进全省环境保护统一，有利于统一生态布局和环境治理，创新生态环境保护的体制机制，推动海南自由贸易港健康可持续发展。

8. 以"六个统一"明显提高政府行政效能

（1）政府行政效能低、营商环境不优、市场活力不足等问题实际反映出行政体制改革和行政区划调整与经济社会发展的不相适应。根据万博经济研究院发布的《2018年中国营商环境指数研究报告》，海南软环境指数排名26位，处在全国下游；根据粤港澳大湾区研究院发布的《2018年中国城市营商环境评价报告》，省会城市海口处在第26位，也位于下游水平。行政条块组织的经济管理体制，使全省资源配置效益大大降低，弱化了整体管理效能和市县间横向联系。

（2）以"六个统一"破除资源利用的行政分割和地区壁垒，集聚市县协调发展的合力。通过区划调整，强化省级政府在资源统一开发方面的控制权，提高全省规划、建设的科学性、合理性和有效性；避免市县政府在经济开发上的同质竞争和行政资源的过度浪费；推动市县政府职能转变，将更多精力放在提高公共服务、社会治理和环境保护能力上，形成符合海南自由贸易港建设发展的动力。

三 以稳妥易行、见效快为重要原则

9. 坚持改革创新的原则

（1）"省直管县"体制的创新举措。以"六个统一"为重点深化"多规合一"改革，是在加快探索建设海南自由贸易港进程中赋予"省直管县"体制新的内涵，是进一步完善"省直管县"体制的重要举措。

(2) 行政区划体制改革的创新举措。以"六个统一"为重点深化"多规合一"改革，有利于打破区域、城乡间的体制壁垒，明显提高全岛资源利用效益；有利于明显提高行政效能，并为按照"一个大城市"的思路推进海南行政区划体制调整与改革奠定重要基础。

10. 坚持稳妥易行的原则

(1) 推进"六个统一"的改革见效快、阻力小。以"六个统一"为重点深化"多规合一"改革，不涉及较大规模的行政关系变动，改革难度比较小，比较容易得到各方面的支持，形成改革合力。

(2) 发挥海南地小人少的独特优势。相比其他省份，海南土地面积小，人口少，19个市县总体处于低水平的均衡状态，又实行的是省直管市县的体制，推进"六个统一"，强化省级统筹，由此打破市县、城乡间的体制壁垒，相对比较容易。

(3) "多规合一"改革为实现"六个统一"奠定了基础。作为全国第一个省域"多规合一"改革试点，海南已经在空间规划统一方面迈出了重要一步。在规划统一的基础上，海南深化"多规合一"改革有条件在土地利用、基础设施建设、产业布局、城乡发展、环境保护、社会政策上实现"六个统一"，由此形成探索建设海南自由贸易港的重要条件。

# 加快探索建设海南自由贸易港进程实行特殊的行政体制安排的建议(9条)[*]

(2019年7月)

一年多来,习近平总书记多次在重要国际场合对海南自由贸易港建设提出"加快"的要求。在2019年G20大阪峰会上,习近平主席再次强调"加快探索建设海南自由贸易港进程"。从实践看,在海南建立与最高水平开放形态相适应的行政架构,需要行政体制的重大改革。

我们建议:在党中央统一领导下,把海南全岛划定为特别经济区,建立与高度开放型经济形态相适应的高效率的、特殊的行政体制,以把高度开放政策与重大制度创新相融合,释放海南地理、区位和资源优势,充分发挥海南在我国扩大开放大局中的特殊作用。

一 赋予海南高度的经济社会行政管理权

保持党委、人大、政协等政治体制不变,经中央授权,建立适应海南自由贸易港建设发展需求的、高效率的行政管理体制;除国

---

[*] 中改院课题组:《加快探索建设海南自由贸易港进程实行特殊的行政体制安排(9条建议)》,《中改院简报》总第1253期,2019年7月30日。

防、外交等国家重大事项外，中央政府赋予海南高度的经济自主权、行政管理权、社会治理权和特殊立法权、司法权。

建议由中央一级领导担任海南的行政首长，这样，既有利于协调海南与中央各部委的关系，更好地利用国内资源，也有利于提升海南行政运行效率。

二　授权海南按照境内关外的原则处理与境外的经贸关系

建议中央授权海南在投资、贸易、金融、航运、通信、旅游、文化、体育、医疗等领域以"中国海南"的名义，同相关国家、地区保持和发展经贸关系，由此全面对接国际市场。

三　在海南全岛设立国家海关特殊监管区

1. 以实现"双自由、双便利"为目标

即在有效防范风险的前提下，既要面向国际市场，又要服务国内近14亿人的内需大市场；既要保证海南与境外市场在各要素流动上的自由和便利，也要保证海南与内地市场在各要素流动上的自由和便利。

2. 探索实行"分线管理、分类监管"的模式

为保证海南与内地市场的自由、便利流通不受影响，要创新自由贸易港"一线放开，二线管住"的传统监管模式，对人员、货物、服务、资金的进出岛、进境出岛、进岛出境三个流向实行分类监管的模式。

四　加快建立与海南自由贸易港建设相适应的独立财税体制

1. 加快探索建设海南自由贸易港进程，重在理顺中央与海南的财税关系

例如，海南离岛免税购物政策实施8年多来，受制于现行中央与地方的财税体制，免税购物政策效应远未释放，离中央要求的"建设具有世界影响力的国际旅游消费中心"的目标差距甚大。当前，加快海南自贸港建设进程，吸引国际投资、国际化人才进驻，

很大程度上取决于能否尽快形成具有国际竞争力的税收体系。

2. 从全域自贸港建设需求出发，借鉴国际经验，海南要实行一套有别于内地、具有国际竞争力的财税体制

零关税、低税率、简税制是自由贸易港的突出特点，也是海南加快探索建设自由贸易港的基础条件。建议将税种开征权、税收减免权、税率调整权下放给海南，以支持海南加快自由贸易港建设进程。

五 积极探索与行政体制改革相适应的司法体制改革

随着海南自由贸易港开放范围、广度、深度的不断扩大，将会有更多的境内外企业进驻海南，各类国际性民商事纠纷与案件也会不断增多，迫切需要加快推进与自由贸易港建设相适应的司法体制改革。建议赋予海南特殊的立法权和司法权，实现与国际惯例接轨的司法体制和统一高效的行政体制相融合，推动海南形成法治化、国际化、便利化的营商环境和公平统一高效的市场环境。

六 为海南自由贸易港实行特殊行政体制提供法律保障

建议在《海南自由贸易港法》中专设"海南特别经济区"一章，以明确在海南实行特殊的行政体制，赋予海南高度的经济社会行政管理自主权、改革开放自主权以及特殊的立法权、司法权。在《海南自由贸易港法》尚未颁布前，为使海南自由贸易港建设尽快取得重要突破，建议由国务院授权海南采取特殊的行政体制安排。

七 在海南实行特殊的行政体制是打造经济特区升级版的重大改革举措

1. 经济特区的重大制度创新

新时代、新阶段，海南实行比其他经济特区更"特"的行政体制，是在总结海南建省办经济特区30多年经验的基础上，适应新形势、新目标、新要求，对经济特区行政管理体制的一次重大

变革。

2. 借鉴其他自由贸易港的行政体制安排

例如，新加坡自由贸易区实行行政管理和开发经营职能分开的管理体制，以提高行政效率；迪拜自由区的运营管理机构——自由区管理局，采取了特殊的管理制度和体制安排。海南作为一个相对独立的岛屿地理单元，其自身基础差、经济外向度低。"加快探索建设海南自由贸易港进程"，开放政策与制度创新同等重要。要从打造当今世界最高水平开放形态的主要目标和建设全球面积最大的自由贸易港的基本特点出发，以高效的经济行政管理体制支持海南建立最高水平的开放型经济体系。

八 以行政体制改革的重大突破释放海南的地理、区位、资源等综合优势

1. 明显提高土地资源利用效益

稀缺的土地资源是海南发展的后发优势。由于受行政区划体制等因素的制约，海南的土地资源利用效益很低。从岛屿比较看，海南与台湾的土地面积差不多，海南约2/3是平原，台湾约2/3是丘陵和山地，海南资源禀赋总体优于台湾；2018年，海南每平方公里土地产出的GDP只等于台湾的12.7%。通过行政体制和行政区划体制改革，盘活存量土地资源，优化土地资源配置，释放土地资源利用效益。到2025年，若海南土地资源利用效益达到广东省2018年的50%左右，估计将会有9000亿元左右的资本需求；若达到香港2018年的5%，估计将会有3万亿元以上的资本需求。

2. 明显提高海洋资源利用效益

海南是相对独立的地理单元，又地处南海要冲，地理和区位优势明显。海南的海洋面积占全国的2/3，约有1944公里长的海岸线，但海洋资源利用效益低下。通过行政体制改革，整合全省和毗邻省际港航资源，由此明显提高海洋资源利用效益。到2025年，

若海南单位海岸线海洋经济密度达到广东或山东的50%，则全省海洋生产总值将超过4500亿元。

九 做出特殊的行政体制安排有利于发挥海南在我国对外开放大局中的特殊作用

1. 促进与香港、澳门、台湾的经济合作进程

例如，尽快创造条件与香港联手建立具有世界影响力的国际旅游消费中心，发挥香港在免税购物方面的优势，全面引入香港旅游消费的产业链、供应链，推动琼港旅游购物服务管理和市场监管标准规范的全面对接，由此提升海南旅游消费的国际化、标准化水平，也将对拓展香港发展空间，加强内地与香港的紧密联系发挥特殊作用。加强与台湾在健康医疗、现代农业领域的合作。依托台湾在养老、健康体检等方面的优势，促进琼台在健康服务业领域的合作，支持海南建立"琼台健康服务业合作示范基地"；利用台湾在现代农业发展方面的优势，促进琼台农业出口加工基地建设，由此明显提升海南农业的现代化水平。

2. 促进以东南亚为重点的区域经济一体化进程

从地理位置看，海南是中国—东盟自贸区的腹地，是连接东北亚和东南亚的地理区域中心，与越南、菲律宾、文莱、马来西亚、新加坡和印度尼西亚等东南亚国家隔海相望；从人文联系看，目前有300多万琼籍华人华侨聚居在东南亚各地，200多个东南亚华人华侨组织与海南保持着经常性友好往来。通过特殊的经济行政体制安排，有利于促进海南与东南亚国家资源要素的自由流动，将对推动区域一体化起到特殊的作用。

3. 加快把海南打造成为我国面向太平洋和印度洋的重要对外开放门户

在海南实行一套更高水平开放与合作的特殊行政体制安排，将促进泛南海区域23个国家和地区投资、贸易、资金、人员、信息

等要素在海南的自由流动,进而加快推动泛南海经济合作圈的形成。这对加快打造"两洋门户",推动亚太区域一体化,促进我国扩大对外开放,形成和平稳定的周边环境都将产生重要影响。

加快建立海南自由贸易港经济委员会的建议(8条)[*]

（2020年7月）

高质量高标准建设海南自由贸易港，需要建立与最高水平开放形态相适应的行政决策执行系统。要按照习近平总书记对海南自由贸易港建设的重要指示，"解放思想、大胆创新"，加快推进行政体制改革进程。

一 建立与最高水平开放形态相适应的高效率行政体制

1. 行政高效运转是实现经济高度开放的内在要求

从海南的实践看，行政效率低下既是打造国际化、法治化、便利化营商环境的突出掣肘，也是对接国际高水平经贸规则、高质量高标准建设海南自由贸易港的突出矛盾。

2. 借鉴国际经验

从新加坡等国际成功自由贸易港的经验看，建立"精简扁平的政府机构+专业高效灵活的法定机构"是其一般特征。适应海南自由贸易港建设要求，迫切需要加大政府机构和部门设置的制度集成

---

[*] 中改院课题组：《加快建立海南自由贸易港经济委员会（8条建议）》，《中改院简报》总第1343期，2020年7月11日。

创新力度，优化行政组织结构和职责体系，建立与最高水平开放形态相适应的高效率的、特殊的行政体制。

二　建立海南自由贸易港经济委员会

1. 目标

建立与最高水平开放形态相适应的高效率行政体制，当务之急是尽快在省级层面建立法定机构性质的海南自由贸易港经济委员会，以此打造专业、高效、灵活的执行系统。

2. 职能

海南自由贸易港经济委员会在法定职权范围内依法开展相关业务，独立承担法律责任，不受行政机关及其他机构的干涉，在经费总额控制与职责明确的前提下享有充分的管理、人事聘用和财务自主权。主要负责内外贸易、国际经济合作、招商引资、总部经济、产业促进和口岸运营等。

三　实现海南自由贸易港经济委员会权责法定

1. 建议由省人大出台《海南自由贸易港经济委员会条例》

明确其法律地位、职能权限、运行机制、人事管理、财务监管、考核评价及与相关机构的关系、主要负责人的产生和免职、经费来源、活动管理、监督、变更和撤销等内容。

2. 争取《海南自由贸易港法》予以明确或授权海南省人大决定，建立海南自由贸易港经济委员会

四　海南自由贸易港经济委员会实行严格的法人治理结构

1. 建议由省委书记或省长担任海南自由贸易港经济委员会理事长

这样，既有利于协调海南自由贸易港经济委员会与现有行政机构的关系，也有利于更好地利用省内外资源，提升运行效率。

2. 实行理事会领导下的主任负责制

海南自由贸易港经济委员会实行"理事会+职能部门"的扁平层级组织架构。理事会为海南自由贸易港经济委员会的决策机构，

直接对省委省政府负责，不参与职能部门的日常经营活动；理事会其他成员由政府部门代表、知名专家、企业代表、行政执行人等组成。按照因需设立、经济优先的原则，下设若干职能部门，在明确相关职责的前提下负责经济领域的具体执行事务；职能部门实行全员岗位聘任制及市场化薪资，最大限度释放人才活力。其中，主任作为职能部门负责人，由理事会向全球招聘产生。

五 加快建立以法定机构为主体的高效执行系统

聚焦贸易投资自由化便利化，建议尽快在专业性要求比较强、自由贸易港建设需求急迫的领域设立法定机构，作为海南自由贸易港经济委员会的具体执行部门，实行企业化管理、市场化运作、目标绩效考核，防止法定机构行政化（见图1）。例如：

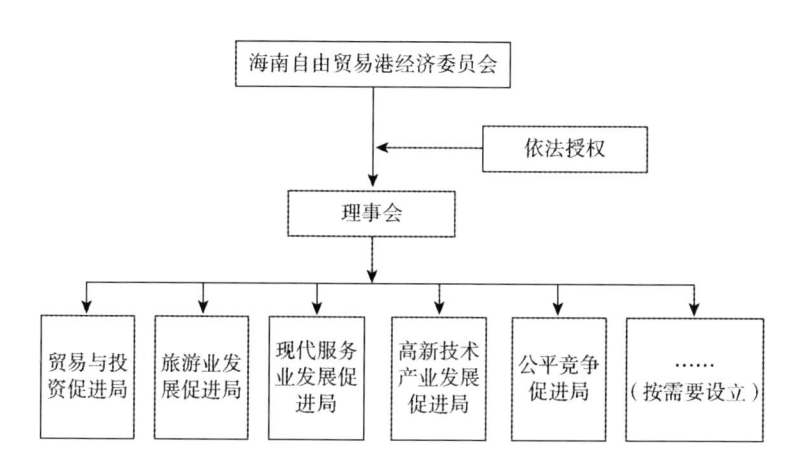

图1 海南自由贸易港经济委员会内部架构

1. 设立贸易与投资促进局

负责落实贸易与投资自由化便利化的相关政策，并赋予其行政审批、投资审核、资质认定、准入条件设置等职能。

2. 设立旅游业发展促进局

负责全省旅游产业规划、标准制定、旅游企业监管及国际旅游消费中心建设规划与基础设施建设等。

3. 设立现代服务业发展促进局

负责落实现代服务业的相关开放政策，制定现代服务业专业技术标准及职业人员资格认定标准，推进国际教育创新岛建设等重大任务。

4. 设立高新技术产业发展促进局

负责实施数字经济发展规划、高新技术企业认定及优惠政策落实，研究提出数字贸易规则，负责国家南繁科研育种基地及智慧海南建设等。

5. 设立公平竞争促进局

负责全省公平竞争审查、垄断认定等。

六　推动决策、执行职能相对分离，提高行政系统决策的科学性、运作的高效率

1. 关键是实现决策与执行职能相对分离

适应海南自由贸易港建设需求，提高决策的科学性、运作的高效率，要按照决策与执行分离的要求重构政府机构。

2. 要重构政府职责体系

借鉴新加坡等自由贸易港的做法，结合建立海南自由贸易港经济委员会的实际情况，按照精简扁平的原则，整合分散在各部门相近或相似的功能职责，推动相近部门合并。重点是整合各部门相近或相似职能并推进具体经济执行职能向外转移。

3. 形成"大部门制"的行政架构

鉴于很大一部分经济执行职能由海南自由贸易港经济委员会承担，建议以公共服务与社会管理为重点，最大限度地整合分散在不同部门相近或相似的职责，推进"大部门制"改革，有效避免政府职能交叉和多头管理，提高行政效率。

七 推进人事薪酬管理制度改革

适应海南自由贸易港建设需求与政府组织结构调整、职能转变的需要，打破人才管理行政化、封闭化的传统格局，以专业性、开放性为重点重构人才管理体制，形成政府效能提升的重要保障。例如，加快推进公务人员分类改革，进一步细分公务人员职组和职系，科学定岗、定编、定员；制定《职位说明书》，强化公务人员分类考核。同时，严格控制行政综合类公务员比例，在卫生、规划、教育、监管等专业性较强的领域全面推行技术类或领导职务岗位市场化聘任制，吸纳体制外优秀人才，激发体制内干部队伍活力。

八 在《海南自由贸易港法》中赋予海南充分的行政体制改革自主权

建议在《海南自由贸易港法》中明确海南自由贸易港行政体制与运行机制基本原则的前提下，赋予其政府机构与法定机构设置的充分自主权。在《海南自由贸易港法》尚未颁布前，建议由国务院授权海南采取特殊的行政体制安排，尽快使海南自由贸易港行政体制改革取得重要突破。争取到2025年，与高水平开放相适应的"大部门决策+法定机构执行"的行政组织结构和运作模式基本形成；争取到2035年，"经济高度开放、行政高效运转"的行政体系和运作模式更加成熟。

探索适应海南自由贸易港建设的立法体制、司法体制改革的建议(6条)[*]

(2020年7月)

习近平总书记对海南自由贸易港建设做出重要指示,强调"要把制度集成创新摆在突出位置,解放思想、大胆创新"。高度法治是国际自由贸易港的主要特征,也是高质量高标准建设海南自由贸易港的基本要求。赋予海南更大的改革开放自主权,首要关键是赋予海南较充分的立法体制与司法体制改革自主权。《海南自由贸易港建设总体方案》明确要求,到2025年适应自由贸易港建设的法律法规逐步完善,到2035年法律法规体系更加健全。为此,要对标全球最高水平开放形态,解放思想、大胆创新,探索适应海南自由贸易港建设的立法体制与司法体制改革。

一 海南自由贸易港建设迫切需要加快推进立法体制与司法体制改革

1. 推进立法体制改革

专业、高效是海南自由贸易港建设对立法体制改革的基本需

---

[*] 中改院课题组:《探索适应海南自由贸易港建设的立法体制、司法体制改革(6条建议)》,《中改院简报》总第1344期,2020年7月11日。

求。从现实情况看，现行的立法体制难以适应自由贸易港建设需求，建议在坚持人民代表大会制度这一根本政治制度的框架内，探索立法体制的改革。

2. 推进司法体制改革

随着海南以贸易投资自由化便利化政策的逐步落实见效，各类民商事案件与国际性纠纷将会明显增多，迫切需要建立与最高水平开放形态相适应的司法体制，并逐步实现与国际惯例接轨。

二 建议《海南自由贸易港法》赋予海南一定的立法体制与司法体制改革自主权

作为海南自由贸易港建设的主体法，我们理解，《海南自由贸易港法》一是框架法，需要明确海南自由贸易港的基本内涵、法律地位与性质、行政体制框架、贸易与投资制度、财税制度、金融制度、海关制度等。二是授权法，需要就海南自由贸易港相关制度集成创新涉及的中央事权给予统一法定授权。

建议适应海南自由贸易港建设需求，中央赋予海南一定的立法体制与司法体制改革自主权。包括：较充分的经济立法权与司法权、一定的立法与司法机构设置权、一定的国际惯例适用特权等。

三 建议在省人大组建专业高效的海南自由贸易港立法机构

可考虑两种方案。

1. 方案一：将海南省人大法制工作委员会改为海南自由贸易港立法工作委员会，并按照因需立法的原则，招录聘任知名法律专家组建专业性立法团队，以提升省人大常委会的立法质量与效率

2. 方案二：海南省人大授予海南自由贸易港立法工作委员会一定的经济立法权，并向省人大报告。例如，凡涉及投资、贸易、金融、仲裁、海关等领域的专业性法律法规，授权该机构制定

四 完善海南自由贸易港仲裁体制机制

借鉴中国香港、新加坡等自由贸易港经验，推进海南国际仲裁

院（海南仲裁委员会）法定机构化改造，建立以理事会为核心的法人治理机制与自上而下的国际仲裁体制。同时，参考联合国国际贸易法委员会仲裁规则，建立海南自由贸易港的仲裁规则；对国际仲裁案件，允许当事人自主选择两大法系仲裁模式裁决；尽快以"仲裁地"标准取代"仲裁机构所在地"标准，建立海南自由贸易港临时仲裁制度；明确商事仲裁的法律效力，限制司法机关干预仲裁程序、推翻仲裁裁决等行为，确保仲裁结果的权威性。

五 设立海南自由贸易港知识产权法院

1. 建议在现有海口知识产权法庭基础上，设立海南自由贸易港知识产权法院

负责全省各类知识产权案件和涉及驰名商标认定案件审理，实行知识产权案件"三审合一"模式。

2. 为体现专业性，建议在海南自由贸易港知识产权法院内逐步减少技术调查官等法院专职人员比例

组建专家委员会，聘请国内外知名知识产权专家担任专家委员会委员（兼职），承担技术类知识产权认定咨询或建议职能。同时，主动借鉴参考CPTPP、USMCA等最新经贸协定中的知识产权保护规则，出台《海南自由贸易港知识产权保护条例》，率先实现知识产权保护与国际最新规则接轨。

六 研究探索涉海司法体制改革

强化海口海事法院对涉海旅游、航运船舶、海洋资源开发、海洋环保、海事行政、海商合同纠纷等海事司法管辖。成立涉海旅游巡回审判点，推进司法服务关口前移，将巡回审判点逐步延伸至邮轮等旅游纠纷的易发地、易发点。同时，赋予海事法院一定的司法自主权，允许其探索符合国际惯例并与我国《海商法》相兼容的海事、海商领域的制度规则。

形成一部最高水平开放法

推进海南自由贸易港立法的总体思路性建议(30条)[*]

(2019年11月)

加快推进海南自由贸易港立法,充分发挥法治在自由贸易港建设进程中的引领、推动、规范和保障作用,需要深刻理解中央的战略部署,抓住打造全球最高水平开放形态的基本要求,站在更高起点统筹谋划自由贸易港政策与制度体系,形成海南全面深化改革开放的法律依据与法治保障。

一 基本原则

1. 突出"中国特色"

(1) 明确"中国特色"的基本内涵。主要表现为三个重要方面:一是加强党的领导,二是坚持社会主义基本制度,三是坚守政治体制的基本框架。

(2) 打造人类命运共同体先行示范区。海南自由贸易港旨在最大限度吸引"全世界投资者到海南投资兴业""共享中国发展机遇、共享中国改革成果";旨在推进最高水平开放的同时创新社

---

[*] 节选自中改院课题组《推进海南自由贸易港立法总体思路研究(30条建议)》,2019年11月。

治理体制，打造一个多元主体共建共治共享的社会治理格局，实现社会充满活力又和谐有序的目标；旨在实现最高水平开放的同时使人民的获得感、幸福感、安全感更加充实、更有保障、更可持续。由此打造一个党领导下的人类命运共同体的先行示范区。在海南自由贸易港立法中，不仅要考虑经济领域的相关制度安排，还要考虑行政、司法、社会等领域的制度安排。

（3）采取一切有效办法，加快推进海南自由贸易港建设。在突出中国特色的基本前提下，在体制机制改革上先行先试、大胆探索，利用15年左右的时间，把海南打造成"高度自由、高度便利、高度法治"的特别经济区，由此明显增强人们对中国特色社会主义的信心。因此，与国际通行的"先立法、后设区"不同，海南自由贸易港建设要采取探索建设与立法准备同步推进的方式，把先行先试与立法保障有机结合起来，"双轮驱动"。

2. 对标最高水平开放

（1）对标国际自由贸易港的一般规则。对标中国香港、新加坡、迪拜等国际公认的自由贸易港，按照"境内关外"的基本要求，在海南实行高水平贸易和投资自由化便利化政策，保障货物、服务、资金、人员、信息等要素流动自由化和便利化。海南自由贸易港立法，要以对标国际自由贸易港的一般规则为基本要求。

（2）对标世界最新及未来最高水平的经贸规则。把握全球经贸规则变化升级的趋势，率先在海南探索实施"零关税、零壁垒、零补贴"（三零），提升全球资源配置能力和全球服务能力；大胆借鉴并率先实施国际最新投资贸易协定的相关条款，尽快开展电信、环保、劳工、政府采购、透明度等敏感领域的先行先试；全面引入欧美日等服务业管理标准与人才互认标准，在服务贸易、数字贸易等重点领域加快探索形成"中国版"经贸规则。海南自由贸易港立法，要以对标全球未来最高水平开放形态预留制度空间。

（3）对标具有一流国际竞争力的营商环境。适应国际经贸规则由"边境上"向"边境内"深化的大趋势，在海南尽快推动竞争中性的落地，以竞争政策全面取代产业政策，保障市场主体的"四个自主"：自主注册、自主经营、自主变更、自主注销；实施具有国际竞争力的税收制度和政策，确立"简税制、低税率、零关税"的税收体系；构建"最大自由＋最严格法治"治理模式，为全世界投资者、创业者打造一个开放层次更高、营商环境更优、辐射作用更强的开放新高地。海南自由贸易港立法，要把推动法治化、国际化、便利化的营商环境和公平开放统一高效的市场环境作为重要内容。

3. 打造高效治理体系

（1）服务于国家治理体系、治理能力现代化的战略目标。海南自由贸易港法治建设，就是要在党的领导下，在社会主义基本制度范围内，对标全球最高水平开放形态，以创新经济治理、社会治理、政府治理为主要任务，以行政体制重构为"特别之举"，形成开放、高效、秩序、安全、和谐、法治的现代治理新格局，为加快探索建设海南自由贸易港进程提供重要保障。

（2）形成以高度自由、高度便利、高度法治为主要特点的经济治理。核心是充分发挥市场在资源配置中的决定性作用，更好发挥政府作用。建立与自由贸易港高度自由、高度便利、高度法治相适应的经济治理体系，构建专业、高效、独立的监管体系，使海南成为我国高标准市场经济体制的先行区，并为我国参与国际经贸规则制定创造重要平台。海南自由贸易港立法，要把形成高效的经济治理体系作为基本内容。

（3）形成以共建共治共享为基本目标的社会治理。自由贸易港是一个多元化经济主体、多元化文明交汇的中心。构建一个由政府、社会组织和个人参与支持配合的立体式、协作式治理模式，成为海南自由贸易港最大限度吸引全球中高端要素、跻身全球竞争力前列的重要因素。海南自由贸易港立法，在借鉴香港宝贵经验做法的同时也要吸取其社会发展与社会建设的经验教训，统筹考虑社会治理的相关制度安排及其法治化保障。

（4）形成以精简、高效、统一、灵活为主要特点的政府治理。世界自由贸易港成功的经验表明，自由贸易港政府管理要区别于一般行政管理，高度强调"精简、高效、统一、灵活"，兼具政府管理和商业开发的性质，保障资源调动的权威性和适应国际市场变化的灵活性。海南自由贸易港要通过立法加快重构政府治理体系建设，按照精简、高效、统一、灵活的要求，实行不同于其他省区市的、特殊的行政体制安排、行政区划安排。

4. 发挥海南独特优势

（1）发挥海南独特的区位优势和独立地理单元优势。

（2）发挥海南特色产业优势。海南应尽快形成以旅游业为龙头、以现代服务业为主导、以服务型经济为主的产业结构，建设符合国际标准、具有海南特色的服务贸易新体系。重点是加快推进旅游、互联网、医疗健康、金融、会展等现代服务业项下的自由贸易进程，实现现代服务业项下的人员、资本、信息、技术、货物等要素的自由高效流动，走出一条以服务贸易创新发展为主导的中国特色自由贸易港建设的新路子。

（3）充分释放海南资源价值潜力。例如，通过立法保障，在海南率先实现包括宅基地在内的土地要素自由、便利流动和高效配置，提升海南土地资源的利用效率，释放出海南巨大的投资潜力和增长活力。

二　重要目标

5. 服务重大战略目标

充分发挥海南地处太平洋和印度洋要冲的独有区位和地理优

势，以自由贸易港为平台，以立法保障海南打造成为全球最高开放水平的地区政策与制度出台落地，形成高度自由、高度便利、高度法治的大环境，最大力度吸引泛南海23个国家和地区的人流、物流、资金流、技术流、服务流、信息流等中高要素在海南集聚，形成以泛南海区域为重点的经济腹地，使海南成为人类命运共同体先行示范区、21世纪海上丝绸之路建设的战略支点、连接泛珠与泛南海的区域的经贸合作枢纽、泛南海综合开发和服务保障基地、泛南海区域人文交流平台。

6. 明确海南法律地位

（1）在党中央统一领导下，把海南全岛划定为特别经济区。加快探索建设海南自由贸易港进程要有"特别之举"。课题组建议，把海南全岛划定为全新意义的特别经济区，即在中国共产党的领导下，在社会主义基本制度范围内，保持党委、人大、政协等政治体制不变，对标全球最高水平开放形态，经中央授权，实行适应海南自由贸易港建设发展需求的、高效率的行政管理体制。

（2）明确赋予特别经济区经济社会行政管理权限。海南要承担加快探索建设中国特色自由贸易港的重大战略任务，需要在特别经济区的框架下，以立法赋予海南高度的经济自主权、行政管理权、社会治理权和特殊立法权、司法权，形成建立最高水平的开放型经济体系的法治保障。

（3）明确赋予特别经济区法律适用特权。与经济特区、自由贸易试验区仍是"境内关内"、以行政授权为主、法律暂停实施的体制安排不同，特别经济区本质上是"境内关外"。在法律层面突出表现在拥有一定的法律适用特权。一方面，拥有"豁免适用"相关法律的特别权力；另一方面，拥有适用某些国际公约、协议等方面的特别权力。海南自由贸易港立法，需要明确相关法律及国际公约在海南的适用性规定。

7. 推动海南开放创新

（1）将开放政策上升为法律，突破政策落实的体制机制掣肘。目前，开放、金融、税收、海关、司法等事项均属于中央事权，开放政策落实与制度创新往往会触碰到法律与政策红线。为此，需要通过暂停实施、特别授权等方式，尽快把相关权限下放给海南，做到"真放、真改、真支持"。

（2）立法提升海南自由贸易港政策与制度的稳定性与可预期。"4·13"以来，各部委分别赋予海南扩大开放等相关政策及重大任务，但均为政策性文件，不属于效力位阶层级较高的法律性文件，由此导致宏微观管理体制协同性差、法律适用问题突出、落实难度加大等问题。这就需要采取立法形式，提升海南自由贸易港政策与制度的稳定性与可预期，由此为全世界投资者、创业者打造一个自由、稳定、平等、透明的法治化营商环境，以有利于稳定预期、形成合力。

（3）立法加快对标国际最新经贸规则。海南自由贸易港立法既是对标国际规则的具体内容，也是加快推进经贸规则对标的重要保障。为此，需要明确海南实行高水平的贸易和投资自由化便利化政策等基础上，从法律上赋予海南在数字贸易、服务贸易开放及劳工、环保、司法等敏感领域先行探索的自主权，明确海南可以按照国际通行规则或经贸协定条款制定开放、改革及经济运行的相关政策，为我国更好参与国际贸易与投资规则重构加强压力测试，为实现由经济全球化的参与者、推动者向主导者转变提供海南经验与标杆。

8. 赋予海南更大行政权限

（1）赋予海南更大的经济体制改革自主权。通过中央地方立法修法等多种形式，理顺中央与地方关系，赋予海南更大的经济体制改革自主权。比如，立法明确规定，在海南加快落实竞争中性原则，推动经济政策由产业政策为导向向竞争政策为基础转变；深化土地、人才、资本、技术等要素市场化改革，使市场在资源配置中充分发挥决定性作用；实行高水平贸易与投资自由化便利化政策，允许海南自行制定内外资一致的、高度精简的投资准入负面清单及跨境服务贸易负面清单；与高水平开放相适应，赋予海南建立相对独立的财税、金融、海关、司法、监管等制度安排。

（2）赋予海南更大的行政体制改革自主权。学习借鉴新加坡、中国香港、迪拜等的行政管理成功经验，在法律上赋予海南行政体制改革更大自主权，加快调整行政组织机构和运行机制，优化行政权力结构，深入推进政府职能转变，形成行政机构与法定机构的合理分工、有效配合的新格局。

（3）赋予海南更大的社会体制改革自主权。建议立法赋予海南社会体制改革更大自主权，在海南构建大社会的体系，支持社会组织尤其是行业协会商会在服务企业发展、规范市场秩序、开展行业自律、制定团体标准、维护会员权益、调解贸易纠纷等方面发挥作用，以此率先形成共享共建共治的社会治理新格局。

（4）赋予海南司法体制改革更大自主权。随着海南自由贸易港开放范围、广度、深度的不断扩大，会有更多的境内外企业进驻海南，各类国际性民商事纠纷与案件也会不断增多，迫切需要加快赋予海南更大的司法自主权，并推进与自由贸易港建设相适应的司法体制改革，实施与国际惯例接轨的司法体制。

三 重大举措

9. 确立特殊的行政体制

（1）在明确特别经济区法律地位前提下赋予海南高度的经济社会行政管理权。在海南实行行政权力"大负面清单"制度，除国防、外交等国家重大事项外，建议中央政府赋予海南特别经济区高度的经济自主权、行政管理权、社会治理权和特殊立法权、司法权。

（2）实行行政首长负责制。这样，既有利于协调海南与中央部委的关系，更好地利用国内资源；也有利于海南自由贸易港实现高效率的行政运转，全面提升政府治理能力。

10. 赋予海南行政机构调整的自主权

（1）按照精干、高效的原则，重构省级行政机构。新加坡只有中央政府，没有地方政府，中央行政机构共16个部；香港实行了以《基本法》为准绳、以高官问责制为中心的"三司十二局"行政管理体制。建议在海南省一级实行大部门行政体制，以最大限度提高政府效能。

（2）按照放、统、合的思路推进行政机构改革。能放的尽可能放，赋予海南市县政府更大自主权。能统的尽可能统，加快大部门制改革，最大限度地整合分散在不同职能部门相同或相似的职责。能合的尽可能合，大幅精简机构和人员。深入推进政府机构改革，在行政机构上整合"同类项"，减少局、委、办数量，着力精减行政人员编制，将行政综合类公务员占比压到最低。

（3）加快推进现有管理部门的法定机构化改革，在全国率先打造省级法定机构体系。全省的经济管理职能尽可能转移到专业化、市场化、法治化的法定机构履行，形成"小行政部门—大法定机构"的双重体制。比如，省和市县的投资、贸易、商务、规划等经济管理部门实行法定机构运作模式，全省各类的经济开发区管委会也实行法定机构运作模式。借鉴新加坡经验，法定机构拥有相对独立的财政管理权；管理人员实行聘任制，工作人员实行聘用制，不采取公务员管理体制，实行企业化、市场化的用人制度；建立奖优罚劣、能上能下、能进能出为导向的绩效考核评价体系，打造一套高效、灵活的执行体系。

11. 赋予海南自主调整行政区划的权限

（1）加快形成"六个统一"的整体格局。按"全岛一个大城市"的要求,赋予海南全面深化"多规合一"改革的权限,在全岛统一土地资源利用、统一基础设施建设、统一产业布局、统一城乡发展、统一环境保护、统一社会政策。

(2) 过渡时期,按照"全岛一个大城市"的思路推进行政区划调整。

——调整省与市县行政格局。按照"全岛一个大城市"的思路,打破现行19个市县的行政区划体制,除三沙市外,合并区域中心城市周边相关市县,构建省下辖东、西、南、北、中五大区域中心城市的行政格局,即形成大海口、大三亚、大琼海、大儋州、大五指山的经济功能区。

——调整市、县行政格局。在岛内五大区域中心城市内,"撤县改区",建立统一的市辖区格局;把原有的市、县转变为市辖区;少数民族地区的扶持优惠政策保持不变。

——海口、三亚率先突破。发挥海口省会城市经济相对发达的优势,在推进海口、文昌、澄迈行政一体化方面率先突破;发挥三亚国际旅游城市的优势,以市联县,统一三亚与陵水、乐东、保亭四个市县旅游资源开发,在以旅游业国际化带动城乡一体化的体制安排上率先走出一条新路子。

——过渡时期不宜过长。可以考虑3年左右,即到2022年完成行政区划的调整,基本形成"全岛一个大城市"的行政格局。为了避免行政体制调整大的变化,过渡时期的行政构架除了省一级外,相关行政体制均为过渡性安排。

(3) 按全域建设自由贸易港的要求重构行政建制。减少行政层级,在海南实行一级行政建制。

——保持省级建制不变。

——撤市改区,形成省下辖五大区的新格局。除三沙市外,撤销市一级行政建制,将过渡时期的东、西、南、北、中五大区域中心城市，即大海口、大三亚、大琼海、大儋州、大五指山全部改为区，成立区级管委会，作为省级政府派出机构，全面承担省级政府赋予的经济、社会、环境保护、公共服务、社会管理等职能。

——区下设若干街道办事处。根据海南自由贸易港的人口、面积、经济、社会的管理与服务需求，划小街道办事处，划小社区居委会规模，充分发挥社区自治作用，构建大社会管理体制。

12. 赋予海南更大的监管权限

（1）建立相对独立、高效的监管体制。海南省级政府层面建立统一权威的市场监管协调机构，负责全岛统筹监管；推动监管机构变革，构建一个适应最高水平开放的、专业性、独立性、法定化的监管机构体系。

（2）探索数据有序开放的监管。海南自由贸易港互联网治理，要以数据跨境自由流动为目标，在区分数据类型、分类、分级、分流向、分阶段推动数据流动自由化便利化的同时，加快建立信息安全与网络安全体系，推进网络安全治理机制化，以实现互联网信息安全有序地自由流动。尽快制定出台《自由贸易港数据安全法》《自由贸易港个人数据保护法》等，明确主体责任和监管内容，加强数据保护的法律保障。

（3）加快监管基础设施建设。尽快建设全岛一体化、智能化、信息化、现代化管控体系。支持海南借助大数据、云计算、物联网等，在海南全岛设立环岛电子围网，建立自由贸易综合信息化监管服务平台，实现人流、物流、资金流、信息流的交换共享；利用现代科技手段，推进智能化监管。

四 重要任务

（一）实行单独关税区的海关特殊监管体制

13. 设立海南单独关税区

从海南建省办经济特区 30 多年的实践看，如果没有单独关税区的特殊安排，如果仍然实行全国统一的关税制度，就难以有效发挥海南的区位地理优势，也很难在体制机制方面做出大的突破。对标世界最高水平开放形态，结合海南建设全域型自由贸易港的目标和相对独立经济地理单元的突出特点，建议中央在海南设立我国第四个单独关税区，并建立与之相适应的特殊海关监管体制。

14. 确立海南单独关税区的法律地位

建议通过修订《海关法》或在《自由贸易港法》中明确提出"海南自由贸易港为单独的关税地区"，明确海南单独关税区的法律地位、性质、职能、管理体制、运作模式等，赋予海南对域内的经济法人、个人的经济行为更大管辖权，包括自主制定内部经济政策的权力。

授权海南在投资、贸易、金融、航运、通信、旅游、文化、体育、医疗等领域可以以"中国海南"的名义，以"单独关税区"的形式同世界各国、各地区及有关国际组织保持和发展经贸关系，签订和履行有关经贸协议。

15. 分步骤形成海南单独关税区的制度安排

（1）近期，在海南暂停实施《中华人民共和国海关法》部分条款。例如，除部分商品外，率先实现进口产品零关税，取消进口环节增值税。

（2）在海南设立国家海关特殊监管区。在《海南自由贸易法》制定出台前，参考《香港海关条例》《澳门海关行政法例》的相关条文，授权海南制定《自由贸易港海关监管条例》，报全国人大和海关部署备案实施。在《自由贸易港海关监管条例》中明确海南为特殊监管区。

（3）尽快过渡到单独关税区管理，实施最自由、最便利的海关管理制度安排。例如，对不进入海南境内消费市场的转口和过境货物实行"不申报、不征税、不统计、不检验"制度；对绝大多数进出口岛的货物实行"企业自主申明＋规定期限备案＋抽检"的管理模式；对少数禁止、限制的货物实行进出口管制制度；在海南自由贸易港内"自由中转、自由存放、自由加工、自由转让"；尽快建设全岛一体化、智能化、信息化、现代化管控体系。

(二)实行特殊的财税体制安排

16. 建立一套有别于内地、具有国际竞争力的税收体系

在税收国际竞争日趋激烈的情况下，加快建设海南自由贸易港迫切需要建立一套有别于内地的特殊的税制安排，充分发挥财税政策在产业引导、要素集聚等方面的重要作用。

17. 确立海南独立的税收制度的法律地位

建议在《海南自由贸易港法》中明确提出"海南实行独立的税收制度"，确立"零关税、低税率、简税制"的基本原则，授权海南根据实际情况自行立法规定税种确立与取消、税率调整、税收减免和其他税务事项。适应海南加快探索建设自由贸易港要求，合理确定中央与地方财税关系。在保持中央转移支付不变的同时，海南不再上划相关收入；同时，视海南发展情况中央予以专项支持。

18. 授权海南实行特殊税制

(1) 授权制定《海南自由贸易港税收条例》。由全国人大授权海南省立法机构，在"零关税、低税率、简税制"的基本原则下，确立海南的税种及税率。

(2) 形成简税制的相关安排。将海南域内税种从18个税种减为6个，分别是企业所得税、个人所得税、环境税、消费税、物业税、印花税。

(3) 实行具有明显吸引力的低税率。参考香港、新加坡模式，所有企业按不高于15%的税率征收企业所得税；个人所得税税率最高不超过10%；来自海南域外的收入不再征税；免除增值税，对海南自由贸易港内企业之间的交易适用增值税税率为零的政策，取消

土地增值税；提高物业税、环境税等税率，由此体现海南土地、环境、资源的实际价值。

(三) 实行更加开放的金融体制

19. 在海南域内推进金融业的全面开放

自由贸易港对金融服务的自由便利有着内生需求。海南自由贸易港建设重点不在于致力于打造全球性或区域性金融中心，而在于以金融高度开放自由的制度安排，实行特殊的金融制度安排，实现金融要素自由流动，最大限度地释放资源要素活力，由此奠定区域性金融中心建设的重要基础。

20. 授权海南自主加快金融开放进程

（1）形成以外资、社会资本为主体的金融体系。在负面清单下专设金融服务附件，做出详细开放承诺；全面取消负面清单外外资金融机构与内资不同的资格条件限制；允许海南对金融企业发放通用牌照试点。在现有《商业银行法》《证券法》《保险法》基础上，增加适应海南金融高度开放的适用性条款，明确银行、证券、保险等金融机构准入条件、牌照类别及申请管理、业务范围等，并对数字金融等新业态及离岸金融业务做出专门安排。

（2）明确人民币资本项目自由可兑换。建议在《海南自由贸易港法》中明确海南采取自由贸易港账户，建立"账户统一、规则清晰、本外币合一、账户内可自由兑换"的账户体系，保障资金的流动和进出自由。短期内，可考虑暂停实施《外汇管理条例》中"资本项目外汇管理""金融机构外汇业务管理"等相关条款。

（3）形成离岸金融业务的法制化保障。例如，在《海南自由贸易港法》或授权制定的《离岸金融业务管理条例》中，明确离岸金融机构的准入、退出、业务监管、税收征管等标准；海南自由贸易港内实行相对独立的、与国际规则相衔接的金融制度，与境外金融往来自由，与境内的往来实行跨境管理；明确将人民币作为海南离岸金融业务的交易货币；在宏观审慎管理框架下，建立离岸与在岸金融市场之间资金相互连通的机制，推动境内外市场逐步、适度地相互渗透。

21. 授权实行独立、高效、智慧的金融监管体制

（1）授权海南制定《自由贸易港金融监管条例》。比如，赋予海南重新梳理相关金融罪名的权限，调整现行部分刑法规范的适用范围。以非法经营罪为例，参照负面清单制度，不在负面清单内的行业行为人无须批准即可从事相关业务，不再适用非法经营罪。同时，强化对高标准开放中有可能涉及的一些金融违法行为强化法治监管，包括洗钱罪等。

（2）授权海南成立综合性监管机构。例如，在海南设立国家金融稳定发展委员会特派机构，协调中国人民银行、银保监会、证监会、外汇局对海南自由贸易港的金融业综合统一监管，强化"反洗钱、反恐怖融资、反逃税"三反监管，维护自由贸易港的金融秩序；加强对国内其他省份资金进出海南的监管，避免海南成为资金"大进大出"的平台，避免冲击国内金融市场；整合海南省"一行二会两局"（中国人民银行海口中心支行、海南银保监局、海南证监局、海南省外汇管理局、海南省地方金融监督管理局）的监管职能，建立综合型的海南金融监管局，实行混业监管。

（3）授权海南自主开展金融科技创新。支持海南率先探索发行以国家信用为支撑、加密的法定数字货币，实现"进出自由、区内有痕流动"，做到"可识别、可追溯、可监管"。适应金融科技发展的趋势，运用区块链、大数据、人工智能等技术手段创新金融监管科技，提高海南自由贸易港的金融风险识别能力和系统性风险防范能力。

（四）实行特殊的司法体制

22. 赋予海南更大的司法权限

（1）赋予海南自由贸易港独立的司法权和终审权。例如，设立

海南特别经济区特别法院为最高人民法院派出机构，实行一套特殊的司法体制，对海南域内民商事案件均有终审权。涉及国防、外交、南海等国家行为的案例，由中央处理或者中央特别授权海南处理。

（2）授权海南自行设置专业法院。例如，创建知识产权法庭，审理海南自由贸易港建设中出现的知识产权案件；创建海南自由贸易港"数字法庭"，推动数字化审判，充分利用大数据平台提高诉讼效率。

23. 授权海南实行特殊的司法制度

（1）以审判为中心推进刑事诉讼制度改革。推进审判权和执行权分开。法院独立行使审判权，成立独立的执行机构专司司法执行功能。

（2）全岛范围合理配置司法资源。结合海南行政区划改革创新要求，积极探索与行政体制改革相适应的司法体制改革。按照优化协同高效原则，扎实推进法院内设机构改革。加强行政审判，依法支持政府职能转变。支持海南在建立完善自然资源资产产权制度和有偿使用制度等方面先行探索。

（3）在海南加快培育多元化法律服务市场。允许境外律师事务所在海南自由贸易港内设立分支机构，且允许分支机构经过司法行政部门备案后在海南自由贸易港内从事各类涉外民商事非诉讼法律服务；支持成立海南自由贸易港外国法查明中心，为市场主体提供法律服务。

（4）建立与国际接轨的刑事处罚制度。适应海南自由贸易港建设实际需求，对《刑法》中的部分罪名进行调整，例如非法经营罪等罪名提请全国人大删除或者暂停适用；强化一些罪名，例如反洗钱罪名要细化子罪名；《刑法》中优先适用财产刑、慎用自由刑，加大对财产的刑事处罚力度。

24. 授权实行与国际接轨的仲裁制度

（1）调整《仲裁法》适用范围。在自由贸易港建设过程中，吸引内外资企业进驻的一大前提就是必须构建与国际贸易规则体系相适应的多元化商事纠纷解决机制。主要包括国际商事仲裁、临时仲裁、ADR 等。建议修订《仲裁法》，明确海南自由贸易港《仲裁法》相关条款的适用范围，明确国际商事仲裁机构的准入要求和外国仲裁机构在海南做出的裁决性质认定。

（2）在《海南自由贸易港法》的总领下授权出台《海南自由贸易港仲裁规则》《海南自由贸易港调解规则》。

（3）允许海南自由贸易港仲裁机构创建两大法系仲裁模式裁决民商事案件。在海南国际仲裁院内创建两大法系仲裁模式裁决民商事案件，组建海南国际商事法律专家咨询委员会，由来自不同国家和地区、不同法系的法律专家组成。

五 突出特点

25. 是海南自由贸易港建设的基本法

（1）以《中华人民共和国海南自由贸易港法》作为基本法（以下简称《海南自由贸易港法》）。重点是规定海南自由贸易港的法律地位、体制机制、特殊管理等，以保障党和国家对海南自由贸易港的基本方针政策的实施和战略目标的实现。

（2）以《海南自由贸易港法》规范中央地方关系。该法由全国人大或常委会单独立法，不是地方立法或部门规章。该法律约束中央各职能部门，包括海关、边检、安全、土地、环保等，海南省和中央部委都是这一法律的执法者。为此，该法应明确规定海南自由贸易港建设的领导机构、决策机构、协调机构等。

（3）明确《海南自由贸易港法》的法律效力。例如，在《海南自由贸易港法》中明确规定，"在海南自由贸易港区域内，现有的法律如与本法抵触，可依照本法规定的程序修改或停止生效"，并明确海南自由贸易港立法的法律效力高于部门规章制度及政府规定，确保港内特殊的制度体系和制度创新得到有效落实。

26. 是国内法，同时对标国际最高经贸规则

（1）《海南自由贸易港法》仍属于国内法域。从自由贸易港建设需求出发，国家会在海南制定一些特殊的法律规范。但海南自由贸易港法仍在全国统一法律体系范畴内，仍属于我国法律的有效管制范围。这与我国香港、澳门的自由贸易港独立的法律体系有明显区别。

（2）海南自由贸易港立法要坚持宪法和法律基本原则。《海南自由贸易港法》的制定应遵守《宪法》的基本原则；全国人民代表大会制定的法律需要进行部分补充和修改时，不得同该法律的基本原则相抵触。

（3）最大限度与国际规则接轨。海南自由贸易港立法，更加注重国际化，率先精准对接国际惯例和通行规则，参考国际法的相关规定，并且为与国际法对接提供制度接口。

27. 具有不可复制性

与经济特区、自由贸易试验区仍是"境内关内"、以地方立法为主、法律暂停实施的立法方式不同，海南自贸港是"境内关外"，目的是打造全球最开放、最具特色的特别经济区。这一定位决定了海南自由贸易港立法将涉及税收、财政、海关、金融、外贸、司法等的基本制度的重大调整，涉及确立并保障实行特殊的行政、社会、海洋等体制机制的重大变革。因此，海南自由贸易港立法是特殊立法，具有不可复制性。

六　行动建议

28. 尽快对海南一揽子授权

（1）提请全国人大对相关法律进行暂停适用。《立法法》第13条规定，"全国人民代表大会及其常务委员会可以根据改革发展的

需要，决定就行政管理等领域的特定事项授权在一定期限内在部分地方暂时调整或者暂时停止适用法律的部分规定"。在相关法律法规尚未有重大突破的情况下，提请全国人大对海关、税收、投资、外贸、金融、入出境、仲裁等现行有关法律、行政法规进行暂停适用。

（2）着眼于中央确定的时间表，海南自由贸易港需要一揽子立法授权。在《海南自由贸易港法》及相关专项法律出台前，系统梳理《中共中央国务院关于支持海南全面深化改革开放的指导意见》《中国（海南）自由贸易试验区总体方案》及中央各部委出台的支持海南的专项方案中与现行法律法规相冲突的条文，并结合海南高水平开放的现实需求，形成具体授权清单（包括授权事项、授权范围、授权期限等），通过全国人大或者国务院授权暂停相关法律法规或直接授权等多种方式，尽快突破现有开放改革任务的法律掣肘。

（3）加快创新调法调规机制。建议强化海南全面深化改革领导小组对各部委的协调力度，明显缩短调法调规时间。各部委对海南自由贸易港提出的调法调规意见，实行"非复即过"的方式（规定时间内不回复即视为同意）。

29. 加快制定《海南自由贸易港法》

（1）加强海南自由贸易港立法的专题研究。建议在明确《海南自由贸易港法》总体框架的基础上，设立若干个专题小组，如中央与海南关系、服务贸易自由化便利化、精简高效的行政体制、海关管理、财税体制、南海开发、司法体制等，分别起草有关章节条文。

（2）《海南自由贸易港法》是框架法，宜粗不宜细。主要对中国特色自由贸易港的基本内涵、法律地位与性质、行政体制框架、贸易与投资制度、财税制度、金融制度、海关制度、海洋经济领域相关制度做出框架性安排。同时，按照探索建设与立法准备同步的原则，根据基本框架和原则推进更大力度的探索，并及时将探索成果法制化，逐步形成完善的法律制度体系。

30. 充分利用特区立法权和地方立法权，推动专门立法

（1）立法方面成熟一项推进一项，尽快在立法上取得"早期收获"。比如，授权海南制定《自由贸易港海关监管条例》《海南自由贸易港税收条例》《自由贸易港金融监管条例》《海南自由贸易港仲裁规则》《自由贸易港数据安全法》《自由贸易港个人数据保护法》等，以推进相关事项加快落地。

（2）赋予海南自由贸易港更大省级立法权。一是对国家立法存在空白的区域，如知识产权保护、数字经济发展、离岸金融业务等，赋予海南先行立法权，在遵循国际规则基础上来填补空白，进行先行、创制性立法。二是针对国家已有的立法，应当结合海南自贸港建设的实际，分析、研判其适用的有效性，如果现有规定与实际情况存在着较大的差距，无法满足、解决实践中出现的问题，则允许海南在基本原则前提下变通立法。

（3）充分发挥特区立法权。一方面，加大对特区立法权的本质属性、地位和权限的深入研究和探索，明确特区立法权是国家立法权的逻辑衍生；另一方面，争取获得全国人大及其常委会进一步的明确授权，重点在于财税、海关、金融外贸、诉讼和仲裁制度及行政管理制度等具体操作性法规。

（4）提升自由贸易港立法的效力位阶。例如，海南省根据授权制定的法规与法律规定不一致的，根据授权法规的相关条款执行；明确海南自由贸易港授权制定的地方性法律法规的法律效力高于部门规章制度及政府规定，经过实践检验切实可行或条件成熟时，提升为全国人民代表大会及其常务委员会制定法律或确立为本层级法律，确保自由贸易港特殊的政策体系和制度创新得到有效落实。

《海南自由贸易港法》立法思路的建议(19条)[*]

(2020年10月)

《海南自由贸易港法》是全国人大就中国特色自由贸易港建设制定的第一部法律。这部法律的出台,不仅将对海南自由贸易港建设产生决定性影响,也将在我国积极推进经济全球化、加快推进高水平开放进程中产生重大影响、发挥特殊作用。

《海南自由贸易港法》既不是《海南自由贸易港建设总体方案》政策与制度的简单罗列,也不是另起炉灶,而是要从服务于将海南打造成为引领我国新时代对外开放的鲜明旗帜和重要开放门户的战略目标出发,充分体现对标世界最高水平开放形态的基本要求,对自由贸易港建设涉及的重大问题提供原则性、基础性的法治保障。

一 明确海南《海南自由贸易港法》作为"母法"与"基本法"的定位

1. 《海南自由贸易港法》是海南自由贸易港法治体系的"母法" 在海南目前法律体系不完善、相关制度需要系统性调整的情况

---

[*] 节选自中改院课题组《〈海南自由贸易港法〉立法的思路性建议》,2020年10月。

下，需要以《海南自由贸易港法》为基础逐步形成完善的与国际接轨的法律体系。从这个意义上看，《海南自由贸易港法》是海南自由贸易港法治体系构建的"母法"，其站位高度、相关内容等直接影响着以本法为基础出台的相关具体条例、政策的质量。

——要充分体现打造重要开放门户的战略目标。《海南自由贸易港法》的相关安排要有利于全面加强与东南亚交流合作，要有利于促进海南与东南亚国家资源要素的自由流动，要有利于充分释放海南丰富的自然资源优势及独特的地理区位优势。

——要充分体现习近平总书记提出的"解放思想、大胆创新"的重大要求。《海南自由贸易港法》就是既要形成具有国际重要影响力、竞争力的法律制度安排，又要促进海南解放思想、大胆创新，以此增强各方对我国改革开放的信心与海南自由贸易港建设的信心。

——要充分学习借鉴国际自由贸易港的先进经营方式、管理方法和制度安排。《海南自由贸易港法》需要站在更高起点谋划相关制度，形成一部具有国际影响力、国际竞争力的法律。

2.《海南自由贸易港法》是海南自由贸易港建设的"基本法"

《海南自由贸易港法》就是要明确海南自由贸易港建设的基础性制度体系，并在国家层面形成支持海南全方位大力度改革和实行最高水平开放政策的法律保障，确保实现中央在海南建立自由贸易港的战略目标。从这个意义上看，《海南自由贸易港法》是海南自由贸易港建设的"基本法"。

——从法律上确定海南自由贸易港建设的战略目标、法律地位、基本原则等。

——将海南自由贸易港建设的制度体系以法律形式固化。这个制度体系不仅包括内外贸、投融资、财政税务、金融创新、出入境等经济领域，更涉及高效率行政体制与专业、高效、权威的立法、司法体制等领域的制度安排。

——规范海南自由贸易港建设中的中央与地方关系。要按照习近平总书记强调的"中央和国家有关部门要从大局出发，支持海南大胆改革创新"的要求，明确中央与地方在海南自由贸易港建设中各自的权限职能，以及海南自由贸易港建设的领导机构、决策机构、协调机构等。

——规范《海南自由贸易港法》与其他现行法律的关系。应当明确在海南全岛范围内，《海南自由贸易港法》的法律效力高于除《宪法》外的其他现行法律（包含全国人大及其常委会出台的相关法律），确保港内特殊的制度体系和制度创新得到有效落实。如在《海南自由贸易港法》中可提出"在海南自由贸易港区域内，现有法律如与本法抵触，可依照本法规定的程序修改或停止生效"等相关表述。

——《海南自由贸易港法》"宜粗不宜细"。不仅要着眼当前，更要着眼长远，若将部分政策与制度安排规定过细，将压缩未来海南自由贸易港的开放空间与制度集成创新空间。

二 突出《海南自由贸易港法》作为"最高水平开放法"的基本要求

3. 对标国际成功自由贸易港的通行做法

从国际经验看，成功的自由贸易港通过实施自由的贸易投资政策、以"零关税、低税率、简税制"等为突出特点的税收政策及行政、立法、司法体制的特殊安排，使其成为经济开放度全球最高的"境内关外"的海关特殊监管区域。《海南自由贸易港法》要以对标国际自由贸易港的通行做法为首要要求。

——对标贸易投资自由化便利化的通行做法。《海南自由贸易港法》要按照"境内关外"的基本要求，在贸易、投资、跨境资金、人员进出、运输、数据流动等领域对标国际成功自由贸易港的基本做法，形成贸易投资自由化便利化框架性法律安排。

——对标"零关税、简税制、低税率"的通行做法。《海南自由贸易港法》要在对《海南自由贸易港建设总体方案》中税收制度做出框架性安排的同时，明确提出"海南自由贸易港实行独立的税收制度"；且考虑到未来全球低税率趋势及围绕优质要素竞争更加激烈等因素，不宜将税率下限明确写入《海南自由贸易港法》。

——对标行政、立法、司法体制等领域的成功做法。《海南自由贸易港法》要充分学习借鉴新加坡高效灵活的行政体制经验与迪拜通过修改宪法成为"法律特区"的经验等，并从我国实际出发，对行政体制、立法体制、司法体制等的内涵、目标要求等形成框架性法律安排。

4. 对标国际高水平经贸规则

《海南自由贸易港法》中的相关内容，既要为对标当前高水平经贸规则提供法律保障，又要主动适应全球经贸规则重构趋势，为未来对标预留空间。

——对标CPTPP等国际高水平经贸规则。不仅要在"以准入前国民待遇＋负面清单管理制度"为重点的经贸领域进行对标，明确提出相关标准，而且要在竞争中性、政府采购、生态环境保护等非经济领域进行对标。

——为对标全球未来高水平经贸规则预留空间。例如，对劳工政策、数据流动、透明度等一些条件尚不具备但符合全球经贸规则重构趋势的规则，采用原则性条款说明，为未来对标世界最高水平开放形态预留制度接口。

5. 对标具有一流国际竞争力的营商环境

香港、新加坡、迪拜等的经验说明，自由贸易港建设的成功离不开独特的地理位置和自然环境，但脱颖而出还要靠国际化法制化便利化的营商环境，以此吸引集聚全球优质生产要素，提升对全球资源配置能力和全球服务能力。

——明确提出产权保护与知识产权保护与国际接轨。建议在《海南自由贸易港法》中明确提出"海南应借鉴产权保护与知识产权保护领域的国际公约、条约及协定等制定海南自由贸易港产权保护与知识产权保护规则"等表述。

——明确提出竞争中性原则。并对竞争审查、产业政策要求、政府购买服务等形成原则性规定。

——明确提出市场在资源配置中的决定性作用。《海南自由贸易港法》应以负面清单形式细化政府直接干预经济的特定领域；通过"海南自由贸易港政府提供经济和法律环境，鼓励各项投资、技术进步并开发新兴产业"等表述明确相关主体。

三 突出《海南自由贸易港法》作为"创新法"的鲜明特点

6. 围绕贸易投资自由化便利化的制度集成创新

《海南自由贸易港法》不仅要明确"五大自由＋数据安全有序流动"及"零关税、低税率、简税制"等制度框架，而且要适应打造全球最高水平开放形态的基本要求，在关键性领域形成创新突破。例如：

——对货物贸易，除明确"零关税"的基本要求外，建议在《海南自由贸易港法》中提出"允许海南根据实际需要创新使用原产地政策及产业项下的自由贸易政策"。

——对服务贸易，建议在《海南自由贸易港法》中提出"适应海南自由贸易港建设需要采取不低于本国且与欧美日等对标的服务业管理标准"等降低"边境后"壁垒的表述。

——对投资，建议明确将"负面清单外无审批"等要求写入《海南自由贸易港法》。

——对跨境资金流动，建议在《海南自由贸易港法》中提出"根据金融开放与金融监管的需要，充分使用最新信息技术开展数字货币、数字金融监管等创新"。

——对税收，建议在《海南自由贸易港法》中提出"根据吸引优质要素需要，在海南实行不高于全球自由贸易港的相关税收政策"。

7. 围绕高效灵活的行政体制的制度集成创新

借鉴新加坡等国际成功自由贸易港以"精简扁平的政府机构＋专业高效灵活的法定机构"建立专业高效行政体制的普遍经验，加快建立以法定机构为主体的专业高效的执行系统。例如：

——在《海南自由贸易港法》中，建议明确提出建立"海南自由贸易港经济委员会"，在法定职权范围内依法开展相关业务，独立承担法律责任，在经费总额控制与职责明确的前提下享有充分的行政管理、人事聘用和财务自主权。

——在《海南自由贸易港法》中，建议明确提出扁平化行政层级的相关内容，"大部门决策＋法定机构执行"的行政组织结构和运作模式及决策、执行职能相对分离的运行机制。

——在《海南自由贸易港法》中，建议明确"全面推行专业技术类公务人员聘任制"的要求，并对聘任制公务人员的管理制度做出原则性规定。

——在《海南自由贸易港法》中，建议明确"海南行政区划体制改革的基本导向和原则"等。

8. 围绕立法体制的制度集成创新

高度法治既是国际自由贸易港的一般特征，也是打造国际化、法治化、便利化营商环境的基本要求。《海南自由贸易港法》要围绕组建一支专业、高效的立法团队，形成创新性安排。例如：

——在《海南自由贸易港法》中，建议明确提出"将海南省人大法制工作委员会改为海南自由贸易港立法工作委员会"。按照因需立法的原则，向国内招录聘任知名法律专家组建专业性立法团队,以提升省人大常委会的立法质量与效率。

——《在海南自由贸易港法》中,建议明确提出"凡涉及投资、贸易、金融、仲裁、海关等领域的专业性法律法规,授权该机构制定"。

9. 围绕司法体制的制度集成创新

随着海南以贸易投资自由化便利化政策的逐步落实见效,各类民商事案件与国际性纠纷将会明显增多,迫切需要建立与最高水平开放形态相适应的司法体制。建议《海南自由贸易港法》以高效、权威、与国际相衔接为导向形成司法体制的创新安排。

——明确"以审判为中心推进刑事诉讼制度改革"的基本导向。建议在《海南自由贸易港法》中明确"推进审判权和执行权分开"的要求,明确罗列民商事行为的罪名及处罚倾向。

——明确提出设立专业法庭的条件、程序、原则等。

——明确海南自由贸易港仲裁体制完善的基本要求与关键规则。在《海南自由贸易港法》中明确仲裁体制、仲裁法律效力等规定;明确提出"参考联合国国际贸易法委员会仲裁规则,建立海南自由贸易港的仲裁规则""尽快以'仲裁地'标准取代'仲裁机构所在地'标准"等关键性内容。

——对涉海司法体制改革等做出原则性规定。

四 突出《海南自由贸易港法》作为"授权法"的关键所在

10. 赋予海南充分的经济管理自主权

具体包括对外经济合作自主权、经济政策制定自主权等。包括:

——授予海南一定的税收政策制定自主权。建议在《海南自由贸易港法》中明确,海南自由贸易港参照国际自由贸易港的最新税收政策,自行立法规定税收宽免和其他税务事项。

——授予海南一定的财政政策制定自主权。例如,在《海南自由贸易港法》中明确"海南省可根据自由贸易港建设需要,自主决定政府债券发行规模"等。

——授予海南一定的金融政策制定自主权。例如，在《海南自由贸易港法》中明确"海南省根据监管水平与实际发展需要，自行制定金融开放的具体政策"等。

——授予海南一定的海关制度创新自主权。例如，在《海南自由贸易港法》中明确"海南省根据风险焦点与对外经济联系需要，自行制定海关的相关监管政策"等。

11. 赋予海南行政体制改革自主权

建议在《海南自由贸易港法》中按照加快建立"结构优化、运转高效"的行政体系要求，赋予海南实行特殊行政体制安排的权力，支持海南探索建立适应全球最高水平开放的行政体制。

——在《海南自由贸易港法》中，建议明确海南自由贸易港行政体制与运行机制基本原则的前提下，赋予其省级政府机构调整与法定机构设置的自主权。

——在《海南自由贸易港法》中，建议明确基本方向的前提下，赋予海南省逐步调整行政区划的自主权，如形成"允许海南省按照有利于最大限度释放资源价值优势的原则，分步调整现行行政区划体制"。

——在《海南自由贸易港法》中，建议明确提出"海南自由贸易港可在坚持《公务员法》的基本原则前提下，自行变通制定公务员管理制度"。

12. 赋予海南更大的地方立法权

需要在《海南自由贸易港法》中明确规定地方立法的权限、领域及其法律效力。

——在《海南自由贸易港法》中，建议进一步明确并细化特区立法权的本质属性、地位和权限。

——在《海南自由贸易港法》中，建议明确对国家立法存在空白的区域,如知识产权保护、数字经济发展、离岸金融业务等,赋予海南先行立法权,在遵循国际规则基础上来填补空白,进行先行、创制性立法。

——《海南自由贸易港法》中,建议明确针对国家已有的立法,应当结合海南自贸港建设的实际,分析、研判其适用的有效性,如果现有规定与实际情况存在着较大的差距,无法满足、解决实践中出现的问题,则允许海南在基本原则前提下变通立法。

——在《海南自由贸易港法》中,建议明确授权海南可在遵循该领域相关法律基本原则的情况下,开展财税、海关、金融外贸、诉讼和仲裁制度等涉及中央事权的具体操作性法规。

——建议明确海南使用地方立法权出台的相关法律的法律效力位阶。

13. 赋予海南一定的司法管辖权

借鉴迪拜经验,在法律适用、司法制度创新等方面赋予海南更大的权限。

——赋予海南适用某些普通法系判例的特别权力。例如,考虑在金融等专业领域适度引进普通法系的相关判例;对国际民商事案件,建议以清单形式赋予相应的适用法律选择权。

——赋予海南自由贸易港独立的司法权和终审权。例如,在《海南自由贸易港法》中以负面清单的形式明确具体领域,并提出海南省对海南域内发生的清单内案件具有终审权。

——赋予海南自由贸易港在数字经济、知识产权、金融等专业性领域自行设置专业法院的权力。

五 借鉴国际经验,形成《海南自由贸易港法》框架性安排

14. 总则(序言)

《海南自由贸易港法》的总则(序言)部分,建议应将包括基本概念解释、本法实施主体、实施范围、立法目的及海南自由贸易

港的性质、战略目标、基本原则、法律地位、与其他现行法律的关系等纳入。

15. 自由便利的贸易投资制度安排

——建议将《海南自由贸易港建设总体方案》中关于企业经营、内外贸、投融资、财政税务、金融创新、出入境、数据流动、税收等领域内有关长期性的制度安排纳入；在相关限制措施尽可能以"除……外"等负面清单方式阐述。

——按照打造世界最高水平开放形态的要求，对一些条件尚不具备但符合全球经贸规则重构趋势的贸易投资制度，采用原则性条款说明，为未来对标世界最高水平开放形态预留制度接口。

——尤其是要防止将短期过渡性政策纳入《海南自由贸易港法》，这既不利于增强各方预期，也不利于海南自由贸易港的中长期建设。

16. 灵活高效的行政体制安排

《海南自由贸易港法》中确立海南自由贸易港行政体制，重点应明确以下四个方面的内容：

——明确海南自由贸易港建设中的中央与地方关系，尤其要明确区分中央与地方政府在投资、财税、金融、海关、行政、司法、监管等方面的管理权限、职责功能。

——明确海南自由贸易港行政机构设置调整条件程序、行政机构框架及职责权限、行政机构运行机制、公务员管理制度、政府采购制度等。

——对法定机构的设立程序、权限、与政府部门的关系、运行机制等做出原则性、框架性安排。

——明确海南全岛行政区划体制调整的相关原则性安排。

17. 立法与司法体制安排

适应自由贸易港建设的需要，《海南自由贸易港法》需要对海南自由贸易港立法、司法体制做出框架性安排，并赋予海南更大立法权与特殊的司法权。

——明确海南自由贸易港地方立法体制与司法体制改革的基本原则、程序、方向等，在此基础上赋予海南一定的立法体制与司法体制的调整自主权。

——明确界定海南地方立法权与特区立法权，细分中央立法与海南自由贸易港立法的相关领域；明确海南自由贸易港地方法律的法律地位；明确海南自由贸易港地方创设性立法与变通性立法的条件、程序等。

——明确界定海南自由贸易港特殊的司法权限，尤其是要明确经济领域内国内法律豁免适用方面的特权；明确国际公约、国际惯例、国际判例及最新经贸协定中的相关规定在海南自由贸易港的适用条件、程序等。

18. 社会发展和社会治理的制度安排

按照打造共建共治共享的社会治理格局的基本目标，明确社会发展和社会治理的制度安排。

——明确海南自由贸易港常住居民与非常住居民的基本权利和义务。进一步明确对外籍人员居住、停留、入籍、管理等领域的原则性规定。同时，适应全球经贸规则重构趋势，对劳工权益做出原则性安排。

——对标新加坡等，对非政治类社会组织及行业组织的设立程序、运行机制、监管制度、职责权限等做出明确规定。

——将"在海南自由贸易港取消户籍制度"明确写入《海南自由贸易港法》，明确城乡统一的社会治理原则。

——对社会风险防控及生态环境保护做出原则性规定。

19. 附则。可考虑将前面未纳入的关键内容作为附则

具体包括：

——明确本法的解释权、修改权、修改提案权的行使主体。

——将"海南省人大可依照本法制定具体实施细则条例,以便推进自由贸易港建设"等写入,并明确依照本法制定相关条例的原则和要求及其法律地位。

——其他必要的事项。

关于《中华人民共和国海南自由贸易港法（草案）》的建议(18条)[*]

（2021年1月）

我们认为，本法是在坚持维护国家法制统一和中央集中统一领导前提下开展的国内立法，是中国特色社会主义法律体系的重要完善和补充，也是海南自由贸易港法治体系的"母法"，承担着海南自由贸易港建设"基本法"的特殊作用。这是一部"最高水平开放法"，要按照习近平总书记关于对标世界最高水平开放形态、把制度集成创新摆在突出位置、解放思想大胆创新的重要指示，对海南自由贸易港的财政、海关、金融、外贸等经济制度以及行政、立法、司法等制度做出创新性安排。

一 立法目的：从法律上规范协调某些重大关系

1. 界定海南自由贸易港的法律地位

建设海南自由贸易港是一项国家重大战略，承载着打造引领我国新时代对外开放的鲜明旗帜与重要开放门户的重大战略任务。实现这一战略目标，要赋予海南自由贸易港在法律意义上不同于现行

---

[*] 中改院课题组：《关于〈中华人民共和国海南自由贸易港法（草案）〉的建议（18条）》，2021年1月。

行政区划体系的定位和性质，以从法律逻辑上获得足以支撑海南自由贸易港各项经济社会建设必需的法律授权与制度保障。

建议本法明确海南自由贸易港是在坚持党的集中统一领导、坚持中国特色社会主义制度前提下，对标世界最高水平开放形态，经中央授权，实行有别于内地其他地区的经济政策及制度安排的特殊区域。

建议本法明确海南岛全岛与三沙市的关系，防止因封关或政策实施而造成与三沙市连通性的降低。

2. 规范海南自由贸易港建设中本法与其他现行法律法规的关系

（1）以本法协调某些相关法律。在海南自由贸易港建设中，现有法律的某些条款如与本法相抵触，应当优先适用本法。

（2）以本法规范协调其他政策法规。明确"海南自由贸易港实施的法规、规章、政策、规则、标准等，均须以本法为依据，且不得同本法相抵触"等。

3. 理顺海南自由贸易港建设中的央地关系

（1）明确地方政府行使权力的原则要求。按照以"在本法框架内采取必要的，有助于实现自由贸易港建设目标、职责和义务的行动"为要求，授权海南省人民政府制定规章细化其在自由贸易港建设中的权限、职责。

（2）明确地方政府行权保障制度。建议在本法中明确中央部门及其具有行政管理职能的直属机构制定的行政法规、部门规章、规范性文件、相关政策与本法不一致的，允许豁免执行或变通执行。

4. 规范海南自由贸易港建设中本法与国际公约等的关系

建议本法明确我国缔结或参加的国际条约在海南自由贸易港中的适用原则。例如，明确我国缔结或者参加的国际条约自签订之日起，自动在海南适用。海南自由贸易港实行的法律法规，不得背离或违反我国在现有和未来签署的多边、区域、双边协定中承担的义务。

二 基本要求：对标世界最高水平开放形态

5. 对标国际自由贸易港的一般特征，形成贸易投资自由化便利化的安排

建议本法将贸易、投资、运输、数据、税收等经济方面的制度形成框架性安排，并在关键性领域实现创新突破或为未来预留创新空间。例如，对进口征税商品目录以外、允许海南自由贸易港进口的商品，免征进口关税；按照"境内关外"的基本要求，在贸易、投资、跨境资金、人员进出、运输、数据流动等领域对标国际成功自由贸易港的基本做法，形成贸易投资自由化便利化的框架性法律安排；在财税制度安排中，考虑到未来全球低税率趋势及优质要素争夺更加激烈等因素，形成更加灵活的制度安排。

6. 对标高标准经贸协定，形成在某些重要领域先行先试的原则性安排

（1）体现竞争中性原则。建议本法明确"海南自由贸易港在政府资金安排、土地供应、税费减免、资质许可、标准制定、项目申报、融资获得、人力资源政策及政府采购、招标投标、法律保护等方面，依法保障各类主体在非歧视环境下公平竞争"。

（2）明确对垄断企业等的限制条款。建议本法明确"垄断企业在开展商业活动时，不得妨碍公平竞争原则"。

（3）加强"双反"立法执法，保护公平市场环境。围绕营造海南自由贸易港法治化、国际化、便利化营商环境，建议本法明确，推动健全相关法律法规，加强反垄断和反不正当竞争执法司法等事项。

7. 对标国际一流营商环境，完善以产权保护、知识产权保护为重点的法律安排

建议在本法草案现有基础上，更加突出产权和知识产权保护规

则与国际接轨,强化自然人、法人、非法人组织产权与知识产权保护,以为制定和完善海南自由贸易港注销条例、破产条例(既包括企业破产,也应包括个人和跨境破产,并明确执行转破产的程序)、公平竞争条例、征收征用条例留备制度空间。

三 重要任务:推进海南自由贸易港制度集成创新

8. 以贸易投资自由化便利化为重点的经济体制的制度集成创新

(1)加强服务贸易自由化便利化的法律安排。建议在本法草案现有基础上,明确支持海南自由贸易港对清单之外的跨境服务贸易,以及告知、资格要求、技术标准、透明度、监管一致性等方面适用国际惯例或国际高标准经贸规则。

(2)明确降低"边境后"壁垒的原则要求。建议在本法中提出"完善海关查验监管和卫生防疫检验等规则,消除非关税壁垒""实施原产地规则以及相关贸易政策,以保障货物的流动自由""破除服务贸易模式下存在的各种壁垒,给予境外服务提供者国民待遇"等降低"边境后"壁垒的法律安排。

(3)明确金融开放与跨境资金流动的原则要求。建议在本法中突出金融开放对贸易投资自由化便利化的基础性作用,重点构建跨境资金存管和自由流动的制度保障,明确资本项下人民币自由可兑换的总体目标,并构建与自由贸易港金融活动相匹配的防范系统性金融风险和反洗钱、反恐怖融资等防控措施安排。

9. 与自由贸易港相适应的高效灵活的行政体制的制度集成创新

(1)明确政府机构改革的基本导向。明确"经济高度开放、行政高效运转"的目标导向,明确"大部门决策+法定机构执行"的行政组织结构和运作模式及决策、执行职能相对分离的运行机制。

(2)就海南行政区划体制改革形成原则性安排。明确提出,"海南省政府应按照全岛资源利用效益最大化的要求和海南自由贸易港建设需要,行使行政区划调整权,保障海南自由贸易港土地资源利用统一、基础设施建设统一、产业布局统一、城乡发展统一、环境保护统一、社会政策统一"。

10. 与自由贸易港相适应的专业高效的立法体制的制度集成创新

鉴于自由贸易港建设中涉及大量投资、贸易、金融、国际仲裁、海关等专业性较强的领域立法，建议由海南省人民代表大会常务委员会招录聘任知名法律专家组建专业性立法团队，主要向自由贸易港立法机关提供咨询建议，或提出专门的立法草案，以确保自由贸易港规则体系的专业性和科学性。

11. 与自由贸易港相适应的灵活权威的司法体制的制度集成创新

明确设置专门法院对特定案件实施集中管辖的条件、程序、原则等。例如，经全国人民代表大会批准，海南自由贸易港可以提请最高人民法院设置海南自由贸易港巡回法院（庭），以及金融、贸易、航运、破产、知识产权等专门法院（庭），在不改变现有审级制度的前提下，实现相关案件在海南自由贸易港区域内终审。

12. 与自由贸易港相适应的权威高效的多元化纠纷解决机制的制度集成创新

（1）明确海南自由贸易港多元纠纷解决体制完善的基本要求。例如，在海南自由贸易港设立国际商事仲裁、调解等机构；设立国际商事法院，参与协调指导海南国际商事纠纷解决的相关事宜。

（2）明确海南自由贸易港商事仲裁的关键规则。明确仲裁体制、仲裁法律效力；明确提出"在不违反本法规定前提下制定并实施海南自由贸易港仲裁规则""尽快以'仲裁地'标准取代'仲裁机构所在地'标准"等关键性内容；海南自由贸易港内仲裁机构可根据企业之间约定的特定地点，按照特定仲裁规则，由特定人员对相关争议进行仲裁。

四　核心要素：赋予海南更大的改革开放自主权

13. 明确集中授权的基本原则

海南自由贸易港建设涉及的授权范围广、层级高、种类繁杂，其中既有中央事权，又有地方权力；既有现行权力，又有创设性权力；既有分属国务院及其下属各委办局的权力，也有分属其他国家机关机构的权力。从以往立法授权的经验看，通过穷尽列举方式难免挂一漏万，有损立法严谨性。建议在授权条款中，选择以"排除非授权项"方式进行"一揽子"授权。

14. 赋予海南自由贸易港更大的经济管理自主权

（1）赋予海南自由贸易港更大开放自主权。将市场准入负面清单、外商投资准入负面清单及跨境服务贸易负面清单的制定、调整权限赋予海南。

（2）赋予海南税收制度调整创新自主权。在坚持"零关税、简税制、低税率"基本原则的基础上，允许海南省人民代表大会常务委员会依据本法规定，并根据海南实际，立法规定税种确立与取消、税率调整、税收减免和其他税务事项。

（3）赋予海南一定的通关政策与海关制度创新自主权。例如，赋予海南自由贸易港"自行制定豁免查验商品目录或企业目录""根据风险焦点与对外经济联系需要，自行制定海关的相关监管政策""制定并修订零关税货物清单及禁止、限制进出口的货物、物品清单"等。

15. 赋予海南充分的行政体制改革自主权

在明确海南自由贸易港行政体制与运行机制基本原则的前提下，赋予政府机构调整与法定机构设置的自主权；明确海南省政府可设立法定机构作为具体执行机构，赋予其行政权限，并明确必要的条件、义务。

16. 赋予海南更大的地方立法权

针对国家已有的立法，结合海南自由贸易港建设的实际，分析、研判其适用的必要性。如果无法适应海南自由贸易港建设需要，应当授权海南立法机关依据本法就相关法律的适用问题进行明确，或出台单行操作性法规进行变通执行。

五 立法时序：统筹过渡期与长远建设的法律需求

17. 由全国人大出台批准或授权国务院调整有关法律法规的决定

适应2025年前海南自由贸易港建设的需求，建议近期由全国人民代表大会常务委员会就本法（草案）中过渡期的条款出台专门决定，形成过渡期的法律安排；或授权国务院就过渡期内暂停相关法律法规的需求提请全国人民代表大会批准。

18. 统筹我国开放需求，出台一部具有长期性、基础性保障功能的"最高水平开放法"

按照习近平总书记关于海南自由贸易港建设的重要指示，统筹我国积极推进经济全球化而带来的彰显决心需求、新发展格局带来的高水平开放实际需求，建议在现有基础上加快修订完善，力求抓紧出台一部彰显我国积极推进高水平开放、建设更高水平开放型经济新体制的决心和信心，且对海南自由贸易港长远建设具有基础性法律保障的"基本法""最高水平开放法"。

在改善营商环境上出实招

海南全面实施企业自主登记制度的方案建议(36条)[*]

(2018年8月)

为加快形成法治化、国际化、便利化的营商环境和公平开放统一高效的市场环境，解决海南省营商环境不优、市场活力不足、政府效率低下、对高端经济要素吸引力弱等突出问题，在海南全岛推进企业自主登记制度改革，降低企业制度性交易成本，激发市场主体活力，释放投资和消费内需潜力，发挥市场在资源配置中的决定性作用和更好发挥政府作用，加快建立开放型经济新体制，高标准高质量建设自由贸易试验区，逐步探索、稳步推进中国特色自由贸易港建设，制定本方案。

一　特定背景

1. 商事登记制度改革重在释放内需潜力

海南商事登记制度改革要围绕释放内需潜力做文章，着力破除实体经济尤其是服务业企业发展面临的体制机制性障碍和降低制度性交易成本，着力构建国际化、法治化、便利化的营商环境，进而

---

[*] 节选自中改院课题组《海南全面实施企业自主登记制度改革方案（36条）》，2018年8月。

倒逼相关体制机制变革，倒逼服务业企业提升服务质量，以形成释放内需的重要保障，发挥海南自由贸易试验区在我国释放内需、扩大开放中的独特作用。

2. 最大限度地激发市场主体活力、发挥市场决定资源配置作用的先手棋

海南经济社会发展中面临的突出问题是市场活力不足、政府效率低、企业信心不足、市场主体少。根据海南省发改委调研报告，有近七成的企业认为海南营商环境处于一般、比较差或非常差水平，超过20%的企业对海南改善营商环境缺乏信心。商事登记制度改革不只是市场主体登记方式的改变，而是要以此为突破口，在严守法律法规和严格市场监管的前提下，赋予企业自由生、自由死、自主经营的基本权利，发挥市场在资源配置中的决定作用。

3. 推动市场监管转型、提高政府效能的重大举措

一般来说，哪个领域开放力度大，监管效果好，哪个领域活力就相对强。在海南率先推进企业自主登记制度改革，将倒逼政府职能、管理理念和市场监管体制机制的深刻变革，为打造"小政府、大市场"提供有利条件。

4. 高标准高质量建设自由贸易试验区，努力成为新时代全面深化改革开放的新标杆的重要突破口

高标准高质量是党中央对海南自贸试验区建设提出的明确要求。这就要求海南自贸试验区要高起点谋划、高标准定位、高效能推进。参照香港、新加坡等自由贸易港的先进经验，同世界银行评级指标体系接轨，尽快全面实施企业自主登记制度，大幅度压缩国内外企业开办时间，为全国深化商事制度改革、"放管服"改革提供示范，为到2025年营商环境达到国内一流水平、到2035年营商环境跻身全球前列打下坚实基础。

二 总体要求

5. 确保市场在资源配置中起决定性作用和更好发挥政府作用

把企业自主登记制度改革作为处理好政府与市场关系、转变和优化政府职能的重要突破口。坚持以企业为中心、以企业需求为导向，奉行"宽进严管"的理念，不干预企业的正常生产经营活动，主动和高效地担负服务与监管职责，促进市场主体"进、行、退"自由、规范、有序，释放大众创业、万众创新的热情和活力。

6. 对标商事登记制度国际先进标准，推进企业自主登记制度改革

借鉴新加坡、香港等地的经验，结合海南省实际，实施企业一站式登记注册，尽快建立全省统一的企业自主登记注册网络平台，在企业注册时间、便利化、规范化、透明化上与国际接轨，切实提高企业办理效率。

7. 以信用监管为核心加快市场监管转型

全面实施企业自主登记制度，纵深推进简政放权改革，深化监管体制改革是关键所在。为此，推进企业自主登记制度改革，要同步推进高效便捷和从严监管的有机统一，强化事中事后监管，着力构建以信用监管为核心的新型监管体系，做到放得开、管得住、服务得好。

8. 坚持重大改革于法有据，在法治轨道上创新突破

依法推进。依法行政、立法先行。详细梳理改革涉及的法律、行政法规、部门规章和规范性文件，在法制框架内开展先行先试，做到改革措施依法有据，着力构建统一开放、公开透明、宽松平等的市场准入环境。

三 主要目标

9. 2018—2020 年，在全岛范围实施企业自主登记制度

10. 到 2025 年，完善市场主体登记到退出的全生命周期制度体

系，营商环境达到国内一流水平。

11. 到2035年，构建形成接轨国际规则的市场监管制度体系，营商环境跻身全球前列。

四 推行以企业自主申报为主的商事登记制度改革

12. 推进企业名称登记管理改革

建立企业名称登记负面清单，完善企业名称查询比对系统；实行企业名称自主申报制度；建立企业名称争议快速调处机制。

13. 建立住所（经营场所）自主申报制度

建立住所（经营场所）自主承诺申报负面清单；在全省范围内实行住所（经营场所）自主承诺申报制度；实行"双随机"定向抽查。

14. 规范经营范围自主申报制度

建立经营范围自主申报辅助查询系统；实行经营范围自主申报。

15. 取消企业一般投资项目备案制

在政府严格管理城乡规划、土地利用、环境保护、安全生产等事项的前提下，除关系国家安全和生态安全、涉及全国重大生产力布局、战略性资源开发和重大公共利益等项目之外，企业一般投资项目一律由企业依法依规自主决策，不再备案；实行企业投资项目承诺制，同时，建立项目业主异常信用记录和违法失信"黑名单"，并录入国家、省（区）、市信用信息共享平台。

16. 建立涉企信息自主变更备案公示制度

实行对企业名称、住所（经营场所）、注册资本、经营范围等涉企信息变更的自主备案公示制度。建立涉企信息自主变更系统，简化变更登记手续，允许自主申报的企业名称、住所（经营场所）、不涉及股权变更的注册资本、规范表述的经营范围等基本信息发生变动的，实行网上申请办理业务，凭公司名称（统一信用代码）及密码或手机认证码即可登录自主变更系统，完成自主变更备案，并通过公示系统对外公示。

17. 完善市场主体退出机制

实行简易注销的，对未开业或已开业但无债券债务纠纷的市场主体，无须提交各种清欠证明，可直接在企业信用信息公示平台上公示注销。对于因材料填写不规范造成第一次简易注销申请无法通过的，给予第二次申请机会。简化普通注销程序。实行普通注销的，取消报纸公告程序，可通过企业信用信息公示平台进行公告。对长期不从事经营活动的企业强制清除。对连续三年未通过企业信用信息公示系统（海南）报送年度报告并向社会公示，且在此期间没有税务纳税、社保缴费、银行资金往来等记录的企业，企业登记机关可以强制清除。一经强制清除，企业法人终止。

18. 实行身份自动比对验证制度

采用新技术，对申请人进行身份信息采集和验证；加强登记系统与公安、出入境、国家法人库、电子营业执照库等系统的对接应用；实行人脸识别自助发照。

19. 大幅压缩企业开办时间

争取2018年底实现全岛各市县企业开办时间压缩至8.5个工作日。在此基础上，进一步压缩企业开办时间，争取在全省范围内实现5个工作日以内。对于按照自主申报要求和规范，提交材料齐全、符合规则要求、使用规范表述、采用格式文本的市场主体登记申请，登记机关在收到正式申请材料后，于0.5个工作日内反馈审核结果，并即时发放电子营业执照至企业法定代表人手机，完成登记注册流程。推动商事登记与银行开户衔接，缩短银行开户时间至5个工作日。

20. 大幅减少申请材料

在市场主体登记注册环境下不再要求申请人提交法定代表人证明、住所证明、营业执照复印件、身份证复印件等证明材料；实行

"一表登记、自主负责",进一步减少网上业务平台提交材料数量;出台《海南省自主申报登记服务指南》。编制涉及市场主体自主申报登记、变更、注销等业务的相关材料、事项及规范指引。

21. 实行登记业务"全岛通办"

实行登记业务"全岛通办""一网通办""一次不用跑"。充分利用信息化手段办理市场主体登记注册业务,对不需要注册官审核的,由信息系统自动记载公示;对需要注册官审核的,由电子业务系统随机选派全岛注册官进行在线审查,统一受理市场主体登记注册业务,推动社会公众和市场主体使用互联网业务平台办理所有注册登记业务。

22. 探索实行"琼港通—注册易"港资企业服务新机制

香港投资者可向内地银行在香港的分支机构或香港商业银行提出委托代办海南的企业注册、商务备案、企业开户等一体化政务服务和金融服务。代办银行按照商事登记机关要求收取相应材料并传递至海南分行,由海南分行提交至商事登记机关审核。审核通过后,银行通知投资者在约定时间前往海南分行领取营业执照等资料,并完成企业开户,免除香港投资者多次往返琼港的负担,进一步便利港资企业来琼投资。

五 构建以法人承诺制为重点的市场监管体制

23. 推行法人承诺制,形成以企业信用为基础的事后监管

对必须保留审批的事项,由监管部门向申请企业提供责任承诺书和审批要件清单,企业法人签署对材料真实性负责和对虚假材料承担责任的法人承诺书后,审批部门可当场或当天发放批件和许可证。事后,监管部门在规定时间内组织现场核查,如发现企业造假,再对其进行严厉惩处。

24. 尽快形成服务业市场监管标准体系

争取到2018年,在所有服务业领域形成规范化的监管标准体

系；到2020年，形成服务业完善的监管标准，在服务业监管标准与国际接轨上取得重大突破。按照服务贸易创新发展的要求研究海南负面清单的总体框架和实施细则，探索构建"准入前国民待遇+极简负面清单+准入后国民待遇"的外商投资管理模式，打造以服务贸易为重点的对外开放新高地；重点加快健康、教育、文化、电信等生活性服务业领域和互联网金融、电子商务、研发、设计等生产性服务业领域监管标准建设。

25. 加快形成消费市场大监管的体制框架

建立省级层面权威的第三方消费品溯源平台，形成统一标准，实现全程溯源，保证溯源数据信息的真实性和完整性，并在此基础上建立问题商品的追溯与召回制度；严刑峻法打击消费市场假冒伪劣行为，加大对假冒伪劣行为的处罚力度，大幅提高制假售假的违法成本；创新监管方式，加强部门间相互协调，按专业化、标准化要求，尽快形成统一的消费市场大监管体制，为建设国际旅游消费中心提供严格的监管保障。

26. 探索商标权保护快速维权机制

以加强商标知识产权严保护、大保护、快保护、同保护为着力点，加快构建商标知识产权保护新格局，突出解决侵犯商标知识产权举证难、成本高、周期长、处罚轻、赔偿低等问题，探索建立快速受理、快速确权、快速打击、快速赔偿的简单、便捷、高效的维权渠道和维权模式，设立商标知识产权行政保护"一站式"快速维权中心。

27. 推进跨部门"双随机、一公开"监管

建立健全跨部门联合抽查机制。编制跨部门联合抽查事项清单，建立联合随机抽查对象库和联合执法检查人员名录库，落实"一单两库"动态管理制度。实现"进一次门、查多项事"，切实减少对企业正常生产经营活动的过多干预。

28. 依法梳理和公布各级政府监管权责清单

与各级政府出台权责清单相适应，按照职权法定、高效便民、权责一致的要求，突出监管权责清单公开透明。公布各级政府监管权责清单，使每项监管事项都能够落实到具体的监管部门。公布监管部门权责清单，以公开化、透明化促进监管机构依法监管、规范监管程序。对于无法律依据的监管部门一律取消，防止因过度监管增加企业负担和抑制市场活力。

29. 依托大数据实现靶向性市场监管

建设以大数据理念为支撑的海南省市场监管综合业务平台，加大数据采集、开放、分析应用，及时掌握市场主体经营活动的规律和特征。将大数据广泛应用于市场监管，推动传统依靠监管队伍检查发现违法行为的管理模式向精准打击的信息化监管模式转变；建立风险评估指标体系，强化数据运用，针对不同风险类别的市场主体，采取差异化应对措施公正、审慎监管；通过线上线下一体化监管，发现违法违规线索，提高风险预判能力，实现靶向性市场监管，提高市场监管的精确度和适配性，实现"事前锁定对象、事中下达指令、事后反馈统计"。

30. 健全信用约束和失信联合惩戒机制

在监管部门数据信息共享的基础上，建立监管部门联合打击失信企业行为的机制，鼓励工商、质监、食药监、税务、环保、公安、司法等部门合作联合打击企业失信行为。以全国统一社会信用代码为基础，探索建立市场主体失信行为与法定代表人、相关负责人及高级管理人员个人信用信息挂钩的机制，将信用信息作为惩戒失信市场主体的重要依据。将全国其他省区市的企业经营异常名录、严重违法失信企业的信息以及有关高管人员的信息共享到海南出入岛人员管理信息系统，对其实施出入岛管控，倒逼市场主体主动诚信经营。

31. 维护公平竞争市场环境

全面实施公平竞争审查，按照国务院有关规定，清理先行妨碍公平竞争的规定和做法，依法制止和纠正各类滥用行政权力排除限制竞争行为，严厉打击不正当竞争行为。结合海南建设自由贸易试验区和自由贸易港的实际需要，在对外开放、旅游、民生等领域加强公平竞争审查。通过开展打击风暴等专项行动，严厉打击假冒伪劣产品及相关违法行为，打造"海南无假货"品牌，营造安全放心的消费环境。

32. 充分发挥行业协会、商会的自律作用

与政府简政放权的改革相配套，摸清"红顶中介"的家底，加快推动现有商会、行业协会的"政会分开"、去行政化。支持各个行业的民营企业在自愿的基础上联合建立各类商会、行业协会，以承接政府更大程度下放的行业管理职能，使其在行业自律、社会监督上有职有权。推行"一业多会"，形成有效的竞争机制，及时淘汰缺乏行业自律的商会、行业协会。尽快修改相关法律，对行业组织的专业性、独立性、治理框架做出规范，通过建立完善的法人治理结构，形成自己的社会责任担当。

33. 调动包括社会公众、媒体等多方面的力量加强市场监管

建立健全企业信用信息公示制度，及时发布信息，接受社会公共监督。健全舆论监督机制，允许媒体通过新闻报道、调查、评论等多种方式，对市场主体违法行为进行监督。运用和规范互联网监督，支持公众利用微信、即时通信工具等新媒体对市场主体进行监督。

六　保障措施

34. 强化组织领导

在海南省委、省政府的领导下，各政府相关部门要主动参与、积极配合，形成改革合力，完善从市场主体自主申报登记到事中事

后综合监管的制度链条。

35. 加快立法进程

推动出台《海南经济特区商事登记条例》《海南经济特区惩处生产销售假冒伪劣商品行为条例》，修订《海南省实施〈中华人民共和国消费者权益保护法〉办法》《海南经济特区反不正当竞争条例》。

36. 完善信息支撑

建设自由贸易试验区统一的市场主体自主申报登记信息化系统，实现全岛市场主体"一次不用跑""一个平台办理登记""一天拿到营业执照"，在全国范围"一照走天下"。建设全省统一的市场监管综合平台，围绕深化"放管服"改革，以实现智慧监管、协同监管、信用监管目标，建设以大数据、信息化为支撑，覆盖市场监管所有对象、所有事务和监管业务全流程的市场监管综合平台。

全面实行企业法人承诺制的建议(24条)[*]

（2020 年 12 月）

一 以降低企业成本为目标全面实行企业法人承诺制

1. 全面实行企业法人承诺制基本内涵

全面实行企业法人承诺制是指，在企业（含个体工商户）设立、经营、投资、注销全生命周期中涉及行政机关规定的审批条件、审批材料等各类审批事项，由企业通过签署法人承诺书的形式承诺其符合许可条件与要求，并提交关键性证明材料，审批机关核实法人承诺书真实有效后可当场发放营业执照和许可证；对需要进行现场核查的，职能部门在规定时间内组织现场核查，如发现与承诺不符的，行政审批机关依法撤销行政审批决定，企业按承诺书承担相应的法律责任。

二 把全面实行企业法人承诺制作为疫情后海南降低企业办事成本的特别之举

2. 以全面实行企业法人承诺制实现政府行政效能的实质性改善

在加快推进海南自贸港建设背景下，在内外营商环境竞争压力不断增大的情况下，建议把全面实行企业法人承诺制作为提升政府

---

[*] 节选自中改院课题组《全面实行企业法人承诺制方案建议》，2020 年 12 月。

行政效能的重大举措，着力破除实体经济尤其是服务业企业发展面临的体制机制性障碍，大幅降低企业制度性交易成本，着力构建国际化、法治化、便利化的营商环境，进而倒逼相关体制机制变革。

3. 以全面实行企业法人承诺制最大限度激发市场主体活力，迅速积累一批市场主体

以全面实行企业法人承诺制为突破口深入推进商事制度改革，在严守法律法规和有效市场监管的前提下，赋予企业自由生、自由死、自主经营的基本权利，依托自贸港建设预期，在短时间内迅速集聚一批具有较强竞争力的市场主体，推动海南加快形成旅游业、现代服务业与高新技术产业为主导的产业体系。

4. 以全面实行企业法人承诺制最大限度降低边境内壁垒，推动海南对标国际最高开放标准

规则等制度型开放的本质是从以往"边境开放"向"境内开放"拓展、延伸和深化。从现实情况看，目前海南边境内制度性成本依然较高，单纯以放开市场准入为重点的开放举措难以发挥有效作用。因此，全面实行内外资一致的企业法人承诺制，既是落实竞争中性基本原则的具体体现，也能有效降低外商投资的制度性交易成本，从而明显提升海口制度性开放水平。

5. 以全面实行企业法人承诺制形成海南制度集成创新新亮点

截至2021年4月，海南累计发布12批共计116项制度创新成果。但总的看，流程优化的创新多、基础性制度变革少；碎片化创新多、系统性集成创新少，由此导致企业获得感不强。从实际情况看，全面实行企业法人承诺制，不只是市场主体登记方式的改变，还涵盖了投资和贸易便利化、事中事后监管、服务业开放创新、政府职能转变、行政权力结构优化等诸多领域，是高水平开放与制度创新的结合点，可以起到"牵一发而动全身"的特殊作用。

三　对标国际一流标准开展企业法人承诺制方案设计

6. 突出世界一流营商环境标准

（1）学习借鉴国内发达地区的成功经验。在降低企业开设费用、提升政府审批效率、推动政府审批与监管流程再造等方面尽快复制推广；在发达地区采用的告知承诺制、"最多跑一次"等"放管服"改革举措基础上，进一步拓展创新。

（2）对标国际自贸港一般规则。按照"透明、非歧视、可预见、非违法不干预"的原则，最大限度取消前置审批与对企业日常管理及经营活动的约束限制，投资、经营、决策和发展等各方面，将政府职能限定在尽可能小的范围内，给市场主体以充分的自由。在法律范围内和有效监管下，保障市场主体的"四个自主"：自主注册、自主经营、自主变更、自主注销。

（3）对标国际最新经贸规则。适应国际经贸规则由"边境上"向"边境内"深化的大趋势，推进行业准入的高度开放，除涉及公共安全与国家安全的少数行业以外，通过取消审批、审批改备案、实行承诺审批制等多种方式最大限度降低边境内壁垒；全面引入CPTPP等营商环境标准，在电信、环保、劳工、政府采购、透明度等敏感领域探索实行企业法人承诺制。

7. 突出"全面"的基本特征

（1）"全过程"。除商事登记外，还包括企业经营、质量技术、商务贸易、税收财务、融资信贷、年检年审、注销等企业生命全周期。

（2）"全领域"。制定企业法人承诺制"负面清单"，除直接涉及公共安全、生态环境保护以及直接关系人身健康、生命财产安全的事项外，取消审批与备案事项，一律实行企业法人承诺制，吸引全球商品、要素、信息、资源在海口集聚、高效配置。

（3）"全对象"。全面实现外商投资准入负面清单外内外资一视同仁、同等待遇；通过推进负面清单外无审批等制度，最大限度降低外商投资的制度性交易成本。率先在海口推动竞争中性的落地，以竞争政策全面取代产业政策，实现各类所有制企业公平竞争。

8. 突出事中事后监管

将监管资源更多配置在市场主体设立后的经营、管理、投资等行为的动态监测与风险识别，弱化事前行政审批，强化企业投资经营事后监管，实现"双随机、一公开"监管全覆盖。突出对公平竞争的市场监管，保证市场公平竞争；突出信用监管与行业自律，避免出现资源错配的情形，通过信用监管约束市场主体的市场行为；突出标准化监管，在事中事后监管领域，力图与国际最高标准接轨；强调信用监管，对标国际先进经验，不断完善社会信用标准体系建设，不断提升信用标准国际化水平，逐步建立与国际衔接的信用标准规范体系；注重风险防控，更加侧重社会自治力量参与；突出监管方式变革，适应促进产业开放和贸易投资自由化的现实需求，形成与自由贸易港相适应的专业、高效、现代的监管方式，实现"放得开、管得好"。

9. 突出"大胆试、大胆闯、自主改"

在突出中国特色的基本前提下，大胆借鉴香港、新加坡等知名自贸港自由企业制度，率先实施国际最新投资贸易协定的相关条款，并实行比"证照分离"改革试点更大的自主权限，包括企业许可审批权限、负面清单调整权限、暂停适用相关法律政策权限、市场监管职能调整权限、特殊的司法权限等，由此为自主改创造重要前提条件。

四 以全面实行企业法人承诺制最大限度提高企业自主权

10. 建立承诺制商事自主登记系统

大幅缩减市场主体登记前置许可事项；对必须保留的前置许可实行企业法人承诺制；全面实现商事登记全程网办与"一次不用

跑"；全面推行商事登记"证照联办"。

11. 建立承诺制准入即准营系统

涉企经营许可法人承诺制，是指企业登记后经营活动涉及法律法规、政策文件等要求的许可审批的领域，由申请人提出行政许可申请，签署标准化承诺书，并提交关键性材料，行政审批部门对申请人提交的材料进行形式审查后做出经营许可决定。

12. 建立承诺制企业自主投资系统

投资项目企业法人承诺制，是指政府部门制定项目准入负面清单和企业承诺事项清单，明确相关事项应当遵照执行的条件标准、技术规范及相应的监管验收要求，对符合条件的投资项目，企业按照政府制定的标准做出书面承诺后，即可立即开展项目设计、施工等工作，政府部门最大限度精简审批环节，并加强事中事后全过程监管。

13. 建立承诺制企业自主税务系统

实行企业税务审批承诺制，实现"无税不申报"及多税种综合申报"一张表"；对税务核定、核准、审批事项实行企业法人承诺制；税务注销实行企业法人承诺制；强化企业税收风险管理预警；建立承诺制企业自主退出系统。探索实行更加便利的企业承诺制简易破产制度，实现企业"自由死"。

14. 建立承诺制产品与服务质量控制系统

产品与服务质量企业法人承诺制是指产品与服务生产企业对其所执行的标准类型（如国家标准、行业标准、地方标准、企业标准）、质量评价进行公开承诺，在承诺内容符合国家最低标准的前提下，市场监管部门或专业职能部门只对其承诺事项进行监管。全面实施企业产品与服务标准承诺制；全面实施企业产品与服务质量承诺制；实施"海南省企业产品与服务质量认可白名单计划"。

15. 建立企业健康发展信息公示预警系统

建立"企业法人承诺制"申请人诚信档案；建立企业健康状况

评级系统；建立统一的企业风险智能预警平台；建立企业信息公示平台。

五 建立专业、高效、智能的监管体系

16. 制定与国际接轨的行业管理标准体系

例如，争取支持，引进欧美日医疗药品管理标准，在海南率先实现对已在日本、美国和欧盟通过标准评估的药品与医疗器械，可自动获得认证。鼓励行业协会商会参与制定与国际接轨的行业标准。通过政府采购、直接认定、委托制定等多种方式鼓励商会和行业协会积极参与行业标准、规划制定。

17. 建立跨部门联合审查、监管、执法机制

推进跨部门涉企信息数据整合。全面推进省级涉企信息整合工程，在统一接口及企业信用信息基础上，打造全省统一的涉企信息平台，激活各职能部门沉淀的各类企业信息，实现统一平台、统一标准、统一管理，由此为全面实行企业法人承诺制奠定基础；建立跨部门并联审查、审批机制；建立跨部门"双随机、一公开"监管联系机制；建立综合领域与专业领域协调监管机制。建议在省级政府层面建立统一权威的市场监管协调机构，统筹监管资源，提升市场监管，尤其是特殊服务业领域监管的有效性。

18. 依托大数据实现靶向性、协同化市场监管

建立海南省企业法人承诺制协同监管信息平台；强化跨部门企业信息共享、互认；建立承诺履行红黑名单及联合奖惩制度。

19. 以培育发展行业组织为重点提升行业自律水平

根据行业发展要求，制定符合本行业特点的自律规约，主动规范会员企业生产和经营行为，引导本行业的经营者依法竞争，自觉维护市场竞争秩序。推动行业协会商会建立的约束和惩戒机制与政府、市场、社会形成的约束和惩戒机制相衔接，形成联动效应。全面清理行业组织管理相关规定，下放行业管理权限。政府部门委托

行业协会承担事务，主要采取"购买服务"的方式。积极协调会员企业之间、会员企业与其他经济组织之间关系，把行业协会的组织优势、专业优势和人民调解的成本低、速度快、程序活的优势结合在一起，形成"行内人管行内事、商人纠纷商人解"新治理格局。

20. 以建立"吹哨人"制度为重点强化社会监督

率先在食品药品安全、环境污染、教育、偷税漏税、非法集资等公共安全领域建立企业"吹哨人"制度，鼓励企业员工向食品药品（市场）监管、生态环保、税务、金融等主管部门举报企业违法违规行为以及未按法人承诺书履行的行为，加强对企业"吹哨人"的保护，切实防止任何形式的歧视性或报复行为。开展"吹哨人"先行、创制性地方立法，明确和细化对"吹哨人"的奖励、保护规定，为各部门、各行业的"吹哨人"设定最低标准和法定程序，强化对"吹哨人"的司法保护与救济。推动海口企业"吹哨人"管理相关立法进程，为实行"吹哨人"制度提供法律保障。

21. 建立法人承诺制事项办理容错纠错机制

对推进"企业法人承诺制"改革过程中出现失误，但责任部门、责任人行为符合国家、省、市改革方向，未违反法律、法规禁止性、义务性规定，决策程序符合法律、法规规定；勤勉尽责、未牟取私利；主动挽回损失、消除不良影响或者有效阻止危害结果发生的，对有关单位和个人不做负面评价，免除相关责任。

六 从有限承诺逐步拓展为全面承诺

22. 2021年，在11个重点园区率先全面开展企业法人承诺制试点

23. 2022年起，对部分领域的内外资企业涉及的行政审批事项实行企业法人承诺制

24. 2025年，对内外资实行从登记到退出的全生命周期法人承诺制，营商环境达到国内一流

实行政府政策承诺诚信制度的建议(28条)[*]

(2020年12月)

2020年是海南自由贸易港建设开局之年,尤其是在疫情后国内外对海南自由贸易港建设高度关注的背景下,如何推动《海南自由贸易港建设总体方案》相关政策落实,成为海南自由贸易港建设的首要关键。全面实行政府政策承诺诚信制度,以此强化对政府政策执行的约束,提高政府效能,降低企业办事成本;提升政策的稳定性与连续性,增强内外投资者预期;进一步提升政府公信力,引领其他领域信用建设,推动诚信社会建设,打造国际一流营商环境。

政府政策承诺诚信制度是指,以推动政策落实为主要目标,以自由贸易港经济政策承诺诚信为重点,着眼于政策落实"最后一公里",通过政策承诺公开公示、政策承诺兑现标准化、全流程管理、政策落实质量考核与社会监督等制度建设,形成包含组织定诺、公开承诺、专员践诺、监督评诺四个环节在内的政府政策承诺诚信全流程。其中,"政府政策承诺"不仅包括以政府规章、意见、方案、规划等多种形式出台的政策文件,也包括政府与企业、投资者签署

---

* 节选自中改院课题组《政府政策承诺诚信制度创新》,2020年12月。

的各类合同文本。

一 以政策落实为目标建立政府政策承诺诚信制度

1. 以推动政策落实为主要目标

在进一步明确行政主体责任、细化政策落实任务清单的同时，同步形成关于政策实施流程与方式、部门间协调机制与方法、办理程序与时限等相关承诺，由此形成对政府政策落实的硬约束，强化各方对海口推进自由贸易港建设的信心与预期。改变以往政策落实中"企业找政府"的惯性做法，在减少政策执行层级的基础上，建立以"政府为企业服务"为导向的政策执行机制，有效增强企业政策获得感。对政策执行效果承诺、服务质量承诺、落实期限承诺和保障承诺的履行情况进行公开公示并评估；通过履行政府对企业、社会的承诺，提升政府公信力。

2. 以自由贸易港经济政策承诺诚信为重点

突出开放政策的承诺诚信、突出公平竞争政策的承诺诚信、突出惠企政策的承诺诚信。

3. 以问题为导向着眼于政策落实"最后一公里"

着力解决企业对于政策"找不到、看不懂、难操作"的突出问题；着力解决经济政策名目过杂、程序过繁、兑现过慢等突出问题；着力解决政策选择性执行、拖延执行、随意执行等突出问题；着力解决"新官不理旧账"、政策"朝令夕改"等突出问题。

4. 把政策承诺落实质量作为政绩考核的主要指标

建立政府政策承诺诚信考核机制，将政策承诺落实质量作为部门绩效考核的主要指标，对政府相关部门政策承诺兑现效率、兑现质量、落实效果等进行考核；将考核结果与职务晋升、薪酬调整、评优评先等直接挂钩，强化考核结果的激励作用。

二 把建立政府政策承诺诚信制度作为加快推进自由贸易港经济政策落实的特别之举

5. 以建立政府政策承诺诚信制度形成自由贸易港政策落实的硬约束

配合《海南自由贸易港建设总体方案》的出台,健全权力运行制约和监督体系,确保政策执行与监督既相互制约又相互协调;明确政策执行主体责任,对政策执行效果、执行流程等进行公开公示,开展全流程管理,确保自由贸易港政策落实到位。

6. 以建立政府政策承诺诚信制度提升政府政策落实效率

通过公开承诺、诚信评价、政策承诺兑现考核、承诺诚信反馈等机制,优化政府办事流程,采取网上服务、并联服务等措施,提升政策落实效率;强化公务员诚信管理,建立公务员政策执行效果公开承诺与信用公示制度,建立一支守法守信、高效廉洁的公务员队伍。

7. 以建立政府政策承诺诚信制度打造稳定、可预期的政策环境

例如,通过实行政府政策承诺诚信制度强化政策出台前的合法合规审查,拓宽公众参与政府决策的渠道,避免"一刀切""半夜新政"等做法;以政府政策承诺诚信制度建设形成政府守信践诺的制度保障,为各类市场主体营造稳定、可预期的政策环境。

8. 以建立政府政策承诺诚信制度形成海南政务诚信建设的新亮点

建立政府政策承诺诚信制度,则是通过政府主动公开承诺并强化政策承诺兑现的刚性约束,以政策全民落实实现政府对市场主体利益的保障。这将探索出一条与香港、新加坡等自由贸易港实践差异化的新路子。

三 以建立政府政策承诺诚信制度大幅降低企业制度性交易成本

9. 政策落实流程再造：由"企业找政府"向"政府找企业"转变

建立以政府上门送政策为导向的政策宣传机制，建立以政府主动承诺兑现为核心的政策执行机制，建立以政府主动领办帮办为重点的政策服务机制。

10. 明显降低企业办事成本："一次不用跑"为常态，最多跑一次为底线

以"一次办成"为底线要求，实现"一次不用跑"事务全覆盖。完善电子政务服务平台相关功能，实现涉企行政事务功能全覆盖与一键式办理；通过组建跨部门联合工作小组等方式，推进政务服务跨部门信息共享，建立跨部门政策服务协作机制；全面取消纸质单据或材料，实现涉企政务全覆盖；加快完善线上办理"好差评"制度，倒逼办事人员提高服务能力与效率。

11. 明显提升企业获得感：由"最后一公里"向"零公里"转变

建立全省统一的经济政策发布平台，通过统一发布、精准匹配、自动推送、线上线下培训、宏观解读与微观诊断咨询等多种方式，着力解决企业"找不到、看不懂、不会用"政策的突出问题，降低企业政策信息获取成本，实现政策执行标准化、便利化。在进一步简化办事环节的基础上，编制详尽的办事指南，明确政策实施流程与办理方式、部门间协调机制、办理环节数量与时限，解决政策执行不规范、不透明等问题；避免配套方案与实施细则有政策无措施、有原则无详规，明确适用"一事一议"原则的情形，解决政策执行标准过严、执行随意和自由裁量过大等问题；建立直通式政策落实监测反馈机制。

12. 形成承诺制管理新模式：政府政策承诺＋企业法人承诺

实现政府政策承诺与企业法人承诺相结合。例如，对于政策适用的企业资格条件，采取企业法人承诺制免于提交相关证明材料，在最大限度降低企业办事成本的基础上，实现政策落实；实现政府诚信与企业诚信一体化管理；形成以信用为核心的新型市场监管机制，并在守信践诺评价管理中实现分类监管和精准监管。

四 以打通政策落实"最后一公里"为导向开展政府政策承诺诚信制度设计

13. 建立跨部门经济政策信息"一站式"服务平台

在现有信息公开平台基础上，按照"全省政策信息一张网"的要求，打造全省统一的政策信息发布平台，改变政策信息因发布主体多、信息分散而导致的"获取难"问题，破除政策信息孤岛与部门壁垒。

建立经济政策数据库，按照自由贸易港建设要求系统清理现有经济政策；按照"一个产业一个经济政策清单"的要求对清理后的政策进行梳理整合；按照"一件事一个指南"的要求建立与政策清单相配套的政策服务数据库。建立企业法人库，为精准匹配涉企政策奠定基础。

建立经济政策精准推送机制，包括建立经济政策数据库与企业法人数据库匹配机制、经济政策信息精准推送机制、经济政策信息动态推送机制。

14. 建立政策发布同步承诺制度

同步发布政府政策承诺书，通过海南省经济政策发布平台公开发布，并与经济政策打包向企业推送。明确政府政策承诺书内容。政府政策承诺书应当包含政策实施目标及具体事项名称、申请材料、办事流程、办理时限等内容。

15. 建立公开透明的承诺内容调整机制

明确承诺调整标准；建立由政府部门代表、知名专家、企业代表、行政执行人等组成的政府政策承诺调整评估委员会。对需要降低承诺标准或减少承诺内容的，由政府或牵头行政部门提出承诺调整申请，由委员会系统评估、论证后对具体承诺进行相应调整；明确承诺调整程序；实现承诺调整全过程公开。最大限度降低承诺调整对政府公信力带来的负面影响。

16. 建设政策承诺兑现大厅

以提高政策适用性、政策兑现便捷性、兑现服务主动性为目标，以惠企政策兑现、招商引资政策承诺兑现、涉企公共服务、涉企专业服务、企业诉求处理等为重点，建立集政策承诺兑现咨询、兑现服务办理、兑现进程及结果公示、兑现问题反馈等于一体的政策承诺兑现大厅，进一步提高政策落地及兑现效率，增强企业获得感；借鉴"注册官"制度，实行政策承诺兑现官制度。建立部门联动机制，实行跨部门集中办公、部门联办；推进政策承诺兑现标准化建设；处理好政策承诺兑现大厅与政务服务大厅的关系。

17. 探索实行"承诺即享"制

对享受相关经济政策涉及的许可审批、审核认定等事项，由企业提出政策适用申请，签署标准化资格符合承诺书，即可享受该政策的相关条款。

18. 建立政策承诺兑现全流程管理机制

建立政府政策承诺兑现全流程管理机制，形成政策承诺兑现申请受理、分派、预警、办结、公示的服务闭环，确保"事事有反馈、件件有落实"。

19. 建立政府政策承诺兑现质量社会监督机制

在整合优化各部门投诉举报平台功能的基础上，进一步完善"12315"投诉平台，构建统一高效的政府政策承诺兑现服务投诉举报热线平台。定期开展政府政策践诺第三方评估，并通过政府政策承诺信用公示平台及时公布社会评价结果，加强社会监督。

五 以完善承诺兑现考核制度为重点形成政策承诺诚信保障体系

20. 加强对政府与公务员信用管理

将公务员廉政记录、年度考核结果、获得荣誉称号、违纪违法违约行为、失信记录等相关信息，依法依规纳入公务员诚信档案；完善政府与公务员信用权益保护和信用修复制度；加快推进政府政策承诺信用信息公开。

21. 建立政府政策承诺诚信考核制度

成立政府政策承诺诚信考核委员会。主要负责客观开展全省行政机构与法定机构政策承诺落实绩效评估、政策承诺兑现服务评价、提升意见反馈等。同时，赋予其人事管理自主权，保证政府政策承诺诚信考核委员会的客观、专业、高效；建立政府政策承诺诚信考核机制。对相关部门全年政策承诺兑现效率、兑现质量、落实效果等进行考核。对于年度考核优秀的部门，给予部门绩效奖励；建立与政府政策承诺诚信相适应的公务员考核制度；强化对重点政策和领域的承诺诚信考核。

22. 依法依规建立政府政策承诺守信激励与失信惩戒机制

制定《海南省政府政策承诺守信激励与失信惩戒办法》，就失信类型与情形、奖惩主体、奖惩对象、奖惩程序、奖惩标准、奖惩方式等内容做出详细规定，形成守信激励与失信惩戒的依据；建立承诺守信激励机制。例如，借鉴新加坡成功经验，建立公务员承诺守信公积金制度。制定政府失信与公务员失信行为清单，明确区分政府部门和相关工作人员的责任。例如，将越权承诺、错位承诺、"新官不理旧账"等无明确责任人的失信行为列入政府失信清单；借鉴企业诚信黑名单制度，建立政府与公务员黑名单制度；对政府失信行为，将失信政府或部门列入黑名单，并加强对政府部门主要负责人的市场性约束和惩戒。

23. 建立政府政策承诺失信赔偿制度

参照《国家赔偿法》制定《海南省政府政策承诺失信赔偿办法》，进一步明确并细化政府政策承诺失信的赔偿情形、赔偿主体、赔偿标准、赔偿程序，并强化赔偿决定的执行力；依照"权责对等、损害即赔偿"的原则建立政府政策承诺失信赔偿制度；探索建立政府政策承诺信用保险，防范因政府失信造成的经营风险，也减少政府因国家利益、公共利益或其他法定事由等导致政策承诺失信带来的赔偿。

24. 完善因政府失信造成损失的企业和投资者保护机制

强化行政诉讼判决执行刚性约束。赋予法院查封和扣押行政机关财产的权力，对拒不执行法院生效裁判的行政机关负责人和直接责任人员可处以罚款或予以行政拘留。创新政府与企业纠纷解决机制。对于政府未能严格履行承诺的，且未造成重大影响的，经失信行为人或责任单位与受损企业或投资者一致同意的，可采取协商、调解等方式处理失信行为及带来的后果。双方协商不一致的，允许通过仲裁等方式处理政企纠纷，法院对仲裁裁决予以认可。

25. 建立政府政策承诺风险管控机制

建立经济政策信息发布审核机制，对不符合平台政策范围的，立即取消相关信息，并通知政策主管部门；对符合公开范围的经济政策，在正式发布前由政策主管部门对政策内容进行审核。建立政府政策承诺书审核机制。由政策主管部门与相关市场监管部门对政府政策承诺书具体条款进行审核，确保承诺条款公平、合理。建立政府政策承诺紧急撤销机制。对因国家利益、公共利益或其他法定事由等需要改变政府承诺和合同约定的，以及因政策不符合海南自由贸易港建设要求的，由政府主管部门提出撤销申请，并公开撤销理由及承诺撤销后续事项处理办法。

六 从部门试点逐步拓展到全面实行

26. 2021年上半年，率先在企业注册与人才吸引领域开展政府政策承诺诚信制度试点

27. 2022年起，对住建、规划、市场监管等部门实行政府政策承诺诚信制度

28. 2025年，全面实行政府政策承诺诚信制度，政务诚信水平达到国内一流

以企业需求为导向加快自由贸易港政策落地的建议(22条)[*]

(2021年6月)

一 以推动政策高效落地为重点实现"一线"放开的重要突破

1. 以率先"一线"有序放开尽快做大海南自由贸易港市场流量

做大市场流量不仅是岛屿经济体发展的现实需求,也是自由贸易港的基本要求。总体来看,海南自由贸易港建设的突出矛盾仍是市场流量少。2020年,海南实际利用外资额虽比上年增长100%,但仅占全国的2.1%,相当于广东的13%左右;货物贸易和服务贸易进出口额占全国的比重仅为0.29%、0.41%。市场流量少既是构建以旅游业、现代服务业、高新技术产业为主导的现代产业体系的突出掣肘,也难以形成对优质要素的集聚力与周边区域的辐射力。

2. 把明显提高政策落地效果作为"一线"放开的重中之重

2020年6月1日以来,各部门围绕《海南自由贸易港建设总体方案》相继实施出台120多项具体政策。从实际看,由于政策落地

---

[*] 中改院课题组:《以企业需求为导向加快自由贸易港政策落地(22条建议)》,2021年6月。

效果有限，影响了各方投资海南自由贸易港的信心与预期，并制约市场流量的提升。例如，截至 2021 年 5 月 20 日，仅有 631 家企业享受 15% 企业所得税优惠政策，占企业总量的比重仅为 0.05%；实际享受个人所得税优惠政策共 3978 人，仅占 2020 年全省引进 12.2 万人才规模的 3.26%；享受三张零关税清单的企业数量仅有 5 家。在此背景下，采取多种举措明显提升政策落地效果，尽快获得更大"早期收获"，成为全岛封关运作前的重大课题。

3. 以尽快拓展政策实施范围争取自由贸易港开篇布局的重要突破

一方面，仅在重点园区试行自由贸易港"早期安排"政策，难以满足全岛封关运作的现实需求。例如，目前在洋浦保税港区试行"一线"放开、"二线"管住的进出口管理制度，既难以适应全岛封关运作后既具有生产形态又具有生活形态的实际监管需求，也使得部分项目因土地紧张而难以落地。另一方面，部分政策设置的严格前置条件将大大降低自由贸易港政策效力。例如，企业和个人所得税优惠政策均限定了严格资格要求，使得适用政策的企业和个人基数相对较少。

4. 充分估计自由贸易港关键政策尽快落地见效的迫切性与战略性

从实际看，一方面在疫情严重冲击经济全球化、贸易保护主义更为盛行的背景下，海南自由贸易港吸引境外投资者存在很大的不确定性及困难。另一方面，RCEP 生效将对海南自由贸易港建设提供重要机遇的同时，也带来巨大挑战。特别是对于珠三角、长三角等具有较大市场主体规模、较高政策执行效率的地区，一旦 RCEP 生效或复制实施自由贸易港部分政策，海南自由贸易港政策优势将大大降低。为此，需要抓住未来几年的时间窗口期，聚焦自由贸易港关键核心政策落地见效，尽快取得吸引集聚企业与要素的先发优势,并在此过程中形成全岛封关运行的各项条件。

二 在政策高效落实中建立面向东盟的区域性市场

5. 在海南建立面向东盟的热带农产品保鲜、加工、储藏、出口基地

通过零关税和原产地政策进口东南亚国家的农产品在海南进行精深加工,使产品增值30%以上再免关税进入内地。利用海南自由贸易港低税率政策吸引国内外龙头企业建立一批集加工、包装、保鲜、物流、研发、示范、服务等相互融合和全产业链的农业产业化项目,在明显提升海南热带农业竞争优势的同时,形成对东南亚热带农业的影响力和辐射力。争取中国证监会支持,在海南建立以天然橡胶为重点的热带农产品交易所,为东盟国家提供交易、交割、定价、结算、风控等一站式服务。

6. 加快实现区域性旅游市场建设的重要突破

加快三亚国际邮轮母港建设,支持三亚邮轮母港建设主体通过在境外发行人民币债券方式筹集建设资金,为疫后构建国际邮轮旅游大网络创造条件。在疫情稳定的情况下,争取中央支持海南率先与马来西亚、菲律宾、新加坡、越南、泰国等国家的岛屿地区开展邮轮旅游合作,推动实现客源共享和互送、邮轮航线的联合营销、邮轮旅游危机管理合作、人员入境相互免签、旅游人才联合培养等,构建双边多边旅游合作网络。争取中央支持并协调与香港共建免税购物消费产业链,使海南成为面向国内及东盟的中高端免税购物消费中心。

7. 依托特殊的开放政策,建立面向东盟的各类交易市场

(1)建立海南国际文物艺术品交易中心。依托海南自由贸易港低税率政策,引入艺术品行业的展览、交易、拍卖等国际规则,加快建立中国海南国际文物艺术品交易中心,吸引国内外知名拍卖机构及投资者在交易中心开展业务;在通关便利、保税货物监管、仓储物流等方面给予政策支持。

（2）支持海南建立区域性知识产权交易市场。争取中央支持率先在海南对民事主体、商事主体适用《新加坡公约》等国际高标准知识产权保护规则，建立区域性知识产权交易所，吸引东盟国家的知识产权在海南开展定价、交易、融资等服务，并推动知识产权在海南或内地成果转化，以此吸引更多创新要素在海南集聚。

（3）研究在海南创建国际数据交易市场。依托中央赋予海南跨境数据安全有序流动的政策优势，研究建立面向东盟的数据交易所，开展数字版权确权、估价、交易、结算交付、安全保障、数据资产管理等服务。

（4）建立区域性碳交易市场。依托海南碳汇资源，研究建立海南国际碳汇交易所，在全国率先实现碳达峰、碳中和。加强与国际碳汇交易市场的合作，完善信息共享与沟通机制，助力区域内绿色发展。

（5）建立区域性航运交易市场。对标新加坡管理服务标准，在洋浦筹建集航运资讯、航运交易、航运金融等功能于一体的泛南海航运交易所；打造航运服务要素集聚平台，重点发展航运金融、航运信息服务、船舶交易、海事诉讼与仲裁等高附加值环节，构建高效的现代航运服务体系。

8. 创造条件筹建区域性金融市场

利用"支持符合条件的海南企业首发上市"政策，尽快出台行动方案，支持在海南设立证券经纪、投资银行、证券投资咨询等证券服务机构与融资性金融机构，建立面向"一带一路"的国际债券市场与资本市场。利用"探索开展跨境资产管理业务试点"政策，尽快开展个人跨境财富管理试点，允许欧美知名理财公司在海南以独资、合资、合作等形式开办私人银行等财富管理机构，建立面向国内市场与东盟市场的财富管理中心。

三 以出台实施细则为重点推动加工增值政策尽快落地

9. 尽快出台《海南自由贸易港加工增值政策实施细则》

目前，岛内外企业对加工增值政策高度关注。从实际情况看，尽快制定并实施海南自由贸易港加工增值政策的紧迫性明显上升。一方面，RCEP形成了区域内规则统一且灵活的原产地规则，其生效将会大大降低海南自由贸易港加工增值政策的吸引力。另一方面，在区域内产业链供应链加速重构的背景下，需要用好加工增值政策实现海南由价值链低端向中高端转移。这就需要在系统研究的基础上，尽快制定出台《海南自由贸易港加工增值政策实施细则》，实现此政策的尽早落地。

10. 关键是明确海南自由贸易港加工增值免关税的计算公式与认定标准

海南自由贸易港加工增值政策既要有效防范大量低端加工企业涌入，也要防范因规则漏洞而造成对内地市场的冲击。这就需要在《海南自由贸易港加工增值政策实施细则》中尽快形成较为细化的公式与标准。一是明确30%加工增值计算公式，尤其是明确间接/扣减公式与直接/累加公式中的具体指标；二是明确30%的加工增值是否适用区域内累积规则，若适用需进一步明确累积规则的区域范围；三是明确食糖、粮油等进口配额管理产品的适用问题；四是明确原材料运输、保鲜、过滤、筛选、挑选、分类及动物屠宰等微小加工和处理环节是否计入加工增值。

11. 借鉴RCEP原产地规则推进海南自由贸易港加工增值政策创新

一是借鉴RCEP原产地规则，除加工增值超过30%的标准外，适时引入税则归类改变标准与加工工序标准，允许某些加工增值达不到30%但在海南使用了高新技术或关键工艺的产品，以"零关税"进入内地。二是服务于服务型产业体系发展，争取支持研发设计等生产性服务环节纳入加工增值范畴，允许由海南设计并在东盟国家生产、加工的产品，经海南进入内地免征进口关税。三是将加工增值政策实施范围拓展至洋浦经济开发区及海口综合保税区、海口空港综合保税区等。四是将"标准制+承诺制"推广至加工增值领域，全面实施加工增值免关税资格的自主申明机制。

12. 找准定位争取加工增值政策的"早期收获"

按照有利于加强与东南亚国家交流合作、有利于形成自由贸易港现代产业体系、有利于尽快取得早期收获的标准，选取重点行业率先实施加工增值政策。一是服务建设全球热带农业中心的需要，对农产品的保鲜、简单加工、挑选、运输等纳入加工增值的计算范围，提升农业工业化水平。二是短期内积极引入蜂蜜、可可、高端食品、功能性食品及香水、化妆品、珠宝首饰、钟表类、橡胶轮胎等高关税、高增值空间且对物流成本较不敏感的加工产业链。三是借助博鳌乐城医疗旅游先行区特殊开放政策，以"区内注册、区外生产加工"等模式吸引集聚一批国内外优质药品、医疗器械制造企业。四是以产业链招商等方式弥补海南加工制造配套能力弱的突出矛盾。

13. 充分利用自由贸易港特殊税收政策放大加工增值政策实施效果

考虑到海南物流成本、人力成本及土地成本较内地中西部地区较高的现实情况，需要充分发挥海南自由贸易港特殊税收政策，形成自身突出优势。一是实现"零关税"政策与加工增值政策的叠加，促进鼓励类产业中有原料进口需求的产品生产加工企业集聚，这需要扩大企业自用生产设备与原辅料"零关税"产品覆盖范围，并逐步过渡到统一的"零关税"负面清单。二是实现优惠所得税政策与加工增值政策的叠加，这需要进一步扩大鼓励类产业目录范围，降低企业与个人所得税适用标准，并充分利用税收抵免、返还、加速折旧和摊销等多种方式进一步强化税收政策优势。三是实现特殊开放政策与加工增值政策的叠加。如利用进口食糖不纳入关税配额总量管理的特殊政策，开展食糖的精深加工。

14. 提前谋划实现与RCEP原产地规则的衔接、协调

RCEP生效后，海南自由贸易更将面临"在海南自由贸易港加工增值超过30%"与RCEP区域内价值增值超过40%的双重标准。需要从促进鼓励类产业中有原料进口需求的产品生产加工企业集聚的需求出发，既要形成与RCEP原产地规则涉及行业一定的差异化布局，以此保障自身优势，也要保障企业政策选择的灵活性，允许企业根据自身实际自主利用两种规则开展相关业务。同时，提前谋划，推动海口海关与内地海关间的有效衔接，形成两种规则下"零关税"货物进入内地的"分类管理"。

四 形成企业"走出去"的政策支持体系与服务体系

15. 尽快将《海南自由贸易港建设总体方案》鼓励企业"走出去"的政策具体化

建议尽快出台《新增境外直接投资取得所得免征企业所得税实施细则》，明确"所得"范围；适应建立面向东盟的热带农产品保鲜、加工、储藏、出口基地需要，将农业等纳入"新增境外直接投资取得的所得，免征企业所得税"政策适用范围，并延长政策实施期限；积极面向国内企业和全球总部企业推广，在海南设立面向东盟的区域性总部，将其在东盟国家开展商务活动的时间视为在海南居住时间，享受最高不超过15%的个人所得税政策；设立海南自由贸易港对外投资基金，对到东盟开展农业种植、资源加工等投资成本高、建设周期长、风险大的企业，给予一定的财政贴息或一次性财政资金支持。

16. 明显提升海南自由贸易港对"走出去"企业的金融支持能力

产能类企业"走出去"迫切需要围绕产能合作的研发设计、商务物流、金融保险等的协调发展，以提升产能合作有效性并降低

"走出去"企业风险。建议:一是用好"开展合格境内有限合伙人(QDLP)境外投资试点"的相关政策,进一步加强政策解读和推广,并加快探索适应市场需求新形态的跨境投资外汇管理制度。二是积极争取中央支持,在海南设立融资性金融机构,为"走出去"企业开展"信保+担保"融资,助力企业"走出去"参与区域产业链调整。三是主动对接亚投行、丝路基金、中国出口信用保险公司、国家开发银行、中国进出口银行等金融机构,拓宽企业"走出去"融资渠道。四是鼓励企业开展境外股权融资、债券融资等,降低融资成本。

17. 支持企业建立以农业、数字经济为重点的跨境或境外产业园区建设

引导国内互联网企业在海南同东南亚国家共同建立跨境或境外"数字自由贸易园区""数字经济合作园区""智能制造合作园区"等,积极开展数字技术、数字基础设施、数字服务等项下的自由贸易;支持岛内大型农业企业在老挝、柬埔寨、印度尼西亚等国家建立以农业为主体的境外产业园区,鼓励企业利用当地优质土地资源开展农业种植、农产品简单加工等相关业务,并逐步提高自身品牌影响力和原材料供应链的管理能力。同时,以服务外包等方式创新企业"走出去"方式。

18. 以专业、高效、便利为目标构建"走出去"企业的服务体系

一是支持在海南成立法定机构性质的区域性市场开发管理局,专门负责区域性市场建设与区域性总部企业的服务管理,并实行企业化管理、市场化运作、目标绩效考核。二是尽快建立信息服务平台,及时发布东盟国家投资需求、风险提示、政策支持、企业对接等信息。三是支持以社会组织为平台建立企业"走出去"服务联盟,吸引专业的担保机构、会计与律师事务所、投资咨询公司、资产评估公司等企业入驻,对走向东盟的企业提供一揽子专业服务。

四是强化"走出去"企业的规范管理，鼓励企业按照环境、社会和公司治理（ESG）行为准则"走出去"与东盟开展投资合作，并强化对"走出去"企业的监管。五是强化政府间协调，进一步实现劳务市场的双向开放，并协助"走出去"企业降低政治风险。

五 加快形成主动服务企业的大环境

19. 以优化奖惩机制为重点确立主动服务企业的政府理念

从实际调研看，目前地方政府重经济增长轻环境建设的现象仍然比较突出。建议：一是进一步淡化对地方政府的GDP考核，将评估标准更加注重改善综合的发展环境，把着力打造一流发展环境作为各级政府的工作主线。二是借鉴发达地区经验，以吸引企业落户并开展实质性运营的结果为导向，全面实施招商引资奖惩机制，激发各级政府主动对接企业、服务企业的积极性。三是加快数字技术在政府治理和政府服务领域的应用，围绕企业需求和产业发展特点开展服务创新。四是加快建立以企业实际感受为主的营商环境评价体系，提高优化海南自由贸易港营商环境举措的针对性。

20. 以行政管理体制改革为重点明显提升"用政策"的能力

随着中央支持海南自由贸易港的各项具体政策纷纷出台，如何用好政策成为海南各级政府的重大考验。建议：一是加快落实《海南自由贸易港建设总体方案》提出的"推行市场化的专业人员聘任制"，以金融、医疗、教育、商务、法律等专业化较强的领域率先实施，吸纳体制外优秀人才。二是进一步优化法定机构管理制度、法定机构行政化倾向，使法定机构真正实现市场化运作。三是树立"'一线'放开中形成'二线'管好条件"的理念和信心，进一步拓展开放政策实施范围，支持地方政府开展政策创新。

21. 以实行政府政策承诺诚信制度实现政策落实由"企业找政府"向"政府找企业"转变

着眼于政策落实"最后一公里"，通过政府对政策兑现的公开承诺及政策承诺兑现标准化、全流程管理、政策落实质量考核与社会监督等制度建设，形成政府政策落实的硬约束。同时，建立自由贸易港政策数据库，按照"一个产业一个经济政策清单"的要求梳理整合现有自由贸易政策，按照"一件事一个指南"的要求建立与政策清单相配套的政策服务数据库，并利用人工智能、大数据分析等技术，加强企业与政策信息的对比、挖掘、分析，实现"一对一"精准推送，切实着力解决企业对于政策"找不到、看不懂、难操作"的突出问题。

22. 以提升教育、医疗服务为重点形成留住企业、留住人才的大环境

高质量的医疗和教育服务，既是岛内企业与人才的现实需求，也是改善投资环境、提升企业与人才吸引力的重要一环。建议：一是推进教育领域更大开放，满足社会多元化、个性化教育需求，鼓励支持研发机构、教育组织及职业院校举办加工类及健康、旅游、文化创意等职业培训学校，更好地服务"加工增值政策"的实施。二是对标国际医疗与公共卫生的高精尖，把博鳌乐城国际医疗旅游先行区定位为"国际性医疗硅谷"，并尽快将部分政策向全岛推广。三是主动争取在海南建立中日医疗健康合作区，采用日本的医药使用标准，积极同日本医疗机构、医药企业等共同打造高端医疗加工制造产业链。